WACHT OP MIJ

Luanne Rice

Wacht op mij

the house of books

Eerste druk mei 2001
Tweede druk augustus 2001

Oorspronkelijke titel
Follow the stars home
Uitgave
Bantam Books, New York
Copyright © 2000 by Luanne Rice
Copyright voor het Nederlandse taalgebied © 2001 by The House of Books, Vianen

Vertaling
Karina Zegers de Beijl
Omslagontwerp
Julie Bergen
Omslagdia
Masterfile

ISBN 90 443 0235 3
D/2001/8899/92
NUGI 340

Voor
Andrea Cirillo,
mijn voortreffelijke en dierbare agent,
met liefde en dankbaarheid

Dankbetuiging

Mijn dank gaat uit naar Sam Whitney, een meisje dat ik ken sinds Thanksgiving waarop ze werd geboren. Sam is een onverschrokken schrijfster, bergbeklimster, ontdekkingsreizigster en verpleegster. Ze maakte een trektocht door de Himalaya, werkte voor Moeder Teresa in Calcutta, en heeft nu een fulltime baan als verpleegkundige terwijl ze haar vrije tijd besteedt aan een vervolgopleiding. Haar hulp bij mijn onderzoek naar het Syndroom van Rett was van onschatbare waarde. Sam is een spirituele vrouw met een hart van goud. Je kunt eindeloos met haar lachen en ik ben er trots op dat ik destijds haar oppas ben geweest. Ze is iemand die op zoek is naar de ware geest.

Bij Bantam werken fantastische mensen die me altijd weer tot steun zijn. Bij de publicatie van mijn boeken begeleiden ze me met hun vriendelijkheid, vertrouwen en inzicht. Ik verzoek Irwyn Applebaum, Nita Taublib, Christine Brooks, Barb Burg, Susan Corcoran, Gina Wachtel, Betsy Hulsebosch, Carolyn Willis, en iedereen die deel uitmaakt van het geweldige verkoopteam van elk kantoor, mijn dank, genegenheid en een boeket kruiden van Point O'Woods te aanvaarden.

Lucinda is geïnspireerd op mijn moeder en de bibliothecaresse uit mijn jeugd: mevrouw Virginia Smith van de New Britain Public Library. Met mijn grote waardering voor alle bibliothecaressen en bibliothecarissen over de hele wereld.

En mijn dank gaat ook uit naar jou, Juanita Albert. Zij inspireert me met familieverhalen, en verhalen van devotie en geloof. Ze was een ware vriendin in tijden van verdriet en vreugde.

Point O'Woods ligt in Connecticut. Het is een plek van zee, zand, hoge pijnbomen en moerassen van goudkleurig zand, die mij intens dierbaar is. Mijn ouders hebben elkaar daar leren kennen, en hun geest – en die van Mim – leeft voort in ons huis en in onze kruidentuin. Mijn moeder

heeft me aan onze oude, eikenhouten tafel liefdevol geholpen bij het leren schrijven, en aan die tafel schrijf ik nog steeds. Moge mijn gezin en
mijn buren beseffen hoeveel ik van hen hou.

Hoofdstuk 1

Het sneeuwde in New York. De kleine vlokjes vielen in een dicht gordijn en onttrokken de bovenste verdiepingen van de zwarte en zilverkleurige gebouwen van Midtown aan het zicht. Het sneeuwde zo hard dat de sneeuwploegen van de gemeente er niet tegenop konden. De stenen monumenten en de slapende fontein op de Plaza waren bedekt met een wit laagje. Het was donker geworden en achter de meeste ramen brandde licht. De vrouw en het jonge meisje snoven de koude avondlucht diep in hun longen.

'Hier in de stad ziet de sneeuw er veel sprookjesachtiger uit!' riep de twaalfjarige Amy verbaasd uit.

'Het is prachtig,' was Dianne het met haar eens.

'Maar waar kunnen de kinderen met hun sleetjes terecht?'

'In Central Park, vermoed ik. Dat is daar,' zei Dianne, en ze wees op de met een laagje wit bedekte bomen en de gele lichtjes die door de sneeuw heen waren te zien.

Amy keek haar ogen uit. Alles aan New York was even schitterend, en Dianne vond het heerlijk om de stad door haar ogen te kunnen zien. Ze waren nog maar net gearriveerd vanuit het stille moerasgebied van oostelijk Connecticut. Nadat ze hadden ingecheckt bij het Plaza Hotel, waren ze eerst naar Macy's gegaan om de kerstman te zien, en daarna waren ze in het Rockefeller Center gaan schaatsen. En voor deze avond hadden ze kaartjes voor het ballet *De Notenkraker* in een uitvoering van het New York City Ballet.

Ze stonden onder het afdak van het hotel en keken hun ogen uit: de kerstverlichting, portiers in livrei en gasten in galakleding. Langs de stoeprand stonden drie taxi's, en in het licht van hun koplampen was goed te zien hoe hard het sneeuwde. Er stonden zeker twintig mensen in de rij voor een taxi. Dianne aarzelde heel even, maar toen pakte ze Amy's hand en liep samen met haar de stoeptreden van de hotelingang af.

Ze was, zowel voor wat haarzelf als het kind betrof, ontzettend opgewonden, en voelde er niets voor het begin van de voorstelling te missen doordat ze langer dan verwacht op een taxi zou moeten wachten. Ze sloot zich aan bij de rij langs de stoeprand en bekeek de kaart terwijl ze zich afvroeg of het de moeite waard zou zijn om naar Lincoln Center te lopen.

'Dianne, komen we te laat?' vroeg Amy.

'Nee, hoor,' zei Dianne, terwijl ze een beslissing nam. 'We nemen een taxi.'

Amy lachte en genoot van de aanblik van haar vriendin die op de stoeprand stond en, als een echte New Yorkse, haar arm uitstak. Dianne droeg een jurk van zwart fluweel, een cape van zwarte kasjmier, een parelsnoer, en de oorbellen met saffieren en diamanten van de grootmoeder van haar man: dingen die ze thuis in Gull Point nooit droeg. Haar avondtasje was stokoud. Het was van zwart satijn, stijf geworden van vele jaren op de plank in de kast, en kwam oorspronkelijk uit een exclusief modezaakje in Essex, Connecticut.

'O, mag ik de taxi aanhouden?' vroeg Amy, dansend van plezier, terwijl ze haar arm uitstak, precies zoals Dianne dat deed. Haar beweging was onverwacht, en ze gleed uit in de sneeuw waarbij ze zich vastgreep aan Dianne's tasje. Het schouderriempje was erg lang: zelfs nu Dianne met opgeheven arm stond, hing het tasje nog iets onder haar heup. Dianne, die zelf bijna haar evenwicht verloor op de bevroren sneeuw, pakte Amy vast, hervond haar evenwicht en zorgde ervoor dat Amy niet viel.

Ze omhelsden elkaar en keken elkaar even glimlachend in de ogen. Hoewel Thanksgiving nog maar net voorbij was, was overal de kerstverlichting al aan. Met de lichtjes en de sneeuw leek New York wel een sprookjesstad. Een orkestje van het Leger des Heils speelde 'Stille Nacht'. Er reden door paarden voortgetrokken rijtuigjes met rinkelende belletjes door de straat.

'Ik ben nog nooit ergens geweest waar het zo mooi is,' zei Amy. Haar enorme groene ogen keken in die van Dianne met de verrukking van een kind van twaalf dat een schitterend avontuur beleeft.

'Ik ben zo blij dat je met me mee bent gegaan,' zei Dianne.

'Ik wou dat Julia bij ons was,' zei Amy.

Dianne, die overspoeld werd door genegenheid voor het meisje en het gemis van haar eigen dochter, zag de taxi niet.

De taxi slipte op het bevroren wegdek en raakte de bumper van een zwarte Mercedes limousine. Een sneeuwploeg en een zandwagen kwamen uit de tegenovergestelde richting, en de Yellow Cab botste op de schuif van de ploeg, waarbij de voorzijde een flinke deuk opliep en de voorruit uit de sponning knapte. Dianne dook boven op Amy.

Het gewelddadige ballet ontspon zich in slow motion. De taxi draaide een, twee rondjes om zijn eigen as. Dianne greep het kind beet. Haar lage zwarte laarsje gleed uit. Glasscherven vielen rinkelend op de stoep. Toeschouwers schreeuwden. Dianne had haar armen om Amy geslagen en probeerde weg te rennen. In de luttele seconden die ze nodig had om te beseffen wat er gebeurde, denkend dat ze niet snel genoeg weg zou kunnen komen, drukte ze het kind zo dicht mogelijk tegen zich aan en probeerde ze het zo goed en zo kwaad als het ging met haar eigen lichaam tegen de klap te beschermen.

De taxi reed op de menigte in. Verschillende mensen vlogen tegelijk door de lucht en kwamen na elkaar met doffe klappen weer op de stoep terecht. Ze gleden over de stoep, waarbij ze hun benen openhaalden en hun botten braken, en bleven uiteindelijk in vormeloze hoopjes liggen. Gedurende één lang moment was het doodstil in de stad. Het verkeer was tot stilstand gekomen. Niemand bewoog. De sneeuw zag rood van het bloed. Aan het einde van de straat werd getoeterd. In de verte klonk een sirene. Mensen kwamen toegesneld om te helpen.

'Ze zijn dood!' riep iemand.

'Al dat bloed...'

'Laat iedereen precies zo liggen om te voorkomen dat ze nog meer letsel oplopen!'

'Heeft iemand dat meisje zien bewegen? Leeft ze nog?'

Vijf mensen lagen als gebroken poppen op de stoep, en niemand van de omstanders wist wat te doen. Twee agenten van de New Yorkse politie die met hun vrouw een avondje uit waren, kwamen langsgereden, zagen de oploop en stopten om te helpen. Een van hen rende naar de verongelukte taxi. Hij keek door de kapotte voorruit en wilde het portier openrukken, maar verstijfde.

De chauffeur was dood. Hij was nagenoeg onthoofd door een stuk plaatstaal van het portier. Zelfs nu hij dood was, stonk hij nog naar whisky. De agent draaide zich hoofdschuddend om en liep naar de gewonde voetgangers.

'De taxichauffeur is dood,' zei hij, terwijl hij naast zijn vriend hurkte die zich over het meisje had ontfermd.

'En zij?' vroeg hij, terwijl hij Amy's jas opentrok om haar hartslag te controleren.

De beide agenten, voor wie het kind het belangrijkste was, zaten met hun rug naar Dianne toe. Ze lag op haar buik in de sneeuw. Haar arm lag in een onnatuurlijke hoek, en bloed verspreidde zich door haar blonde haren. Iemand maakte zich los uit de menigte van nieuwsgierigen, hurkte naast haar en boog zich over haar heen. Hij voelde opzij in haar nek als om haar hartslag te voelen en zich ervan te vergewissen dat ze nog leefde. Niemand zag hoe hij de enkele diamanten oorbel waar hij bij kon van haar oor trok, en vervolgens het parelcollier van haar hals rukte.

Pas toen hij haar tas wilde pakken, zag een van de omstanders waar hij mee bezig was. De dief had het schouderriempje vast en probeerde het tasje onder de arm van de gevallen vrouw uit te trekken.

'Hé,' riep de vrouw die hem betrapt had. 'Wat doe je daar, verdomme?'

De dief rukte harder, en het volgende moment had hij het tasje te pakken. Hij trok aan de sluiting waardoor het tasje openviel en de inhoud ervan op de sneeuw tuimelde. Een kam, entreekaartjes voor de balletvoorstelling, een kristallen parfumverstuiver, papieren en een kleine, groene portefeuille. De man griste de portefeuille van de stoep, rende ermee naar de overkant van de straat en verdween in het donkere park.

Een van de slachtoffers, een oude man, was dood. Een vrouw lag roerloos terwijl haar man naar haar toe probeerde te kruipen. Een van de agenten was nog steeds bezig met het kind en keek niet op of om. De andere agent wendde zich tot de vrouw – ze moest de moeder van het meisje zijn – en bekeek de bloedende hoofdwond. Hij trok zijn jasje uit en drukte het op de open wond. Politieauto's arriveerden tegelijk met een ambulance, en de broeders draaiden de blonde vrouw op haar rug. Ze was beeldschoon, en haar gezicht was bijna even wit als de sneeuw. De agent, die in zijn lange loopbaan heel wat dodelijk gewonde slachtoffers had gezien, voelde een rilling langs zijn ruggengraat gaan en wist dat de moeder er heel slecht aan toe was.

De menigte ging uiteen en iedereen begon tegelijk te praten. 'De taxi... geslipt... de gladheid... vijf mensen aangereden... de moeder probeerde het meisje te beschermen... schoft heeft haar portefeuille gestolen.'

'Houdt dat in dat we nu geen identiteitsbewijs van haar hebben?' vroeg de chauffeur van de ambulance. 'Verdomme, verdomme. Bedoel je dat niemand weet hoe ze heten? Dat we niemand kunnen bellen?'

'Precies,' antwoordde een van de agenten. Hij wist dat de chauffeur dat niet vroeg omdat hij zo altruïstisch was en het erg vond dat er ergens iemand wanhopig op moeder en dochter zat te wachten. Niet geïdentificeerde slachtoffers betekenden een hoop extra administratie.

'Verdomme,' zei zijn collega, terwijl hij keek hoe ze in de ambulance werden geladen. Het was zo'n mooie, tengere vrouw. Ooggetuigen vertelden hoe ze zich helemaal om het kind heen had gebogen om het tegen de slippende taxi te beschermen. Het zat er dik in dat ze van buiten de stad was, en dat ze voor de feestdagen een paar daagjes naar New York was gekomen en in het Plaza logeerde. En nu was ze het slachtoffer van een taxichauffeur die, op weg terug naar de garage, even ergens was gestopt om een paar borrels te drinken.

Hij gooide haar nu nutteloze avondtasje in de ambulance, en samen keken ze de ziekenwagen na totdat hij met gillende sirenes, op weg naar het St. Bernadette's Hospital, de West Fifty-ninth Street was afgeraasd.

De ambulancechauffeur reed zo hard als hij kon, maar nam voorzichtigheidshalve bij elke kruising even gas terug. New Yorkers hielden niet van sneeuw, en dat was duidelijk aan hun rijstijl te merken. De chauffeur ontweek het trage verkeer en talloze voertuigen met blikschade. Omdat hij zich bewust was van de kritieke toestand van zijn passagiers, had hij vast naar het ziekenhuis gebeld om de Eerste Hulp te vertellen dat hij eraan kwam.

Het gezicht van de vrouw en het kind werd bedekt door een zuurstofmasker. De broeder had de cape van de vrouw opzij geduwd om naar haar hartslag te zoeken. Terwijl hij bezig was met het controleren van haar bloeddruk, schrok hij toen ze opeens haar ogen opendeed. Ze lag roerloos en haar lippen waren blauw. De intensiteit waarmee elk van de haast minuscule bewegingen gepaard ging, was griezelig om te zien – ze deed haar mond open en zei slechts één woord: 'Amy'.

'U bedoelt het meisje?' vroeg de broeder.

'Amy...' herhaalde de vrouw. Het kostte haar een nagenoeg bovenmenselijke inspanning om dat ene woordje te zeggen, en de broeder was zich bewust van de paniek in haar ogen.

'Uw dochter?' vroeg de broeder. 'Ze ligt hier naast u, en met haar valt het reuze mee. U komt er alle twee weer helemaal bovenop. Ontspant u zich nu maar. Doet u –' zei hij, terwijl hij een onvoorstelbaar verdrietige blik in haar ogen zag, vlak voordat ze opnieuw bewusteloos raakte.

Met de arm van het kind valt het helemaal niet mee, wist de broeder, en hij schaamde zich voor zijn grove leugen.

Op de Eerste Hulp was alles gereed voor hun komst. Het ziekenhuispersoneel stond de ambulance op te wachten. De vrouw en het meisje werden op brancards gelegd. Beiden werden onmiddellijk aangesloten op het infuus. Bloed en plasma lagen klaar, en het wachten was alleen nog maar op het vaststellen van de bloedgroep. Verpleegsters en artsen in het groen schaarden zich om de slachtoffers voor een eerste onderzoek. De vrouw en het meisje werden elk naar een apart kamertje gereden.

Terwijl de doktoren druk aan de slag waren, bracht de ambulancebroeder het zwartsatijnen avondtasje naar de balie. De hoofdverpleegster keek erin om te zien of er een identiteitsbewijs in zat, maar het politierapport was correct: er zat geen portefeuille in het tasje. Wat ze vond waren twee entreekaartjes voor het ballet, twee afgescheurde Amtrak-kaartjes uit Old Saybrook en twee visitekaartjes. Het ene visitekaartje was van een houthandel in Niantic, en het andere van een vissersboot die *Aphrodite* heette.

'Heb je iets gevonden?' vroeg een jonge verpleegster, die uit het kamertje van de gewonde vrouw was gekomen. 'Het zou erg fijn zijn als we iemand zouden kunnen bellen.'

De hoofdzuster keek op. 'Hoe is het met haar?' vroeg ze.

'Kritiek,' antwoordde de jongere vrouw, terwijl ze haar handschoenen uittrok. Ze was achtendertig jaar, ongeveer even oud als de vrouw met wie ze net bezig was geweest. Ze had zelf kinderen, onder wie ook een dochter van tien, die daarmee net even iets jonger was dan het meisje. Ze kon het niet helpen dat ze, wanneer er zwaargewonde vrouwen en kinderen werden binnengebracht, altijd innig dankbaar was dat alles goed was met haar en haar kinderen. 'En het meisje ook. Ernstig bloedverlies, kneuzingen, hersenschudding. De vrouw heeft een gebroken arm en het meisje een slagaderlijke bloeding. Ze wordt klaargemaakt voor de OK.'

'Er zit bijna niets in haar tas,' antwoordde de hoofdzuster. 'Een kaartje van een houthandel, en een ander van een vissersboot...'

De hoofdzuster bekeek het tasje nog eens. Nu pas zag ze een ritsje in de voering van de tas dat ze in eerste instantie over het hoofd had gezien. Ze trok het open, stak haar hand erin en haalde er een klein kaartje uit.

'*In geval van nood s.v.p. contact opnemen met Timothy McIntosh (203) 555-8941*', stond er in een regelmatig handschrift op geschreven.

'Dat is het kengetal van Connecticut,' zei de jongere verpleegster, toen ze het kaartje zag. 'Zou dat haar man zijn?'

De hoofdverpleegkundige, die het nummer al stond te draaien, gaf geen antwoord. Ze kreeg een bandje: het kengetal was gewijzigd. Ze probeerde het opnieuw met het correcte kengetal, en kreeg te horen dat de abonnee onbekend was. Daarna probeerde ze de houthandel: de zaak was gesloten omdat het avond was. Ten slotte wierp ze een gefrustreerde blik op het laatste kaartje. Ze vroeg zich af wat het voor zin had om eind november naar een vissersboot te bellen. Maar omdat haar geen andere keuze restte, draaide ze het nummer van de telefoniste, en liet zich doorverbinden met de *Aphrodite.*

De golven sloegen tegen de romp van de boot en sneeuwvlokjes dwarrelden langzaam omlaag. Tim McIntosh hield het stuurwiel stevig vast en zorgde ervoor dat zijn boot op de juiste zuidelijke koers bleef. Hij kwam uit Maine, waar hij op zeekreeft had gevist, en daarmee voldoende geld verdiend had om in Florida te kunnen overwinteren. Hij droeg zware handschoenen, maar desondanks waren zijn handen ruw en rood. Zijn leren laarzen waren doorweekt, en zijn voeten waren ijsklompen.

Hij keek op de kaart die verlicht werd door de lamp in het kompashuis. Zijn bestemming was Point Pleasant in New Jersey. Hij zou overnachten in Red's Lobster Dock, en dan morgenochtend met het getij uitvaren en verder zuidwaarts trekken. Tim had schoon genoeg van de winter. Malachy Condon had ooit eens geprobeerd om hem van een definitief vertrek te weerhouden, maar dat was voor hun laatste grote ruzie geweest. Tim was op weg naar Miami.

Het lawaai van de golven die tegen de stalen romp van de boot sloegen, werd overstemd door het geluid van een misthoorn. Hij keek op zijn kompas, en draaide naar rechts, de Manasquan Inlet in. De zee werd kalmer, maar in zijn botten kon hij de golven van de Atlantische Oceaan nog steeds voelen beuken. Hij had er een flinke afstand op zitten. Het kanaal werd aan weerszijden geflankeerd door grote golfbrekers van rotsblokken en beton. In de huizen brandde licht en ze zagen er gezellig uit. Tim keek naar de verlichte kerstbomen achter de ramen en dacht aan andere vissers die thuiskwamen.

De radio kraakte. Tims oren suisden van het aanhoudende gieren van de wind en het stampen van de motor, maar desondanks hoorde hij de telefoniste die hem opriep.

'*Aphrodite*,' zei de stem, 'dit is een oproep voor de *Aphrodite*.'

Tim keek naar de radio. Zijn eerste gedachte was dat Malachy zijn excuses wilde aanbieden. Even voelde Tim zich opgelucht; hij had geweten dat Malachy niet eeuwig boos zou kunnen blijven, en dat hij niet zo keihard kon zijn om Tim voorgoed uit zijn leven te verbannen. Malachy Condon was een oude oceanograaf, een zeer gewaardeerd wetenschapper, maar wanneer het om de kersttijd ging, was hij even sentimenteel als een oud wijf. Malachy was iemand die ervan hield om dingen recht te zetten. Hij zou het weer bij willen leggen tussen hen, en van hem verlangen dat hij zijn houding ten opzichte van zijn dochter, haar moeder en Tims broer zou wijzigen.

'McIntosh aan boord van de *Aphrodite*,' zei Tim, terwijl hij de microfoon greep en de oude, bemoeizieke man wilde begroeten met: 'Vrolijke Thanksgiving, en waarom heb je niet eerder gebeld?' Hij hoorde de klik van de telefoniste die hem met de opbeller verbond.

'U spreekt met Jennifer Hanson van de Eerste Hulp van het St. Bernadette's Hospital in New York City. Ik vrees dat ik slecht nieuws voor u heb...'

Tim rechtte zijn rug in reactie op de woorden 'slecht nieuws' en 'Eerste Hulp'. Hij haatte New York, en elke andere visser die hij kende dacht daar precies zo over. Maar nog meer dan de stad, haatte hij alles wat te maken had met ziekenhuizen en ziek zijn.

'Een paar uur geleden zijn een vrouw en een kind bij ons binnengebracht. Ze hebben geen enkele identificatie bij zich, en het enige wat we hebben gevonden is een kaartje met de naam van uw boot erop.'

'De *Aphrodite*?' vroeg hij geschrokken.

'De vrouw is slank. Ze heeft blond haar en een lichte huid.'

Hij zei niets en luisterde verder.

'Blauwe ogen...' vervolgde de verpleegster.

Tim liet zijn hoofd zakken en zijn hart begon een sneller ritme te slaan. In gedachten zag hij een stel lachgrage, maagdenpalmblauwe ogen die hem onderzoekend aankeken. Schouderlang goudgeel haar, sproeten op een lichte huid. Maar met een kind in New York? Onmogelijk.

'Vierendertig of vijfendertig,' ging de stem verder. 'Bloedgroep O. Het meisje is een jaar of twaalf en heeft bloedgroep AB.'

'Ik weet niet wie ze zijn,' zei Tim. Zijn mond was droog. Had zijn dochter niet bloedgroep A? Zijn hoofd voelde vreemd, alsof hij griep had. Dat kwam door de ruwe zee. Het was zijn straf voor het feit dat hij zijn dochter in de steek had gelaten. Hij voelde zich al schuldig genoeg, en was geobsedeerd door de manier waarop hij zijn leven leidde. Malachy had hem nog nooit eerder afgeschreven, en Tim was nog steeds van streek over zijn laatste woede-uitbarsting.

Tim nam gas terug en voer in de richting van Red's. De haven ging schuil onder een laagje witte sneeuw. Hij zag de ijspegels aan het want van de grote vissersboten. Vrouw met kind van twaalf. In New York City? Volgens hem was ze te ziek om te kunnen reizen, maar aan de andere kant was ze afgelopen zomer wel op Nova Scotia geweest.

'De vrouw droeg een oorbel. Een kleine diamant en een saffier, een hangend model...'

Dat gaf de doorslag. Tim keek op en zag zichzelf weerspiegeld in de ruit van de stuurhut. Hij dacht met schaamte en spijt terug aan het kleine huis aan de haven van Hawthorne, en zag die bomen waar zijn vrouw zo van had gehouden, die bomen met die witte bloesem die zo heerlijk rook. Maar hij kon zich niet voorstellen dat zij hem zou bellen. Niet na wat er de afgelopen zomer was gebeurd.

'Het tasje is van satijn,' vervolgde de verpleegster. 'Er zit een etiketje in met de naam van een winkel –'

'Het komt uit de Schooner Shop,' zei Tim, terwijl hij zijn keel schraapte. 'Ik heb het haar voor Kerstmis gegeven. De oorbellen waren van mijn grootmoeder...'

'Dus dan kent u haar?' vroeg de verpleegster hoopvol.

'Ze heet Dianne Robbins,' zei Tim. 'We zijn getrouwd geweest.'

De Briggs-taxi was een oude blauwe Chevrolet Impala. Tim zat achterin en keek uit het raampje terwijl de chauffeur in hoog tempo over Route 35 reed. Vanaf de brug zag hij de met sneeuw bedekte en met lampjes en kransen versierde huizen van de buitenwijk. In sommige tuinen stond een sneeuwpop. Ze naderden de Garden State Parkway, waar een stel kinderen de taxi met sneeuwballen bekogelden.

'Ik zou boos moeten zijn,' zei de chauffeur, 'maar toen ik zo oud was, deed ik precies hetzelfde wanneer het zo sneeuwde.'

'Ja,' zei Tim, terwijl hij aan zichzelf en zijn broers dacht.

'Gaat u wat leuks doen in de stad?'

'Ik moet naar het ziekenhuis,' zei Tim. Zijn keel was zo droog dat hij amper kon spreken.

'O, dat spijt me,' zei de chauffeur. Daarna was hij stil, en Tim was allang blij. Hij had geen behoefte aan een praatje. De verwarming stond volop aan en de radio ook. Tim voelde er niets voor om zijn levensverhaal te vertellen aan iemand die hij helemaal niet kende. Het ging niemand iets aan dat hij op de kop af elf jaar op de vlucht was geweest, en dat hij, toen hij dat telefoontje had gekregen, op het punt had gestaan om nog veel verder te vluchten.

Kerstmis. Misschien had Malachy wel gelijk voor wat deze tijd van het jaar betrof: families die bij elkaar kwamen, vrouwen die vergiffenis schonken en kinderen die beter werden. Tim had zijn kansen met iedereen vergooid. Hij had Dianne van zijn broer gestolen, was met haar getrouwd en had haar en hun dochter vervolgens laten stikken.

Tim was zoveel mogelijk op zee gebleven en had al die elf jaar amper met zichzelf kunnen leven. Maar voor wat de oude Ier betrof, de man die het luisteren naar de dolfijnen voor de kust van Nova Scotia tot zijn levenswerk had gemaakt, had hij zijn schepen voorgoed achter zich verbrand. En ineens was hij wakker geschud. Malachy Condon had er altijd bij hem op aangedrongen dat hij het weer goed moest maken met Dianne. En misschien was dit wel Tims laatste kans.

Amy werd langzaam wakker. Haar eerste gedachte was: '*Mamma!*' Haar tweede gedachte was: '*Dianne.*' Amy lag in een ziekenhuisbed. De muren waren groen en de lakens waren wit. Haar arm zat in het gips en hing aan een metalen driehoek die eruitzag als een trapeze.

'Is alles goed met Dianne?' vroeg ze aan de verpleegster die bij haar bed stond.

'Is dat je moeder?' vroeg de zuster.

Amy schudde haar hoofd. Hete tranen sprongen haar in de ogen. Haar moeder was in Hawthorne. Amy wilde haar opbellen, wilde dat ze zou komen. 'Zegt u nu toch hoe het met Dianne is,' zei ze, terwijl ze een snik probeerde te onderdrukken. 'Is Dianne –' probeerde ze te vragen.

De taxichauffeur nam de Holland Tunnel. Tim kon zich niet herinneren wanneer hij voor het laatst in een tunnel was geweest. Zijn leven was op zee: schaaldieren, de prijs van zeekreeft bij de visafslag van Portland, koude voeten in natte laarzen, de geur van diesel, en spijt.

Tims leven had heel anders kunnen zijn. Terwijl hij naar de mooie, voor de kersttijd versierde huizen keek waar ze langskwamen, vroeg hij zich af waarom hij alles had opgegeven. Hij had alles gehad: een beeldschone vrouw, een aardig huis, en een bloeiend bedrijf dat in zeekreeft handelde. Soms voelde hij zich wel eens schuldig over het feit dat hij Dianne van zijn broer had afgepikt, maar uiteindelijk was de keus aan haar geweest. Ze had net zo goed bij Alan – de geweldige dokter – kunnen blijven als ze dat had gewild, maar ze had voor Tim gekozen.

'Ik neem Hudson Street naar het centrum,' zei de chauffeur. 'Op West Side Highway staat rond deze tijd een file.'

'Als ik er maar kom,' zei Tim. Dianne lag in een ziekenhuis in New York, en over enkele minuten zou hij er zijn. Hoe dichter hij bij haar kwam, des te wilder zijn hart begon te slaan. Hij had fouten gemaakt, dat wilde hij best toegeven. Maar misschien dat hij er een paar weer goed zou kunnen maken: hij zou naar het ziekenhuis gaan en vragen of hij kon helpen. Tim had geen slecht hart, hij had haar nooit opzettelijk verdriet willen doen. En hij wilde dat Dianne dat begreep.

Misschien had ze het ook al begrepen. Had ze de verpleegster niet gevraagd om hem te bellen?

Tim zou het heerlijk vinden als Malachy wist dat hij naar Dianne was gegaan. Hij dacht niet graag aan hun laatste samenzijn in de haven van Lunenburg. Ze hadden ruzie gemaakt. Malachy was zo woedend tegen Tim tekeergegaan dat het schuim van zijn lippen was gevlogen. Zijn gedrag had verdacht veel op dat van Alan geleken: hij had Tim zijn tekortkomingen verweten en gedaan alsof hij zelf volmaakt was. Maar dit zou wel eens Tims kans kunnen zijn om Dianne te helpen, om te bewijzen dat zowel Alan als Malachy een totaal verkeerd beeld van hem hadden.

En trouwens, had het niet in de sterren gestaan? Waarom was Tim uitgerekend Point Pleasant binnengevaren, in plaats van ergens anders naartoe te gaan? Hij had de Golfstroom op kunnen varen om nog verder naar het zuiden af te zakken, in plaats van in New Jersey de eerste haven binnen te lopen. Of voor hetzelfde geld had hij de radio niet aan gehad, en zou hij het gesprek niet hebben gehoord.

'Dianne,' zei hij hardop.

In New York wemelde het van de mensen en de auto's. Op elke straathoek stonden stellen. Het Empire State Building was versierd met rode en groene lichtjes. Kerstbomen uit Nova Scotia, waar Tim de afgelopen zomer was geweest, verspreidden een heerlijke dennengeur door de stad. Dianne was dol op de kersttijd. Ze was een goed mens, ze was vervuld van liefde, en voor haar was deze tijd van het jaar de zoveelste kans om haar gezin gelukkig, en haar dochter blij te maken.

Tim dacht aan het meisje dat hij nog nooit had gezien, en de tranen sprongen hem in de ogen. Dianne had hem verteld dat ze Julia heette. Het feit dat Alan haar kinderarts was, en dat hij via Malachy brieven aan Tim stuurde, maakte het er allemaal niet beter op. Tim had ze allemaal verscheurd. Het kind was met een afwijking geboren.

Hij wilde niet worden herinnerd aan de fouten die hij had gemaakt. Dianne had het leven geschonken aan een ziek kind, en Tim had dat niet aangekund. En daarom viste hij op de Atlantische Oceaan: het getij en de stromingen en een grote vissersboot die vernoemd was naar de godin van de liefde, en waarmee hij ver uit de buurt kon komen.

Eindelijk arriveerden ze bij het ziekenhuis – een reusachtig, uit rode baksteen opgetrokken complex van gebouwen. Tim gaf de chauffeur een stapel dollarbiljetten en sprong uit de auto. Hij rende de Eerste Hulp binnen, en duwde de portier opzij die tegen hem zei dat hij zijn naam in het register moest schrijven. De zusters waren aardig. Ze zagen hem en begrepen meteen dat hij zo snel mogelijk geholpen moest worden. Tim was dagenlang aan boord van de *Aphrodite* geweest en hij had zich al die tijd niet gewassen en geschoren.

'De vrouw en het meisje,' zei hij tegen de hoofdzuster. 'Ze zijn hier binnengebracht, het ongeluk, u heeft me gebeld...'

'U bent de visser,' zei ze vriendelijk, terwijl ze hem de oorbel van zijn grootmoeder gaf.

Tim huiverde en kreunde. Hij droogde zijn gezicht met de mouw van zijn Carhartt-jack dat onder de olievlekken zat. Zijn knokkels waren gebarsten en bloederig van de winter op de noordelijke zee. Hij klemde de oude oorbel die Dorothea McIntosh op hun trouwdag aan Dianne had gegeven in zijn hand, en herinnerde zich het moment waarop ze elkaar in de zon in Hawthorne het jawoord hadden gegeven.

Tim had zo lang gezworven, had zo lang gezocht naar iets dat hem zou kunnen helpen vergeten dat hij zijn vrouw en zijn dochter in de steek had gelaten. Julia was ziek en verminkt geboren. Tim was zo bang geweest dat hij haar niet had durven bekijken.

'Waar is Dianne?' vroeg hij, terwijl hij zijn mouw over zijn ogen haalde.

De verpleegster nam hem mee door het ziekenhuis. Hij volgde haar. Hun voetstappen weergalmden door de lange gangen. Het ziekenhuis leek oud en bestond uit meerdere bakstenen gebouwen die via een doolhof van gangen met elkaar in verbinding stonden. Tim, die het licht van de sterren was gewend, knipperde tegen het felle schijnsel van de tl-buizen. Uiteindelijk gingen ze een wat nieuwere vleugel binnen, waar ze de lift namen naar de twintigste verdieping.

'Ik breng u naar het kind,' zei de zuster. 'Haar moeder wordt op dit moment nog geopereerd.'

'Nee,' begon Tim.

'Het meisje is bang,' zei de zuster. 'Ze is gewond en ze is alleen.'

'Mijn dochter,' fluisterde Tim. Kon het echt waar zijn? Was het mogelijk dat hij na elf jaar nu eindelijk zijn dochter zou zien? Zijn maag balde zich samen. Hij had haar nog nooit gezien, maar in zijn verbeelding was ze misvormd en verlamd zoals andere verminkte kinderen die hij had gezien. Het moment van de ontmoeting was aangebroken, en Tim zette zich schrap.

'Hier ligt ze,' zei de zuster, terwijl ze een deur opendeed.

'Welk bed?' vroeg Tim.

Het was een tweepersoonskamer, en beide bedden waren bezet. De beide patiënten waren stil en hun gezicht bevond zich in de schaduw. De zuster wees op het meisje met de gebroken arm. Haar arm was in het gips, en werd, net als de zeilen van een oude schoener, met een systeem van touwen en katrollen omhooggehouden. Tim deed een stapje in de richting van het bed en kon zijn ogen niet geloven.

Wat hij zag was een beeldschoon meisje. Ze had een gebroken arm en haar voorhoofd zat onder de blauwe plekken, maar verder was ze volmaakt. Donkere wimpers lagen op de tere huid van haar wangen. Ze had een ovaal gezicht met een rechte neus en volle lippen. Tim keek naar haar en begon over zijn hele lichaam te trillen.

'Mijn dochter,' kwam het met een kraakstem over zijn lippen.

'Ze wordt net wakker,' zei de zuster.

Het kind bewoog. Ze liet haar tong over haar lippen glijden. Ze slaakte een kreet die Tim door merg en been ging. Hij had haar het liefste in zijn armen genomen.

'Au,' huilde ze. 'Mijn arm doet zo'n pijn.'

'Rustig maar, lieverd,' zei de zuster troostend. Ze sprak zacht en stelde het meisje op haar gemak. Ze was tussen Tim en het kind in gaan staan. Tim deed zijn best om zijn emoties onder controle te houden. Hij wilde hoe dan ook voorkomen dat zijn dochter bij deze eerste ontmoeting van hem zou schrikken.

'Ik wil naar huis,' huilde het meisje. 'Ik wil naar Hawthorne.'

'Stil maar,' zei de zuster vriendelijk. 'Alles komt weer goed. En je bent ook niet alleen. Je hebt bezoek.'

Het meisje knipperde met haar ogen. Tim stapte achter de in het wit gestoken verpleegster vandaan en wachtte tot het meisje hem zag. Het bloed kolkte door zijn aderen als golven die zonder aflaten over de boeg van een schip heen rollen. Hij probeerde te glimlachen om te voorkomen dat ze zou schrikken. Maar hij had zich geen zorgen hoeven maken. Ze zag hem en begon op slag te stralen.

'Dr. McIntosh!' riep ze uit, waarop ze opnieuw in snikken uitbarstte.

Tim was te ontroerd om iets te kunnen zeggen. Hij had alleen zijn achternaam maar gehoord, en meende even dat zijn dochter hem al kende. Dianne moest haar zijn foto hebben laten zien. Misschien hadden ze hem wel op de schoorsteenmantel staan. En hadden ze al die tijd over hem gesproken.

'O, Dr. McIntosh,' zei ze opnieuw, en nu hoorde Tim de rest – de 'Dokter'. Verdomme. Ze zag hem aan voor zijn broer. Alan. Ze was nog half verdoofd en verwisselde de ene McIntosh met de andere. Tim voelde zich verschrikkelijk teleurgesteld. Hij sloot zijn ogen in het besef dat het meisje zich vergist had.

En datzelfde, dacht hij, kon waarschijnlijk ook van hem worden gezegd. Maar hij zou er alles aan doen om die vergissing goed te maken. Hij moest Dianne zien.

Hoofdstuk 2

Dianne kreunde. Ze was zich alleen maar bewust van een fel licht en een brandende pijn in haar arm en haar hoofd. Ze probeerde scherp te zien. Vage vormen zweefden voor haar heen en weer, en ze ontwaarde groene wezens die keer op keer haar naam zeiden.

'Dianne?' hoorde ze. 'Dianne, kun je me horen?'

'Mevrouw McIntosh, hoeveel vingers hou ik op?'

'Amy...'

'Ja, stil maar, zo is het goed.' Ze voelde de druk van een hand op haar voorhoofd. De Plaza. Kerstverlichting. Koplampen die recht op haar af kwamen, en ze schreeuwde het uit. Maar het waren geen koplampen. Er stond een man naast haar. Hij droeg groene kleren en hij scheen met een lamp in haar gezicht.

'Dianne, weet je waar je bent?' hoorde ze een vrouw vragen.

'Ze heeft heel veel bloed verloren,' zei een mannenstem.

'Haar bloeddruk daalt,' zei nog weer een andere stem.

'Help me, alsjeblieft,' fluisterde ze. Was dit een nachtmerrie? Ze kon zich niet bewegen en haar gedachten tolden door haar hoofd. 'Julia,' kwam het geluidloos over haar lippen, maar ze was samen met Amy geweest, ja toch? Julia was thuis bij haar moeder. Alan zou hier moeten zijn... als hij kwam, dan zou hij weten wat er gebeuren moest. Hij zou haar wel helpen. Flarden herinnering schoten haar te binnen en probeerden zich als puzzelstukjes tot een geheel te vormen.

'Mevrouw McIntosh,' zei de verpleegster zacht, 'voor Amy wordt gezorgd. We doen wat we kunnen. U moet nu sterk zijn, en proberen wakker te blijven.'

Dianne's hoofd voelde wazig als gevolg van de pijn, het bloedverlies en het pijnstillende middel dat ze haar hadden gegeven. Ze voelde zich weer wegzakken. Ze wou dat ze de deur open kon doen en door de sneeuw naar het moeras kon lopen. Ze probeerde te zien, maar alles was zo vaag. Ze was in New York, o ja. Ze waren naar New York gekomen om *De Noten-kraker* te zien.

Ze rilde, bedacht hoe bang Amy moest zijn, en huilde van ellende. 'Wakker blijven, Dianne,' zei een stem. 'Mevrouw McIntosh!' riep een andere stem. Ze dacht aan haar huis bij het moeras van Connecticut, en ze dacht aan haar moeder, aan haar dochter en aan Alan. De verpleegster had haar Mevrouw McIntosh genoemd, alsof ze nog steeds met Tim getrouwd was. Heel lang geleden was Dianne met beide McIntosh-broers bevriend geweest. Ze hadden alle twee van haar gehouden, en ze had om de beurt van beiden gehouden. Alan was de dag, Tim was de nacht. Dianne, voor wie het leven altijd goed en eerlijk was geweest, had gekozen voor de broer met een donkere kant. Ze was met Tim getrouwd, en had daar een hoge prijs voor moeten betalen.

Maar in de afgelopen drie jaar waren Dianne en Alan weer steeds meer naar elkaar toe gegroeid. Voor het eerst in elf jaar was Dianne weer zo ver geweest dat ze aarzelend van een man was gaan houden, en nu lag ze in dit vreemde bed in een New Yorks ziekenhuis. Ze was zo ver van huis en ze had het gevoel dat ze zou sterven. Haar gedachten gingen terug in de tijd: winter, herfst, zomer, het afgelopen voorjaar...

Het was april, en heel Hawthorne rook naar de perenbloesem. De bomen waren honderd jaar geleden langs het pad langs de haven geplant, en de bloesems waren wit en teer. Dianne liep eronderdoor en keek omhoog terwijl ze zich afvroeg hoe ze de oostenwind die over zee kwam aangewaaid overleefden.

'Bloesem, Julia,' zei ze.

Haar dochter, die in de rolstoel zat te slapen, zag en hoorde niets. Dianne ging op haar tenen staan om de laagste tak te pakken en er een twijgje vanaf te breken. Drie volmaakte bloesems bloeiden op uit ragfijne steeltjes. De blaadjes waren zuiver wit, en zachtroze in het hart. Dianne vond ze prachtig, temeer daar ze maar zo'n korte tijd bloeiden. De bloei van de perenbomen van Hawthorne duurde nog geen week.

Julia had ooit eens een bloesem gezien, en toen had ze 'la' gezegd, hetgeen haar eerste woordje was geweest. En dus legde Dianne het twijgje op de schoot van haar slapende kind, en liep verder. Ze liep langs White Chapel Square, het plein dat genoemd was naar de drie kerken die eraan stonden. Daarna kwamen de kapiteinshuizen – statige witte gebouwen met zuilen en donkergroene luiken, die uitkeken op de haven en de vuurtoren. Dianne had er altijd, als kind al, van gedroomd om in zo'n huis te wonen.

Ze vertraagde haar pas voor het huis dat haar favoriet was. Het had een sierlijk smeedijzeren hek om de grote tuin, en een groot gazon met bloemen. Dianne had als kind van negen jaar voor het hek gestaan en zich voorgesteld hoe ze hier later, als volwassen vrouw, zou wonen. Ze zou architect zijn en een ontzettend lieve man, prachtige kinderen en twee goudblonde honden hebben, en ze zouden met z'n allen gelukkig zijn in dit huis aan de haven.

Dianne keek even omlaag naar haar dochter in de rolstoel, en versnelde haar pas. Het was een beetje gaan waaien en het was koud voor april. Lage wolken joegen langs de hemel, en ze vroeg zich af of het zou gaan regenen. Ze waren vroeg geweest en hadden na het parkeren nog tijd gehad voor een wandelingetje, maar nu was het bijna drie uur, en was het tijd voor Julia's afspraak met haar oom, Dr. Alan McIntosh.

Alan McIntosh zat achter zijn bureau terwijl mevrouw Beaudoin de laatste foto's van Billy doornam om er de mooiste van uit te zoeken voor op de Muur. Ze was een erg jonge moeder – Billy was haar eerste kind – en Alan wist intussen al lang dat alle moeders van zijn patiëntjes droomden van een ereplaatsje in de enorme collage kinderfoto's die hij achter zijn bureau aan de muur had hangen.

'Op deze hier zit hij te kwijlen,' zei ze, terwijl ze hem trots glimlachend de foto aangaf. 'En op deze kijkt hij scheel. Hij lijkt net een heel oud mannetje!'

'Dat is hij ook,' zei Alan, terwijl hij Billy op de arm hield en met zijn andere hand een recept voor oordruppeltjes uitschreef. 'Volgende week dinsdag is hij precies een half jaar.'

Martha Blake, zijn assistente, verscheen in de deuropening. Ze trok haar wenkbrauwen op als om te vragen of Alan misschien wilde dat ze mevrouw Beaudoin een beetje hielp opschieten. Hij had die ochtend een spoedgeval in het ziekenhuis gehad, en het gevolg daarvan was een overvolle wachtkamer. Hij had het zo druk gehad dat hij geen tijd had gehad om tussen de middag iets te eten, en juist op dat moment maakte zijn buik zo'n luid knorrend geluid dat Billy verbaasd opkeek.

'Deze vind ik mooi, waarop hij zo scheel kijkt,' zei Alan, terwijl hij de jonge moeder aankeek om te zien of ze het ermee eens was dat hij deze foto koos. 'Het lijkt net alsof hij verschrikkelijk diep nadenkt.'

Hij liep met mevrouw Beaudoin mee naar de deur, gaf haar het recept en zei dat ze Billy's oortjes na het bad moest drogen. Zijn praktijk bevond zich in een oude borstelfabriek uit het begin van de negentiende eeuw, en sommige deuren, die gebouwd waren voor de mensen van tweehonderd jaar geleden, die veel kleiner waren geweest dan de mensen nu, waren aan de lage kant. Alan, die sinds de tweede klas van de middelbare school al een meter negentig was, moest bukken om erdoorheen te komen.

Toen hij overeind kwam zag hij dat de wachtkamer stampvol patiënten zat: overal zaten moeders en kinderen. Snotterende kinderen zaten heel dicht tegen hun moeder aan in de prentenboeken te lezen. Ze keken hem verschrikkelijk angstig aan alsof hij de grote boze wolf was die uit hun boek was gestapt. Er waren maar twee kinderen die blij waren om hem te zien, en ze vervulden zijn hart met het intens dankbare gevoel waar hij dokter voor was geworden. Het waren twee jonge meisjes die net een jaar in leeftijd scheelden, en van wie er maar één een afspraak had.

Amy zat in het grote speelhuis in de hoek. Ze was twaalf jaar, en ze was lang en dun, had zijdeachtig ongekamd, bruin haar en grote groene ogen. Ze was in theorie te oud om in het speelhuis te spelen. Ze kroop weg in het verste hoekje om te voorkomen dat de aanwezige moeders haar zouden kunnen zien, maar schonk Alan een brede grijns. Hij reageerde met een geheimzinnig glimlachje om haar duidelijk te maken dat hij haar spelletje meespeelde en zijn best zou doen om na afloop van het spreekuur even tijd voor haar te vinden.

Julia zat in haar rolstoel. Ze had enorme, sprekende ogen. Wanneer ze glimlachte, waren alle tanden in haar mond te zien. Toen ze Alan zag, slaakte ze een blaffende vreugdekreet. Haar moeder boog zich van achteren over haar heen en omhelsde haar. Dianne Robbins lachte hardop en drukte haar lippen op Julia's bleke wang. Toen Dianne opkeek, was de blik in haar blauwe ogen er een van een gelukkig en zorgeloos meisje op een zeilboot. Alan wilde zeggen dat hij achter liep op zijn schema, maar iets aan het moment bezorgde hem een prop in zijn keel, zodat hij zich, zonder iets te zeggen, weer omdraaide en zijn spreekkamer binnenging.

Amy Brooks was onzichtbaar. Ze was even helder als haar achternaam: een klaarhelder beekje dat over rotsen en stenen en kiezels stroomde, zich onder omgevallen bomen en bruggen door slingerde, en zich een weg zocht door donkere bossen en zonnige weiden. Amy was water. De mensen keken naar haar, maar wanneer ze dat deden, keken ze dwars door haar heen naar dingen die zich achter haar bevonden.

Amy voelde zich veilig in het speelhuis van Dr. McIntosh. Het was de wetenschap dat Dr. McIntosh vlakbij, in de kamer ernaast was, of bij haar in het speelhuis zat. Het was gemaakt door een mevrouw die in Hawthorne woonde, en het leek als twee druppels water op een van de grote huizen aan de haven. De buitenkant was afgetimmerd met glanzend wit geschilderde planken, en het had donkergroene luiken die echt dicht konden. De zware blauwe deur had geelkoperen scharnieren, en de klopper was een bronzen zeepaardje.

Een kind dat naar binnen wilde klopte op de deur van het huis.

'Grrr,' gromde Amy, net als de puppy in de ren bij hun thuis. Het jongetje kon haar niet zien omdat ze onzichtbaar was, maar hij hoorde haar wel. Dat was voldoende.

'Nu ben je weer van mij,' fluisterde Amy tegen het huis.

Ze keek op het horloge van haar vader – een knoert van een Timex – en vroeg zich af wanneer Dr. McIntosh tijd voor haar zou hebben. Ze had een goede dag op school gehad – ze zat in de zesde klas van de Hawthorne Middle School, drie straten van zijn praktijk – en ze had de bus met opzet gemist om hem erover te kunnen vertellen. En juist op dat moment hoorde ze een vreemd geluid.

Het was een kind: aan de andere kant van de wachtkamer was een kind dat met haar rug naar Amy toe zat en vreemde geluiden maakte. Het deed denken aan water dat door een kapotte afvoer probeerde te stromen. Ze had een hele knappe moeder, zoals de goudblonde moeders uit sprookjesboeken. Ze had zilverblauwe ogen en een glimlach die uitsluitend voor haar kind was bestemd. De twee moeders aan weerszijden van haar bogen zich naar voren om te kijken wat er aan de hand was. Ineens veranderde het gerochel in een mooi geluid zoals van zingende dolfijnen, en het volgende moment zong haar moeder met haar mee.

De assistente riep hen, en ze verdwenen een gang op. Toen de moeder langs het speelhuis liep ving ze Amy's blik op. Ze glimlachte, maar liep door. En even later, nadat de deur van de spreekkamer achter hen was dichtgevallen, realiseerde Amy zich dat ze hun vreemde lied miste.

'Mooie muziek,' zei Alan.

'Julia was aan het zingen,' zei Dianne. Ze hield haar dochters handje vast en het meisje rolde met haar ogen. 'En ik deed mee.'

'Dag, Julia,' zei Alan. Hij hurkte naast Julia's rolstoel en streek het witblonde haar uit haar gezicht. Even leunde ze tegen zijn hand, waarbij ze haar ogen sloot als om duidelijk te maken dat ze een groot vertrouwen in hem had. Dianne deed een stapje naar achteren en keek.

Alan sprak tegen Julia. Hij had een warme, volle stem – de stem van een hele lange man. Maar tegen Julia sprak hij zachtjes om haar niet bang te maken. Het meisje liet haar hoofd hangen en slaakte een tevreden zuchtje. Hij was haar oom, en vanaf het moment van haar geboorte was hij haar dokter. En hoe moeilijk en pijnlijk de geschiedenis tussen hen soms ook was, Dianne zou nooit met Julia naar een andere dokter gaan.

Alan nam Julia in zijn armen en tilde haar moeiteloos op de onderzoektafel. Ze woog niet veel; bij hun laatste bezoek had de weegschaal negenentwintig pond gewezen. Ze was een sprookjeskind met een volmaakt gezichtje en een mismaakt lijfje. Haar hoofd viel op haar borst, en ze spartelde met haar magere armpjes alsof ze in de baai aan het zwem-men was. Ze droeg een spijkerbroek, een T-shirt met een donkerblauwe Gap-sweater erop, en Dr. McIntosch moest haar gekieteld hebben, want opeens slaakte ze een gesmoord kreetje. Dianne hoorde het en wendde zich af.

Ze stond zichzelf toe om even weg te dromen: Julia was gezond en 'normaal'. Ze was precies zoals alle andere kinderen in de wachtkamer. Ze kon boeken lezen en tekenen, en wanneer je haar handje pakte, dan was het niet ijskoud. Ze zou springend en huppend om haar lievelingstoetje vragen. Dianne zou weten dat blauw haar lievelingskleur was omdat Julia dat zelf had gezegd, en niet omdat ze dat had afgeleid uit nauwelijks zichtbare veranderende gezichtsuitdrukkingen terwijl Dianne haar urenlang verschillende kleuren in een boek had aangewezen: rood, geel, groen, blauw.

Blauw! Vind je blauw de mooiste kleur, Julia? Blauw, lieverd?

Moeder zijn en weten wat er omgaat in het hart van je kind: Dianne kon zich niets heerlijkers voorstellen. Was Julia echt in staat om kleuren te onderscheiden, of maakte Dianne zichzelf dat alleen maar wijs? Julia kon geen antwoord geven op Dianne's vragen. Ze maakte geluiden waar-van de deskundigen Dianne verzekerd hadden dat het helemaal geen woorden waren. Wanneer ze 'la' zei, dan bedoelde ze daar helemaal geen 'bloem' mee; het was alleen maar een geluid.

'Hoe is het met je, Dianne?' vroeg Alan.

'Goed, Alan.'

'Julia en ik hebben zojuist even met elkaar gesproken.'

'O ja?'

'Ja. Ze zegt dat je te hard werkt. Alle kinderen in Hawthorne willen een speelhuis, en tot aan Kerstmis zit je helemaal vol.'

Dianne slikte. Ze was vandaag te zenuwachtig voor dit soort gesprek-jes. Ze was altijd ontzettend gespannen wanneer Julia onderzocht werd. Haar zenuwuiteinden voelden alsof ze bloot lagen, en juist op dat mo-ment deed Alan Dianne denken aan zijn broer, aan hoe het geweest was om in de steek te worden gelaten en aan de kans dat het helemaal mis zou blijken te zijn met haar kind; deze momenten van wachten tot Alan Julia onderzocht had, waren een pure marteling en ze kon het wel uitschreeu-wen van ellende.

Julia was onvolmaakt ter wereld gekomen. Haar blonde engel was ge-boren met een open ruggetje en het syndroom van Rett, een toestand die grote overeenkomsten vertoonde met autisme. Ze kon niet praten en was niet in staat tot het vanzelfsprekend tonen van genegenheid. Wat Julia wel deed was Dianne een zoen op de wang geven, maar Dianne wist nooit zeker of dat een echte zoen, of alleen maar een spastische beweging van de lippen was. Aangezien Dianne van nature een optimistische instelling had, gaf ze elke pakkerd het voordeel van de twijfel.

Sinds haar geboorte was Julia dertien keer geopereerd. Talloze ziekenhuisbezoeken – hier, in Providence en in Boston – en het eindeloos lang wachten in al die op elkaar lijkende wachtkamers, evenals de eeuwige vraag of Julia de procedure zou overleven, hadden een zware tol van Dianne geëist. Na een van de operaties had Julia een waterhoofd gekregen, en gedurende geruime tijd had Dianne moeten leren leven met een buisje in de hersenen van haar kind waardoor de overtollige vloeistof gedraineerd kon worden.

Dianne, die ernaar snakte Tim de huid vol te schelden, hield regelmatig gesprekken met zichzelf.

'*Hallo! Liefste! Wees zo lief, en geef me de spons even aan – ik heb per ongeluk het kommetje met hersenvocht van onze dochter omgestoten. O, ben je voorgoed vertrokken? Nou, laat dan maar, dan pak ik hem zelf wel even.*'

Dianne's hart wist nooit welke richting het in moest slaan. Ze schoot voortdurend heen en weer tussen hoop en woede, tussen liefde en angst. Ze haatte Tim omdat hij haar had laten stikken, ze haatte Alan omdat hij haar aan zijn broer deed denken, en ze haatte alle dokters omdat ze Julia in leven wisten te houden, maar haar niet beter konden maken. Maar Dianne hield van Julia. Haar dochter was onschuldig en zuiver.

Julia kon niet lopen, kon niets vasthouden en kon geen vast voedsel eten. Ze zou niet veel groter worden. Haar ledematen zagen eruit alsof ze in de war hadden gezeten en gebroken waren; de botten in haar lichaam waren scheefgegroeid. Ze zat gevangen in een lichaam dat vrijwel in geen enkel opzicht deed wat een lichaam geacht wordt te doen.

Haar organen zaten verkeerd om aan elkaar vast. De meeste operaties die ze had ondergaan, waren geweest om haar maag, blaas en darmen op de juiste wijze met elkaar te verbinden, en om de uitpuilende zak op haar gladde babyruggetje, waarin haar ruggenmergsvlies en ruggenmerg zaten, te beschermen. Julia was de baby die elke zwangere moeder vreesde te zullen krijgen, en Dianne hield zo verschrikkelijk veel van haar dat ze bang was dat haar eigen hart ervan zou breken.

'Gaat het?' vroeg Alan.

'Schiet nu maar op met het onderzoek,' zei Dianne, zwetend van angst. 'Alsjeblieft.'

Ze kleedde Julia uit, op haar T-shirt en luier na. Ze hadden al zo vaak in deze kamer, en naast deze tafel gestaan. Er verscheen een rimpel op Alans voorhoofd. Dianne realiseerde zich dat ze hem gekwetst had en ze wilde zich verontschuldigen, maar haar keel voelde dichtgeknepen en haar maag zat in de knoop. Ze was vandaag extra zenuwachtig en uiterst gespannen, en dat gevoel zou pas weggaan wanneer Alan klaar was met het onderzoek.

Alan trok de drukknopen van Julia's T-shirt los en liet de zilveren schijf over Julia's misvormde borstkas gaan. Zijn golvende bruine haar begon grijs te worden, en zijn stalen brilletje zakte van zijn neus. Vaak lag er een onderzoekende, verre blik in zijn lichtbruine ogen, net alsof hij aan veel belangrijkere dingen dacht, maar op dat moment was hij met zijn volledige aandacht bij Julia's hart.

'Hoor je iets?' vroeg ze.

Hij gaf geen antwoord.

Dianne beet zo hard op haar lip dat het pijn deed. Dit was het gedeelte van het onderzoek waar Dianne het bangst voor was. Maar ze observeerde hem, hield zich in en liet hem zijn werk doen.

Julia had een klein lichaam, en haar kleine longen en nieren waren maar net in staat haar in leven te houden. Als ze binnenkort ophield met groeien, zoals de endocrinoloog voorspeld had dat ze zou doen, zouden haar organen het nog net aankunnen. Maar als ze nog maar een klein stukje door zou groeien – en drie centimeter zou al te veel zijn – zou dat een overbelasting van de longen tot gevolg hebben en zou de rest van haar lichaam het opgeven.

'Haar hart klinkt goed vandaag,' zei Alan. 'En haar longen ook.'

'Echt?' vroeg Dianne, hoewel hij nog nooit tegen haar had gelogen.

'Ja,' antwoordde hij, 'echt.'

'Goed of redelijk?'

'Dianne –'

Alan had nooit beloofd dat hij Julia beter zou kunnen maken. Sinds haar geboorte liep haar prognose van jaargetijde tot jaargetijde. Ze had-den Julia's hele leven gewacht op het moment waarop ze ineens achteruit zou gaan. Er waren momenten waarop Dianne de spanning niet aankon. Dan wilde ze de hoofdstukken van het boek overslaan en rechtstreeks naar de laatste bladzijde gaan om te weten hoe het af zou lopen.

'Echt goed?' vroeg ze. 'Of niet?'

'Echt goed voor Julia,' zei hij. 'Je weet dat ik je niet meer kan zeggen. En je weet beter dan wie dan ook, dan welke specialist dan ook, wat dat betekent.'

'Ze is Julia,' zei Dianne. Beter nieuws kon ze van dit onderzoek niet verwachten. Het duurde even voor ze in staat was weer iets te zeggen. Haar opluchting was onverwacht en enorm, en even had ze zin om zo hard als ze kon naar de haven te rennen, in zijn bootje te springen en net zo lang tegen de wind in te roeien tot ze niet meer kon.

'Ik heb zo lang alleen maar gehoopt dat ze zou groeien,' zei Dianne. Haar ogen waren vochtig.

'Dat weet ik... Hoe is het met haar eten?'

'Goed. Geweldig. Milkshakes, kippensoep, ze eet aan een stuk door. Ja toch, schat?'

Op dat moment keek Julia op van de tafel. Haar enorme ogen gingen van Dianne naar Alan en weer terug. Ze keek haar moeder aan met een blik die dan weer intens gelukkig, en dan weer vol aanbidding leek. Haar rechterhand kwam omhoog in de richting van Dianne's wang. Ook nu weer vroeg Dianne zich af of Julia haar echt wilde aanraken, of dat de beweging alleen maar een reflex was, maar toch boog ze zich naar Julia toe en liet ze de kleine hand van haar dochter over de zijkant van haar gezicht gaan.

'Gaaa,' zei Julia. 'Gaaa.'

'Ja, ik weet het, lieverd,' zei Dianne. 'Ik weet het.'

Dianne geloofde dat haar dochter een gevoelige ziel had en dat ze, ondanks haar beperkingen, intens diepe emoties kon hebben. In de wachtkamer, met al die moeders die naar Julia zaten te staren, had Dianne met haar meegezongen opdat ze zich niet zo alleen en slecht op haar gemak zou voelen.

Elf jaar eerder had ze haar mismaakte dochter de mooiste en meest waardige naam gegeven die ze had kunnen bedenken: Julia. Niet Megan, Ellie, Darcy of zelfs Lucinda, zoals Dianne's moeder heette, maar Julia. Een gewichtige naam voor een belangrijk iemand. Dianne was het jongetje, dat door het raam van de babykamer had gekeken en in snikken was uitgebarsten omdat hij dacht dat Julia een monster was, nooit vergeten.

Julia slaakte een lange, diepe zucht.

Dianne legde haar hand even op de hare. Indertijd, toen ze van het moederschap had gedroomd, had ze gefantaseerd over hoe ze haar kind een boek voor zou lezen en hoe ze samen met dat kind zou spelen. Ze zouden een gezinnetje zijn dat even tevreden en gelukkig was als de gezinnetjes in de boeken uit de bibliotheek. Dianne's kind zou haar inspireren bij de bouw van haar speelhuizen. Ze zouden samen veranderen en groeien. Dianne zou met volle teugen genieten van de creatieve en intellectuele groei van haar kind.

'Je bent een engel,' zei Alan, terwijl hij zich over Julia heen boog en haar een zoen gaf. Dianne keek naar hoe zijn blauwe overhemd strak over zijn brede rug spande. Nu het onderzoek was afgelopen, had ze weer ruimte voor andere gevoelens, en kon ze stilstaan bij de andere reden waarom ze moeite met Alans nabijheid had. Dianne sloeg haar armen over elkaar.

Ze zag zijn spieren en zijn slanke middel. Zijn nek. Ze keek naar hem en opnieuw balde haar maag zich samen. Ze dacht terug aan toen ze elkaar hadden leren kennen. Tot haar verbazing had hij haar mee uit gevraagd. Dianne was een verlegen meisje geweest, en ze had zich zowel gevleid als geïntimideerd gevoeld door de jonge dokter. Maar toen was ze verliefd geworden op zijn broer – een visser paste immers veel beter bij haar, of niet soms? Het leven had echter langetermijnplannen voor Dianne en Alan gehad, en ze kon het niet helpen dat ze naar zijn lichaam staarde. *O God,* dacht ze, toen ze als het ware overspoeld werd door een intens verlangen naar zijn armen om zich heen.

'Ik kan gewoon niet geloven dat Lucinda met pensioen gaat,' zei Alan. 'Maar wat een bof voor jou en Julia – nu zal ze veel meer thuis zijn.'

'Ja, dat is zo.' Haar moeder was de bibliothecaresse van de stad, en hoewel ze pas in juli met werken op zou houden, begonnen de mensen haar nu al te missen.

Toen hij over zijn schouder keek, beet Dianne op haar lip. Dat was nu het idiote: ze had net naar Alans lichaam staan staren en vurig verlangd naar zijn armen om zich heen, en nu opeens zat ze weer helemaal achter het prikkeldraad en weerde ze zich tegen de vertrouwde klank van zijn stem en het feit dat hij zichzelf beschouwde als iemand van de familie. Ze kon er niet tegen, en het evenwicht was helemaal zoek.

'Zonder haar zal de bibliotheek heel anders zijn.'

Dianne keek naar de muur met alle foto's en haar adem stokte. Hij en haar moeder hadden dezelfde klantenkring: Alans patiënten kwamen naar de bibliotheek waar mevrouw Robbins de boeken uitleende. Julia kon geen gebruikmaken van de bibliotheek en ze had ook nog nooit een boek in haar handen gehouden, maar haar grootmoeder, de geliefde en waanzinnig populaire bibliothecaresse van de openbare bibliotheek van Hawthorne, had haar voor het slapengaan ontelbare verhalen verteld en voorgelezen.

'We boffen,' zei Dianne tegen Alan, terwijl ze zich half van Julia afwendde.

Alan wist niet wat ze bedoelde, en hij reageerde niet meteen.

'In welk opzicht?' vroeg hij toen.

'Dat ze nu veel meer tijd voor ons zal hebben.'

Julia wrong haar handen en liet haar hoofd zakken. Ze kreunde, maar het geluid veranderde in iets dat op vrolijkheid leek.

'Mijn moeder, ik en Julia,' vervolgde Dianne. 'Dat we, wanneer ze straks met pensioen is, veel samen kunnen zijn en tijd zullen hebben om iets belangrijks te doen voordat Julia...'

Alan zei niets. Dacht hij dat ze hem met opzet niet bij het rijtje had betrokken? Dianne wilde iets zeggen, wilde zichzelf corrigeren, maar ze zei niets. Ze hield haar adem in en keek naar Julia. *Mijn meisje*, dacht ze. De afschuwelijke realiteit leek hier, in Alans spreekkamer, altijd veel erger dan ergens anders: er zou een dag komen waarop ze hen zou verlaten.

'Dianne, praat met me,' zei hij.

Hij had zijn bril afgezet en wreef zijn ogen. Hij leek op dat moment zo sterk op Tim, dat Dianne snel naar de neuzen van haar schoenen keek. Hij deed een stapje naar haar toe en legde zijn hand even op haar schouder.

'Dat kan ik niet,' zei ze langzaam, terwijl ze een stapje naar achteren deed. 'En praten verandert toch niets aan de situatie.'

'Dit is belachelijk,' zei hij. 'Ik ben je vriend.'

'Nee, niet, Alan, alsjeblieft. Je bent Julia's dokter.'

Hij keek haar aan en ze zag aan de lijnen van zijn gezicht dat hij boos en teleurgesteld was.

'Ik ben veel meer dan dat,' zei Alan, en Dianne's ogen schoten vol tranen. Zonder zijn bril leek hij als twee druppels water op zijn broer, en op dat moment klonk hij even somber als Tim vaak had gedaan.

Stom mens, dacht Dianne, terwijl ze de tranen over haar wang voelde rollen. Ze was zo verliefd geweest. Ze had gekozen voor de McIntosh die haar volgens haar gevoel het meeste nodig had en die ze met al haar liefde zou kunnen helpen bij het helen van de littekens uit het verleden. Tim was onbezonnen en mysterieus geweest, en hij had niet de moed gehad iemand anders in zijn hart naar binnen te laten kijken. Dianne had gedacht dat ze hem zou kunnen veranderen. Ze had hem willen redden. In plaats daarvan had hij haar en hun kind laten stikken.

'Heel veel meer dan dat,' zei Alan opnieuw.

Dianne wilde hem nog steeds niet aankijken. Ze boog zich over Julia heen, gaf haar een zoen en drukte haar natte gezicht in de nek van haar dochter.

'Maaa,' zei Julia.

Dianne hapte naar lucht en probeerde haar tranen te onderdrukken. Ze gaf Julia nog een kus en kleedde haar daarna zo snel mogelijk aan.

'Het is koud buiten,' zei Alan, om de vrede te herstellen.

'Dat weet ik,' zei Dianne zacht.

'Doe haar ook maar een trui aan,' zei Alan, waarna hij er een uit de luiertas viste.

'Dank je,' zei Dianne. Ze was amper in staat hem aan te kijken. Haar hart ging als een wilde tekeer en het zweet stond in haar handen. Hij gaf Julia een zoen en hield haar handje lange seconden in de zijne. Ze maakte blijde, gorgelende geluidjes. De volwassenen waren stil omdat ze niet wisten wat ze moesten zeggen. Dianne staarde naar hun handen, naar Julia's handje in de zijne. Toen tilde ze Julia van de tafel, zette haar in de rolstoel, en reed haar de spreekkamer uit.

Toen de laatste patiënt de deur uitging, was het bijna halfzeven. Martha groette hem en ging snel weg om haar zoon van basketbal te halen. Alan knikte zonder op te kijken. Zijn rug deed pijn, en hij draaide een paar rondjes met zijn schouders, de plek waar hij de spanning van het weerzien met Dianne had opgeslagen. Waar hij behoefte aan had, wist hij, was een eind joggen.

Voor hem, op zijn bureau, lag Julia's kaart, en hij vergeleek de gegevens van haar bezoek van vandaag met die van de vorige keer. Misschien had hij vandaag een ECG moeten maken, maar hij had er twee weken geleden al een gemaakt, en de uitslag daarvan was binnen de normale waarden geweest.

Hawthorne Cottage Hospital was een geweldige plek voor gezonde baby's en voor het laten uitvoeren van standaardprocedures. Er waren maar weinig kinderartsen die ECG's maakten, en de meesten beschikten zelfs niet eens over de benodigde apparatuur. Alan had die aangeschaft toen duidelijk was geworden dat Julia's hart regelmatig bekeken zou moeten worden. In New Haven waren voldoende specialisten beschikbaar, maar Alan zag niet in waarom Dianne dat hele eind zou moeten rijden wanneer hij het net zo goed zelf zou kunnen doen.

Er schoot hem een beeld te binnen: Dianne stond bij de voordeur te wachten tot hij thuis zou komen. Ze droeg haar blonde haar in een lange vlecht, en ze glimlachte alsof ze al zijn geheimen kende. Haar blauwe ogen keken niet bezorgd, zoals ze dat in het echt wel deden. Ze was eindelijk zo ver dat ze bereid was om Alans liefde en hulp te aanvaarden; ze was er eindelijk achter dat die twee dingen in feite hetzelfde waren.

'Ah-hem!'

Hij keek op en zag Amy Brooks op de drempel staan. Haar bruine haren zaten zoals gewoonlijk door de war, en ze droeg een van haar moeders roze truien op een oude, afgedragen rode legging. Haar ensemble werd gecompleteerd door een brede ceintuur en een turquoise kralenketting.

'O, daar hebben we de jongedame die in het speelhuis woont,' zei hij. Hij was met zijn gedachten zo helemaal bij Dianne en Julia geweest, dat hij Amy volledig vergeten was, en dat speet hem.

'Hebt u me dan gezien?' vroeg ze met een glimlach.

'Alsof ik die prachtige groene ogen die naar buiten keken gemist zou kunnen hebben!'

'Ik had me er verstopt,' zei ze. 'Ik weet niet hoeveel zieke kinderen er op de deur hebben geklopt, maar ik heb ze allemaal betoverd en teruggestuurd naar hun moeder. Wat hebben ze allemaal?'

'Dat doet er niet toe,' zei hij. 'Waar heb ik je bezoek aan te danken?'

'Ik vind het zo'n mooi huis,' zei ze, terwijl ze zich omdraaide om naar de klok in de vorm van een zwarte kat te kijken waarvan de staart elke seconde heen en weer ging. 'Ik vind het enig om erin te zitten.'

'Dat zal ik vertellen aan de mevrouw die het heeft gemaakt,' zei hij.

Amy knikte. Ze liep van de klok naar de fotomuur. Ze liet haar blik over de kiekjes gaan totdat ze die van haar had gevonden. De schoolfoto van afgelopen jaar, die van het jaar ervoor, Amy op Jetty Beach, Amy voor de deur van haar huis. Ze had ze allemaal aan hem gegeven.

'Zijn er nog meer kinderen die hier vier foto's hebben hangen?'

'Nee, jij bent de enige.'

'En er is niemand die er meer heeft?'

'Nee,' zei Alan.

Ze draaide zich om en boog zich over de papieren op zijn bureau. Alan hoorde haar hijgerige ademhaling, en ze rook een beetje muf, alsof ze zich al een paar dagen niet gedoucht had of haar haren niet had gewassen. Haar armen en haar handen hadden al een kleurtje van de zon, en haar nagels waren zwart.

'Julia Robbins...' las Amy op zijn kop. Alan schoof Julia's kaart onder een stapel medische tijdschriften. Hij wist dat Amy jaloers was op zijn andere patiënten. Zij was een van zijn meest behoeftige patiëntjes. Alan voelde zich gedwongen om kinderen te helpen die het moeilijk hadden, maar hij wist dat er dingen waren die niet veranderd konden worden.

Amy kwam uit een treurig gezin. Haar moeder was depressief, en de vrouw deed hem denken aan Alans eigen moeder die zichzelf dertig jaar eerder had dood gedronken. Ze sloeg Amy niet, en Alan had geen enkele grond om contact op te nemen met Marla Arden, de maatschappelijk werkster van de kinderbescherming die zich met Amy's zaak bezighield. Maar de staat was de telefoontjes van Amy's buren vergeten. Er waren meldingen binnengekomen van Amy die van school spijbelde, van de moeder die met haar vriend vocht, van het slaan met deuren en van geschreeuw. Ze hadden een open dossier van Amy. Maar Alan wist hoe zwaar het leven voor een kind kon zijn, en hoe moeilijk het was om te houden van een moeder die problemen had. Kinderen als Amy balanceerden voortdurend op het randje van de afgrond.

Amy had zich aan Alan vastgeklampt. Vanaf de eerste keer dat ze op het spreekuur was verschenen, had ze openlijk en met hart en ziel van hem gehouden. Ze had als een aap om zijn hals gehangen. Zijn assistente had haar voorzichtig los moeten maken. In tegenstelling tot andere kinderen, huilde ze niet wanneer ze binnenkwam, maar wanneer ze naar huis moest. Haar moeder sliep de hele dag om te vluchten voor de pijn van het verlies van haar man, zoals zijn moeder had gedronken om de dood van zijn oudere broer, Neil, te vergeten.

'Kom op,' zei hij tegen Amy, 'dan breng ik je naar huis.'

Ze haalde haar schouders op.

Alan wist alles van de cycli van verdriet. Ze kronkelden om je heen en verdreven je van degenen van wie je hield. Zijn moeder, Amy's moeder, Dianne, en Julia, en zelfs zijn broer Tim. Alan wilde ze allemaal helpen. Hij wilde iedereen helpen en gezinnen weer gelukkig maken. Hij hoopte vurig dat Julia haar tienerjaren zou overleven. Hij wilde Dianne en Amy aan elkaar voorstellen omdat hij geloofde dat ze elkaar zouden kunnen helpen. Om te overleven hadden mensen behoefte aan een onderlinge band.

'Ik breng je wel,' zei hij weer.

'Dat hoeft niet,' zei Amy, en ze glimlachte weer.

'Dat weet ik,' zei hij, 'maar ik doe het graag.' Dokters waren als ouders; ze werden niet geacht lievelingetjes te hebben, maar ze hadden ze wel. Zo was het nu eenmaal in het leven.

Amy was bang dat er een dag zou komen waarop Dr. McIntosh haar zou verbieden naar de praktijk te komen. Ze had er niets te zoeken: ze was zo gezond als een paard, dat na dolfijnen, katten en groene schildpadden haar favoriete dier was.

'Ik had vandaag maar twee spelfouten,' zei ze.

'Twee maar?' vroeg hij. 'Welke?'

Amy fronste haar voorhoofd. Ze had een pluim van hem verwacht, want ze had nog nooit zo weinig fouten gehad. Ze noemde hem de woorden die ze fout had geschreven.

'Heb je die boeken gelezen die ik je heb gegeven?'

Amy friemelde met een los draadje. Dr. McIntosh had haar twee detectives gegeven waarvan hij dacht dat ze die leuk zou vinden. Amy hield niet zo van lezen. Ze had altijd het gevoel alsof ze de sleutel miste die alle andere lezers bij hun geboorte hadden meegekregen. En daarbij, ze vond het moeilijk om zich thuis, waar echte problemen opgelost moesten worden, te concentreren.

'Heeft u een dienstmeisje?' vroeg ze, van onderwerp veranderend.

'Een dienstmeisje?'

Vond hij haar stom omdat ze dat had gevraagd? Amy zakte onderuit en schaamde zich voor haar stommiteit. Ze zaten in zijn stationwagen en reden langs de vissershaven. Dit gedeelte van de stad rook naar mosselen, bot en oesters. Amy snoof de geur diep in zich op – ze vond het heerlijk. Haar vader was visser geweest, en het vissen zat haar in het bloed.

'U weet wel, iemand die uw huis schoonmaakt,' zei ze.

'Nou, nee hoor,' zei hij lachend, alsof ze iets absurds had gezegd.

Amy probeerde zich niet gekwetst te voelen. Hij was rijk, hij was een dokter – hij kon het zich veroorloven! Hij droeg geen trouwring, en toen ze hem ooit eens gevraagd had of hij getrouwd was, had hij nee gezegd. Dus dan was hij alleen, en had hij iemand nodig die voor hem zorgde. Waarom zou Amy niet voor hem kunnen zorgen?'

'Ik ben dol op schoonmaken,' zei ze.

'O ja?'

'Ik kan niet zeggen dat het een hobby van me is, maar ik ben er heel goed in. Andy is voor mij als de lekkerste parfum – waarom denkt u dat ik het zo fijn vind bij u op de praktijk? Hoeveel mensen kent u die het lekker vinden ruiken bij een dokter?'

'Niet veel, dat geef ik toe,' antwoordde hij.

Ze sloegen van de kustweg af en reden de zogenaamde snelweg op. In Hawthorne waren drie soorten wegen: de mooie wegen bij de haven, dit stukje snelweg dat naar de buitenwijken liep, en de lelijke wegen bij het moeras waar Amy woonde.

'Ik zou het parttime kunnen doen,' zei ze.

'En je huiswerk dan?'

'O, daar kan ik echt wel tijd voor vinden.'

Dr. McIntosh reed haar straat in. De huizen hier waren klein en armoedig. Bijna niemand had een mooie tuin. Kapotte koelkasten stonden tegen gammele garages geleund. Zwerfkatten – waarvan Amy minstens de helft had getracht te redden – zwierven in grote groepen door de buurt. Het was een buurt waar kinderen geen huiswerk maakten en hun ouders zich niets van hen aantrokken. Het rook er zuur en muf.

'Je weet dat ik je graag wil helpen,' zei hij, met een blik op haar huis. 'Is het echt heel moeilijk, Amy? Zal ik mevrouw Arden bellen?'

'Nee,' antwoordde Amy met grote stelligheid.

'Ik weet dat je je zorgen maakt om je moeder. Misschien is het een goed idee als je een poosje ergens anders gaat wonen, en dan kunnen we kijken of we hulp voor haar kunnen krijgen.'

'Ik ga niet weg,' zei Amy. Het idee alleen al maakte haar doodsbang. Haar moeder kon wel doodgaan als ze er niet was. Ze zou in slaap vallen en nooit meer wakker worden. Of Buddy, de vriend van haar moeder, zou haar iets kunnen aandoen. Of – en dit was haar grootste angst – haar moeder zou kunnen weglopen met Buddy, en misschien kwam ze wel nooit meer terug.

'Heb je vriendinnen? Een vast kliekje waarmee je optrekt?'

Amy haalde haar schouders op. Hij snapte het niet. Haar beste vriendin was Amber DeGray, maar Amber rookte en schreef met scheermesjes op haar benen. Amy was bang voor haar. Andere kinderen vonden Amy niet aardig. Ze was ervan overtuigd dat anderen maar naar haar hoefden te kijken om te zien wat voor leven ze leidde: haar moeder die depressief in bed lag, Buddy die met nijdige vingers *Midnight Rambler* op zijn dure elektrische gitaar speelde en Buddy's nieuwe hond die doodsbang achter in zijn ren zat weggedoken.

'Dat vraag ik je,' zei Dr. McIntosh, 'omdat ik iemand ken die je misschien wel aardig zult vinden. Ze is een jonge moeder met een dochter. Pas je wel eens op kinderen?'

'Nee,' zei Amy. Wie zou haar moeten vragen? En daarbij, de enige met wie Amy bevriend wilde zijn, was Dr. McIntosh. Hij kende haar al, en hij walgde niet van haar. Hij was aardig en had gevoel voor humor, en ze vertrouwde hem.

'Ik bedoel mijn schoonzusje en haar dochter,' zei Dr. McIntosh.

Amy slaakte een gesmoorde kreet. Ze had helemaal niet geweten dat hij familie had! Opeens voelde ze zich opgewonden en nieuwsgierig, maar ook ontzettend jaloers.

'Julia is gehandicapt. Ze heeft heel veel aandacht nodig, en soms wordt het Dianne wel eens een beetje te veel allemaal. Ze wonen vlakbij, en ik weet zeker dat ze jou aardig zullen vinden.'

'Meent u dat?' Ze was zo blij dat hij dacht dat iemand haar aardig zou kunnen vinden, dat ze er tranen van in de ogen kreeg.

'Natuurlijk,' antwoordde hij.

Amy onderdrukte haar gevoelens. *Gehandicapt,* had hij gezegd. Was Julia zo'n kind met beugels om haar benen dat op krukken liep? Had ze een gehoorapparaat en droeg ze een bril? Wanneer Amy dat soort kinderen zag, kon ze zich helemaal voorstellen hoe ze zich moesten voelen, want zij voelde zich net zo: anders, een buitenbeentje en diep gekwetst.

'Vroeger was ik bijzonder...' begon Amy. Ze wilde iets zeggen over haar vader en moeder toen ze nog jong waren en Amy hun innig geliefde baby in haar donkerblauwe kinderwagen was, toen ze in de vissersbuurt woonden, waar de lucht altijd schoon was en naar zeewater, naar voorjaarsbloesem en naar vis rook.

'Amy, je bent nog steeds bijzonder,' zei Dr. McIntosh.

Mijn moeder is depressief... ze doet de hele dag niets anders dan huilen en slapen... niemand komt me thuis opzoeken... ik ben zo alleen!

Dat waren de gedachten die door Amy's hoofd schoten, maar aangezien ze niet wist hoe ze ze onder woorden moest brengen, sprong ze uit de auto van de dokter en rende ze, zonder ook maar een keer achterom te kijken, het betonnen pad af en haar huis in.

Dianne bouwde speelhuizen voor andermans kinderen. Tim had zijn vissersboot gehad, en Dianne had de oesterloods op de werf waar ze woonden, als werkplaats ingericht. Gedurende de dertien maanden dat ze daar samen hadden gewoond, hadden haar speelhuizen naar schelvis geroken. In die tijd had ze waanzinnig veel opdrachten gehad. Ze adverteerde in tijdschriften die gericht waren op ouders, romantici en liefhebbers van New England. Mond tot mond reclame zorgde voor de rest. Haar huizen waren zo groot dat je erin kon spelen. Ze hadden opzichtige versieringen, duiventillen, balken, puntdaken en halve deuren, en haar bedrijfje heette Home Sweet Home.

Dianne's ziektekostenverzekering betaalde voor een paar uur fysiotherapie per week en een verpleeghulp. Als Julia alleen zou worden gelaten, zou ze de hele dag in de foetushouding liggen. Dan ging ze op haar zij liggen en krulde ze zich langzaam op als een vertraagde natuurfilm van een bloem die bij zonsondergang zijn blaadjes sluit. Therapie hielp, maar Dianne hield niet van vreemden in haar huis. Ze werkte veel liever zelf met Julia. Niemand hield immers zoveel van Julia als zij.

Heel wat mensen hadden Dianne aangeraden om Julia in een tehuis te stoppen. Ze zou naar St. Gertrude's Children's Hospital kunnen gaan, of naar Fresh Pond Manor. Ze hadden Dianne verteld dat Julia al te veel werk voor een heilige zou zijn, laat staan voor Dianne. Soms voelde Dianne zich wel eens schuldig, en verbeeldde ze zich dat die mensen dachten dat ze geprezen wilde worden voor haar opofferingen en toewijding. Ze vroeg zich af of Julia in zo'n inrichting niet veel beter verzorgd zou worden dan thuis. Er zou voortdurend met haar geoefend worden en ze zou gevoerd en verschoond worden en er zou altijd iemand zijn om haar onafgebroken in de gaten te houden. Dianne zou zelf een veel gemakkelijker en vrijer leven kunnen leiden, en als ze Julia dan voor kortere perioden thuis had, zou ze veel opgewekter kunnen zijn.

Maar Julia moest gemasseerd worden om te voorkomen dat haar spieren zouden vergroeien. Dan zou haar maag zijn soepelheid verliezen en zou ze verstopping krijgen. En Dianne was de enige die wist hoe ze graag gemasseerd wilde worden. Met babyolie op haar ruwe handen wist Dianne de pijntjes van haar kind te verhelpen. Julia hield van cirkelvormige bewegingen op haar engelenvleugels. Ze hield van een lichte druk op haar ribbenkast en op haar nieren, maar ze vond het afschuwelijk als je aan haar littekens kwam.

Wie in het ziekenhuis zou al die dingen weten? Zelfs als er een verpleeghulp was die ze al die dingen kon vertellen en die daar rekening mee hield, dan was het nog maar de vraag hoe lang het zou duren voor zo'n hulp werd overgeplaatst naar elders. En dan zou Julia weer helemaal aan iemand anders moeten wennen. En verder was er de kwestie van haar ontlasting. De meeste nieuwkomers wisten niet dat dat deel uitmaakte van het syndroom van Rett. Verpleegsters en artsen waren altijd zo snel met het geven van laxeermiddelen, terwijl Dianne in feite niets anders hoefde te doen dan zachtjes, met de vlakke hand en niet met de vingers, haar buikje masseren om de boel weer op gang te krijgen.

Dan zuchtte Julia, en maakte ze gorgelende babygeluidjes, en dan zei Diane altijd: 'Ziezo, lieverd, is dat beter zo? Zal ik je dan nu vertellen over de uil en de poes? Heb ik je ooit wel eens verteld over die vlinders die naar Belize migreren? Of over de otters in het moeras, en de haviken die langs de oevers op prooi jagen?'

Dianne was geen heilige. Haar woede en frustratie kenden geen grenzen. Ze kon verschrikkelijk tekeer gaan met het inslaan van spijkers. Soms, wanneer ze aan het zagen was, schreeuwde ze het uit en vervloekte ze God, het universum en de familie McIntosh. Veel geld had ze niet. Ze vroeg enorme bedragen voor haar speelhuizen, die ze dan ook zoveel mogelijk aan hele rijke mensen verkocht. Maar de productie was beperkt; ze woonde bij haar moeder en betaalde geen huur, en vrijwel al het geld dat ze verdiende ging op aan verzekeringen. Wanneer de verpleeghulp er was, rende ze zo hard als ze kon langs het strand of roeide ze in het bootje van haar vader door het moeras. Huilen en lichaamsbeweging kostten niets.

Haar huidige werkplaats bevond zich in het tuinhuis achter het huis van haar moeder waar zij en Julia na het vertrek van Tim hun intrek hadden genomen. De ramen keken uit over de monding van de rivier en over het riet dat nu, in het licht van de ondergaande zon, wel van goud leek. Overal lag zaagsel – op de vloer, op de werkbanken, de tafelzaag, de verstekbak en de vensterbanken. Stella, haar schuwe tijgerkat, hield zich schuil in haar mandje boven op de kast. Julia zat in haar stoel.

Ze luisterden naar muziek. Dianne hield van ouderwetse romantische nummers met teksten over intens verlangen en eeuwige liefde die ze onder het werk hardop meezong: *The Look of Love, Scarborough Fair, Going Out of My Head.*

Dianne had sinds Julia's geboorte geen man meer gehad. Soms keek ze wel eens naar echtparen en probeerde ze zich voor te stellen hoe het zou zijn om een man te hebben. Kregen alle vrouwen de liefde die ze nodig hadden, en was het alle ruzie en meningsverschillen waard om deel uit te maken van een veilig gezin? Soms, wanneer het donker was, voelde Dianne zich eenzaam. Dan omhelsde ze haar kussen en droomde ze van iemand die haar fluisterend de verzekering gaf dat alles goed zou komen. Ze probeerde expres om er geen gezicht bij te fantaseren en om niet aan een bekende stem te denken, maar de vorige avond had ze zich afgevraagd hoe Alans rug er onder zijn shirt uit zou zien, en hoe zijn spieren zouden spannen wanneer hij haar zo hard als hij kon tegen zich aan drukte.

Ze mat de afstand zorgvuldig af en zette een potloodstreepje op de plaatsen waar gezaagd moest worden. De tafelzaag maakte een hoog, gierend geluid terwijl ze het hout erdoorheen duwde. Haar vader was timmerman geweest. Hij had haar het vak bijgebracht, en altijd wanneer ze iets moest zagen, hoorde ze zijn liefdevolle stem die haar zei dat ze goed uit moest kijken voor haar handen die onbetaalbaar waren.

'Daar ben ik weer, terug van de strijd,' zei Lucinda Robbins, terwijl ze binnenkwam.

'Dag, Mam,' zei Dianne. 'Zware dag?'

'Nee, lieverd,' antwoordde haar moeder. 'Het is alleen dat ik gewoon *voel* dat mijn pensioen voor de deur staat, en mijn lichaam telt de dagen.'

'Hoeveel nog?' vroeg Dianne glimlachend.

'Zevenentachtig,' zei Lucinda, terwijl ze naar Julia liep voor een zoen. 'Hallo, liefje. Oma is weer thuis.'

Lucinda hurkte naast Julia's stoel. Julia's grote, vochtige ogen namen alles op. Ze gingen van het onbewerkte hout naar de afgewerkte speelhuizen, naar het open raam en bleven uiteindelijk rusten op het gezicht van haar grootmoeder.

Dianne deed een stapje naar achteren en sloeg het tweetal gade. Lucinda was klein en mager. Ze had kort grijs haar en droeg een felblauwe tuniekblouse op een steenrode broek. Haar lange ketting van glanzend agaat was afkomstig van een markt in Mexico en was gekocht op de enige cruise die ze ooit met Dianne's vader had gemaakt – dat was elf jaar geleden geweest, in het jaar waarin Julia was geboren en hij was gestorven.

'Maaa,' zei Julia. 'Oooo.'

'Ze zegt onze namen,' zei Lucinda. 'Mamma en Oma.'

'Ja?' vroeg Dianne, waarop ze zich verbaasde over haar enorme behoefte om dat te geloven.

'Ja,' zei Lucinda zacht. 'Natuurlijk doet ze dat.'

Julia had een overgevoelige huid, en Dianne streelde haar blonde haar zo zachtjes als ze maar kon. Het dunne haar voelde zijdeachtig aan. Het golfde een beetje achter de oren – een witgouden rivier van zachtheid.

'Toen je zo oud was als Julia, had je net zulk zijdezacht haar,' zei Lucinda. 'Net zo mooi. En vertel eens, wat heeft Alan gezegd?'

'O, Mam.' Dianne slikte.

Lucinda legde haar hand op haar hart. 'Liefje?'

Dianne schudde haar hoofd. 'Nee, nee, geen slecht nieuws,' zei ze. 'Of liever, helemaal geen nieuws. Niets definitiefs op geen enkel gebied.'

'Is ze gegroeid?'

'Drie millimeter.'

'Is dat niet veel?' vroeg Lucinda met een bedenkelijk gezicht. 'Voor zo'n korte tijd?'

'Nee!' Het kwam er scherper uit dan ze gewild had. 'Het is niet veel. Het is volkomen normaal, Mam.'

'Goed, lieverd,' zei Lucinda, terwijl ze de houding aannam die Dianne haar Boeddha-houding was gaan noemen: een kaarsrechte rug, een serene blik in de ogen en de handen als in gebed gevouwen onder haar kin. Waarschijnlijk had ze het even moeilijk als Dianne, maar ze wist het beter te verbergen. 'Ben je aardig tegen hem geweest?' vroeg ze.

'Aardig?' vroeg Dianne.

'Tegen Alan,' zei haar moeder. 'Toen je vandaag bij hem was...'

'Nou...' zei Dianne, en ze dacht terug aan zijn gezicht toen ze de spreekkamer uit waren gegaan.

'Dianne?'

'Waarom doet hij me toch altijd zo aan Tim denken?' vroeg ze.

'Och, lieverd,' zei Lucinda.

'Hun manier van bewegen is identiek,' zei Dianne. 'Ze hebben dezelfde stem. Alans haar is iets donkerder, maar in de zomer bleekt het in de zon. Hij draagt een bril, maar wanneer hij die afzet...'

'Oppervlakkige overeenkomsten,' zei Lucinda.

'Ja, dat probeer ik mijzelf ook voor te houden,' zei Dianne. 'En ik kan het niet uitstaan van mezelf dat ik hem al die dingen verwijt. Maar telkens wanneer ik denk aan wat Tim heeft gedaan, voel ik hoe mijn maag zich samenbalt. 's Nachts kan ik niet slapen omdat ik lig te denken aan wat hij Julia heeft aangedaan, maar ik haat hem ook omdat hij mij heeft laten stikken. Het is afschuwelijk – net alsof ik een grote steen heb ingeslikt.'

'O, jee,' zei Lucinda meelevend.

'Ja. En telkens wanneer ik naar Alan kijk, moet ik aan Tim denken en aan al het verdriet en het verraad en aan hoe ik hem haat –'

'Nee,' viel Lucinda haar op scherpe toon in de rede. 'Dat geloof ik niet.'

'Maar het is waar Mam. Ik haat Tim.'

'Maar ik geloof niet dat Alan je dat gevoel geeft. Dat kan niet. Daarvoor is hij een veel te goed mens. Hij houdt van jou en Julia, hij staat altijd voor jullie klaar. Die gevoelens, dat is iets van jou alleen. Ik weet niet waar ze vandaan komen, maar ze hebben niets met hem te maken.'

Dianne dacht aan Alans ogen, en aan hoe warm en liefdevol ze waren wanneer hij naar Julia keek. In gedachten zag ze zijn handen die onderzoekend over Julia's lijfje gingen, en de manier waarop hij Julia's handje in de zijne hield alsof het het kostbaarste op aarde was.

'Ik weet dat hij een goed mens is,' zei Dianne zacht.

'Weet je,' zei Lucinda, 'je hebt het over die steen en ik zie hoe moeilijk je het ermee hebt. Je bent keihard en je torst het gewicht van de wereld op je schouders, maar die gevoelens maken je van binnen kapot.'

Dianne wist dat haar moeder gelijk had, en de tranen sprongen haar in de ogen. Haar maag balde zich samen en de steen voelde groter dan ooit. Het aanvankelijke verdriet over Tims vertrek had plaatsgemaakt voor verbittering, woede en die steen in haar maag. Dianne wist dat ze een grote fout had gemaakt en dat ze de verkeerde broer had gekozen.

'Het valt wel mee,' zei Dianne.

'Dat kun je nu wel zeggen, maar ik zie toch hoeveel zorgen je hebt. En als Alan dan belt, dan snauw je hem af, alsof je boos bent op hem, in plaats van op Tim. En dat terwijl hij alleen maar probeert te helpen.'

'Soms belt hij op het verkeerde moment,' zei Dianne.

'Met hem is het altijd het verkeerde moment,' zei Lucinda.

'Ik ben moe, Mam,' zei Dianne. Ze had genoeg van het gesprek en van de manier waarop haar moeder glimlachend naar haar keek.

'Als ik met pensioen ben,' zei Lucinda, terwijl ze haar arm om Dianne sloeg, 'dan heb ik tijd om voor je te zorgen.'

Dianne kreeg een prop in haar keel. Het was zo heerlijk om te weten dat er van je werd gehouden. Ze sloot haar ogen en zoog haar moeders kracht in zich op. Ze mocht dan de verkeerde broer hebben gekozen en een puinhoop van haar leven hebben gemaakt, maar ze had de allerbeste moeder van de hele wereld.

'Julia en ik hebben grootse plannen voor je pensionering,' zei Dianne.

'O, lieverd,' zei Lucinda. 'Alsjeblieft geen feest, goed? Ik weet dat je iets voor me wilt doen, en dat vind ik heel fijn, maar ik hou echt niet van verrassingsfeestjes.'

'Geen feestje,' zei Dianne.

'En daarbij, er is ook al de dansavond op de bibliotheek,' zei Lucinda. 'Ik geloof dat ik een onderscheiding of zo van ze krijg. Ik moet doen alsof het een grote verrassing is. Wat vind je hiervan?' Ze trok een Betty Boop gezicht: grote ronde ogen, een openstaande mond en haar vingers tegen haar wang.

'Heel overtuigend,' zei Dianne lachend.

'Niet dat ik het niet kan waarderen,' zei Lucinda, 'want dat kan ik heus wel. Ik hou van het stel en ik zal ze verschrikkelijk missen. Maar mijn tijd zit erop, lieverd. Ik heb al veertig jaar last van pijnlijke voeten, en ik wil niets liever dan deze instappers het moeras in schoppen om voorgoed van ze verlost te zijn.'

'Julia en ik zullen iets verzinnen dat je op blote voeten kunt doen,' zei Dianne.

'Ahhhh,' zei Lucinda. Ze sloot haar ogen en slaakte een gelukzalige zucht. De vijftiende juli kon voor haar niet snel genoeg komen.

'Gleee,' zei Julia.

'Stel je voor, Julia. Dan heb ik zeeën van vrije tijd en kan ik al die boeken lezen die ik gemist heb. Help je me met inhalen?' vroeg Lucinda, alvorens haar ogen weer open te doen.

Dianne liet de lucht langzaam uit haar longen ontsnappen. Er was zo veel liefde in Julia's leven, maar het was zo verschrikkelijk oneerlijk: dat ze een grootmoeder had die de plaatselijke bibliothecaresse was en dat ze niet kon lezen, dat ze een moeder had die levensechte speelhuizen maakte en dat ze er niet in kon spelen.

'Denk je dat ze gelukkig is?' hoorde Dianne zichzelf vragen.

'O, dat weet ik zeker,' antwoordde haar moeder. 'Je hoeft alleen maar naar haar te kijken.'

Dianne deed haar ogen open en het was waar. Julia rolde haar hoofd langzaam en ritmisch heen en weer alsof ze de maat hield van een bepaalde melodie die alleen zij maar kon horen. Ze keek Dianne met grote ogen aan. Lucinda legde haar hand even op Dianne's schouder, en Dianne leunde tegen haar aan.

'Mijn gelukkige meisje,' zei Dianne, die het zo graag wilde geloven.

'Maaa,' zei Julia. 'Maaaaa.'

Kon je sterven aan te veel liefde? Zou ze onder Julia's gewicht kunnen bezwijken en zou het alle lucht uit haar longen kunnen persen? De zomer leek een zoete droom. Haar moeder zou niet meer werken; zij, Dianne en Julia zouden op het strand kunnen liggen, met het hete zand onder hun rug en het briesje dat al hun problemen wegblies.

'Ga een eindje roeien,' zei haar moeder. 'Ik pas wel op Julia.'

Dianne aarzelde. Ze dacht aan het volmaakte witte huis aan de haven: tegenwoordig stopte ze al haar dromen in de speelhuizen die ze bouwde. Haar eigen huis was een ruïne. Dianne voelde zich hard en versteend van binnen. Haar spieren deden pijn en ze wist dat het trekken aan de riemen, en het door het moeras naar open water roeien, haar goed zou doen.

'Bedankt, Mam,' zei Dianne.

Lucinda hield haar blik even vast. Ze was klein en sterk. Ze hoefde Dianne niet aan te raken om haar kracht en steun te geven. Buiten waaide een windje door het goudgroene riet. Zeeotters gleden van de zandbanken en speelden in het brakke bruine water.

'Ga nu maar,' drong haar moeder aan.

Dianne knikte en rende naar buiten.

Hoofdstuk 3

Als kind had Alan met zijn ouders en zijn broers bij de zee gewoond. Hij, Neil en Tim waren opgegroeid in Cape Cod, vijftien kilometer ten oosten van het Woods Hole Oceanographic Institution. Alan had meerdere zomers in het hydrofonisch lab daar gewerkt. Zijn mentor, Malachy Condon, zei altijd dat hij, van alle studenten die hij ooit gehad had, het beste oor voor dolfijnengeluiden had. Maar Alan was voorbestemd om kinderarts te worden.

Nu, achttien jaar later, ging hij op zijn vrije woensdagmiddag altijd naar de bibliotheek om er het laatste nummer van de *Delphinus Watch* en de *Whale Quarterly* te lezen. Dat deed hij om van zijn oude hobby op de hoogte te blijven, maar ook om een praatje te maken met zijn oude, dierbare vriendin Lucinda Robbins. De openbare bibliotheek van Hawthorne was op de kop af tien minuten lopen van zijn huis, maar omdat hij ervoor ging joggen, had hij drie kwartier nodig om er te komen.

'Heb je negen kilometer gelopen?' vroeg mevrouw Robbins, van achter de balie.

'Nee, vandaag heb ik er tien gelopen,' antwoordde hij.

Ze pakte een opgevouwen handdoek van een wagentje met boeken die teruggezet moesten worden, en gaf hem aan Alan.

Een paar maanden nadat Tim Dianne had laten zitten, was Alan na het joggen de bibliotheek binnengegaan. Hij had mevrouw Robbins gemist. Ze was altijd heel aardig voor hem geweest, en had hem van het begin af aan beschouwd als iemand van de familie. Hij had meer met haar gemeen dan Tim – je kon bijna zeggen dat hij een vaste bewoner van de bibliotheken van Woods Hole en Cambridge was, en toen Tim en Dianne nog met elkaar getrouwd waren, hadden Alan en Lucinda eindeloze gesprekken gevoerd over boeken en ideeën.

Maar die dag, elf jaar geleden, had hij daar gestaan en was hij zich bewust geweest van zijn zweet dat op de bruine linoleum vloer droop, en

44

van de woede van de bibliothecaresse. Maar was haar boosheid echt zo verwonderlijk? Hij was een McIntosh, hij was Tims broer, en dat feit zou op zich al voldoende zijn om haar tegen hem in het harnas te jagen.

De week daarop was hij eerst weer naar huis gegaan om te douchen. Hij wilde mevrouw Robbins graag te vriend houden. Hij had zich gerealiseerd hoe belangrijk ze voor hem was geworden, en nu wilde ze niets meer met hem te maken hebben. Als Julia's dokter was hij zich meer dan ooit bewust van de familieband tussen hen, en hij wilde haar zijn excuses aanbieden. Tot zijn verbazing begroette ze hem met een gestreepte handdoek.

'Het spijt me heel erg van vorige week,' had ze gezegd. 'Mijn boze oog is een risico van mijn beroep.'

'U had volkomen gelijk,' had hij gezegd.

'Nee,' had mevrouw Robbins hoofdschuddend gezegd. 'Het maakt niet uit of je hier zwetend binnenkomt of niet. Jij bent niet verantwoordelijk voor wat Tim heeft gedaan. Je doet zoveel voor Julia en Dianne...'

Alan had willen protesteren, maar hij had zijn woorden ingeslikt en haar excuses aanvaard. Zijn relatie met Dianne was moeizaam, en hij zou alles doen wat in zijn vermogen lag om hun onderlinge band in stand te houden. Hij had gemeend dat de handdoek een eenmalig gebaar was geweest om de vrede te herstellen, maar sindsdien bracht ze er elke woensdagmiddag eentje voor hem mee.

Vandaag bedankte hij haar, nam de handdoek van haar aan en liep met zijn stapel tijdschriften naar zijn favoriete leunstoel bij de open haard. Deze bibliotheek was de oudste van de staat, en de zalen waren licht en luchtig. De leeszaal beschikte over een open haard die zo groot was dat je er gemakkelijk een heel varken in zou kunnen roosteren. Het heldere aprillicht viel door de hoge boogvensters naar binnen. Alan pakte het eerste tijdschrift op, en begon te lezen over de grote zeezoogdieren. Na een poosje dwaalden zijn gedachten af naar zijn familie.

Hun oudste broer, Neil, was een echte walvisliefhebber geweest. Al heel jong – Neil, Tim en hij waren nog maar tieners geweest – hadden ze hun eigen walviswacht-bedrijfje opgericht, waarbij ze met toeristen de zee op gingen om ze de foerageerplekken voor Chatham Shoals te tonen. Hun vertrekpunt was de stoombootsteiger in Hyannis, en ze vroegen tien dollar per persoon. Het was Neils idee geweest om hun passagiers het volle bedrag terug te geven als ze, om wat voor reden dan ook, geen walvissen of dolfijnen te zien hadden gekregen. Dat was nu typisch Neil – gul, goedhartig en zelfverzekerd genoeg om te weten dat het maar heel zelden zou voorkomen dat ze de passagiers hun geld terug zouden moeten geven.

Neil had leukemie gekregen en hij was gestorven. In de zomer dat ze zestien en veertien waren geweest, hadden Alan en Tim hun broer steeds zieker zien worden. Neil was thuis geweest, in zijn kamer. De gordijnen waren altijd dicht, ze mochten geen lawaai maken en niemand mocht bij Neil naar binnen. Neil had verschrikkelijk geleden. Niet alleen van de pijn die bij zijn ziekte hoorde, maar ook van het feit dat hij zo geïsoleerd was geweest. Hij miste de zee, de walvissen en hun boot. Hij miste zijn broers. Neil was op zijn achttiende gestorven aan leukemie, maar ook aan een gebroken hart. Tim had de laatste twee nachten van Neils leven op het gras onder zijn raam gezeten. Alan was stiekem naar binnen gegaan om bij hem te kunnen zijn.

Alans ouders waren bang geweest dat kanker besmettelijk was. Het maakte niet uit dat Neils dokter hen had verzekerd dat dat niet zo was. Ze hadden een primitieve angst voor de bloedziekte, en ze waren doodsbang geweest dat ze al hun zoons zouden verliezen. Het waren eenvoudige mensen – een visser en zijn vrouw. Alans vader bleef sindsdien zoveel mogelijk op zee. Zijn moeder zocht troost in de drank.

Alan en Tim hadden zich de jaren daarop meer met de vissen beziggehouden, dan met mensen. Tim was van school gegaan en was visser geworden. Net als zijn vader, was hij het liefst zo lang mogelijk op zee. Alan zocht zijn toevlucht bij Malachy Condon op het WHOI. De oude man was even taai als een visser, maar hij was afgestudeerd aan de universiteit van Columbia. Tim bracht de nachten voor de kust van Nantucket door met kreeftenvangen, ontmoette Alan in de haven van Woods Hole en luisterde naar Malachy's bonte verhalen over research op de Noordzee en in de Indische Oceaan. Beide broers waren als verdoofd als gevolg van Neils dood en het gebrek aan aandacht van hun ouders, en Malachy werd steeds meer een soort vaderfiguur voor hen.

Gedurende Alans laatste studiejaar, droomde hij elke nacht van Neil. Op een koude ochtend in november verscheurde hij zijn sollicitatieformulier voor Woods Hole, en schreef zich in plaats daarvan in voor de studie medicijnen. Malachy was teleurgesteld geweest en Tim had hem voor gek verklaard. Tim had het idee dat ze samen een boot zouden kunnen hebben – hij om te vissen, en Alan om er het gedrag van de vissen mee te kunnen bestuderen. Ze waren elkaar tegengekomen voor de ingang van de bibliotheek van Widener, en Tim had zijn best gedaan om hem op andere gedachten te brengen.

'Hou het nu maar liever op vis,' had Tim gezegd. 'Als vissen sterven, dan is dat niet erg.'

'Precies,' had Alan gezegd. 'Ik ben uren en uren bezig met het bestuderen van plankton, en het laat me ijskoud. Ik wil dokter worden.'

'Om wat te doen?'

'Om mensen te helpen,' had Alan gezegd, en hij dacht aan hun broer en aan hun ouders.

'Wil je dan de rest van je leven bezig zijn met zieke mensen?' had Tim geroepen. 'Denk je nu echt dat iemand je daar dankbaar voor zal zijn?'

'Ja, dat denk ik inderdaad,' had Alan geantwoord.

'Zoals Dr. Klootzak met Neil?'

'Hij had met ons moeten praten,' had Alan gezegd. 'Hij had Mam en Pap moeten vertellen wat er zou gebeuren. Hij had het hen uit moeten leggen, zodat ze er meer van begrepen en beter voorbereid waren geweest. Hij had ons moeten helpen zodat wij Neil hadden kunnen helpen sterven. Ik vind het een verschrikkelijke gedachte dat we alles in ons eentje hebben moeten verwerken.'

'Ach, wat maakt het uit hoe het is gebeurd,' had Tim wild uitgeroepen. 'Hij is dood, en daar kan niemand iets aan veranderen.'

'Maar hij heeft geleden,' had Alan gezegd. 'Het had niet zo erg hoeven zijn –'

'Je hoeft mij heus niet te vertellen hoe hij heeft geleden,' had Tim uitgeroepen, terwijl hij Alan een zet had gegeven. 'Ik was erbij! Je hoeft me niets te vertellen.'

'Stel je niet zo aan,' had Alan gezegd. 'Neil hield niet van aanstellerij.'

'Hij is dood,' had Tim gesnauwd, en hij had Alan nog een hardere zet gegeven.

Nu Neil er niet meer was, was Alan de oudste. Tim was sterker, maar Alan was lang en breed en hij had het altijd van Tim gewonnen. Hij trilde van woede en deed een stapje naar achteren.

'Jij hebt onder zijn raam gezeten,' had Alan gezegd. 'Je durfde niet naar binnen. Ik wil mensen over hun angst heen helpen.'

'Ik was heus niet bang!' riep Tim. 'Ha, ik, bang!'

Hij haalde uit en gaf Alan een harde stomp in zijn maag. Ze keken elkaar met grote, verbaasde ogen aan. Alan kreunde, haalde op zijn beurt uit, en verkocht Tim een dreun in zijn zij. Tim kwam weer op hem af, en Alan probeerde hem van zich af te duwen, maar Tim greep Alan bij zijn nek, en het volgende moment rolden de beide broers over de grond.

Alan stompte Tim tegen zijn hoofd. Tim hield hem bij zijn haren, en Alan rukte aan zijn armen om los te komen. Tim had een wond boven zijn wenkbrauw en het bloed stroomde over zijn gezicht, en Alan voelde zijn nagels in zijn keel. Toen sprong hij op, en rukte Tim overeind. Maar Tim was nog niet uitgevochten. Hij was verblind door het bloed en stond als een gek met zijn armen door de lucht te maaien. Alan had er genoeg van.

'Hé, hou op,' had hij gezegd, terwijl hij Tim bij zijn schouders pakte en door elkaar rammelde.

Nog een uithaal.

Alan greep hem bij zijn pols en hield hem tegen. De broers stonden te wankelen op hun benen. Beiden waren op hun hoede, maar Alan was intussen niet boos meer. Toen Tim opnieuw uithaalde, trof Alan hem in zijn maag. Tim zakte door zijn knieën. Alan deed een stapje naar achteren, maar Tim wist van geen ophouden. Dit is belachelijk, dacht Alan. Het enige wat hij wilde was kinderen helpen, ze beter maken waar dat mogelijk was, en hen troosten wanneer ze niet te genezen waren – en nu stond hij hier met zijn broer te vechten.

Na het gevecht werd de afstand tussen hen nog groter. Alan zocht zijn toevlucht in zijn studie, en Tim ontsnapte opnieuw naar zee.

Tim bleef op zee en ving kreeft. Zijn gezicht werd verweerd en zijn handen werden ruw, en het maakte hem hard van binnen. Hij vergat hoe je met mensen omging. Hij dronk, hij vocht, of hij glimlachte naar een meisje om haar duidelijk te maken dat hij eenzaam was. Dat hij haar nodig had.

Een van die meisjes was Dianne. Doordat hij wist dat Dianne geïnteresseerd was in Alan, deed hij zijn uiterste best om haar te versieren. Hij deed wat hij kon om indruk op haar te maken. Tim was op zoek naar iemand die hem kon redden, en hij koos een vrouw die een geboren geefster was. Zijn gedrag, dacht hij, was voor een deel gespeeld – hij speelde de rol van de eenzame, dronken visser om haar aandacht te trekken. Maar hij had succes omdat zijn gedrag helemaal niet gespeeld, maar echt was. Hij dacht dat hij een rol speelde, maar dat was niet zo. En Alan had het zien gebeuren, had gezien hoe Dianne verliefd werd op zijn broer.

Er was maar een reden waarom Alan zich erbij neerlegde: hij hoopte dat Dianne Tim weer op het rechte pad kon brengen. Of liever, dat probeerde hij zichzelf wijs te maken. Dianne was sterk en ze was een rots in de branding, en met Tim was het sinds de dood van Neil alleen maar bergafwaarts gegaan. Misschien dat een vrouw en kinderen de leegte konden vullen en hij weer gelukkig zou kunnen zijn. Maar dat was niet gebeurd.

'Ik hoorde dat mijn meisjes gisteren bij je zijn geweest,' zei mevrouw Robbins. Alan schrok wakker uit zijn overpeinzingen. Dianne's moeder stond naast hem met een wagentje vol kranten en tijdschriften.

'Ja, dat klopt,' zei Alan.

'Hoe is het met Julia?'

'Ze is een kei,' zei Alan.

Mevrouw Robbins was al veertig jaar de bibliothecaresse hier. Alan had patiëntjes van hem horen beweren dat ze alle boeken die op de planken stonden had gelezen, en het zou hem niets verbazen als dat waar was. In haar blauwe ogen lag een intelligente en meelevende blik. Nieuwsgierigheid zorgde ervoor dat vrouwen zoals mevrouw Robbins nooit echt oud werden.

'Ja, maar hoe *is* het met haar,' herhaalde mevrouw Robbins.

'Ach, wat zal ik zeggen,' zei Alan. 'Ze doet haar best.'

Mevrouw Robbins beet op haar lip. Ze schoof een stapel *National Geographics* heen en weer als om zich ervan te verzekeren dat ze op de juiste volgorde lagen. Maar Alan wist dat ze alleen maar even tijd nodig had om haar emoties onder controle te krijgen.

'Nou, Alan,' zei ze, 'we rekenen op je.'

'Ik doe mijn best,' zei hij.

'Ik maak me zorgen om Dianne,' zei ze.

'Hoezo?' vroeg hij, onmiddellijk op zijn hoede.

'Het is ontzettend zwaar voor haar,' antwoordde mevrouw Robbins zo zacht dat alleen hij haar maar kon verstaan. Ze sprak snel en er lagen zorgenrimpels op haar voorhoofd. Alan boog zich naar haar toe om geen woord te hoeven missen. 'Julia is zo licht als een veertje. Echt, ze weegt helemaal niets. Maar de inspanning... zelfs wanneer ze alleen maar in de hoek van Dianne's werkplaats ligt te slapen. Alleen al haar aanwezigheid kost Dianne verschrikkelijk veel energie. Voornamelijk omdat ze niet weet hoe het de volgende dag met haar zal zijn.'

'Ja, dat is een hele uitdaging...' zei Alan, in het besef dat het een algemene opmerking was. Artsen werden geacht wijs te zijn. Vanbinnen voelde hij zich ellendig – hij vond het afschuwelijk om te horen dat Dianne het moeilijk had.

Hij dacht aan Neil en begreep wat mevrouw Robbins bedoelde. Het moeten aanzien van het lijden van iemand die je dierbaar is, is een van de ergste dingen die er zijn. Actief helpen – een wond verbinden, een breuk zetten, een brandwond schoonmaken – was altijd veel gemakkelijker dan iets met lede ogen aan te moeten zien omdat er niet te helpen viel.

'Dianne is moedig,' zei hij.

'Het grootste gedeelte van de tijd, ja.'

'Ze zou me om meer hulp kunnen vragen dan ze doet.'

'O, Alan,' zei mevrouw Robbins. 'Je hebt er geen idee van hoe moeilijk het voor haar is om je hulp te aanvaarden. Hoe lief en goed je ook bent, je herinnert haar altijd aan Tim.'

'Ja,' zei Alan. Lucinda's woorden deden pijn.

'Heb je onlangs nog iets van hem vernomen?'

Alan schudde zijn hoofd. Twee maanden geleden had Tim uit Camden gebeld omdat hij duizend dollar wilde lenen. Daarvoor belde hij wel eens op Alans kosten, of stuurde hij briefkaarten uit de haven van Lubec of Halifax. Tim was een zeevarende zwerver geworden. Soms bracht hij Malachy een bezoekje. Hij had geen huis en geen adres. Dat was de prijs die hij had betaald voor wat hij had gedaan: voor het verlaten van zijn vrouw en kind.

'De arme ziel,' zei Lucinda. 'Hij heeft het zo verschrikkelijk moeilijk dat je eigenlijk nauwelijks boos op hem kunt zijn. Maar toch.'

'Ja, ik weet wat u bedoelt,' zei Alan, die voelde dat Lucinda naar hem keek. Hij vroeg zich af of ze het wist. Ze was te zeer Dianne's moeder en ze was te discreet om het te vragen, maar volgens hem wist ze het.

Alan hield van Dianne.

Het gevoel was nooit verdwenen. Zelfs toen ze voor Tim had gekozen, en Alan zichzelf had wijsgemaakt dat hij blij moest zijn omdat zij Tim zou kunnen helpen, en ze zijn leven zou kunnen redden, was hij altijd van haar blijven houden. Hij zou alles doen om haar te helpen – toen, en nu nog steeds.

Hij hield zichzelf voor dat hij dokter was, en dat zijn medeleven daarom vanzelfsprekend was. Dianne's ogen waren een open boek. Haar haren hadden de kleur van het moeras van Cape Cod dat in de herfstzon van puur goud leek. Ze rook naar verf, naar hout en de zee. Vaak lagen er rimpels van pure frustratie op haar voorhoofd, maar wanneer ze naar Julia keek, dan maakten die rimpels plaats voor zo'n intense liefde, dat Alan er soms een prop van in zijn keel kreeg.

Psychiaters – en Malachy Condon – zouden zeggen dat hij van zijn schoonzus hield omdat hij haar nooit zou kunnen krijgen. *Angst voor een vaste relatie? Geen probleem – verlies je hart aan de vrouw die door je broer in de steek is gelaten en die niets van jou en je familie wil weten.* Alan had een probleem voor wat relaties betrof – dat hoefde niemand hem te vertellen. Hij had het geprobeerd met de meest fantastische vrouwen. Vrouwen die stuk voor stuk beter waren dan hij verdiende. Hij had de akelige gewoonte dat hij na het derde of vierde afspraakje vergat te bellen. Hij was nooit getrouwd geweest, en hoewel hij dol was op kinderen, had hij er zelf geen. En dat zou waarschijnlijk ook zo blijven.

'Dianne hoopt op een mooie zomer,' zei mevrouw Robbins.

'Ja, dat weet ik,' zei Alan.

'Ik hoef dan niet meer te werken, en dan heb ik meer tijd om haar te helpen.'

'Denkt u dat Dianne een oppas zou willen hebben?' vroeg hij. 'Ik heb iemand in gedachten, iemand die haar een beetje zou kunnen helpen en wat werk uit handen zou kunnen nemen.'

'Misschien,' zei mevrouw Robbins. 'Je zou het kunnen proberen.'

'Als het van mij komt, dan zegt ze waarschijnlijk nee.'

'Je bent zo goed voor haar, Alan,' zei ze. 'Ze laat het misschien niet blijken, maar ik weet dat ze je dankbaar is.'

'Het doet er niet toe,' zei hij.

De bibliothecaresse keek hem aan. 'Natuurlijk doet het er wel toe, en niet zo'n beetje ook,' zei ze. Ze pakte zijn vochtige handdoek en hing hem uit over het metalen hendel van haar karretje. Alan wist dat ze hem zou wassen om hem de volgende woensdag weer voor hem mee te brengen. Hij wist dat Lucinda gehoopt had dat hij als winnaar uit de bus was gekomen. Dat Dianne bij Alan zou zijn gebleven, en dat ze nooit met Tim was getrouwd.

En dat had Alan zelf ook gehoopt.

Amy was vroeg uit school. Haar moeder lag in bed en haar moeders vriendje, Buddy, was aan het repeteren met zijn band. Ze waren in een garage, ergens verderop in de straat, en Amy kon het onaangename metalen geluid duidelijk horen. *Wie kon het nu fijn vinden om muziek te maken die klonk als een wrakke trein?* Maar het fijne eraan was dat hij bezig was, en dat ze zou horen wanneer hij ophield met spelen.

De rolluiken waren dicht, maar de voorjaarszon gluurde als een gouden lijstje door de kieren eromheen. Lege bierflesjes verspreidden hun gebruikelijke geur. Amy liep met een spuitbus naar ananas ruikende luchtverfrisser door de kamers en spoot erop los. Ze dacht aan beken en bossen, aan uilen en nachtzwaluwen. Ze gluurde om een hoekje van haar moeders kamer, en zag haar moeder onder de dekens liggen.

'Mam?' vroeg ze fluisterend.

Haar moeder verroerde zich niet. De luiken waren dicht, en de dikke gordijnen ook, en de lucht in de kamer was even bedompt en zwaar als bruin ribfluweel. Het was smoorheet, en de verleiding om de ramen open te gooien was groot, maar Amy beheerste zich. Ze wist dat haar moeder haar rust nodig had. Omdat ze behoefte had aan gezelschap, liep ze terug naar de zitkamer.

'Dag, hondje,' zei ze, terwijl ze zich naast de hondenren op haar knieën liet vallen.

De pup ontblootte zijn handen, gromde, en kroop zo ver mogelijk weg in het verste hoekje van de ren. Buddy, die zijn best deed om een waakhond van hem te maken, had hem Slash gedoopt, maar Amy piekerde er niet over om hem zo te noemen.

'Ik ben je vriendinnetje,' zei ze.

'Grrr.'

'Geloof je me niet?' Amy rende naar de keuken en kwam terug met twee plakjes kaas – zelfs Buddy zou die twee kleine plakjes niet missen. Ze scheurde ze in kleine stukjes en legde er een voor in de ren.

'Grrr,' gromde het hondje. Amy dacht terug aan een eerdere keer in de praktijk van Dr. McIntosh. Amy was bang geweest – ze had keelpijn en hoge koorts. Ze was zo bang geweest dat ze haar mond niet open had durven doen. Dr. McIntosh had helemaal geen haast gehad. Hij had haar eerst op haar gemak gesteld met een lollie en een verhaal over dolfijnen.

'Ik ben je vriendinnetje, hondje,' zei Amy, terwijl ze probeerde om Dr. McInstoshs mooie, zachte stem te imiteren. En het werkte, want het zwarte hondje keek Amy strak aan en kwam centimeter voor centimeter uit zijn hoekje gekropen.

Het duurde tien minuten voor het hondje eindelijk zo ver was dat hij van de kaas durfde te eten. Hij at een stukje, en toen nog een, en toen nog een. Heel voorzichtig maakte Amy het metalen deurtje open. De scharnieren maakten een piepend geluid, en het hondje schoot weer naar achteren. Maar Amy legde weer een paar stukjes kaas neer, en het diertje kwam opnieuw naar voren gekropen en at ze allemaal op. Al gauw at hij uit haar hand. Hij had een borstelige, warme vacht, en dat heerlijke puppy-luchtje. Amy snoof de zoete geur in zich op en wou dat zij een puppy was.

'De muziek!' riep Amy uit, terwijl ze zich, net even te laat, realiseerde dat het was opgehouden.

'Wat gebeurt hier?' vroeg Buddy vanaf de drempel van de voordeur.

Amy hield het hondje achter haar rug in de hoop dat Buddy hem niet zou zien. Ondanks de smalle streepjes zonlicht die langs de rolluiken naar binnen vielen, was het redelijk donker in de kamer, en Amy hoopte dat Buddy niets zou kunnen onderscheiden. Intussen kon het hondje weer terug kruipen in zijn ren, en dan hoefde niemand meer ergens bang voor te zijn. Amy ging languit voor de ren liggen en hoopte vurig dat het hondje het zou begrijpen.

'Niets,' antwoordde ze. 'Hoe was de repetitie?'

'Waardeloos. Ik heb een snaar gebroken en onze bassist moest werken. Wat –'

'Nou, het klonk anders geweldig,' zei Amy met wild kloppend hart. Ze reikte achter zich en probeerde het hondje in zijn ren te duwen.

'Heb je ons dan gehoord?'

'Ja. Zelfs met een kapotte snaar speel je nog als de beste. Wie is die beroemde gitarist ook alweer naar wie Mam zo graag naar luistert? Niet James Taylor, die andere...'

'Eric Clapton?'

'Ja! Nou, je speelt veel beter dan hij.'

'Ha,' zei Buddy. Niemand kon dat woordje met meer overtuiging zeggen dan Buddy. Wanneer het van zijn dunne lippen rolde, riep het doorgaans beelden op van een vracht cement die van de Empire State Building viel. Maar nu klonk het als een uiting van verwondering. Toen Ponce de Leon uit de hete jungle was gekomen en de Bron van de Jeugd had gevonden, had zijn 'Ha' net zo geklonken als dat van Buddy.

'Veel beter,' zei Amy enthousiast, terwijl ze haar borst voelde kraken van angst. Het hondje had haar naar kaas smakende vingers gevonden en zat ze als een gek af te likken.

'Vind je? Zelf vind ik eigenlijk dat ik meer een Hendrix ben. Toen mijn snaar brak, was het bijna net... wat is dat?'

'Dat geluid, bedoel je?' vroeg Amy, en haar brein werkte op volle toeren. Het hondje lebberde vrolijk verder.

'Is die hond uit zijn ren ontsnapt?' vroeg Buddy.

'Nee,' antwoordde Amy prompt, terwijl ze het dier in de ren duwde en haar armen voor de opening hield. 'Ik heb hem eruit gelaten. Het is mijn schuld. Ik wilde hem alleen maar –'

Buddy tilde Amy in een beweging bij de ren vandaan en gooide haar op de bank. Toen stak hij zijn hand in de ren en greep het hondje bij zijn nekvel. Amy zette grote ogen op. Ze keek naar het hondje dat als een ham aan een slagershaak doodsbang aan Buddy's hand hing.

'Wat heb ik je gezegd?' vroeg Buddy, en Amy wist niet of hij het tegen de hond, of tegen haar had.

'Het is mijn schuld,' zei Amy opnieuw. Haar stem klonk als schuurpapier dat ze op school wel eens gebruikte.

'Schuld interesseert me niet,' zei Buddy zacht. 'Waar het mij om gaat, dat is gehoorzaamheid.'

'Doe hem geen pijn,' zei Amy.

'Wat heb ik aan een waakhond die niet gehoorzaamt? Als je het ze niet bij kunt brengen zo lang ze jong zijn, zit er niets anders op dan hen later dood te schieten.'

'Maar doe hem geen pijn,' zei Amy.

Buddy zei niets terug, maar schopte het hondje met de scherpe punt van zijn cowboylaars. Het hondje piepte van de pijn, en Buddy schopte hem nog eens. 'Voor je eigen bestwil,' zei hij, terwijl hij hem vasthield. 'Voor je eigen bestwil, stom beest.'

Amy begon te huilen. Het arme dier kon geen kant op. Hij probeerde zich los te wurmen en jankte luid. Buddy bleef hem schoppen, en toen hij klaar was, gooide hij hem terug in de ren. Daarna pakte hij een opgerolde krant en sloeg hem op de palm van zijn hand.

'Gesnopen?' vroeg hij. Hij had Amy niet geslagen, maar ze had sterk het gevoel dat zijn woord een dreiging inhield. 'Is het duidelijk wie hier de baas is?'

Ze hoorde het bed van haar moeder kraken. Amy's maag deed pijn. Ze wist niet goed wat ze wilde – dat haar moeder het hondje zou redden, of dat ze zich er niet mee zou bemoeien.

'Kom hier,' zei Buddy.

Amy weigerde hem aan te kijken omdat ze bang was dat hij het tegen haar had.

'Kom hier,' herhaalde Buddy, en hij rammelde aan de deur van de ren. Hij stak zijn hand erin en haalde de hond er weer uit. Hij aaide hem, fluisterde hem lieve woordjes toe en kroelde hem achter zijn oor. De hond jankte zachtjes en probeerde weg te komen.

'Ik zal je leren, jongen,' zei Buddy. 'Net zo lang tot je het snapt.'

'Doe hem alsjeblieft geen pijn,' fluisterde Amy.

'Wat?'

Amy klemde haar lippen op elkaar. Het was niet haar bedoeling geweest dat Buddy dat zou horen. Ze wist uit ervaring dat hij er niet tegen kon wanneer anderen zich met hem bemoeiden – zoals Amy met haar moeder deed. Dat soort dingen maakte hem razend.

Het hondje probeerde zich los te trekken, en zijn gejank klonk bijna als dat van een klein kind. Amy moest zich tot het uiterste beheersen om te blijven zitten waar ze zat en niet naar het dier te gaan om hem te helpen, maar ze was blij dat de pup nog vechtlust over had. Het zou nog veel erger zijn als hij, zoals Buddy wilde, zijn hand zou likken. Amy wist dat ze heel stil zou moeten zijn als ze wilde dat Buddy de kamer uit ging. Hoe eerder ze zich onzichtbaar maakte, des te eerder dit voorbij zou zijn.

'Ik vroeg, wat?' vroeg hij zacht.

Maar Amy kroop weg in haar binnenste en veranderde zich in een kabbelend beekje. Ze kabbelde over bemoste oevers, onder bomen door en door schaduwrijke dalen. Reigers nestelden op haar oevers, en spinnen sponnen hun web boven haar heldere water. Ze stroomde bergafwaarts naar de zee, waar haar vader had gevist. Ze was er bijna toen de telefoon ging.

'Hallo?' zei Buddy.

Amy keek naar hem. Hij stond met een kaarsrechte rug, de vorst van zijn kasteel, en drukte de hoorn tegen zijn oor. Het schoppen van de hond moest hem zelfvertrouwen hebben geschonken, want hij klonk bijna griezelig zeker van zichzelf. Maar Amy zag hoe hij, terwijl hij luisterde naar wat er aan de andere kant van de lijn werd gezegd, langzaam maar zeker leek te krimpen. Zijn rug zakte voorover en hij verlepte als de stengel van een uitgebloeide tulp.

'Ja, ze is thuis,' zei hij. 'Ik roep haar even.'

'Is het voor Mam?' vroeg Amy.

'Nee, voor jou,' zei hij, met zijn hand op de telefoon. Even leek het alsof hij haar wilde waarschuwen dat hij een telefoontje verwachtte en dat ze het kort moest houden, of dat ze familiezaken binnenshuis moest houden. Zijn dunne lippen gingen een paar keer open en dicht, maar uiteindelijk gaf hij haar alleen de telefoon maar aan.

'Hallo?' zei Amy.

'Spreek ik met Amy Brooks?' klonk de diepe stem die ze meteen herkende. Opluchting verspreidde zich als een heerlijke warme golf door haar lichaam, en de tranen sprongen haar in de ogen.

'Dag, Dr. McIntosh,' zei ze.

'Wat zijn je plannen voor aanstaande zondag?' vroeg hij.

Hoofdstuk 4

Het was zaterdagochtend, en Dianne was bezig met het behangen van de muren van een speelhuis in Victoriaanse stijl. Het blauw-witte behang was Engels en had een patroontje van kleine, witte pioenrozen. Dianne werkte van binnen naar buiten. Pas nadat elk detail van het interieur perfect was, zette ze het huis in elkaar.

'Ik weet zeker dat je grootmoeder dit behang mooi zal vinden,' zei ze tegen Julia. 'Pioenrozen zijn haar lievelingsbloemen.'

Julia zat vlakbij in haar stoel. Alle ramen stonden open en vanaf het moeras waaide een warme wind. Stella zat in elkaar gedoken achter het hor op de vensterbank, en observeerde het leven in de tuin. Julia was heel stil vandaag en genoot van het briesje in haar haren. Iedereen genoot op zijn of haar manier van het voorjaar. Dianne voelde hoe april langzaam maar zeker plaatsmaakte voor mei.

Een autoportier werd dichtgeslagen, en de kat sprong onmiddellijk van de vensterbank om zich te verstoppen. Stella, die in het wild was geboren, was heel erg schuw. Dianne probeerde te zien wie er was gekomen, maar het raam zat aan de achterkant en de oprit was niet te zien. Ze waste de behanglijm van haar handen en liep naar de deur.

'O, nee,' zei ze. Haar maag balde zich samen toen ze Alan uit de auto zag stappen. Dianne dacht aan de uitslagen van Julia's onderzoek, en ze vroeg zich af of hij was gekomen omdat hij haar het slechte nieuws niet over de telefoon wilde vertellen. Maar toen zag ze het meisje, en ze ontspande zich een beetje. Hij zou alleen zijn gekomen als hij slecht nieuws had gehad. Dianne's handen beefden terwijl ze ze afdroogde aan een oude lap, en ze keek naar het tweetal dat naar haar werkplaats kwam gelopen.

Alan hield zijn hand boven zijn ogen en keek om zich heen. Het moeras lag te schitteren in de zon, en toonde minstens honderd verschillende tinten groen. Het riet ruiste en merels met rode vleugels vlogen af en aan.

Erachter fonkelde het water van de Long Island Sound. De Robbinsen woonden in het laatste huis van Gull Point, amper tien straten van Amy's huis, maar het was hier een totaal andere wereld.

'Kent u de mensen die hier wonen?' vroeg Amy, die naast hem stond. Haar ogen waren groot en rond.

'Ja.'

'Het zijn heksen,' zei ze. 'Alle kinderen zeggen dat ze heksen zijn.'

'Alle kinderen? Welke kinderen?'

'De kinderen uit mijn buurt.'

'En wat zeggen ze precies?'

'Dat de vrouwen die hier wonen kinderen in monsters en trollen veranderen, en dat ze ze daarna gevangenhouden.' Amy wierp angstige blikken op het huis. Het was een keurig huis waarvan de houten dakpannen zodanig verweerd waren dat ze bijna van zilver leken. De blauwe luiken hadden uitgezaagde zeepaardjes, en de witgeschilderde kozijnen glansden in de zon. De bloembakken op de vensterbakken stonden vol met paarse en gele viooltjes.

'Ach...' zei Alan.

'Is het waar?' vroeg Amy. Ze stond zo dicht bij hem dat haar schouder zijn jasje raakte.

'Ik denk dat je dat beter zelf kunt beslissen,' zei hij. Hij zag Dianne op de drempel staan en huiverde.

Amy had nog nooit eerder aan Dr. McIntosh getwijfeld, maar ze begreep werkelijk niet waarom hij haar naar het huis van de heksen had gebracht. Ze had zich zo op deze dag met hem verheugd, dat ze een bad met Rain Magic badzout had genomen, en daarna een schone spijkerbroek had aangetrokken met het schoonste T-shirt dat ze had kunnen vinden. Maar nu ze naast hem op de oprit van gemalen schelpen stond, was ze bang.

De tuin werd van de straat afgeschermd door hoge ligusterhagen. Amy woonde maar een paar straten verder, maar ze had het huis nog nooit eerder gezien. Ze verbaasde zich erover dat het zo'n leuk en vriendelijk aandoend huis was. Eigenlijk kon ze zich van heksen niet voorstellen dat ze in zo'n leuk huis met zeepaardjes-luiken woonden. Dr. McIntosh liep verder, maar in plaats van dat hij naar de voordeur van het huis liep, ging hij de zijtuin in. De tuin was een groot veld van zeegras met perken waar narcissen, roze azalea's en kleine blauwe wilde hyacintjes bloeiden.

Helemaal achteraan, op de grens van het moeras, stond een klein wit huisje. *Bepaald on-heksenachtig*, dacht Amy. En op de drempel stond de vrouw met het gouden haar die Amy eerder had gezien in de wachtkamer van Dr. McIntosh.

'O!' kwam het verbaasd over Amy's lippen.

'Ik had je eerst moeten bellen,' zei de dokter tegen de vrouw.

'Wat is er?' vroeg ze angstig.

'Niets, niets,' haastte hij zich haar gerust te stellen. 'Ik was toevallig in de buurt om mijn vriendin Amy Brooks te halen, en ik wilde haar graag aan je voorstellen.'

De vrouw liet haar hoofd zakken en maakte een opgeluchte indruk. Ze droeg een witte overhemdblouse met opgerolde mouwen, een spijkerbroek, en oude instappers. Ze had haar haren in een losse vlecht die met een spriet moerasgras bij elkaar werd gehouden. Toen Amy haar de eerste keer had gezien had de kleur van haar ogen haar aan maagdenpalm doen denken, en dat deed het nu weer.

'Ik weet wie je bent,' zei de vrouw met een traag glimlachje.

Amy stond half achter de dokter.

'Ik heb je in het speelhuis zien zitten,' zei de vrouw.

'Dat mag van Dr. McIntosh,' riep Amy meteen, omdat ze bang was dat de vrouw haar dat wilde verwijten.

'Het doet me plezier dat je het leuk vindt,' zei de vrouw.

Amy fronste haar voorhoofd terwijl ze zich afvroeg waarom het de vrouw iets kon schelen, waarna ze vragend opkeek naar de dokter die een hand op haar schouder legde.

'Mevrouw Robbins heeft dat speelhuis gemaakt,' zei hij. 'Ik heb het van haar gekocht voor in de wachtkamer. En mijn broer heeft het met zijn vrachtwagen bezorgd. En zo hebben we elkaar allemaal leren kennen.'

'Maar dat is allemaal al heel lang geleden,' zei de vrouw. 'En ik zou het fijn vinden als Amy me Dianne wilde noemen. Kom binnen.'

Nu Dianne de eerste schrik, van het zien van Alans auto en de automatische gedachte dat hij slecht nieuws kwam brengen, te boven was, kon ze zich ontspannen. Ze keken elkaar aan en hielden elkaars blik even vast. Ze zag zijn open gezicht en de lachrimpeltjes waar elke moeder in Hawthorne dol op was, en ze was zich zo bewust van de onderlinge afstand die ze tussen hen wilde bewaren, dat ze in eerste instantie vergat de hordeur voor hem open te doen.

'Hoe is het met je?' vroeg hij, terwijl hij de werkplaats binnenstapte.

'Goed, dank je. Is alles in orde?' vroeg ze.

'Ja,' zei hij, om zich heen kijkend alsof haar werkplaats volkomen nieuw voor hem was. Hij kwam regelmatig even langs, maar meestal kwam hij niet verder dan het huis zelf.

'Je bent hier toch al geweest?' vroeg ze.

'Meestal heb je de boel hier stevig gebarricadeerd,' antwoordde hij.

Ze keek op en zag zijn wat wrange glimlachje.

'Jullie zijn familie,' zei Amy. 'Dat heeft hij me verteld.'

'Verre familie,' zei Dianne.

'Ik ben de oom van haar dochter,' zei Alan op zo'n liefdevolle toon dat het zelfs Dianne niet kon ontgaan. Hij was altijd zo aardig tegen kinderen, en niemand kon ontkennen dat hij de gave had om met hen om te gaan.

Hoe was het mogelijk dat iemand die zo totaal anders was dan Tim, haar zo sterk aan hem deed denken? Alan was intelligent, en Tim was verwaand. Alan droeg de meest verschoten blauwe overhemden die Dianne ooit had gezien, oude spijkerbroeken en bergschoenen. Zijn bril zakte voortdurend van zijn neus, en Dianne moest zich beheersen om hem niet weer omhoog te duwen. Tim was het zwarte schaap van de familie, en Alan was de wetenschapper. Maar ze waren alle twee lang en slank, en hadden een soepele, lenige manier van bewegen. Maar wanneer Dianne Alan zag, trok ze zich altijd meteen weer in zichzelf terug alsof ze niet tegenover hem, maar tegenover Tim stond.

'Deeee!' zei Julia, terwijl ze ineens tot leven kwam. 'Deeee!'

'O!' riep Amy geschrokken uit. Ze zag Julia en deed meteen een stapje naar achteren.

Dianne's maag balde zich samen. Wanneer iemand Julia voor de eerste keer zag, schoot Dianne's moederinstinct prompt in de eerste versnelling. Als de mensen de indruk gaven dat ze Julia maar eng en griezelig vonden, en dat haar aanblik hen van streek maakte, dan probeerde ze ze zo snel mogelijk de deur uit te werken. Ze had eigenlijk verwacht dat Alan het meisje had gewaarschuwd, maar het was duidelijk dat hij dat niet had gedaan.

'Is dat –' begon Amy.

'Dat is mijn dochter,' zei Dianne met klem.

'Ze heet Julia,' zei Alan. 'Je vroeg laatst naar haar.'

'Ik heb haar kaart gezien!' zei Amy. Ze zette grote ogen op en deed een stapje naar Julia toe.

Dianne voelde haar schouders spannen. Ze sloeg haar armen over elkaar en zette zich schrap. Het meisje had zo angstig geklonken, maar nu sloeg ze Julia gade met een soort van morbide fascinatie. Dianne voelde dat ze boos begon te worden, en ze wilde een stapje naar voren doen om tussen Amy en Julia in te gaan staan.

'Heb je haar Julia's kaart laten lezen?' vroeg Dianne woedend.

Alan schudde alleen zijn hoofd maar, alsof de kwestie totaal onbeduidend was.

'Dit is Dianne's werkplaats,' zei Alan.

'Waar je je speelhuizen maakt?' vroeg Amy.

'Ja.'

'Hmm,' zei Amy. Ze keek Julia van onder haar wimpers aan, maar wendde haar blik toen snel weer af. Ze wilde graag wat beter en langer kijken, maar ze wist dat dat onbeleefd zou zijn. Terwijl Alan zich over Julia ontfermde, probeerde Dianne Amy's aandacht af te leiden door haar op het half afgewerkte speelhuis te wijzen.

'Ik ben juist aan het behangen,' zei Dianne. Ze voelde zich net een beschermende moedervogel die het meisje weglokte bij haar nest. Aan de andere kant maakte het kind een ontzettend kwetsbare indruk. Ze had dun bruin haar, afgekloven nagels en een diepe zorgenrimpel tussen haar wenkbrauwen.

'O, wat mooi,' zei Amy, terwijl ze haar hand even over de witte bloemen liet gaan.

'Ik doe alle muren om de beurt,' vertelde Dianne, 'en dan zet ik de boel in elkaar.'

'O,' zei Amy, met een blik achterom, naar Julia.

'En als het huis eenmaal in elkaar zit, dan breng ik de versieringen aan zoals deze houten krullen. Die komen aan de uiteinden van de balken, en daarna komt deze duiventil erop, en dan schilder ik de luiken...'

'Heeft ze er eentje in haar kamer?'

'Wat?' vroeg Dianne.

'Julia,' zei Amy aarzelend. Ze boog zich opzij om langs Dianne heen naar Julia te kunnen kijken. 'Heeft ze haar eigen speelhuis?'

'Nou, nee,' zei Dianne zacht. Zag Amy het dan niet?

Amy moest de verbazing in haar stem hebben gehoord, want ze kreeg een kleur. 'Ik dacht alleen, omdat ze je dochter is, en zo...'

'Je had gedacht dat Dianne daarom wel een huis voor haar gebouwd zou hebben,' schoot Alan haar te hulp.

'Julia is...' Dianne zocht naar de juiste woorden om het uit te leggen.

Ineens kon Amy zich niet langer beheersen. Ze liep naar Julia en zakte door haar knieën om haar met warme belangstelling en vriendelijkheid in de ogen te kunnen kijken.

'Mieee,' zei Julia.

'Hallo, meisje,' zei Amy, en ze hurkte naast Julia's stoel.

Dianne deed een stapje naar voren. Ze wilde Amy wegtrekken.

'Laat ze...' fluisterde Alan, terwijl hij Dianne bij de pols greep.

'Mooi meisje. O, jij kleine, mooie meid,' zei Amy.

'Mieee,' zei Julia opnieuw. Het leek alsof ze het fijn had gevonden om Alan te zien, maar ze leek helemaal in de wolken met Amy. Julia's handen maakten hun vreemde dans en betastten de lucht voor Amy's gezicht.

'Hoe oud ben je?' vroeg Amy.

Dianne wilde voor Julia antwoord geven, maar merkte dat haar stem het niet deed.

'Ze is elf,' zei Alan.

'Bijna net zo oud als ik,' zei Amy, nadat ze Julia's linkerhand in de hare had genomen. Ze zei het niet tegen de volwassenen, maar tegen Julia zelf. 'Ik ben twaalf.'

'Deeee,' zei Julia. 'Deeee... Gaaaa...'

'Ze kijkt er helemaal niet van op,' zei Dianne zachtjes tegen Alan. 'De meeste mensen denken dat Julia veel jonger is.'

'Amy is jong voor haar leeftijd,' zei Alan. 'Ik had het idee dat Amy op Julia zou kunnen passen. Misschien niet alleen, maar wanneer jij erbij bent, of je moeder. Op die manier heb je wat meer vrije tijd en ik denk dat het ook goed zou zijn voor Amy. Ik heb het er met je moeder over gehad...'

'Je hoeft niet voor ons te zorgen, Alan –'

'Dat weet ik,' zei hij.

'Dit is het horloge van mijn vader,' zei Amy, terwijl ze haar pols voor Julia hield zodat ze hem aan kon raken. 'Hij is loodzwaar, maar dat kan me niet schelen. Ik heb hem elf jaar en hij loopt nog steeds. Hij had het naar de juwelier gebracht om het te laten repareren, en toen is hij gestorven. Hij was een held, en is met zijn schip ten onder gegaan...'

Dianne moest zich afwenden. Ze ging voor het raam staan en keek naar de tuin. De hoge, lila irissen wiegden heen en weer op de wind. Een wilde kat sloop op zoek naar prooi door het riet. Dianne kon wel janken. Ze voelde zich volschieten met pure emotie, en ze hield haar armen strak om zich heen geslagen om het gevoel te onderdrukken. Alan kwam achter haar staan; Dianne voelde zijn nabijheid nog voor hij iets had gezegd.

'Hoor je hoe ze tegen Julia praat?' vroeg Dianne, terwijl de tranen over haar wangen rolden.

'Ja,' antwoordde Alan.

Dianne stond met haar rug naar Alan toe, sloeg haar handen voor haar gezicht en huilde stilletjes. Haar lichaam schokte en ze voelde zijn handen losjes op haar schouders. Hij had grote handen, en ze voelden sterk en betrouwbaar. De warmte van zijn vingers straalde door haar dunne blouse heen. Aan de andere kant van de kamer vertelde Amy Julia over het hondje dat ze bij haar thuis hadden, en ze deed zijn blafje zo goed na dat ze echt als een puppy klonk.

'Julia heeft nog nooit een vriendinnetje gehad,' fluisterde Dianne.

'Amy ook niet, geloof ik,' fluisterde Alan terug.

Hoofdstuk 5

Amy begon er een gewoonte van te maken om na schooltijd even langs te komen. Na twee weken kwam ze om de dag. Julia vond het fijn dat Amy er was, en haar aanwezigheid had een kalmerende uitwerking op haar. Het leek maar al te vaak of Julie strijd leverde met de demonen in haar hoofd, en dan zat ze vaak minuten achtereen met haar handen te wringen. Dianne had sterk het idee dat Julia kalmer en rustiger was wanneer Amy bij haar was, en dan glimlachte ze ook.

Tegenwoordig begon Dianne zo rond halfdrie uit het raam van de werkplaats te kijken, en spitste ze haar oren voor het geluid van Amy's voetstappen. Amy rende zo snel over het drassige land dat ze klonk als een veulen dat op weg was naar de stal, en wanneer ze de hordeur opengooide, dan was dat altijd met een brede grijns. Ze was een echte deugniet, en ze was onhandig en slordig. Dianne had er een gewoonte van gemaakt om limonade te maken, en ze zette de kan klaar op een blad met glazen, volkorenkoekjes en vierkante linnen servetten.

Op hun tweede dinsdag samen, dronken ze hun limonade aan het tafeltje naast Julia's stoel. Het zonlicht stroomde door de vensters, en het moeras rook warm en zilt. Stilzwijgend aten ze een koekje, waarna ze, zoals hun gewoonte was geworden, gedurende een paar minuten een praatje maakten en Dianne ten slotte weer aan het werk ging.

'Ik vind dit toch zulke mooie glazen,' zei Amy, terwijl ze er eentje bewonderde. Het waren oude sapglazen met een geëmailleerd mandje met veldbloemen erop. Elk bloemblaadje was een afzonderlijk, bijna microscopisch klein penseelstreepje rood, blauw, geel of groen.

'Ze waren van mijn grootmoeder,' vertelde Dianne.

'Al je spulletjes zijn zo... zo zorgzaam.'

'Hoe bedoel je?' vroeg Dianne, die zich over Amy's woordkeuze verbaasde.

'Ik weet niet hoe ik het anders moet zeggen. Je behandelt de dingen met zorg, alsof alles belangrijk is. Deze prachtige glazen, echte linnen servetten, dat grassprietje in je vlecht, in plaats van een gewoon elastiekje...'

'Dat grassprietje is alleen maar omdat ik geen elastiekje kon vinden,' zei Dianne.

'Hmm,' zei Amy met een stralend gezicht, terwijl ze nog een hapje van haar koekje nam. Dianne vond zichzelf helemaal niet zorgzaam, maar eerder sentimenteel. Ze hield van dingen die haar aan andere mensen herinnerden. Ze had zielsveel van haar grootmoeder gehouden, en die van Tim was haar ook heel dierbaar geweest. Dorothea McIntosh woonde midden in een grote wei, en zij had *haar* vlecht met grassprietjes of bloemstengels vastgebonden. Ze was getrouwd geweest met een zeekapitein die juwelen en rozenhout meebracht van zijn reizen naar India, en Dianne bewaarde haar oorbellen met de diamanten en saffieren op een veilig plaatsje.

Dianne hield de beker vlak bij Julia's kin en duwde het rietje tussen haar lippen. De eerste dag had Amy geprobeerd om Julia een stukje koek te voeren, en Dianne had haar moeten uitleggen dat Julia daarin zou kunnen stikken. Ze was zo blij over de manier waarop Amy Julia's realiteit zonder vragen accepteerde. Ze stelde geen moeilijke vragen, ze probeerde niet om dingen te veranderen of beter te maken of aan te passen aan haar eigen realiteit. Amy boog zich naar voren om het beetje limonade dat langs Julia's kin droop, weg te vegen met een servet.

'Dank je,' zei Dianne.

'Jee, je hoeft me niet te bedanken, hoor,' zei Amy, terwijl ze een kleur kreeg.

'Vindt je moeder het niet erg dat je zo vaak hier bent?'

Amy schudde haar hoofd.

'Werkt ze?' vroeg Dianne. Ze wilde graag weten waarom Amy na schooltijd liever niet naar huis ging. Misschien kwam haar moeder pas om vijf of zes uur thuis; Amy vond het waarschijnlijk niet prettig om alleen thuis te zijn.

'Nee,' zei Amy. Ze liet haar blik zakken. 'Ze is thuis.'

Daarna zwegen ze een poosje. Hun tijd samen ontwikkelde een eigen ritme. Ze hoefden niets te doen om het te forceren, het groeide helemaal vanzelf. Dianne probeerde zich niet af te vragen waarom dit zoveel voor haar betekende, dat een kind van twaalf dat in de buurt woonde, het fijn vond om bij haar en Julia te zijn.

Dankzij Amy begon ze een beeld te krijgen van hoe haar leven eruit zou hebben gezien als Julia normaal zou zijn geweest: een moeder en een dochter die een gewoon, dagelijks bestaan met elkaar deelden. Dianne was een moeder die zoveel te geven had. Alan had ze bij elkaar gebracht; soms was ze hem dankbaar, maar soms had ze het gevoel dat hij eigenlijk al veel te veel voor haar had gedaan. En hij stond altijd voor haar klaar, ook wanneer ze hem helemaal niet verwachtte.

Afgelopen woensdag was ze met de auto naar de bibliotheek gegaan om haar moeders lunch te brengen. Door het raam van het kantoortje van haar moeder, had ze gezien hoe Alan naar de ingang van de bibliotheek kwam gejogd.

'Het is woensdag,' had Lucinda gezegd, toen ze had gezien waar Dianne naar keek. 'Hij komt op zijn vrije dag altijd langs.'

'Dat was ik vergeten,' zei Dianne, terwijl ze Julia wat dichter tegen zich aan hield.

'Een ogenblikje,' zei Lucinda. 'Ik ben zo weer terug.'

Haar moeder pakte de opgevouwen handdoek die op haar bureau had gelegen, en liep naar de balie om Alan te begroeten. Dianne wiegde Julia in haar armen en sloeg hen gade. Alan's T-shirt was doorweekt, en zijn natte haar hing in zijn ogen. Ze kwam half overeind met de gedachte hem te begroeten. Dit was het ideale moment om hem te bedanken voor het feit dat hij Amy aan haar had voorgesteld.

Lucinda gebaarde en wenkte hem achter de balie. Ze wees hem op een plekje achter de kurken scheidingswand. Vanachter de ruit zag Dianne hem om zich heen kijken om zich ervan te verzekeren dat niemand naar hem keek. Toen trok hij zijn natte T-shirt over zijn hoofd. Zijn gespierde lichaam glom van het zweet. Hij droogde zich af met de handdoek, en ze zag hem het donkere kroeshaar op zijn borst een extra droogbeurt geven.

Dianne zat als verstijfd op haar stoel. Ze was niet in staat zich te bewegen of haar blik af te wenden. Ze voelde zich een spionne, een voyeur. Het bloed kolkte door haar brein en bezorgde haar een droge mond. Alan had een prachtige gladde huid die glimmend en strak over zijn spieren spande. De twee jonge assistenten kwamen binnen om hun boterhammen te eten. Dianne hoorde ze giechelen, en begreep dat ze ook naar Alan zaten te gluren. Ze mompelde een paar onduidelijke woorden.

Het lichaam van de kinderarts. Ze zat er met grote ogen naar te kijken: zijn platte buik, het smalle lijntje donker haar dat in de tailleband van zijn short verdween. Zijn dijen waren indrukwekkende spierbundels, maar verder waren zijn benen lang en slank. Even later was hij klaar met zich af te drogen, en hij trok zijn natte T-shirt weer aan. Toen hij zijn hoofd door de opening stak, keken zijn ogen recht in die van Dianne.

Ze knipperde met haar ogen en sloeg haar blik neer. De deur ging open en Lucinda kwam binnen. De assistentes plaagden haar met opmerkingen dat ze niet bereid was Alan met hen te delen. Lucinda lachte en zei iets terug. Julia zwaaide met haar armen en probeerde de aandacht van haar grootmoeder te trekken. Toen Dianne opkeek en zich herinnerde dat ze hem nog niet bedankt had, was hij alweer verdwenen.

Het Victoriaanse speelhuis was klaar, en Dianne was begonnen aan een neo-classicistisch exemplaar voor de zevende verjaardag van een meisje in Old Lyme. Hiervoor moest ze een zuilengallerij maken. Julia deed een dutje, en Amy zat op een hoge kruk naar Dianne te kijken. Stella, die nog steeds niet helemaal aan Amy gewend was, gluurde over de rand van haar rieten mand boven op de kast.

'Waarom wil Stella niets van mij weten?' vroeg Amy. 'Ik heb anders nooit problemen met katten.'

'Stella is een eekhoorn,' zei Dianne.

'Natuurlijk niet. Waarom mag ze me niet?'

'Ze mag je wel, maar ze is alleen ontzettend schuw,' zei Dianne, terwijl ze de afstand tussen twee zuilen mat. 'Haar moeder is op de dag waarop ze geboren is door vossen doodgebeten, en ze is grootgebracht door een eekhoornmoeder in de stenen muur achter het huis.'

'O, wat zielig!' riep Amy uit, met een blik op de grijs-bruin gestreepte poes. 'Ze heeft ook wel iets van een eekhoorn... Hoe weet je dat?'

'Ik heb haar moeder gevonden, en ik had het katje in en uit de muur zien kruipen. Toen ze na een paar weken te groot was geworden, wilde de eekhoornmoeder niet meer voor haar zorgen en heeft ze haar eruit ge- gooid. Ze was waarschijnlijk bang voor haar eigen jonkies –'

'Katten jagen op eekhoorns,' zei Amy. 'Ze waren haar prooi.'

'Uiteindelijk, ja, maar op dat moment was ze nog te jong. Ik heb haar met een poppenzuigflesje warme melk gegeven. Ze was zo klein, niet groter dan een theekopje. Ze paste gemakkelijk in mijn hand.'

'Ze moet heel lief zijn geweest,' zei Amy met een klein stemmetje.

'En wild. 's Nachts raasde ze door het huis. Een keer is een vleermuis binnengekomen, en die heeft ze tot de vroege ochtend achterna gezeten. Als er mensen op bezoek kwamen verstopte ze zich altijd, en soms kroop ze zo ver weg dat ik haar nergens kon vinden.'

'Waar verstopte ze zich dan?'

'In de la tussen mijn truien, onder mijn quilt – ze maakte zich zo plat dat je niet eens een bobbel zag. In de schoorsteen, op het rookluik.'

'En nu zit ze op de kast, weggedoken in haar mandje,' zei Amy. Ze boog haar hoofd naar achteren om te kunnen kijken. Stella observeerde hen, en haar ogen hadden een ongewoon turquoise kleur.

'Dus nu weet je dat het niet aan jou ligt,' zei Dianne.

'Je zou toch denken dat ze me ondertussen wel kende,' zei Amy. 'Ik kom hier nu al bijna een maand.'

'Ze kan niet eens miauwen – ze kwettert als een eekhoorn. En 's ochtends piept ze. Ik noem haar wel eens Peeper. Ze is gewoon een hele aparte kat.' Dianne wilde niet dat iemand hen zou beschouwen als verstoten, buitengesloten of onbemind. Ook Amy niet. Ze kwam tegenwoordig elke dag, zat bij Julia en sprak uren achtereen met Dianne. Ze keek op naar Stella en leek een mager, onverzorgd, verdwaald schooiertje.

'Je hebt een wilde kat grootgebracht met de fles...' zei Amy, terwijl ze zich tot Dianne wendde. Dianne zag de pijn in haar ogen. 'De meeste mensen zouden dat te veel moeite vinden.'

'Jij niet,' zei Dianne.

'Hoe weet jij dat?' vroeg Amy.

'Ik zie aan de manier waarop je met Julia omgaat wat voor soort mens te bent.'

Dianne schraapte haar keel en begon Stella's geluid te maken – het gepiep van een eekhoorn. 'Ie-ie. Ie-ie-'

De kat spitste haar oren. Julia werd wakker en draaide met haar ogen tot ze op Stella's mandje waren gericht. Dianne bleef piepen. Amy zat heel stil en Julia's handen begonnen te bewegen, het onzichtbare orkest te dirigeren. Stella kroop langzaam uit haar mandje, en kwam aarzelend van de kast.

Dit was een spelletje dat Dianne vaak met haar kat speelde. Stella kon spelen – Julia kon dat niet. Amy keek toe met open mond.

Het namiddaglicht viel volop de kamer binnen, en Dianne draaide het glas van haar horloge zo dat de zon erop viel, richtte het cirkeltje licht op de witte muur en liet het over de plint heen en weer schieten. Stella vloog het achterna en probeerde haar prooi onder het maken van haar hoge piepgeluidjes, te pakken te krijgen.

'Ze denkt dat het leeft,' zei Amy. 'En ze wil het vangen!'

'Doe jij het maar,' zei Dianne. 'Met de Timex van je vader.'

'Goed,' zei Amy, en Julia slaakte een zucht.

Dianne wachtte tot Amy het trucje te pakken had en het maantje over de vloer liet dansen. Nu ging Stella haar lichtje achterna.

'Moet je kijken, Julia,' riep Amy lachend uit. 'Wat een te gekke kat!'

Julia probeerde scherp te zien. Haar handen bewogen snel. Haar ogen leken de bewegingen te kunnen volgen, en toen Amy het maantje op het blad van Julia's stoel liet vallen en Stella op Julia's schoot sprong, schaterde Amy het uit van verbazing en plezier.

'Stella betekent ster,' zei Dianne. 'Ik heb haar zo genoemd omdat ze, de avond waarop ik haar in huis heb gehaald, op de vensterbank naar de sterrenhemel zat te turen. Ze kijkt altijd naar hetzelfde sterrenbeeld.'

'Welk?' vroeg Amy.

'Orion.'

'Ik vind Stella's geschiedenis prachtig,' zei Amy.

Dianne knikte. Ze keek naar Julia en Amy die de kat zaten te aaien, en probeerde zich niet verdrietig te voelen. Ze hield van ongewone, verstoten mensen en dieren. Ze was zich bewust van het belang van spel, van verbeelding en van symboliek. Elke moeder droomde ervan haar kind te zien opgroeien, en om dat kind bij zijn ontwikkeling te helpen. Dianne had dat meer voor een kat kunnen doen, dan voor haar eigen dochter.

Ze liet de meisjes alleen met de kat, en keerde stilzwijgend terug naar haar werkbank en de zuilen. Ze hield van de Ionische kapitelen, en het krulwerk deed haar aan schelpen denken. Ze hoorde de stemmen van de meisjes. Het was een zacht, harmonieus geluid, en de kat zat piepend aan hun voeten.

Dianne luisterde en dacht: Dit is niet het leven waarvoor ik zou hebben gekozen. Dianne hield van praten, van verhalen vertellen en van het uitwisselen van wetenswaardigheden over het mysterie van het leven. Haar kind, haar liefste dochter, het zonnetje van haar bestaan, kon niet denken. Wanneer ze in Julia's ogen keek, dan was het alsof ze in een leegte keek, alsof Julia's ogen alleen maar naar binnen, tot diep in haar eigen ziel konden kijken – of helemaal niet keken. Dianne wilde graag geloven dat Julia met woorden en gebaren sprak, en soms wist niemand zo goed als zij dat ze zichzelf maar iets wijsmaakte.

Wanneer het precies gebeurd was, wist ze niet, maar ze was een excentriekeling geworden die met katten communiceerde. En toen, omdat ze niet met haar eigen dochter kon communiceren, schiep ze een band met het kind van een andere vrouw. Om het verdriet niet te hoeven voelen, verbeeldde ze zich dat haar dochter alles begreep. Dat Julia op de een of andere manier meer was dan een gebroken menselijk lichaam.

Heel veel meer, Julia. Heel veel meer, m'n schat.

Dianne keek achterom. De meisjes waren aan het praten. Amy deed de kat na, en Julia gaf middels zwaaiende bewegingen van haar armen uiting aan haar plezier. Dianne boog zich over haar werk en zette de zuilen op hun plaats.

'Wil je moeder niet dat je thuis bent?' vroeg ze aan Amy.

'Nee,' antwoordde Amy.

Amy sprak haast nooit over haar ouderlijk huis, maar Alan had laten doorschemeren dat het bij de Brooks niet allemaal in orde was. Dianne had respect voor moeders, hoe onvolmaakt ze ook waren en hoe moeilijk ze het ook hadden, en ze haalde diep adem om zich dat feit bewust te maken.

'Heb jij een idee over wat we voor mijn moeder kunnen doen wanneer ze met pensioen gaat?' vroeg Dianne, van onderwerp veranderend omdat ze besefte dat ze een gevoelige plek had geraakt. Amy was kennelijk nog niet zo ver dat ze Dianne in vertrouwen wilde nemen.

'Een verrassingsfeest,' zei Amy.

'Ze zegt dat ze ons zal vermoorden als we dat doen.'

'De moeder van mijn vriendin Amber heeft haar ouders voor hun gouden bruiloft meegenomen op een cruise.'

'Een cruise...' herhaalde Dianne peinzend.

'Dianne,' zei Amy. 'Julia heeft een natte luier.'

'Goed, ik kom eraan,' zei Dianne.

Het spel was afgelopen en Stella kroop weer in haar mand. Dianne ging naar de badkamer en kwam terug met een schone luier. In het begin, toen Amy er nog maar pas was, had ze Julia achter het kamerscherm van rijstpapier verschoond. Die fase hadden ze intussen achter de rug. Julia was elf. Als ze op kamp ging, of wanneer ze bij een vriendinnetje ging logeren of zich na gym moest douchen, zouden de andere meisjes haar naakt zien. Amy was Julia's vriendin, haar beste vriendin.

'Hier heb je de poeder,' zei Amy, terwijl ze Dianne de bus aan gaf.

'Dank je,' zei Dianne, en ze schudde de bus.

'Ik ben dol op babypoeder,' zei Amy tegen Julia. 'Het ruikt veel lekkerder dan parfum. Ik doe het op naar school.'

'Laaaa,' zei Julia.

'Ik denk altijd dat ze bloemen bedoelt,' zei Dianne, 'wanneer ze *la* zegt.'

'Dat doet ze ook,' zei Amy met een ernstig gezicht. Alsof ze meer van Julia's taaltje begreep dan Dianne zelf. Dianne zweeg en wou dat Julia iets anders zei. Maar dat deed ze niet.

'La, Julia,' zei Amy. 'Margriet, lelie, goudsbloem en roos.'

Julia knipperde met haar ogen en rolde haar hoofd.

Dianne luisterde en keek naar Julia die met haar vriendinnetje speelde. Ze was blij dat ze Amy over Stella had verteld. Misschien dat ze haar ooit nog eens het andere verhaal zou vertellen, dat van Julia.

Het verhaal begon met Tim en Alan McIntosh.

Dianne had haar hele leven van liefde gedroomd. Haar ouders waren fantastische mensen die zielsveel van elkaar en van haar hielden. En daar had ze zelf ook altijd van gedroomd, dat ze zo'n grote liefde zou vinden. Dianne's moeder was een wees, en ze beweerde dat Emmett haar had gered. Dianne was verlegen, en op een leeftijd waarop de meeste kinderen het huis al uit waren, woonde zij nog bij haar ouders. Het was alsof ze wist dat de echte wereld geen pretje was, en dat ze er echt klaar voor wilde zijn.

Ze trad in de voetsporen van haar vader en koos voor het vak van timmerman. Toen ze klein was had hij een speelhuis voor haar gebouwd, en Dianne maakte er een voor de derde verjaardag van het kind van een jeugdvriendin. Het was geïnspireerd op het witte huis aan de haven, het huis waarvan ze altijd had gedroomd dat ze er op een dag met haar gezin zou wonen. Elke moeder die het speelhuis zag, wilde er ook een voor haar kind.

In die tijd was Alan net als kinderarts in de stad komen werken, en hij liet Dianne's vader naar zijn praktijk komen om er kasten te bouwen. Alan was jong en moest nog helemaal beginnen met het opzetten van zijn praktijk, en Emmett had hem erg aardig gevonden. Hij had hem aangeraden om een speelhuis van Dianne voor zijn wachtkamer te nemen. Dianne was naar de praktijk gegaan om zich door de plek te laten inspireren, en toen had ze Alan leren kennen.

'Je vader heeft schitterend werk geleverd,' zei hij, 'en ik ben benieuwd naar jouw talent.'

'Ik heb alles dat ik kan van hem geleerd,' zei Dianne. Ze was verlegen en voelde zich een beetje geïntimideerd. 'Hij is de beste.'

'Ik zal de enige dokter hier zijn met een Robbins-speelhuis. Alle kinderen zullen mij willen hebben. Met een speelhuis heb ik een streepje voor op mijn collega's.' Hij zei het lachend, maar liet toch merken dat het niet helemaal als grapje was bedoeld, en dat hij een tikje onzeker was. Hij was lang en mager en niet veel ouder dan Dianne. Hij had lichtbruin haar dat steeds in zijn ogen viel.

'Kom je van hier?' vroeg ze.

'Van Cape Cod.'

'En je wilde hier, in Hawthorne, een praktijk beginnen?'

Hij knikte. 'Ik heb mijn co-schap in New Haven gedaan, en toen Dr. Morrison ermee op wilde houden, kon ik deze praktijk van hem overnemen.'

'Mis je Cape Cod?'

'Zo ver weg is het niet,' zei hij. 'Maar ja, ik mis het.'

'Heb je er nog familie wonen?' vroeg Dianne, in de wetenschap dat zij, als ze ooit zou verhuizen, haar ouders verschrikkelijk zou missen.

Hij schudde zijn hoofd. 'Niet meer. Mijn broer is visser. Hij vist op zeekreeft en hij vist dit jaar voor Block Island. Hij komt regelmatig naar Hawthorne om zijn vangst te verkopen.'

'Dan zie je hem tenminste,' zei Dianne met een knikje.

'En ik vind het een prettig ziekenhuis hier,' vervolgde Alan. 'De stad groeit snel en de omgeving is prachtig. Maar of ik me hier ooit echt thuis zal voelen...'

'Mijn vader zegt dat Hawthorners heel lang nodig hebben om mensen van buiten te accepteren,' zei Dianne. Hoewel ze maar een timmerman, en Alan een dokter was, straalde hij iets uit op grond waarvan ze het gevoel had dat ze dit soort dingen tegen hem kon zeggen. 'Zelfs ik heb heel lang nodig gehad om mijn bedrijfje van de grond te krijgen, en ik ben hier geboren.'

'Ik weet zeker dat de mensen me wel zullen vinden,' zei Alan.

'O, daar twijfel ik niet aan,' zei Dianne, terwijl ze hem taxerend opnam. Als zij een kind had, dan zou ze ermee naar deze dokter gaan. Hij was aardig, en had heel zelfverzekerd geklonken toen hij zei dat hij wist dat de mensen hem wel zouden vinden. Het was alsof hij wist dat hij een goede dokter was en dat hij ervan overtuigd was dat de mensen hem hun kinderen zouden toevertrouwen.

'Wees maar niet bang,' zei ze, 'ik zal een prachtig speelhuis voor je maken.' Ze wist niet waarom, maar op de een of andere manier was die belofte heel erg belangrijk voor haar. Ze ging terug naar huis en bladerde, op zoek naar interessante details, talloze boeken en tijdschriften door. Kinderen waren dol op details als deurkloppers in de vorm van zeepaardjes, luiken die echt dicht gingen, en een brievenbus waar post in kon.

Op een avond, een paar weken later, riep haar moeder dat er telefoon voor haar was. Alan McIntosh wilde haar spreken. Ze nam op in de veronderstelling dat hij wilde horen hoe het met zijn huis stond, maar in plaats daarvan vroeg hij haar mee uit eten. Dianne hield de hoorn tegen haar oor gedrukt en zei niets. Voor een dokter werken was een ding, maar met hem uitgaan was heel iets anders. Waar zouden ze het over moeten hebben? Wat zou hij van haar denken als hij er achter kwam dat ze de middelbare school niet had afgemaakt?

'Ja,' hoorde ze zichzelf zeggen. 'Ja, dat is goed.'

Zaterdagavond, zei hij. Hij dacht dat ze misschien wel zin had om naar de Rosecroft Inn te gaan.

Dianne genoot van het restaurant en de avond. Ze zaten in de grillroom. Ze hadden champagne gedronken en ze had de belletjes op haar bovenlip gevoeld. Het was een heel romantische avond. Er stond een roze roos op tafel, in de open haard brandde een gezellig vuur, en op elke tafel brandde een kaars.

Alan was knap en attent. Hij vroeg belangstellend naar haar achtergrond, en had interesse voor het feit dat ze haar leven lang in Hawthorne had gewoond. Hij had helemaal niet verbaasd gekeken toen ze hem bekend had dat ze het op school maar niets had gevonden, en dat ze heel zeker had geweten dat ze voor haar vader wilde werken. Hij vertelde over zijn broer Neil, de reden waarom hij besloten had om dokter te worden. Hij sprak over zijn broer Tim, het zwarte schaap van de familie die visser was geworden, en die hem alleen maar opzocht wanneer hij daar behoefte aan had.

Dianne, die zich afvroeg hoe het mogelijk was dat twee broers zo totaal verschillend konden zijn, wilde er meer van horen. Zij en Alan hadden zoveel om over te praten, dat de kelner vier keer langs was gekomen voor ze uiteindelijk op de kaart hadden gekeken en wisten wat ze wilden eten. Ze bestelde zwezerik, iets dat ze nog nooit eerder had gegeten.

Alan vroeg haar naar haar fijnste herinnering. Zij vroeg hem naar zijn favoriete droom. Hij wilde alles horen van haar huisdieren, en toen ze was uitverteld, wilde hij weten hoe ze aan hun namen waren gekomen. Ze vroeg hem of hij in de hemel geloofde.

Ze had nog nooit zo van een avondje uit genoten. De meeste jongens die haar mee uit hadden genomen kwamen net als zij uit de stad. Ze had met de meesten op school gezeten, en ze kenden elkaar al vanaf de kleuterklas. Maar na twee uur praten met Alan, had ze ineens het gevoel dat ze iets had gemist. Ze had nooit gedacht dat ze het zo heerlijk zou vinden om een man te vertellen over de Schotse terriër die ze voor haar vierde verjaardag had gekregen.

Hij had de brede, stevige schouders van een rugbyspeler, maar zijn bewegingen waren soepel en sexy. Hij bestelde oesters en voerde er Dianne een door de schelp tegen haar lippen te kantelen. Zijn bruine haar was aan de lange kant, en moest geknipt worden. Ze luisterde naar de manier waarop hij over zijn vak sprak, en realiseerde zich hoe bezeten hij van zijn werk was. Hij was geen dokter geworden voor de centen of voor het aanzien: hij had een echte roeping om mensen te helpen.

Toen hij haar die avond naar huis bracht, hield hij haar hand in de zijne. Hij stopte bij haar huis, en toen kuste hij haar. Het bloed schoot naar haar wangen en haar knieën knikten toen hij zijn lange vingers door haar haren liet gaan en zijn lippen met kracht op de hare drukte terwijl ze tegen zijn borstkas stond geleund. Ondanks het feit dat hij geen eelt op zijn handen had, voelde hij even stevig en sterk als een werkman. Dokters hadden nu eenmaal geen eelt op hun handen.

Er verstreek een week waarin ze hard aan zijn speelhuis werkte. Ze hoopte dat hij het zo mooi zou vinden dat hij haar opnieuw mee uit zou nemen. Maar hij had het druk met zijn praktijk en zij had het druk met het bouwen van het speelhuis. Hij belde een keer toen ze niet thuis was, en toen ze hem terugbelde was hij naar het ziekenhuis.

En toen kwam de dag waarop het speelhuis bezorgd moest worden.

Het speelhuis was af. Het stond in haar werkplaats, en zij en haar vader waren van plan het in het bestelbusje van haar vader te laden en naar de praktijk te brengen. Maar toen zei Alan dat zijn broer Tim in de stad was. Zijn boot lag in de haven, en hij zou langskomen om het speelhuis te halen.

Ze was bezig geweest met het inpakken van het speelhuis om het tegen butsen te beschermen, toen Tim McIntosh de werkplaats was binnengekomen. Hij was even lang als Alan, maar blonder. Hij bracht zijn leven in de zon door, en dat was te zien aan de rimpels op zijn gezicht. Hij droeg een geruit overhemd met opgerolde mouwen. Zijn onderarmen waren stevig en gespierd, en een van zijn voortanden miste een hoekje. Zijn ogen waren even intelligent als die van Alan, maar er lag een gekwelde blik in, net alsof hij nadacht over de ondergang van de wereld.

'Wacht,' was het enige wat hij zei, terwijl hij naar haar toe kwam en de rol met noppenplastic van haar overnam, 'dat doe ik wel even.'

'Nee, ik –' begon ze.

Maar hij luisterde niet. Hij nam de rol in zijn beide handen en wikkelde het om het huis alsof hij zijn hele leven niets anders had gedaan. Zonder iets te zeggen, en zonder zelfs maar echt te glimlachen, keek hij haar over het puntdak van het speelhuis aan. Er liep een rilling over Dianne's rug en de achterkant van haar benen. Ze vroeg zich af hoe hij dat stukje van zijn voortand was kwijtgeraakt, en hoe hij aan dat litteken boven zijn rechterwenkbrauw was gekomen.

'Waar denk je aan?' vroeg Tim.

'Ik?' vroeg ze, in verlegenheid gebracht omdat hij haar had zien staren. 'Nergens aan.'

'Dat is niet waar,' zei hij.

'Zeg jij dan maar waar ik aan dacht.'

'Je hebt zin om een eindje te varen,' zei hij.

'Nee,' zei ze. 'Als ik al iets dacht, dan was het dat je het speelhuis goed hebt ingepakt.'

'Werk je altijd in die kleren?'

In de hoop dat Alan haar na het bezorgen mee uit eten zou vragen, had ze een jurk aangetrokken. Hij had blauwe en witte strepen en een witte kraag die opeens te groot leek. Tim's nabijheid maakte haar verlegen en onzeker, en het zweet droop van haar rug. Ze staarde als een gek naar zijn brede grijns en kon het niet helpen. Ze zag eruit als een klein kind in haar gestreepte jurk, dacht ze, en ze vroeg zich af wat hij zou denken als hij hoorde dat ze nog bij haar ouders woonde.

'Je moet wel erg sterk zijn,' zei hij, 'om zo'n huis als dit helemaal alleen te kunnen bouwen. Of heeft je vader je erbij geholpen? Zeg eens eerlijk?

Want je ziet er echt niet uit als iemand die voortdurend met een hamer loopt te zwaaien.'

'Nee, mijn vader heeft me er niet bij geholpen,' zei ze.

'Ik ben zelf werkman. Daarom komt het me zo onwaarschijnlijk voor dat zo'n knap vrouwtje als jij...' Hij glimlachte opnieuw, en ze keek naar zijn afgebroken tand.

'Ik hou van mijn werk,' zei ze.

'Ik ook,' zei hij. 'Een vrouw naar mijn hart.'

Aan alles – zijn gebleekte haar, zijn verweerde huid, de kleine witte rimpeltjes rond zijn diepblauwe ogen – was duidelijk te zien dat hij visser was. Hij was ontzettend knap op een ruige manier, en er lag een bepaalde, bedreigde blik in zijn ogen die haar het gevoel gaf dat hij een groot geheim met zich meedroeg. Hij was levenslustig en in gedachten zag ze hem al op het dek van zijn boot staan en op de sterren navigeren. Toen hij haar hand in de zijne nam en hem schudde, was het alsof er een stroomstoot door haar hele lichaam trok.

'Ik ben Tim McIntosh,' zei hij

'Dianne Robbins,' zei zij, terwijl ze naar zijn sterke, eeltige hand keek. Het duurde lange seconden voor hij haar losliet.

'Nou, heb je zin om een eindje te gaan varen?' vroeg hij.

'Je broer wacht op ons.'

'Dan vragen we toch of hij ook mee wil,' zei Tim.

'Niet zo snel.' Ze lachte. 'Laten we nu eerst dit speelhuis naar de praktijk brengen.'

'Een eiland,' zei Tim. 'Daar breng ik je naartoe, als we gaan varen. Ergens in de Bahama's. En na het vissen slapen we op het strand. Hou je van het geluid van de wind in de palmen?'

'Dat weet ik niet, want dat heb ik nog nooit gehoord.'

'Wacht maar af,' had Tim McIntosh gezegd, waarbij hij haar met vurige blauwe ogen had aangekeken.

'Nee, ik –' begon Dianne. Ze bleef als betoverd naar hem kijken. Hij hield haar hand losjes in de zijne alsof hij haar al jaren kende en van plan was om met haar naar de noorderzon te verdwijnen. Ze trok haar hand los, overtuigde hem ervan dat Alan op hen wachtte en dat ze, zoals ze beloofd hadden, het speelhuis naar de praktijk moesten brengen.

'Omdat jij het zegt,' zei hij, terwijl hij zijn arm om haar middel sloeg. 'Je bent toch niet verliefd op hem, hè?'

'We zijn nog maar een keertje samen uit geweest,' zei Dianne met onvaste stem.

'Mooi,' zei Tim.

'Waarom zeg je dat?' vroeg ze. Ze was zich scherp bewust van zijn hand op haar rug. Hun gezichten bevonden zich vlak bij elkaar, en ze wist dat het voorbij was. Hij was een vrijbuiter met een boot, een kapotte voortand en een duister geheim. Haar hart ging als een wilde tekeer en vanbinnen had ze het gevoel alsof alles vloeibaar was. Ze hoefde hem maar aan te kijken, en ze voelde zich verschrikkelijk zenuwachtig, terwijl ze moest glimlachen en zich moest beheersen om het niet hardop uit te schateren.

'Omdat we samen een eindje gaan varen, en als we het goed met elkaar kunnen vinden, dan zal ik je vragen of je met me wilt trouwen,' zei hij. 'Wat zeg je daarvan?'

'Dat je knettergek bent,' zei Dianne, toen hij zijn ruwe vingertoppen strelend over haar wang liet gaan. Maar ze wist dat haar tijd met Alan voorgoed tot het verleden behoorde.

Het allerwaanzinnigste was nog wel dat Tim haar nog geen maand later echt ten huwelijk vroeg. Onder de voorjaarssterrenhemel op het dek van zijn boot, vroeg hij haar of ze met hem wilde trouwen.

'Ik heb je nodig,' zei hij.

'Maar we kennen elkaar amper,' zei zij.

'Dat voel ik helemaal niet zo,' zei hij, terwijl hij haar tegen zich aan trok. 'Ik heb het gevoel alsof ik je al mijn hele leven ken. Trouw met me, Dianne,' zei hij.

'Trouwen...'

'Je zult je geen moment vervelen.'

'Tim!' riep ze lachend uit, omdat ze dat een grappige opmerking vond.

'Ik ben heel anders dan Alan,' vervolgde hij. 'Met hem zou je een gemakkelijk en kalm en stabiel leventje hebben.' Het klonk doodsaai, zoals hij dat zei. 'Je zou hem nooit twee keer hoeven vragen om het gazon te maaien, en alles zou altijd even volmaakt zijn. Maar met mij...' hij duwde haar achterover, 'zul je nooit een gazon hebben.'

'Nee?' vroeg ze, hem diep in de ogen kijkend.

'Niet meer dan dit,' zei hij, terwijl hij om zich heen gebaarde naar de zee en de golven met hun zilveren kammen die zich uitstrekten tot aan de horizon. 'Dit is het enige wat ik je kan geven.'

'Niet meer dan de zee.' Ze moest weer lachen.

'Trouw met me,' zei hij opnieuw.

Ineens had Dianne het vreemde gevoel dat Tim en zijn broer een onderlinge wedstrijd uitvochten, en dat zij de hoofdprijs was. Maar zij was verlegen en bescheiden, en ze was te onzeker om op haar intuïtie te durven vertrouwen. Alan was een succesvolle dokter, en Tim was een knappe visser. Beiden zouden elke vrouw kunnen krijgen die ze hebben wilden. Waarom zouden ze om haar vechten?

Verlegen meisjes kunnen onzeker zijn. Ze hebben geen besef van hoe ze stralen. Een avondje uit met Alan, en Tim scheen het veel serieuzer op te vatten dan zij. Als Alan zo weg van haar was, waarom had hij haar dan niet een tweede keer mee uit gevraagd? Ze had zo genoten van die avond met hem in de Rosecroft Inn. Alan had een betrouwbare indruk gemaakt, en ze had van hem het gevoel gehad dat hij precies wist wat hij wilde.

Tim was een heel ander verhaal. Hij trilde toen hij haar in zijn armen hield. Hij zei minstens even vaak 'Ik heb je nodig' als 'Ik hou van je.' Hij vertelde dat hij aan het getij zag hoe laat het was, en dat vond ze ongelooflijk romantisch. Toen hij de eerste keer te laat was, weet hij dat aan een oostelijke stroming. Daarop nam hij haar in zijn armen en vertelde dat hij, toen hij zo ver op zee was dat hij de kust niet meer had kunnen zien, bang was geweest dat hij zou kunnen verdrinken zonder haar ooit weer terug te zien.

Hij zei tegen haar dat ze alles was wat hij had.

Hij belde haar twee keer per dag vanaf zee. Hij ging bij Landsdowne Shoal voor anker en schoot een aantal witte vuurpijlen zodanig af dat ze in Morse de letters DIANNE vormden. Hij bewaarde de beste kreeften die hij ving en maakte ze 's avonds voor haar klaar. Elke avond dronken ze witte wijn.

Ze bedreven de liefde. Hij hield haar zo voorzichtig vast dat zijn armen ervan beefden, en fluisterde keer op keer haar naam. Ze lagen onder de dekens in de kooi van zijn boot en voelden het ritme van de zee. Op die momenten lag er een ernstige en bange blik in zijn ogen. Dan keek hij naar haar gezicht alsof hij het centimeter voor centimeter in zijn geheugen wilde prenten.

'Beloof me dat je me nooit zult verlaten,' fluisterde hij.

'Nooit,' fluisterde ze terug.

'Ik kan je niet verliezen,' zei hij. 'Dit moet voor eeuwig zijn.'

'Hoe kun je ook maar denken dat dat niet zo zou zijn?' vroeg ze. Zijn woorden maakten haar bang, want uiteindelijk nam ze hetzelfde risico: om zich zo volledig met hart en ziel aan een ander mens te schenken, moest ze er ook van op aan kunnen dat hij altijd bij haar zou blijven, dat hij zijn woord zou houden en haar tot in de eeuwigheid trouw zou zijn.

'Dingen veranderen,' zei hij. 'Voor sommige mensen.'

'Niet voor ons,' beloofde ze.

'Mijn ouders,' zei hij. Die avond vertelde hij haar zijn versie van wat zijn familie was overkomen. Ze waren zo'n hecht gezin geweest: zijn ouders waren als kinderen al verliefd op elkaar geweest. Ze waren op hun twintigste getrouwd en hadden drie zoons gekregen. Het leven was een droom geweest. Ze hadden gevist en ze hadden gezwommen. Hun moeder had broodjes voor hen gemaakt die ze meenamen naar het strand en als ze gingen varen. En toen was Neil ziek geworden.

Het gezin viel uit elkaar. Zijn moeder werd gek: door het verdriet om de dood van haar zoon raakte ze aan de drank. Zijn vader, die haar niet kon helpen, bleef op zee. Alan begroef zich in zijn boeken, Tim ging vissen. En Neil ging toch dood. Alan had haar die geschiedenis al verteld, maar dat maakte het luisteren ernaar er niet gemakkelijker op.

'Wat een ontzettend verdrietig verhaal,' fluisterde Dianne.

'Ik zal ervoor zorgen dat ik nooit meer door iemand in de steek word gelaten,' zei Tim. 'Nooit meer.'

'Je hebt het lot niet in de hand,' zei ze. 'Niet in de mate waarin je wel zou willen.'

Tim maakte zich van haar los en keek met donkere, angstige ogen op haar neer. Hij bleef haar aandachtig aankijken en veegde de tranen van zijn wangen.

'Dat zal ik wel moeten,' zei hij, 'want ik weiger zoiets nog eens mee te maken.'

'Het moet heel verschrikkelijk zijn om iemand te verliezen van wie je houdt,' zei Dianne. 'Maar het kan ook anders. Kijk maar naar Alan – hij heeft de dood van jullie broer tot iets positiefs gemaakt. Hij heeft op grond daarvan besloten dat hij dokter wilde worden.'

Tim kreunde.

'Tim!'

'Neem me niet kwalijk,' zei hij, en ze voelde hem beven. 'Het is alleen dat ik helemaal niets positiefs aan Neils dood kan ontdekken. En ik kan er niet tegen als je zo over Alan praat, over hoe fantastisch hij is – de grote, machtige dokter. Hij had je kunnen krijgen en...' Hij zweeg en was knalrood geworden.

'Ik hou van jou,' zei Dianne, terwijl ze het haar uit zijn ogen streek. De uitdrukking op zijn gezicht maakte haar bang. 'Niet van Alan.'

'Je zou de eerste vrouw zijn die tussen ons komt,' zei hij.

'Ik wil helemaal niet tussen jullie komen.'

'Nou, kies dan voor mij,' zei hij.

'Dat zal ik. Dat doe ik,' zei ze, in verwarring gebracht.

'Ik heb nog nooit eerder van een meisje gehouden,' zei Tim.

'Nog nooit?' vroeg Dianne diep onthutst. Ze had echt het zwarte schaap te pakken: hij was te knap, te wild en te charmant om nooit vriendinnetjes te hebben gehad. Hij loog, en ze wist het.

'Ik heb vriendinnetjes gehad, maar ik heb nog nooit van iemand gehouden,' zei hij. Hij kuste haar voorhoofd en streelde haar haren. 'Jij bent de eerste.'

'Mensen moeten van elkaar blijven houden, ook als het leven heel erg tegenzit,' zei Dianne met onvaste stem. Ze had een gezegend leven gehad: haar ouders hielden zielsveel van haar en van elkaar, en gelukkig was er nooit iemand ziek geweest. Maar om de een of andere reden moest ze denken aan Alans vraag naar haar mooiste herinnering – haar huisdieren – en aan wat hij over zijn leven had verteld, en ze slikte.

'Denk je dat we dat zullen kunnen?' vroeg Tim, terwijl hij haar gezicht in zijn beide handen hield.

'O, dat weet ik wel zeker,' zei ze.

'We blijven altijd bij elkaar,' zei Tim. 'Vanaf dit moment zijn we onafscheidelijk.'

En Dianne had hem geloofd. Hij had haar nodig. Het leven had hem groot verdriet bezorgd en hem beschadigd, en Dianne was bereid om met hem te trouwen en voor hem te zorgen. Voor het eerst van haar leven was ze zover dat ze in staat was om te geloven dat haar eigen motto '*Home Sweet Home*' op haar van toepassing was. Geluk was mogelijk en hun liefde was oprecht. Zij en Tim zouden een heleboel lieve kinderen krijgen, en ze zou voor allemaal een speelhuis maken. Het leven zou heerlijk zijn.

Ze zouden door dik en dun van elkaar houden.

Ze zou Tim altijd steunen en achter hem staan, en ze zou haar best doen de rivaliteit tussen de beide broers te verminderen zodat ze een hechte familie konden zijn.

Zij en Tim zouden altijd samen blijven.

Dat hadden ze elkaar beloofd.

Sinds die dag voor de ingang van de bibliotheek van Widener had Alan nooit meer de behoefte gehad om Tim in elkaar te slaan. Maar de dag waarop hij hem vertelde dat hij met Dianne wilde trouwen, kwamen die gevoelens in een klap weer boven. Tim zei dat hij het zo fijn zou vinden als Alan ook bij het huwelijk aanwezig zou willen zijn, en voelde hij ervoor om zijn getuige te zijn? IJzige woede verspreidde zich door Alans borst.

'Nou, wil je dat?' vroeg Tim. 'Of laat je me nog even in spanning?'

'Je hebt haar ten huwelijk gevraagd en ze heeft ja gezegd?'

'Nee,' zei Tim, terwijl hij hem met felle, slimme ogen aankeek. 'We willen alleen maar naar het altaar lopen omdat ons dat zo'n leuke grap lijkt. Waarom vraag je dat?'

'Zomaar,' antwoordde Alan, terwijl het bloed door zijn aderen kolkte.

'Natuurlijk vraag je dat niet zomaar. Ik ken je.' Tim blies de lucht uit zijn longen alsof de noordenwind erin had gezeten. Hij begon door Alan's spreekkamer op en neer te lopen.

'Is het niet een beetje overhaast allemaal?' vroeg Alan. 'Ik bedoel, je kent haar amper.'

'Ik ken haar voldoende. Luister, je reageert toch niet zo omdat je toevallig een keertje met haar uit eten bent geweest, hè? Want ik had begrepen dat er niets tussen jullie was. Maar misschien heb ik het wel mis. Klopt het soms niet dat jullie maar een keertje uit zijn geweest?'

'Ja,' zei Alan. 'We zijn maar een keertje uit geweest.'

'Nou, waarom doe je dan zo moeilijk?'

Het probleem was dat Alan niet snel genoeg gereageerd had. Een afspraakje kon voldoende zijn om de wereld te veranderen, en toen hij die avond met Dianne uit eten was geweest, had hij geweten dat hij een fantastische vrouw had ontmoet. Hij had zich, toen hij in haar ogen had gekeken en haar in de auto had gekust, op een hele intense manier met haar verbonden gevoeld, en hij had kunnen zweren dat het voor haar ook zo was geweest. Maar toen had hij een aantal avonden tot 's avonds heel laat in het ziekenhuis moeten werken en daarna had hij haar een keer op het verkeerde moment gebeld, en daarmee was hij zijn kans om na te gaan of zijn gevoelens echt waren of alleen maar een illusie waren geweest, verloren.

'Nou, waarom doe je dan zo moeilijk?' vroeg Tim opnieuw.

'Wil je echt met haar trouwen, en hou je dan op met zwerven?'

'Ja.'

'Hou je echt op met zwerven?' vroeg Alan. Hij trok een afkeurend gezicht om niet te laten blijken dat hij innerlijk groen zag van jaloezie.

'Voor zover mogelijk,' antwoordde Tim. 'Ze weet dat ik een boot heb en dat ik de zee op moet om te vissen. Ik geloof niet dat ze daar moeite mee heeft.'

'Ze heeft je niet tien jaar lang zien komen en gaan,' zei Alan.

'Hé, je hebt je kans gehad. Je had oceanograaf kunnen worden. Het was je eigen beslissing om dokter te worden.'

'Dat weet ik.'

'Dianne heeft geen bezwaar tegen het werk dat ik doe,' zei Tim. Hij grinnikte en ontblootte zijn afgebroken voortand. Zes winters geleden was, toen hij tijdens een hoge zee de fuiken aan boord probeerde te halen, de hendel van de lier tegen zijn gezicht geslagen. Alan kon het niet uitstaan dat hij er niet mee naar de tandarts ging om er een kroon op te laten zetten. Het was bijna alsof hij besloten had een bepaalde rol in het leven te spelen.

'Ze houdt van de excentrieke visser,' zei Alan. 'Is dat het?'

'Ja, precies.'

'Van de rebel die is teruggekeerd van zee?'

'Hé...' zei Tim, die het sarcastische toontje had gehoord.

'Nou, ik kan alleen maar hopen dat ze evenveel van je houdt wanneer je *niet* thuis bent, maar op zee,' zei Alan. 'Wanneer je besluit om niet koers naar Hawthorne te zetten, maar naar Newport.'

'Die dagen behoren tot het verleden,' zei Tim. Hij grinnikte opnieuw, en Alan bespeurde iets van een broederlijk knipoogje in zijn ogen. Opnieuw voelde hij de jaloezie in zich oplaaien, en hij had zijn broer het liefste tegen de vlakte geslagen. Tim had gelijk: Alan en Dianne waren maar een keertje uit geweest. Maar of Alan dat nu leuk vond of niet, hij kon die innerlijke band met haar nog steeds voelen. Alan kende zijn broer, en hij wilde niet dat hij haar verdriet zou doen. Hij deed een stapje naar voren en ging pal voor Tim staan.

'Dat hoop ik,' zei Alan.

Tim keek hem strak aan. Zijn ogen lichtten op en hij was bereid om met Alan op de vuist te gaan. Geen van beiden was die laatste knokpartij in Cambridge vergeten, en Alan kon de hitte die van Tims huid straalde bijna voelen. Ze wachtten alle twee tot de ander zou beginnen.

'Ze is anders dan wij,' zei Alan. 'Ze komt uit een gezin waar iedereen elkaar helpt. Snap je wat ik bedoel?'

'Probeer je me soms te waarschuwen?' vroeg Tim. Hij prikte zijn wijsvinger in Alans borst. 'Wil je me soms waarschuwen voor mijn aanstaande vrouw?'

'Ik hoop dat je haar goed zult behandelen.'

'Maak je geen zorgen.'

'Haar ouders staan altijd voor haar klaar,' zei Alan. 'Voor elkaar en voor haar. Ze zijn heel anders dan Mam en Pap. Zoals ze waren nadat Neil is gestorven.'

'Ik heb altijd voor Neil klaargestaan,' zei Tim met opgeheven hoofd.

Alan keek hem uitdagend aan, maar vond niet de moed om iets tegen te spreken waar zijn broer heilig in geloofde. Hij dacht terug aan die tijd, en herinnerde zich dat Tim buiten, onder Neils raam had gezeten.

Het was zomer. De hemel was blauw en de vogels zongen. Tim zat in het gras en gooide zijn honkbal in zijn handschoen, en nog eens, en nog eens. Alan was langs zijn ouders geslopen om bij Neil te kunnen zijn. Ze hoorden het ritmische doffe geluid van Tims honkbal die tegen de handschoen sloeg. De donkere slaapkamer rook naar ziekte en dood, en Neil had Alan met grote, angstige ogen aangekeken. Hij was doodsbang geweest omdat niemand hem verteld had wat er met hem zou gebeuren.

'Doe haar geen verdriet,' zei Alan nu, met een akelig voorgevoel diep in zijn buik.

'Krijg de klere,' zei Tim. Hij deed een stapje naar achteren en draaide zich om. 'Wil je nu nog mijn getuige zijn of niet?' vroeg hij, alvorens de spreekkamer uit te gaan.

'Ja,' antwoordde Alan, omdat Tim zijn enige nog in leven zijnde broer was. Omwille van hemzelf en omwille van Dianne, moest hij hier nu een punt achter zetten. Dianne zou nooit iets weten van deze innerlijke strijd, of van het verdriet dat hij voelde. 'Je kunt op me rekenen.'

'Ik weet niet waarom,' zei Tim, 'maar dat doet me plezier.'

Moe van de ruzie had hij bij zijn bureau gestaan en Tim nagekeken. Zijn broer was een lange, trotse verschijning. En waarom ook niet? Hij had het hart gewonnen van het meisje op wie ze alle twee een oogje hadden. Alan had de diploma's en de titels, Tim had zijn boot en Dianne. Toen hij bij de deur was gekomen, draaide hij zich om.

Tims ogen waren blauw en fel. Alans maag balde zich samen in het besef dat zijn broer de zege opeiste van deze laatste strijd tussen hen. Maar toen hij naar Tim keek, zag hij ook nog iets anders. Diep in Tims ogen bespeurde hij angst. Hij ving een glimp op van een man die verloren was.

Alan probeerde iets te verzinnen dat hij zou kunnen zeggen, iets waarmee hij Tim terug zou kunnen winnen en waarmee hij zou kunnen voorkomen dat hij ging, iets om deze laatste breuk tussen hen te overbruggen. Uiteindelijk waren ze elkaars enige familie. Maar als Tim eenmaal had besloten om te gaan, dan liet hij zich daar door niets en niemand vanaf houden.

Hoofdstuk 6

De laatste woensdag van mei voelde Alan zich zo gespannen dat hij het liefste dertig kilometer was gaan joggen. In plaats daarvan liep hij er maar vijf, en ging hij vroeger naar de bibliotheek dan gewoonlijk. Mevrouw Robbins zat niet achter de balie, en hij voelde zich op slag diep teleurgesteld. Maar toen zag hij zijn keurig, als een boek opgevouwen, geel-wit gestreepte handdoek op het boekenwagentje liggen. Hij knikte naar de jonge assistente, en reikte over de balie heen om hem te pakken.

Hij pakte zijn tijdschriften, ging naar de leeszaal en begon een artikel te lezen over krill, het voedsel van de blauwe walvis. Zijn hart was nog niet helemaal tot rust gekomen van het joggen. De laatste tijd had hij sinds jaren weer steeds vaker last van zijn linkerknie, waaraan hij vroeger, tijdens een honkbalwedstrijd op het veld achter de middelbare school, een blessure had opgelopen toen hij keihard tegen Tim was opgevlogen. Hij had de hele dag al last van zijn keel, en nu moest hij niezen.

Zondagavond was hij met Rachel, een verpleegster die hij uit het ziekenhuis kende, naar de film geweest. Na afloop had ze ergens wat willen gaan drinken en eten. In plaats daarvan had Alan haar overgehaald om over het strand naar de vuurtoren te lopen. Het was donker. Er was geen maan en ze hadden amper iets kunnen zien.

Ze had de verkeerde schoenen aan gehad, en haar hoge hakken zakten bij elke stap diep weg in het zand. Maar ze klaagde niet. Ze wist Alan bij te houden, en ze spraken over de film. Alan hield zijn handen in de zakken van zijn jack en stapte stevig door. Aan de overkant van de baai lag Gull Point. Het kanaal was zwart als inkt, en het was eb. Aan de andere kant van het donkere moeras zag hij het licht branden in Dianne's huis.

Alan stond onder de vuurtoren. De lichtbundel scheen over het water en beschreef een pad van licht naar Dianne's huis. Rachel hield zijn hand vast. Ze was lang en sexy in haar strakke beige trui. Ze gingen op het vochtige zand zitten en hij trok haar kleren zo hardhandig uit dat ze protesteerde. Ze trok haar zwartkanten beha zelf uit. Wellust, opwinding, het was niets nieuws. Alan had haar dicht tegen zich aan gehouden en gewacht tot zijn ademhaling weer tot rust was gekomen. Omdat hij spijt had van zijn gedachten, en van het feit dat hij onafgebroken naar Dianne's huis aan de overkant van het kanaal had moeten kijken, liet hij haar zijn trui en zijn jasje aantrekken.

'Bel me,' zei ze, toen hij haar bij haar huis afzette.

'Dat zal ik doen,' zei hij, en hij kuste haar. Ze gaf hem zijn kleren terug. Ofschoon hij in zijn T-shirt zat te rillen, liet hij ze naast zich op de stoel liggen. Ze was gescheiden. Ze werkte op de Eerste Hulp en ze had een zoontje van zes. Alan schaamde zich en wist dat hij deze verkoudheid verdiende. Hij had geweten dat hij haar nooit zou bellen. Alan was iemand die moeite had met vrouwen en romantiek. Hij dacht terug aan hoe hij had gedaan alsof hij het Tim had vergeven dat hij Dianne van hem had gestolen, maar in werkelijkheid had hij zijn broer wel kunnen vermoorden.

Hij niesde.

'Gezondheid,' fluisterde een van de assistentes.

'Gezondheid,' zei mevrouw Robbins op hetzelfde moment, terwijl ze met een stapel nieuwe tijdschriften de hoek om kwam.

'Bedankt,' zei Alan tegen alle twee.

'Heb je iets onder de leden?' vroeg mevrouw Robbins.

'De kinderen steken me altijd aan,' zei hij.

'Dan zou je niet moeten joggen.'

'Ik heb die lichaamsbeweging hard nodig,' zei hij.

'Maak dat de kat maar wijs. Ga maar liever naar huis en naar bed,' zei ze streng, maar toen schonk ze hem een hartverwarmend glimlachje. 'Als je tenminste bereid bent om naar een leek te luisteren.'

Alan niesde opnieuw. Zijn keel deed pijn en hij had een zwaar gevoel op de borst. Mevrouw Robbins legde haar hand op zijn voorhoofd. Ze deed hem denken aan zijn grootmoeder.

'Je hebt koorts, jongen,' zei ze.

'Hoe is het met Julia en Dianne?' vroeg hij, opzettelijk van onderwerp veranderend. 'Kunnen ze het een beetje vinden met Amy?'

'We hebben het niet over Julia en Dianne,' zei mevrouw Robbins. 'En ook niet over Amy. Beloof me dat je naar bed gaat en dat je voor de verandering eens aan jezelf zult denken, goed?'

'Goed,' zei hij. Hij rilde. Hij was echt ziek. Het voelde vreemd om advies van een ander op te volgen. Hij dacht opnieuw aan zijn grootmoeder. Dorothea had haar best gedaan nadat zijn ouders zich hadden overgegeven aan hun verdriet. Maar ze had helemaal op Nantucket gewoond, en omdat dat zo'n eind varen was, had Alan haar maar weinig gezien.

'En morgenochtend bel je me!' zei mevrouw Robbins.
Zijn grootmoeder zou precies hetzelfde hebben gezegd.

Lucinda Robbins was amper thuis, of ze haalde twee potten kippenbouillon uit de kast. Vroeger, als Emmett ziek was, had ze de bouillon altijd zelf gemaakt. Maar nu nam ze genoegen met de kant-en-klare variant. Ze deed er een paar uitjes bij, en wortel, selderij, peperkorrels, laurierblad en tijm uit de tuin. En toen zette ze de pan op een laag vuurtje.

De meisjes waren in Dianne's werkplaats. Vandaag luisterden ze naar Carly Simon: de liefdesliederen zweefden vanuit het atelier door het open raam de keuken in. Dianne was dol op Carly. Dat was ze altijd geweest. Ze luisterde naar die stem – die hartstochtelijk zong over verloren liefde, een gebroken hart, de vreugde van haar kinderen en hoop voor de toekomst – alsof Carly de enige was die in staat was om Dianne's diepste gevoelens te verwoorden.

Dianne kon toveren met hout. Van haar vader had ze haar talent voor het timmervak, haar nuchterheid en zijn geduld meegekregen. Vooral dat laatste, geduld, was het geheim van goed vakwerk. Het vermogen om iets heel nauwkeurig, tot op de laatste millimeter te meten, en om de verschillende stukken hout zo precies in elkaar te laten passen dat er geen spleetje lucht overbleef. Even belangrijk was het vertrouwen: het vertrouwen dat ze iets precies daar afzaagde waar het afgezaagd moest worden, en dat ze niet door slordigheid een stuk kostbaar hout zou bederven.

Waar het hout betrof had Dianne het grootste geduld en vertrouwen van de wereld.

Maar in de liefde had Dianne helemaal geen vertrouwen. En waarom zou ze ook? Soms dacht Lucinda wel eens over Dianne's leven na, en dan vroeg ze zich af waar ze de kracht vandaan had gehaald om de wanhoop te overleven. Ze was waanzinnig verliefd geweest op Tim. Ze waren getrouwd en hadden een droombruiloft gehad. Ze had zijn kind gekregen. En toen, toen bleek dat de baby niet volmaakt was, was ze hem kwijtgeraakt.

Dianne was bijna gestorven. Letterlijk. In het begin, vlak na Tims vertrek, had Lucinda voor Julia moeten zorgen omdat Dianne te verdrietig was om uit bed te kunnen komen. Toen ze eenmaal ten volle beseft had wat er met Julia aan de hand was, was ze ten prooi gevallen aan een diepe postnatale depressie, en had ze dagen achtereen niets anders kunnen doen dan huilen. Maar Julia had haar er doorheen gesleept. Elf jaar geleden had die dappere kleine baby met haar verschrikkelijke problemen en intense behoeften, ervoor gezorgd dat haar moeder niet aan liefdesverdriet was gestorven.

Maar Alan McIntosh had ook geholpen. Hij was elke dag even langsgekomen. Er waren niet veel artsen die huisbezoeken maakten, maar het was nooit bij hem opgekomen om dat niet te doen. Dianne had hem laten zitten voor zijn broer, maar dat had hij haar vergeven. Hij kwam altijd meteen na het spreekuur om zich over Julia te ontfermen. In de derde week van haar leven hadden ze haar geopereerd om haar verdraaide darmkanaal te herstellen, en ze hadden een tijdelijk stomazakje aan haar buikje geplakt om haar babyontlasting in op te vangen.

Dianne, die buiten zichzelf was van verdriet, had niet met het zakje overweg gekund. Ze had de pleister van Julia's stoma, van de opening in haar buikje, weggerukt, en Julia schreeuwde het uit van de pijn.

Lucinda kon zich de heksenketel nog goed herinneren. Julia die krijste, en Dianne die snikte. Alan was de keuken binnengekomen. Hij had zijn zwarte tas op tafel gezet, en Julia van Dianne overgenomen. Hij hield de baby tegen zijn borst en wiegde haar heen en weer tot ze gekalmeerd was. Er kwam een beetje van de gele babyontlasting op zijn overhemd, maar dat scheen hij helemaal niet erg te vinden.

'Ik heb haar pijn gedaan,' zei Dianne, bevend van het verdriet en de tranen.

'Ach wat,' zei Alan.

'Ik wilde het zakje verschonen, maar ik heb te hard getrokken, en toen kwam alles eraf! Haar huid is al zo ruw, en ze heeft al zoveel meegemaakt...'

'Je hebt haar geen pijn gedaan,' zei Alan nog nadrukkelijker. 'Niet meer dan het aftrekken van een gewone pleister. Goed, dat prikt even, maar dat is alles. We geven haar gewoon weer een nieuwe.'

Hij gaf Julia aan Dianne terug en zocht in zijn tas. Nadat hij twee pakjes had gevonden en opengemaakt, maakte hij Julia's stoma schoon, plakte er een schoon zakje op en wikkelde haar in haar dekentje.

Lucinda had als verlamd op de achtergrond gestaan. Ze had een gezonde dochter op de wereld gezet en grootgebracht, en ze had er geen idee van hoe ze een stomazakje moest verschonen, of wat ze zou kunnen doen om te voorkomen dat Dianne haar verstand verloor. Ze had zo'n ontzag voor haar dochter dat ze zich niet had durven verroeren.

Alan had hen allemaal moed geschonken. Hoewel hij nooit had gedaan of Julia normaal was, had hij ook nooit gedaan of ze anders was. Dianne was drie weken daarvoor bevallen, dezelfde week als waarin Tim was vertrokken. Ze zag bleek en was bijna gek van verdriet. Ze was een trillend hoopje ellende met ongewassen haren in een oude, blauwe badjas. Ze had haar eigen kind niet durven vasthouden – ze had in een hoek gestaan en zich de haren uit het hoofd getrokken.

Wat er toen was gebeurd zou Lucinda nooit vergeten. Het was zomer en in het moeras wemelde het van de krekels. De zwarte hemel stond vol sterren. Het wanhopige geluid van een jankende wilde kat, had Lucinda aan haar dochter doen denken. Alan was naar Dianne gelopen en had geprobeerd om Julia in haar armen te leggen. Maar ze wilde haar niet van hem aannemen.

'Ze is je kind,' zei Alan.

'Ik wil haar niet,' had Dianne huilend uitgeroepen.

Dat meen je niet, had Lucinda willen zeggen. Maar misschien meende ze het ook wel. Dianne was haar man kwijt, en nog zoveel meer dan dat: haar idee dat liefde alles kon overwinnen, dat de wereld een veilige plek was, dat goede mensen gezonde kinderen kregen.

'Ze heeft je nodig,' zei Alan.

'Ik wil Tim,' had Dianne gesmeekt. 'Laat hem terugkomen!'

'Hij is weg, Dianne!' Alan had bijna geschreeuwd, en hij had haar bij de arm geschud om haar uit de droom te helpen. 'Je kind heeft je nodig!'

'Ik kan geen goede moeder voor haar zijn,' zei Dianne. 'Ze heeft iemand nodig die veel sterker is dan ik. Ik kan het niet, ik kan niet...'

'Je bent de enige die ze heeft,' zei Alan.

'Neem haar mee,' smeekte Dianne.

'Je dochter heeft honger,' zei Alan. Hij trok Dianne bijna hardhandig mee naar de schommelstoel bij het raam en duwde haar erop. Toen maakte hij, met de meest tedere gebaren die Lucinda ooit had gezien, de voorkant van Dianne's badjas open. Ze had zich verzet, maar nu zat ze roerloos. Ze was niet in staat zich te verroeren.

Alan legde Julia aan Dianne's borst. De tranen rolden over Dianne's wangen terwijl ze daar in het zwakke licht zat en weigerde naar haar kind te kijken. Buiten was de meest schitterende sterrenhemel. Ze staarde omhoog alsof ze het liefst deze marteling de rug had toegekeerd om de blauwe ster in de gordel van Orion te worden. In haar koppigheid weigerde ze haar dochter in haar armen te houden. Alan knielde voor haar op de grond en ondersteunde Julia terwijl Dianne haar de borst gaf.

Lange minuten verstreken. Minuten die wel uren leken. Uiteindelijk sloot Dianne haar kind in de armen. Haar armen kwamen, schijnbaar vanzelf, omhoog en sloten zich om Julia. Terwijl ze dat deed, raakten haar armen die van Alan. Lucinda zag dat hun voorhoofden elkaar bijna raakten terwijl ze neerkeken op de baby. Hun gezichten waren vlak bij elkaar, hun armen lagen tegen elkaar. Julia sabbelde gretig.

Lucinda roerde in de soep en dacht terug aan die scène. Toen ze naar de tafel keek, kon ze ze er bijna aan zien zitten: Dianne, Alan en Julia.

Lucinda schonk de soep over in een grote thermoskan en liet de deksel eraf om hem eerst wat af te laten koelen. Ze deed wat vers brood en boter in een zakje, en maakte een kan met limonade. Toen liep ze door de tuin naar de werkplaats om haar dochter te zeggen dat de dokter ziek was en dat het nu haar beurt was om bij hem langs te gaan. Er waren momenten, dacht ze, dat Dianne zo blind was dat ze haar eigen toekomst niet kon zien.

Dianne reageerde ongeduldig. Ze was bezig aan een dakterras voor haar nieuwste speelhuis, dat geïnspireerd was op een huis dat ze in Stonington had gezien, en het vergde het uiterste van haar concentratie. Maar haar moeder bleef doorzeuren en zei dat ze kippensoep voor Alan had gemaakt en dat ze hem die moest brengen.

'Weet je wel hoe lang geleden het is dat ik bij hem thuis ben geweest?' vroeg ze.

'Nou,' zei haar moeder, 'zijn adres staat in je boekje. Als je niet meer weet waar hij woont, dan zoek je het maar op in het stratenplan.'

'En natuurlijk heb jij, als bibliothecaresse, een stratenplan in huis,' zei Dianne.

'Bibliothecaressen verschillen heus niet zoveel van timmerlui,' zei ze. 'Elk beroep heeft zijn gereedschap.'

'Ik weet heus wel waar hij woont,' bekende Dianne met tegenzin.

'Julia boft maar,' zei Amy.

Beiden draaide zich naar het meisje om. Ze had een schaakspel meegenomen, en zat een geheel nieuwe en eigen versie met Julia te spelen.

'Dat Dr. McIntosh haar oom is,' voegde Amy eraan toe.

'Dat kan een bof zijn, maar soms is het dat ook niet,' zei Dianne.

'Schaam je, Dianne,' zei Lucinda. 'Hij is zo goed voor jullie twee.'

'Mam, dit huis moet voor zondag af zijn,' zei Dianne, in een nieuwe poging. 'Kun jij die soep niet brengen?'

'De meisjes van de leesgroep kunnen elk moment komen, en ik moet alles nog klaarzetten.'

'En je hebt tijd gevonden om soep voor hem te maken?'

'Amy zei het al. Hij is Julia's oom,' zei Lucinda Robbins.

Dianne had de raampjes van de bestelbus helemaal opengedraaid en liet de voorjaarswind door de cabine waaien. De vogels zongen uit volle borst, en de zon was bijna onder. Zwaluwen scheerden over de velden en vingen muggen. Een grote groep spreeuwen vloog op in een kolkende, zwarte wolk. Een eenzame reiger zat op een telefoonkabel boven Silver Creek. Dianne rook rozentuinen, verse aarde en zoutvelden. De tas van haar moeder stond achterin, tussen zware zakken met scharnieren en kopspijkertjes.

Pearl Street lag in het hartje van Hawthorne. Het was een van de oudste straten van de stad, en was de plek waar welvarende walvisvaarders en kooplieden aan het eind van de achttiende eeuw hun mooie huizen hadden laten bouwen. Het lag twee straten achter de haven, en was daarmee een stuk rustiger dan Front Street en Water Street.

Dianne reed de straat langzaam in en snoof de zilte lucht in zich op. De witte gevels van de huizen hadden een perzikachtige gloed in het licht van de ondergaande zon. Ze was al jaren niet meer bij Alan thuis geweest. Zijn straat riep herinneringen bij haar op aan gelukkige momenten met Tim, en ze gaf een beetje gas.

Alan woonde in een oud, Victoriaans huis. Met witte planken betimmerde buitenmuren, grijs houtwerk, en drie treden naar de brede veranda. Sierlijke krullen en versierde balken. Maar alles was dringend aan een grondige opknapbeurt toe. De verf bladderde af, van een zijraam ontbrak een van de luiken en het windvaantje stond scheef. Het gras moest gemaaid, en het zeilbootje op zijn roestige trailer was al lange tijd niet meer met zeewater in aanraking geweest. Ze herinnerde zich de eindeloze zeiltochten met haar man en haar zwager.

In die tijd hadden ze een probleemloze relatie gehad. Ze had duidelijk gevoeld dat Alan alles over had gehad voor het geluk van haar en Tim. Hij vroeg ze mee uit zeilen, en zij nodigden hem uit voor het eten. Iedereen gedroeg zich op zijn best. Die zeiltochten waren heerlijk geweest – zij, met z'n drietjes, in Alans bootje. Hij zat altijd aan het roer, Tim zat onderuitgezakt met zijn pet over zijn ogen, en Dianne bemande de fok.

Dianne herinnerde zich een stralende dag waarop ze zich uitgelaten had gevoeld. Ze zeilden tegen de wind in en de golven sloegen over de boeg. Tim zat vanaf de achtersteven met een sleepnet op zeeforel te vissen. Dianne zat in elkaar gedoken helemaal voorin. Ze had zich omgedraaid en haar mond opengedaan om iets te zeggen over de zon of de wind of het feit dat ze met z'n drieën waren, toen ze Alan naar zich had zien kijken. Hij had zijn ogen half samengeknepen, en ze zag het verlangen en de spijt in zijn blik. Op dat moment wist ze dat zijn stemming te maken had met dat wat er ooit eens heel kort tussen hen was geweest, en in dat ene moment voelde ze het ook. Ze had zich meteen weer omgedraaid.

Dianne en Alan zorgden ervoor dat hun gedrag naar elkaar toe oppervlakkig en beleefd was. Ze waren elkaars schoonfamilie. Elke vrijdagavond maakte ze een visschotel klaar, en Alan kwam na afloop van zijn spreekuur en voor hij naar het ziekenhuis moest, langs om met hen te eten. Hij vroeg haar dingen als wat voor kleur vloerbedekking hij voor de speekkamer zou nemen. Tim zat er grijnzend bij. Hij hield Dianne's hand vast en was blij dat Alan deel uitmaakte van zijn gelukkige gezinnetje. Maar op de dag waarop Tim voorgoed met de noorderzon vertrok, was het toneelspel tussen Alan en Dianne opeens voorbij.

Ze liep over het verwaarloosde gazon en zag iets liggen in het gras: een oud vogelhuisje. Dianne had het vele jaren geleden, nog voor ze Julia had gekregen, voor Alan gemaakt. Ze had een vogelhuis voor hem gemaakt bij wijze van belofte dat ze later, wanneer hij kinderen zou hebben, het allergrootste speelhuis voor hem zou bouwen. Ze herinnerde zich hoe Tim de ladder had vastgehouden terwijl Alan erop was geklommen om het vogelhuis in de hoge esdoorn te hangen. En nu was het eruit gevallen. Ze zette het tegen de stenen fundering en liep de treden van de veranda op.

Dianne belde, en ze belde nog eens, maar niemand deed open.

'Hallo,' riep ze. 'Hallo!'

Het was een vreemd gevoel om hier te staan. Ze herinnerde zich de avond waarop zij en Tim naar Alan waren gegaan om hem hun ongelooflijke nieuws te vertellen: ze was drie maanden zwanger. Ze had met Tims armen om zich heen in de hal gestaan toen Tim Alan had gevraagd om haar buik te voelen. Ze had zich gerealiseerd hoe pijnlijk dat voor Alan was, en toen ze elkaar hadden aangekeken, had ze in zijn ogen gezien hoe moeilijk hij het vond om te doen wat zijn broer hem had gevraagd. Maar hij had het gedaan om zijn broer een plezier te doen. Hij had een kalme, stevige hand op haar buik gelegd. Dianne had haar ogen gesloten en huiverend gevoeld hoe Alan contact had gemaakt met het kind dat ze in zich droeg.

'Alan,' riep ze nu. 'Alan, ben je thuis?'

Ze voelde aan de deurknop. Hij gaf mee. Ze duwde de deur langzaam open, en stapte via het halletje de zitkamer in. De inrichting was uiterst sober: een mahoniehouten tafel, een cilinderbureau met stoel, en een tweepersoonsbankje met een hoes van gebleekte katoen. Zijn smaak was er niet op vooruit gegaan.

'Alan!' riep Dianne. Waarna ze floot.

De boekenkasten die tegen de muren stonden puilden uit van de boeken: Dickens, Shakespeare, Norman MacLean, Yeats, William Carlos Williams, Hemingway, Freud, Dos Passos. Trevanian, Robert B. Parker, Ken Follett, Linnaeus, Jung, Lewis Thomas, Louis Agassiz, Audubon, Darwin, Winnicott enzovoort, enzovoort. Tim had nooit lang genoeg achter elkaar stil kunnen zitten om dat soort boeken te lezen.

Toen ze zich omdraaide, zag ze op de bovenste plank een aantal ingelijste foto's staan.

Alan was erg lang, dus de foto's moesten voor hem op ooghoogte staan. Hoewel Dianne op haar tenen ging staan, kon ze ze nog niet goed zien. Er was een foto van zijn ouders, en ze zag dat hij sprekend op zijn vader leek: lang en slank. Ernaast stond een zilveren lijstje met een foto van Dorothea, zijn grootmoeder. Een foto van drie jongens in honkbaluniform. Dezelfde drie jongens in een zeilboot. Alan, Tim en hun oudste broer Neil.

'Tim,' zei ze hardop van schrik, toen ze hem op de foto herkende.

Dianne en Tims trouwfoto. Ze pakte hem met bevende hand van de plank. Er waren zo veel mensen geweest die haar hadden gezegd dat ze de dingen los moest laten – het verleden, de woede, haar ex-man. Intussen waren er elf jaar verstreken. Dus hoe kwam het dat ze zich, bij het zien van zijn foto, ineens weer zo woedend voelde?

Ze hadden ooit eens van elkaar gehouden; dat zag ze aan de manier waarop ze naar hem toe stond gebogen, aan de manier waarop hij als betoverd naar haar keek. Zijn aanraking had haar doen smelten, en bij het horen van zijn stem had ze hem de hemel op aarde willen beloven. Zijn smoking sloot zo strak om zijn schouders dat het een wonder was dat hij er niet uit was geknapt. Zijn das zat scheef. Dianne had het tot haar levensdoel gemaakt om Tim het geluk terug te geven dat hij bij de dood van Neil verloren was.

Bij de herinnering aan hoe verschrikkelijk hard ze dat geprobeerd had, drukte ze haar nagels in de palmen van haar handen. Elf jaar later, en haar gevoelens waren er niet minder op geworden. Hij had niet alleen haar verlaten, hij had ook hun dochter aan haar lot overgelaten.

Ze herinnerde zich een avond waarop ze, enkele maanden zwanger, op het dek van zijn boot had gelegen. Ze had opgekeken naar de stralende sterrenhemel boven haar hoofd en gefluisterd: 'Als het een meisje is, dan kunnen we haar Cornelia noemen. En als het een jongen is, dan noemen we hem gewoon Neil. Wat het ook zijn mag, we noemen ons kind Neil.'

Tim had haar gekust – hij had een opgetogen indruk gemaakt. Ze waren relatief jong geweest met hun zevenentwintig jaar. Haar dokter had haar geadviseerd om een vruchtwaterpunctie te laten doen – niet vanwege haar leeftijd, maar omdat haar bloed een hoog proteïnegehalte had.

Twee woorden: genetische afwijkingen. Dianne herinnerde zich de rilling die langs haar ruggengraat was getrokken en hoe ze vanbinnen in ijs was veranderd. Ze had haar armen om zich heen geslagen en dagenlang gehuild. Ze had gehoopt, gebeden dat het een vergissing was. Hoe kon zoiets gebeuren? Zij en Tim waren gezond. Ze hielden van elkaar. Ze waren goede mensen en harde werkers. Hun kind was een meisje, en ze was abnormaal.

Lag het aan haar dieet? Aan het feit dat ze te dicht in de buurt van een elektriciteitscentrale woonden? Had Dianne, voor ze geweten had dat ze zwanger was, te veel wijn gedronken? Had Tim te veel hasj gerookt? Kwam het door de luchtvervuiling? Was het iets in het water? Zaten er chemische stoffen in de melk die ze dronken? In het vlees dat ze aten? Gebruikte ze het verkeerde wasmiddel, de verkeerde shampoo, bodymilk of wasverzachter? Had ze een tekort aan foliumzuur? Had ze te weinig bladgroenten gegeten?

Dianne had in haar werkplaats op de schommelstoel gezeten en dagenlang op de krakende vloer heen en weer geschommeld. Ze had haar haren niet gewassen, ze had niet gegeten en ze had geen woord gesproken. Tim voer uit om te vissen, kwam terug, voer uit en kwam terug. Ze verlangde naar zijn armen om haar heen, naar zijn geruststellende woorden, maar hij had haar niet omhelsd en hij had haar niet gerustgesteld. En dus had ze zichzelf maar omhelsd.

De baby in haar buik verroerde zich niet. Misschien was ze wel dood, had ze gedacht. Ze had zoveel van haar baby gehouden, en ze had haar Neil genoemd, maar nu dacht ze er steeds vaker aan als een 'het'. Ze dacht: 'Het beweegt niet.' 'Het heeft een genetische afwijking.' 'Het is abnormaal.'

'We kunnen het niet krijgen,' had Tim op een avond gezegd. Hij sprak vanaf de andere kant van de kamer en lette erop dat er een flinke afstand tussen hen was. 'Niemand zal ons dat kwalijk nemen.'

'Wat bedoel je precies?' vroeg ze.

'Een abortus,' zei hij.

'O,' zei ze, terwijl ze zich misselijk voelde.

Hij kwam dichterbij. Zijn gezicht was nat van de tranen. Hij drukte zijn lippen tegen de huid van haar hals. 'Toen we besloten om de vruchtwaterpunctie te doen,' zei hij, 'wisten we dat dit een mogelijkheid was. Dat is waarom dit soort onderzoek wordt gedaan – om ouders in staat te stellen een beslissing te nemen. We moeten beslissen wat we zullen doen, Dianne.'

'Ik ben blij dat je "we" zegt,' fluisterde Dianne. Ze had zich zo alleen gevoeld. Tim was voortdurend op zee geweest en hij had niet met haar willen praten over hun kind en de nachtmerrie waarin ze terecht waren gekomen. Ze begreep het wel – ziekte maakte hem waanzinnig. Hij was zo bang, maar ze had dit zo graag samen met hem willen dragen.

'We kunnen de dokter bellen,' zei hij, 'en een afspraak maken voor de abortus. En daarna kunnen we meteen proberen om een nieuw kindje te maken.'

'Ik zal erover denken,' had Dianne gezegd.

En dat deed ze. Ze zat op haar schommelstoel en schommelde en schommelde, en probeerde zich voor te stellen hoe opgelucht ze zich zou voelen wanneer dit probleem de wereld uit was. Ze zou naar het ziekenhuis gaan, de dokter zou haar een verdoving geven, en de baby zou worden weggehaald. Het was toch een zieke, beschadigde baby. Er kon van alles mis mee zijn. Het kon achterlijk zijn, en andere kinderen zouden het uitlachen en belachelijk maken.

Dianne dacht terug aan die dagen op de schommelstoel, en pakte Julia's foto van de plank. De foto was genomen toen Julia zes maanden oud was. Het was haar officiële babyfoto. Dat was een beetje laat, maar dat kwam doordat ze die eerste maanden het grootste gedeelte van de tijd voor operaties in het ziekenhuis had gelegen. Ze was in een roze dekentje gewikkeld en haar kleine gezichtje keek over de rand. Dianne had haar in haar armen gehouden, en Alan had de foto genomen.

Dianne keek strak naar het gezichtje van haar dochter. Het was zo mooi en fijntjes. Wanneer je in de blauwe ogen keek, zou je nooit vermoeden dat er zo veel mis was met haar lichaam onder het roze dekentje. Julia's roze tongetje was vochtig en glom. Telkens wanneer Dianne naar Julia keek, voelde ze een golf van liefde.

'Julia,' zei ze, alsof haar dochter bij haar was. 'O, Julia.'

Met haar gedachten was ze bij die dagen op de schommelstoel. Ze nam het zichzelf niet kwalijk dat ze serieus over de mogelijkheden had nagedacht, en het grootste gedeelte van de tijd nam ze het Tim ook niet kwalijk. De beslissing om Julia toch te houden was een geleidelijk proces geweest. Ze had langzaam geschommeld toen ze de baby voor het eerst had voelen bewegen. Het was geweest alsof er van binnen iets was verschoven, waarbij de botten van de baby tegen Dianne's ribbenkast hadden gestoten. De baby was op haar teentjes over haar ruggengraat gelopen. Dianne's hart had een sprongetje gemaakt.

Alan was langsgekomen. Hij was binnengekomen en op de drempel blijven staan. Dianne had met niemand over de uitslag van het onderzoek gesproken, zelfs niet met haar moeder. Van Tim was het bekend dat hij grote moeite had met alles dat met lichaam en gezondheid te maken had, en Dianne had nooit verwacht dat hij het aan zijn broer zou vertellen. *Juist* niet aan zijn broer.

'Tim heeft het me verteld,' had Alan gezegd.

Dianne was geschokt. Ze sloeg haar armen nog wat strakker om zich heen, en wist dat het niet uitmaakte wat Alan of Tim zouden zeggen – haar besluit stond vast. Ze schommelde heen en weer en wiegde zichzelf en de baby, en alles zou goed komen.

'Hij heeft me de uitslag laten zien.'

'De uitslag maakt geen enkel verschil,' zei Dianne.

'Tim heeft me gevraagd om met je te praten. Om je op andere gedachten te brengen. Hij denkt waarschijnlijk dat ik, omdat ik dokter ben –'

'Een dokter en een visser,' viel Dianne in de rede. 'Jullie zijn alle twee even praktisch.'

'Hij is bang,' zei Alan. 'Hij heeft iemand heel erg zien lijden. En hij weet wat er tussen ouders kan gebeuren wanneer ze een ziek kind hebben.'

Dianne liet haar hoofd zakken. Ze was ook bang. De tranen sprongen haar in de ogen en rolden over haar wangen. Ze wist van de ruzies tussen hun ouders, van zijn moeder die aan de drank was geraakt, van hoe ze elkaar niet meer hadden kunnen verdragen, en sinds de dag van de uitslag had Tims adem naar bier geroken.

'Ik wil niet dat je iets lelijks over mijn baby zegt,' zei ze. 'Ik wil niet van je horen dat ik –'

'Wees maar niet bang,' zei Alan.

'Ik wil niet dat je me aanraadt om haar weg te laten halen.'

'Nee,' zei Alan. Hij kwam naar haar toe en knielde naast haar stoel. Hij nam haar hand in de zijne en wachtte tot ze opkeek. De tranen stroomden over haar wangen, en ze was te moe om ze weg te vegen.

'Ik zal voor haar zorgen,' zei hij. 'Ik zal haar dokter zijn.'

Zijn woorden hingen in de lucht. Ze zag de donkere kringen onder zijn ogen en realiseerde zich dat het nemen van deze beslissing hem de nodige slaap gekost moest hebben.

'Beloof je dat?'

'Ja.'

'Heeft Tim je het papier laten zien?' vroeg ze, terwijl ze zijn hand steviger beetgreep. 'Weet je wat de uitslag precies betekent? Zal het heel erg zijn?'

'Dat weet ik niet,' zei Alan.

'Zal ze pijn hebben?'

'Dat weet ik ook niet.'

Dianne huilde en ze voelde Alans armen om haar schouders. Haar besluit stond al vast: ze wilde de baby houden, maar dat betekende niet dat ze geen vragen zou hebben. Haar dochter zou geboren worden met afwijkingen waarvan niemand van te voren wist hoe erg die zouden zijn, maar Dianne wilde hoe dan ook haar moeder zijn.

'Ik wil dat Tim van haar houdt,' had Dianne gezegd. 'Ik wil dat hij achter ons staat. Zeg hem alsjeblieft dat hij mijn beslissing moet accepteren.'

'Dat kun je niet van me verlangen,' zei Alan. 'Hij is mijn broer en ik kan hem niet de wet voorschrijven. Dat moet je begrijpen.'

Nog geen maand later was Tim verdwenen. Hij had indertijd beloofd dat ze elkaar door dik en dun trouw zouden zijn en zouden steunen, maar zijn belofte was uiteindelijk weinig waard gebleken. Dianne huilde en huilde, en kon bijna aan niets anders denken dan aan het feit dat hij zijn woord had gebroken.

Wie zijn woord wel hield, dat was Alan. Hij was haar vanaf het allereerste moment tot steun geweest. Tim had zijn gezin laten stikken en Alan ermee opgezadeld. Alan was oom en dokter, maar hij was geen vader. Hij was een edel mens die Dianne knettergek maakte omdat hij Tims broer was. Dianne pakte de foto van de drie broers die aan het vissen waren. Ze waren onafscheidelijk geweest. Toen Neil was gestorven, waren de andere twee ook een beetje gestorven. Het deel in hen dat toen gestorven was, realiseerde Dianne zich nu, was het deel geweest dat geweten had hoe je van een ander moest houden.

Ze had niets in Alans huis te zoeken. Ze besloot de soep in de keuken op het aanrecht te zetten, en liep om de hoek heen de serre in. En daar lag hij, languit op de bank.

'Alan,' zei Dianne, omdat ze hem niet aan het schrikken wilde maken.

Nou, haar moeder had gelijk gehad. Hij was echt erg ziek. Ze zag het zo, aan de manier waarop hij diep in slaap, met een arm over zijn ogen en de andere omlaag op de vloer hangend, snurkend op zijn rug lag. Hij had zich die ochtend niet geschoren en had een donkere stoppelbaard. Zonder bril en met die stoppels, leek hij bijna een heel ander mens. Een beetje te gevaarlijk, te mysterieus om Alan te kunnen zijn.

Hij droeg een kaki short en een T-shirt. Dianne keek naar zijn blote armen. Ze waren sterk en slank, en de onderarmen waren behaard. Dat waren echte spieren, en de moeders van zijn patiënten hadden er geen idee van dat hij zo gespierd was. Hij had een mooie, platte buik.

Dianne bleef staan kijken. Het was een vreemd gevoel om hier zo te staan. Haar maag balde zich samen en ze wist dat ze iets deed dat eigenlijk niet kon. Als ze eerlijk was, dan moest ze toegeven dat hij er reuze lief uitzag, zoals hij daar lag. Zijn verwarde haar, zijn mond en zijn armen: ze had altijd gedacht dat Tim de McIntosh met de spieren was. De geruite deken was half weggegleden, en Dianne bukte zich, pakte hem op en dekte Alan toe.

Ze ging weg. Maar halverwege de treden van de veranda bleef ze opeens staan. Haar hart ging als een gek tekeer. Ze hield zichzelf voor dat dat was omdat het zo'n vreemd gevoel was geweest om naar iemand te kijken die lag te slapen en zich nergens van bewust was, en misschien was dat ook wel zo. Het vogelhuisje stond waar ze het had neergezet. Ze pakte het op en zette het achter in de bestelbus.

En toen reed ze naar huis.

Hoofdstuk 7

Alan werd wakker van de geur van kippensoep. Zijn hoofd voelde zwaar en duf, en zijn brein was warrig van de vele dromen.

Hij was in Italië of Griekenland, in een heuvelachtig, groen landschap met fonkelend licht dat op de omtrekken scheen van alles van donkere cipressen tot godinnen. Er stroomde water en Alan lag hulpeloos op een deken van mos. De godin stond over hem heen gebogen. Ze had kleine handen, heldere ogen en ongekamd, strokleurig haar. Hij wilde zijn armen naar haar uitstrekken, maar was verlamd van liefde. De godin was Dianne. Na al die tijd was ze bij hem teruggekeerd.

Hij ging naar de keuken om water te drinken. Op het slagersblok stond een zak die hij niet kende. Hij verspreidde een geur als de geur die hij in zijn droom had geroken. Rammelend van de honger haalde hij er de thermoskan uit. De soep was nog warm, en er bleek ook nog een stuk vers brood in de zak te zitten.

Hij ging aan het slagersblok zitten en at de soep regelrecht uit de kan. Was Dianne dan echt binnen geweest? Zijn hoofd zat zo vol snot dat hij niet in staat was om helder te denken. Hoe kwam ze erbij om hem kippensoep te brengen? Ze was helemaal niet het type om kippensoep te maken. En doorgaans wilde ze helemaal niets met hem te maken hebben als het niet om Julia ging.

Kippensoep leek hem veel meer iets voor Rachel, of voor andere mensen die hem te binnen schoten. Hij had een aantal vaste moeders die truien voor hem breiden, cakes voor hem bakten en hem af en toe een stoofschotel brachten. Zijn vriend Malachy Condon noemde ze de AMB – de Alleenstaande Moeder Brigade. Het waren aardige vrouwen die hem dankbaar waren voor de manier waarop hij zich over hun kinderen ontfermde. Ze waren gul en hadden een goed hart, en hun gaven kwamen meestal liefdevol verpakt in rieten mandjes met verse bloemen, dennenappels, schelpen of chocolaatjes er bovenop. En er zaten ook altijd ontroerende briefjes bij.

De soep zat in een papieren boodschappentas. Dat was bepaald origineel. Hij keek erin om te zien of er iets van een aanwijzing in zat. Geen briefje, geen bloemen. Niets waaruit bleek dat de soep van Rachel, of van iemand anders was.

Alan deed meestal alsof hij niet wist van wie de gaven afkomstig waren. Sommigen van de vrouwen die hem dingen brachten waren gescheiden, en er waren ook een paar weduwen bij. Hij wist hoe zwaar het kon zijn, om je kind alleen groot te moeten brengen. Het waren stuk voor stuk vrouwen die hun taak als moeder uiterst serieus namen, die de juiste opvoedkundige literatuur lazen en erg hun best deden. Alleen zijn was moeilijk. Het was geen pretje om altijd de ouder te moeten zijn die zich 's nachts over het huilende kind ontfermde, die het zieke kind verpleegde of de bak vasthield waarin de zieke overgaf. Het was niet verwonderlijk dat ze de ongetrouwde kinderarts als ideale partner zagen. En dus breiden ze een trui voor hem, of bakten ze iets lekkers.

Soms vroeg hij wel eens iemand mee uit. Het waren doorgaans gezellige avonden. De vrouwen waren aardig, leuk, intelligent en knap. Alan wou onveranderlijk dat hij meer voor hen voelde dan hij deed. Trouwen en een eigen gezin klonk zo ideaal. Hij was zich gaan afvragen of hij soms iets miste: waarom was hij niet in staat om te houden van die vrouwen die niets liever schenen te willen dan van hem te houden?

En onveranderlijk schoot hem hetzelfde antwoord te binnen: ze waren Dianne niet.

Wanneer Alan naar Gull Point ging om naar Julia te kijken, deed Dianne bijna altijd open met een gezicht dat op onweer stond. Ze keek altijd precies zoals ze zich voelde, en dat was over het algemeen niet echt geweldig. Ongekamde haren, wilde ogen, kleren onder de vlekken van Julia's kwijl en urine – ze leek amper nog op het meisje met wie hij in de Rosecroft Inn had gegeten. Ze sprak tegen Alan, maar keek daarbij altijd strak naar Julia. Ze liet op geen enkele manier blijken dat ze een hekel aan hem had, maar ook niet dat ze hem zelfs maar aardig vond. Hij liet haar onverschillig. Hij was niet haar zwager noch de man met wie ze ooit eens uit was geweest – iemand die ze ooit eens beschouwd had als een vriend, een man die ze was gaan haten – hij was niet meer dan degene van wie ze hoopte dat hij het lijden van haar dochter kon verlichten.

Ze had het over tijd gehad. Ze had willen weten of ze – zij, haar moeder en Julia – tijd samen zouden hebben. Hij keek naar de kalender die naast de telefoon hing, de kalender die elk huishouden in Hawthorne van de Layton apotheek had ontvangen. Er stond een foto op van de vuurtoren waar hij met Rachel naartoe was gegaan en waar hij zijn verkoudheid had opgelopen. Daar was het plekje waar ze – Alan zocht naar het juiste woord – *gepaard* hadden. Je kon het niet de liefde bedrijven noemen. Hij scheurde de foto eraf en gooide hem in de afvalemmer.

Toen staarde hij naar de dagen. Al die witte vierkante hoekjes van juni, juli, augustus, september, oktober, november en december. Zeven bladzijden, zeven maanden. Alans hoofd voelde duf en zwaar, en zijn ogen waren wazig. Hij kon zich niet voorstellen dat Julia over zeven maanden nog zou leven – zeven maanden, zeven kalendervellen.

Aan de andere kant had Julia hem keer op keer versteld doen staan. Hij had aanvankelijk niet eens verwacht dat ze haar eerste verjaardag zou halen. Laat staan haar vijfde. Kinderen met dergelijke zware afwijkingen leefden doorgaans niet erg lang, en elk jaar was een geschenk. Maar dit jaar had Julia besloten om te groeien.

Alan haalde zijn hand over zijn ogen. Hij had maar een nichtje. Hij keek naar de kalender en realiseerde zich dat het bijna zomer was. Julia was dol op de zee. Wanneer het water warm was, nam haar moeder haar mee naar het veilige strand bij de vuurtoren en gingen ze bij de waterlijn op het strand liggen zodat de golfjes net over hen heen konden rollen. Alan had het gezien, twee zomers geleden op Jetty Beach: Dianne had Julia in haar armen gehouden en de zee was om hen heen aangespoeld. Het groenachtige water, het witte schuim en de twee blonde hoofden.

Ze hadden zo vrij geleken: Dianne zonder zorgen en Julia die lag te drijven in de armen van haar moeder. Alan had Dianne horen zingen en hij had haar zien glimlachen. De zomerzon scheen in al zijn gulheid op hen neer, en het was eb. Toen ze klaar waren met zwemmen, bouwde Dianne een kasteel van het natte zand terwijl Julia warm en voldaan, vredig naast haar lag.

Het zandkasteel was een enorm bouwsel. Het had torentjes en een slotgracht. Ze versierde haar creatie met schelpen, stukjes glas en aangespoeld wrakhout. Dit was haar strandversie van een speelhuis, en het was helemaal alleen voor Julia. Ze pakte Julia's handje en hielp haar het zand in model slaan. Julia deed wat Dianne van haar wilde, zonder dat ze zich realiseerde dat ze dat deed. Maar Dianne's gezicht straalde van pure blijdschap. Ze speelde met haar dochter, en niemand kon zeggen dat ze dat niet deed.

Zeven maanden, dacht Alan. Zeven pagina's. Hij had er geen idee van hoeveel keren hij haar nog op zou kunnen zoeken en hoe vaak hij Dianne nog zou kunnen zien – als Julia er niet meer was, zou Dianne uit zijn leven verdwijnen. Zonder Julia zou hij geen reden meer hebben om bij haar langs te gaan. Ze zouden Julia missen en hun wereld zou donker worden.

Witte vierkantjes op de kalender. Alan wilde Dianne het hof maken. Ze had gevraagd of ze nog tijd 'samen' hadden. Alan wilde daar deel van uitmaken. Hij wilde met Dianne trouwen. Hij wilde helpen met de zorg voor Julia zolang ze er nog was, en hij wilde deel uitmaken van haar leven. Het meisje verdiende een vader. En Alan wilde dat voor haar zijn.

Met zijn hand op de kan van de kippensoep die iemand voor hem had gemaakt, liet hij zijn blik over de vierkantjes gaan terwijl hij zich afvroeg welke Julia's laatste dag zou zijn. Hij dacht aan zijn broer Tim, ergens ver weg op zijn boot. Ver op zee, alleen met zichzelf en de sterren, het brandpunt van zo veel onafgeronde zaken. Als Alan gekund had, zou hij Tim het liefste bij zijn nekvel aan wal hebben gesleurd om hem alles met Dianne uit te laten praten. En met Alan zelf. Allemaal verdienden ze een kans om verder te gaan met hun leven.

Voordat het te laat zou zijn.

Lucinda Robbins had de hele avond gehoopt op een kansje om met haar dochter te praten. Maar Dianne was laat teruggekeerd van haar missie, en Lucinda's leesgroep was verstrikt geraakt in de verschillende lagen, de ironie en de symboliek van Shakespeare, en ze waren drie kwartier langer doorgegaan dan anders. Daarna had Dianne Julia in slaap gewiegd en was Lucinda een wandeling door de mist gaan maken. Eindelijk waren ze alleen in de keuken.

'En?' vroeg Lucinda.

Dianne stond voor het fornuis en roerde stukjes bittere chocolade in een pannetje met kokendhete melk. Ze droeg een witte zomernachtjapon, en van achteren leek ze magerder dan ooit, alsof ze bezig was tot Julia's afmetingen in te krimpen.

'Het is bijna klaar,' zei Dianne.

'Ik heb het niet over de chocolademelk,' zei Lucinda. 'Dat bedoel ik helemaal niet.'

'Hoe was de leesgroep?'

'Heel interessant. Subliem. We konden geen van allen geloven dat we *Love's Labor's Lost* nog nooit eerder hadden gelezen, en dat terwijl we nota bene allemaal Engels in ons eindexamenpakket hebben gehad. Niet een van ons –'

'Ik wil dat nooit meer doen,' zei Dianne.

'Wat bedoel je, liefje?'

'Soep naar Alan McIntosh brengen.'

'Hoezo? Heeft hij –'

Dianne schudde haar hoofd. Ze proefde de chocolademelk, en deed er, terwijl ze bleef roeren, nog wat melk bij.

'Hij sliep. Dat was duidelijk, want hij deed niet open en ik ben zelf naar binnen gegaan. Ik had het voor de deur moeten neerzetten, maar ik was bang dat hij het daar niet zou vinden – ik kan het niet uitstaan van mezelf.'

'Waarom? Het was juist heel attent van je.'

'Nee, ik was niet attent, maar *jij*.'

'Hij is helemaal alleen, lieverd. Je ziet hem graag als die fantastische dokter, maar wanneer hij vrij is, dan komt hij naar de bibliotheek omdat hij in werkelijkheid ontzettend eenzaam is. Hij is Tim niet, weet je.'

Dianne keek haar strak aan – een teken dat dit onderwerp taboe was en dat ze erover op moest houden.

'Laten we het liever over iets anders hebben,' zei Dianne.

'Liefje...'

'Toe, Mam. Ik ben niet boos, echt niet. Maar ik heb vrede met alles zoals het is. Alan zorgt voor Julia. En in dat opzicht heb ik hem nodig. Ik wil onze relatie zoals hij nu is niet kapot maken met kippensoep en bezoekjes, in de hoop dat we misschien, ooit eens...'

Lucinda keek naar haar terwijl ze de warme chocolademelk in twee blauwe mokken schonk. Dianne's handen beefden een beetje; de lepel sloeg tegen de rand. Stella sprong op het aanrecht om een spatje melk op te likken, en Dianne boog zich voorover om de kat langs haar wang te laten strelen.

'Over dat er misschien ooit eens wat?' vroeg Lucinda.

'In de hoop dat we ooit weer eens net zulke goede vrienden zullen kunnen zijn als weleer.'

Lucinda zei niets. Ze dacht terug aan het begin, aan de tijd waarin Dianne de beide broers pas had leren kennen.

Op een dag, vlak voor haar zevenentwintigste verjaardag, bloeide ze op. Ineens was ze beeldschoon en straalde ze: hun timmermans-zwaan. Dianne had ervoor gezorgd dat twee broers ruzie met elkaar hadden gekregen, en ze was zich van geen kwaad bewust. Ze had er geen flauw idee van, in ieder geval niet in het begin, dat ze Alan diep had gekwetst. Ze had ook helemaal niet begrepen dat hij haar aantrekkelijk had gevonden. Maar uiteindelijk moest ze het gemerkt hebben; het verdriet had van Alan afgestraald.

En zo was Dianne thuisgekomen met een vriend en zijn broer – Tim en Alan – en vanaf die tijd waren ze gedrieën vrijwel onafscheidelijk geweest.

'Emmett was dol op die jongens,' zei Lucinda. Hoewel zij altijd gehoopt had dat het toch nog iets zou worden tussen Dianne en Alan, had Emmett zich meer op zijn gemak gevoeld met Tim. Emmett mocht dan de slimste man zijn die Lucinda ooit had gekend, hij voelde zich nu eenmaal minderwaardig tegenover mannen met een universitaire titel. 'Op alle twee.'

'Dat weet ik.'

'Hij vond het heerlijk om je zo gelukkig te zien.' Lucinda dacht terug aan die jaren waarin ze allemaal samen waren geweest. Emmett was heel wat middagen met Tim uitgevaren om samen met hem te vissen. Hij had kasten voor Alans spreekkamer gebouwd. Hij was opgetogen geweest toen Dianne hem vertelde dat ze zwanger was, maar een maand later was hij aan een hartaanval overleden. En toen was Tim vertrokken. Elf lange jaren geleden.

'Pap heeft Julia zelfs nooit gekend,' zei Dianne, terwijl ze strak naar haar chocolademelk keek.

'Nee, maar hij was opgetogen toen je hem vertelde dat je zwanger was,' zei Lucinda, terwijl ze de hand van haar dochter in de hare nam.

'Dat was Tim ook.'

'Tim kon het niet helpen,' zei Lucinda. 'Hij is een zielig, zwak mens.'

'Hij heeft Julia niet eens willen zien,' zei Dianne. 'Hij wist niet hoe snel hij weg moest komen.'

'Hij is een lafaard,' zei Lucinda. 'Je bent veel te goed voor hem.'

'Hij zei altijd dat zijn leven dankzij mij zo volmaakt was geworden.'

Lucinda aarzelde, maar toch reikte ze over de grenenhouten tafel en nam haar dochters hand opnieuw in de hare. 'Dat was nu juist het probleem,' zei ze. 'Voor hem was er maar een vorm van perfectie denkbaar.'

Lucinda sloeg Dianne gade. Dianne liet haar linkerhand over de tekeningen in het hout gaan. Haar vader had deze tafel jaren geleden gemaakt, kort nadat hij met Lucinda getrouwd was.

'Ik mis Pap,' zei Dianne.

'Hij was zo blij, Dianne, er is geen ander woord voor. Hij is de achtertuin in gegaan en heeft tegen de sterren staan schreeuwen dat hij grootvader zou worden.'

'Maar zo ver is het nooit gekomen, want tegen de tijd dat Julia werd geboren, was hij al een aantal maanden dood.'

Lucinda schraapte haar keel en probeerde haar emoties onder controle te houden. Na bijna twaalf jaar kreeg ze nog altijd een brok in haar keel wanneer er over Emmett werd gesproken.

'O, maar zo zie ik het niet,' zei Lucinda.

'Maar Mam, je kunt het alleen maar zo zien,' zei Dianne. 'Hij is gestorven toen ik in de vierde maand was.'

'Ja, maar je kunt niet zeggen dat hij nooit grootvader is geweest,' zei Lucinda. 'Dat zou hij verschrikkelijk vinden. Hij hield van je baby, lieverd, en het feit dat ze elkaar nooit officieel ontmoet hebben, wil helemaal niets zeggen.'

'Ze zou hem verdrietig hebben gemaakt,' zei Dianne.

'Hij zou dol op haar zijn geweest,' zei Lucinda met klem.

'Zelfs haar eigen vader wil niets van haar weten!'

Daar had Lucinda weinig op te zeggen. Het was waar, mannen hadden veel meer moeite met ziekte en zo. Emmett had het nooit kunnen verdragen wanneer Dianne ziek was. Hij had moeite gehad met haar kinderziekten, en hij had ook niet zo heel veel luiers verschoond. En die ene keer, toen Lucinda hem had gevraagd om haar oortjes schoon te maken, had hij gekokhalsd.

'Ze heeft ons, lieverd,' zei Lucinda.

'Dat weet ik.'

Lucinda zag haar strak naar de tafel kijken en met haar vinger de tekening in het hout natrekken. Deze keukengesprekken op de late avond waren goud waard voor Lucinda, en ze vond het een verschrikkelijke gedachte dat Dianne ze nooit met Julia zou hebben. Liefde kwam in de meest vreemde vormen en met de meest vreemde regels, en het mocht een wonder heten dat families er iets mee konden beginnen.

'Emmett zou van haar gehouden hebben. Hij was haar grootvader,' herhaalde Lucinda, terwijl ze naar het plafond, naar Julia's kamer keek.

Dianne knikte. Ze leek zo broos en tenger, maar ze had een ijzersterke constitutie. Ze had mooie, slanke handen, maar de huid ervan was even ruw als die van Emmett was geweest. Ze werd op straat staande gehouden door mensen die haar gelukwensten met het feit dat ze Julia niet in een inrichting had gestopt. Lucinda wist dat Dianne Tim's schip wilde vinden om het tot zinken te brengen.

Zoals Lucinda zo vaak deed wanneer de spanning haar te veel dreigde te worden, haalde ze zich het beeld van haar man voor ogen. Daar zat hij, aan het hoofd van de tafel. Zijn hoofd met de wilde dos wit haar knikte, en zijn blauwe ogen waren nog even levendig als vroeger. Hij kauwde op een van de gele potloden die hij altijd bij zich had gehad om maten op hout af te tekenen.

Hij was in vele opzichten een moeilijk mens geweest. Hij was vaak humeurig en kon onverwacht fel uit de hoek komen, en hij had het niet zo op met andere mensen. Als het aan Lucinda had gelegen, waren ze veel vaker uit gegaan en hadden ze veel vaker mensen te eten gevraagd. Lucinda had gedroomd van literaire avonden met mensen die hun lievelingsgedichten voorlazen, scènes uit toneelstukken opvoerden en wijn dronken. Emmett zou haar het huis uit hebben gelachen, voordat hij zoiets goed gevonden zou hebben.

Hij had de opvoeding van Dianne vrijwel vanaf het begin aan haar overgelaten. Hij was een beetje onzeker rond zijn dochtertje, en was bang dat hij haar, alleen al door haar aan te raken, pijn zou kunnen doen. Emmett had geen idee gehad van de veerkracht van baby's. En dus had Lucinda, die een volledige baan als bibliothecaresse had, Dianne's box achter de balie gezet.

Toen ze wat ouder was, begon haar vader haar steeds vaker mee te nemen wanneer hij met de bestelwagen ergens naartoe moest. Dan stond ze, met haar arm om zijn hals geslagen, naast hem op de voorbank. Het kan een poosje duren voor liefde begint te groeien – zelfs tussen een vader en zijn dochter.

Ze dacht aan Alan en aan hoe hij met Julia omging. Lucinda wou dat ze iets kon zeggen waardoor Dianne hem in een ander licht zou zien. Ze glimlachte. 'Nou, ik hoop dat mijn kippensoep ergens goed voor is. Alan is uiteindelijk Julia's oom.'

'Hij zag er echt goed ziek uit,' zei Dianne.

'Hij zag groen toen ik hem in de bibliotheek zag.'

Dianne lachte. Ze tuurde voor zich uit en leek iets te zien dat ze grappig vond.

'Vond je het zo leuk, om Alan zo door de griep geveld te zien?'

'Nee,' antwoordde Dianne. 'Ik dacht alleen aan zijn armen. Hij ziet er met zijn brilletje en zo uit als een oude professor, maar onder dat gerafelde overhemd van hem zit een onvoorstelbaar gespierd lichaam.'

'Het verbaast me dat je dat nooit eerder is opgevallen,' zei Lucinda. *Zij* had het wel gezien, en al haar collegaatjes ook.

'Amy is smoorverliefd op hem,' zei Dianne.

'Vind je het fijn dat Amy vaak komt?'

'Ja,' zei Dianne. Ze kneep haar ogen halfdicht alsof ze niet blij was met de gedachten die op dat moment door haar hoofd gingen. 'Ze doet me zo sterk denken aan hoe Julia geweest zou zijn als ze had kunnen praten. En ze schijnt ook dol op Julia te zijn – ze behandelt haar als een echt mens.'

'O, lieverd,' zei Lucinda.

'Ik vraag me af wat er met die moeder van haar is...'

'Misschien kan ze niet met haar praten. Misschien heeft ze jou wel nodig om mee te praten.'

'Ja, dat gevoel heb ik ook.'

Het leek Lucinda niet het juiste moment om Dianne erop te wijzen dat het Alan was geweest die Amy naar hen toe had gestuurd. Ze wilde niets liever dan die twee koppelen, maar ze wist dat ze de dingen niet zou kunnen forceren. Ze moest voorzichtig zijn met wat ze zei, en in

Dianne's huidige bui zat het er dik in dat ze een opmerking over hun behulpzame kinderarts verkeerd zou opvatten. En dus glimlachte ze over de tafel heen en wachtte ze tot haar dochter haar glimlach beantwoordde.

Hoofdstuk 8

Op een middag, in de eerste week van juni, ontdekte Dianne, terwijl ze zat te wachten tot het laatste laagje verf gedroogd was, dat ze nog iets anders met elkaar gemeen hadden. Zij en Julia waren altijd dol geweest op autorijden. Het had iets te maken met het troostende gevoel van het ritme van de weg, de warme wind in hun haar, het idee van vooruit komen en samen in een kleine ruimte zijn. En nu bleek dat Amy ook van autorijden hield.

Dianne's Ford bestelbus was glanzend donkergroen. Op haar achterruit zaten stickers van Mystic Seaport, het Mystic Marinelife Aquarium en het Connecticut River Museum geplakt. Julia's rolstoel lag ingeklapt in de open achterbak, en Dianne had er, voor het geval het zou regenen, een blauw zeil overheen gelegd. Julia zat in haar speciale stoeltje tussen hen in, en Dianne reed met haar elleboog steunend op het open raampje.

'Wat zit je hier hoog!' zei Amy.

'Heb je nog nooit eerder in een bestelbus gezeten?' vroeg Dianne.

'Mijn vader had er een, toen ik pas geboren was. Dat heeft mijn moeder me verteld. Hij had de auto nodig voor al zijn visspullen. Ik wou dat we hem nog hadden. Dan zou ik mijn moeder vragen om hem ergens onder te brengen tot ik zestien was, en dan zou ik er eindeloos mee kunnen rijden...'

'Mijn vader had er ook een,' zei Dianne. 'Bestelwagens zijn ideaal om spullen mee te vervoeren. Hout, vistuig, rolstoelen, nietwaar, Julia?'

Julia keek strak voor zich uit. In de auto hoefde ze haar hoofd niet voortdurend heen en weer te bewegen. De wereld schoot al snel genoeg langs de ruitjes voorbij. Ze balde haar handen tot vuisten, strekte ze, en maakte ze opnieuw tot een vuist.

'Mag ik je iets vragen?' vroeg Amy.

'Natuurlijk, ga je gang.'

'Heb je er een hekel aan wanneer mensen meisjes grietjes noemen?'

'Als je mensen zegt, bedoel je dan jongens?'

'Ja, de jongens op school. Ze noemen ons grietjes. En een van de jongens maakte me uit voor iets heel lelijks toen ik niet wilde dat hij de antwoorden van het proefwerk van me overschreef.'

'Nou, goed van je dat je hem zijn zin niet hebt gegeven.' Dianne keek langs Julia heen en zag dat Amy met een peinzende blik naar haar knieën zat te staren. 'Wat heeft hij dan tegen je gezegd?'

'Twee dingen. Kreng en teef.'

'Wat een zielig joch,' zei Dianne hoofdschuddend, alsof ze echt verschrikkelijk te doen had met Amy's klasgenoot. Ze zei het niet hardop, maar als iemand zoiets tegen Julia zou zeggen, dan zou ze zeker moordlustige neigingen krijgen.

'Waarom vind je hem zielig?' vroeg Amy verbaasd.

'Ik vind hem zielig omdat hij zo bekrompen is. Hoe kan iemand zo dom zijn om zo, op school waar iedereen hem kan horen, te laten merken hoe dom hij is. Dat kan ik alleen maar heel zielig vinden, en ik heb met hem te doen.'

'Ja...' zei Amy.

'Dus de jongens noemen jullie grietjes?'

'Mmm. Is dat acceptabel?'

'Wat vind je zelf?'

'Ik vind het wel leuk klinken. Mijn vriendin Amber en ik hebben het erover gehad, en eigenlijk hebben we er niets op tegen.'

Julia zuchtte en neuriede.

'Nou, ik weet niet of ik wel zo genoemd zou willen worden. Ik zou er niets op tegen hebben als jij of Julia me een grietje noemden, maar van een man zou ik het toch niet accepteren.'

'Omdat ze er in feite iets lelijks mee bedoelen?' vroeg Amy, met diepe rimpels op haar voorhoofd.

'Ja, precies.'

'Maar als we zo met elkaar zijn – jij, ik en Julia – dan heb je er geen bezwaar tegen?'

'Helemaal niet.'

'O.'

'Mannen kunnen ons vrouwen noemen.'

'Vrouwen?' vroeg Amy verbaasd. 'Maar ik zit nog maar in de zesde klas.'

'Daar gaat het niet om,' zei Dianne. 'Het gaat om de gedachte erachter.'

Julia hield haar hoofd schuin en keek met samengeknepen ogen in de zon.

'Vrouwen,' zei Dianne, 'zijn sterk.'

'Mijn moeder zegt *dame*.'

'Dat is ook goed,' zei Dianne. 'Elke vrouw heeft haar eigen manier en is op haar eigen manier sterk. Maar ik persoonlijk wil vrouw worden genoemd.'

'Ook door ons? Door mij en Julia? Moeten wij elkaar ook vrouwen noemen?'

'Nee, natuurlijk niet,' zei Dianne. 'Zolang we maar weten wie we zijn. Als we onder elkaar zijn, kunnen we onszelf zijn. En als we willen, dan kunnen we grietjes zijn.'

'Nog een week, en dan heb ik grote vakantie. En daarna ga ik naar de zevende klas.'

'Wauw,' zei Dianne, en ze meende het.

'Een vrouw uit de zevende klas,' zei Amy, om te kijken hoe het klonk.

'Intelligent en uniek,' zei Dianne.

'Met mijn vriendinnen, de grietjes,' zei Amy, en ze moest lachen.

'Dat zijn wij, ja toch, Julia?'

'Schatjes,' zei Amy.

'Meisjes.'

'Meissies,' zei Amy lachend, en ze spelde het.

'Gaaa,' zei Julia.

'En dat zijn we ook!' riep Amy.

'Drie gaaaa's op weg naar zee,' zei Dianne, en ze glimlachte zo hard dat haar wangen er pijn van deden.

Amy was vrij!

Het was eindelijk vakantie, en ze hoefde nooit meer naar school! In ieder geval niet tot september. Haar eerste vakantieweek was warm en benauwd. Er was een hittegolf in Hawthorne en het enige waar iedereen aan kon denken was koelte.

Dianne gaf Amy een strooien zonnehoed. Hij had een brede rand en een blauw lint, en hij leek heel veel op die van Dianne zelf. Amy was zo blij met haar nieuwe hoed dat ze hem niet af wilde zetten.

De drie 'meissies' gingen roeien in het moeras. Een school forellen, de eerste van het seizoen, gaf het water een zilverblauwe tint. Verscholen in de schaduw stond een zilverreiger. Amy liet haar handen door het water gaan, en druppelde er toen wat van op Julia's blote benen. Dianne had in de V van de roeiboot een bedje met een blauwe parasol voor haar gemaakt.

'Wat is je lievelingsdier?' vroeg Amy.

'Een dier in het bijzonder, of bedoel je een soort?' vroeg Dianne.

Amy blies de lucht uit haar longen. Dianne had zo'n gecompliceerde manier van denken dat Amy zich soms echt oliedom voelde. Bij haar thuis werd er niet zo gesproken. De antwoorden thuis waren veel simpeler: 'hond' of 'hou je mond ik ben TV aan het kijken.' Maar het vreemde was dat Amy het helemaal niet vervelend vond om zich dom te voelen wanneer ze bij Dianne was. Ze wist dat Dianne haar zou helpen en haar zou uitleggen waarom ze zo dacht, en dat Amy het vroeger of later zou begrijpen. En Amy had nu al het gevoel dat ze veel meer wist dan toen ze Dianne pas had leren kennen.

'Hoe bedoel je?' vroeg Amy.

'Nou, Stella is mijn lievelingsdier in het bijzonder, maar als diersoort ben ik niet echt dol op katten. Als je me naar mijn favoriete diersoort zou vragen, dan zou ik zeeotters zeggen.'

'O, bedoel je dat!' Amy was zo blij dat Dianne de tijd nam om dingen uit te leggen. Ze gleden door het moeras en Amy keek of ze ergens, op de zandbanken, zeeotters zag.

'Wat zijn jouw lievelingsdieren?' vroeg Dianne.

'Gaaa,' zei Julia.

'Het hondje dat we thuis hebben, of anders misschien Stella. Dat zijn mijn lievelingsdieren in het bijzonder. En mijn lievelingsdiersoort,' Amy haalde even adem, 'zijn walvissen en dolfijnen.'

'Net als je vriend Dr. McIntosh,' zei Dianne.

'Ja,' zei Amy. Nu ze Dianne had, ging ze niet meer zo vaak naar de praktijk. En daarbij, de praktijk was in het centrum, vlak bij haar school. Maar het horen van zijn naam bezorgde haar een heerlijk warm gevoel vanbinnen.

'Hoe is het eigenlijk met hem?' vroeg Dianne, terwijl ze de roeispanen bijna geruisloos door het water liet gaan.

'Paaaa,' zei Julia.

'O, best. Ik heb hem gisteren nog opgebeld.'

'Hmm,' zei Dianne.

Jullie zouden moeten trouwen, had Amy bijna uitgeroepen, maar ze slikte het in. Tot die conclusie was ze al een tijdje geleden gekomen. Ze konden het zo goed vinden samen. En ze kenden elkaar al zo lang. En ze hielden alle twee van Julia. Maar door alles wat ze thuis had meegemaakt, had ze een extra antenne ontwikkeld voor de gevoelens van andere mensen, en ze had sterk het idee dat Dianne zo'n opmerking over haar en de dokter niet zou willen horen.

De twee belangrijkste mensen in haar leven waren, als eerste, haar moeder, en, als tweede, Dr. McIntosh. Ze was er nog niet helemaal uit wie er op de derde plaats moest komen, Dianne of Julia. Helemaal boven aan het lijstje stond Amy's vader, maar hij was dood en hij was in de hemel. Het lijstje was eigenlijk alleen maar een lijstje van mensen op aarde.

'Heb jij broers of zussen?' vroeg Amy.

'Nee,' antwoordde Dianne.

'O, nog een enig kind,' zei Amy.

'Ik heb altijd zussen willen hebben,' zei Dianne.

Hoe vaak had Amy niet van zussen gedroomd? Meisjes om de familiegeheimen, de zorgen om haar moeder en haar haatgevoelens voor Buddy mee te delen. Oudere zussen zouden raad hebben geweten. Ze zouden zich over Amy ontfermen en haar helpen een oplossing voor haar problemen te vinden. 'Wie is je beste vriendin?' vroeg Amy.

'Ik weet niet. Ik denk mijn moeder.'

Amy was stil. Ze wou met heel haar hart dat ze hetzelfde zou kunnen zeggen, maar ze wist dat het onmogelijk was. Haar moeder en Lucinda waren twee totaal verschillende mensen.

'En jij?' vroeg Dianne. 'Heb jij een nauwe band met je moeder?'

Amy hoestte en deed alsof ze de vraag niet had gehoord.

'Hoe staat het met de plannen?' vroeg ze. 'Met de verrassing voor wanneer je moeder gepensioneerd wordt?'

'Ik weet niet,' zei Dianne. 'Er wil me maar niets te binnen schieten.'

'Dat komt nog wel.'

'Grappig,' zei Dianne. 'Ik heb vannacht gedroomd dat Julia eindexamen deed. In mijn droom wilde ik met haar op reis gaan, en toen ik wakker werd, leek het me een goed idee om met z'n allen ergens naartoe te gaan.'

'Naar Disney World!' riep Amy uit.

Dianne schoot in de lach. En Julia begon, alsof ze het begreep, zachtjes te neuriën. Amy was meteen enthousiast. Bedoelde Dianne dat Amy ook mee zou mogen? Ze had gezegd: 'Om met z'n allen ergens naartoe te gaan...' Betekende dat, dat ze Amy ook mee wilde nemen?

'Ja, of naar de Grand Canyon,' zei Dianne. 'Of de Rocky Mountains... de Mississippi, of Prince Edward Island. Mijn moeder is dol op Tom Sawyer en Anne van het Groene Huis. We zouden naar de plaatsen kunnen gaan waar die verhalen zich hebben afgespeeld. Dat dacht ik, toen ik vanmorgen wakker werd na die droom.'

'Hoe zou je daar dan naartoe willen gaan?' vroeg Amy, in de vurige hoop dat Dianne haar zou corrigeren, en nogmaals met z'n allen, of wij, zou zeggen, maar dat deed ze niet.

'Ik weet niet,' zei Dianne. 'Dat heeft mijn droom me niet verteld.'

Julia's hand bewoog alsof ze de lucht voor haar gezicht doormidden probeerde te delen.

'Je weet maar nooit,' zei Amy, met een plechtig gevoel van binnen, 'voor hetzelfde geld droom je vannacht weer verder.'

Dianne roeide door het moeras. Julia lag aan hun voeten te dutten. Wanneer ze sliep, dan rolde ze zich zo ver mogelijk op, net als het hondje thuis. Amy zag dat Dianne naar haar keek. Dianne reikte omlaag om Julia's vochtige haren van haar voorhoofd te strijken, en ze liet haar hand er even rusten. Er lag een serene uitdrukking op Dianne's gezicht. Dat was lang niet altijd het geval. Er blies een warm windje door het riet en de zon straalde volop op hen neer. Amy was blij dat ze hun hoed op hadden en dat Julia onder haar parasolletje lag, en ze wou dat er nooit een eind aan dit roeitochtje zou komen.

Hoofdstuk 9

De hemel was wit en het was verschrikkelijk warm. Hittegolven stegen op van de weg. Dianne en de meisjes waren gestopt voor een ijsje, dat ze op het picknickveldje in de schaduw opaten.

Dianne had de afgelopen nacht niet goed geslapen. Julia had liggen draaien en woelen. Twee keer had ze haar luier afgerukt. De tweede keer had ze hijgend naar lucht gehapt, en Dianne had haar in haar armen gehouden tot haar hartslag weer gekalmeerd was en het op en neer gaan van haar borst overeenkwam met het kalme ritme van de golven die in de verte aanspoelden op Landsdowne Shoal. Uiteindelijk viel ze weer in slaap, en rolde ze zich op in de foetushouding.

'Mmmm,' zei Amy, terwijl ze van haar ijsje likte 'Ik ben dol op sinaasappel-ananas.'

'Ik hou van frambozen,' zei Dianne. Zij en Julia deelden hun bakje, en ze stopte een ijskoud hapje in Julia's mond.

'Waarom heb je haar Julia genoemd?' vroeg Amy. Ze hield het ijsje tegen de rug van haar handen om ze af te laten koelen.

'Omdat het zo'n waardig klinkende naam is.'

'Waardig?' vroeg Amy. Ze fronste haar voorhoofd zoals ze altijd deed wanneer ze niet helemaal zeker wist wat een woord betekende.

Dianne kon aan de manier waarop Amy sprak horen dat ze als kind niet was voorgelezen, en dat deed haar erg veel verdriet. 'Ja,' zei Dianne. 'Ik wilde iedereen duidelijk maken dat ze belangrijk is.'

'Natuurlijk is ze belangrijk,' zei Amy, alsof dat het meest vanzelfsprekende feit ter wereld was.

'Dat weet ik,' zei Dianne, en ze dacht aan Tim die hen in de steek had gelaten.

'Wat is haar grootste wens?'

'Dat weet ik niet,' zei Dianne.

Ze zaten in de schaduw van een groepje bomen. De wind deed de blaadjes als kaarten aan de spaken van een fietswiel tegen elkaar slaan. Dianne nam een hapje ijs.

'Wat is het verste waar Julia ooit is geweest?' vroeg Amy.

'Ze is nooit verder geweest dan hier, in en rond Hawthorne,' antwoordde Dianne.

'Ik wou dat we haar ergens mee naartoe konden nemen,' zei Amy. 'Dat we met haar op reis konden gaan.' Er was een enorme camper de parkeerplaats op gekomen. Er zat een oude man achter het stuur. Nadat hij in de schaduw had geparkeerd, stapten hij en zijn vrouw uit om hun benen te strekken. Ze hadden een collie bij zich, en de vrouw hield hem aan de lijn terwijl ze hem uitliet op het gras.

'In zo'n ding,' zei Dianne. Ze lachte, en Amy ook, en ze keken naar de camper.

'Julia,' zei Amy, terwijl ze haar handen vastpakte. 'Mooi meisje!'

Julia wrong haar handen en keek omhoog naar de hemel.

'En wat is jouw liefste wens?' vroeg Dianne aan Amy. 'Wat is de meest fantastische plek waar jij ooit bent geweest?'

'O,' zei Amy, 'ik weet niet.' Ze klonk mat, bijna alsof het niet belangrijk was. 'Ik ben nooit verder als Hawthorne geweest.'

Dianne aarzelde heel even – ze was uiteindelijk de dochter van een bibliothecaresse. 'Verder *dan* Hawthorne,' zei ze vriendelijk. 'Niet *als*. Je bent veel te intelligent om zulke grammaticale fouten te maken.'

'Dank je,' zei Amy, en opeens had Dianne er spijt van dat ze er iets van had gezegd.

'Vertel ons toch eens iets over jezelf,' zei Dianne. 'We zijn zo vaak samen, en je praat nooit over jezelf.'

'Ik heb een hond thuis. Hij slaapt op mijn bed en bewaakt mijn kamer,' zei Amy, terwijl ze naar de neuzen van haar schoenen keek. 'Hij houdt van me.'

'Dat geloof ik zo,' zei Dianne. 'Hoe heet hij?'

Amy gaf geen antwoord. Ze beet op een nagel, en keek naar haar pols.

'Het is niet waar,' zei ze. 'Hij slaapt in een ren.'

'Amy...' begon Dianne, in verwarring gebracht door die leugen.

'Mijn vader heeft me zijn horloge nagelaten.'

'Dat weet ik,' zei Dianne.

'Die grote camper,' zei Amy, en ze probeerde te lachen. 'Meen je dat? Zou je echt in zo'n ding op reis willen gaan?'

'Het was maar een grapje,' zei Dianne.

'Het is net als dat sprookje van die familie die in een grote schoen woont. Ik heb zin om met jou en Julia in zo'n ding te kruipen en weg te lopen.'

'Schoenen die weglopen kunnen ook weer terugkomen.'

Amy haalde haar schouders op. Ze schopte met de neus van haar schoen tegen het wiel van Julia's rolstoel. Julia had met haar handen zitten wringen, maar hield daar nu mee op. Haar handen begonnen aan hun dans en schreven in de lucht tussen haar gezicht en dat van Amy.

'Dat kunnen ze, Amy,' zei Dianne.

Amy knikte, maar ze zei niets.

Dianne's hart voelde alsof het uit elkaar zou barsten. Ze wilde zo veel dingen. Ze wilde Amy helpen, ze wilde een goede moeder zijn, ze wilde een goede dochter zijn, ze wilde Julia het leven van een echt meisje geven – wilde haar overal mee naartoe nemen, haar nieuwe plaatsen laten zien en haar laten weten dat ze belangrijk was. Ze wilde voor Kerstmis met haar naar New York om samen met haar naar *De Notenkraker* te gaan, iets wat elke moeder en dochter minstens een keer in hun leven samen zouden moeten doen. Haar moeder was degene die weldra gepensioneerd zou worden, maar Dianne had het gevoel dat zij degene was die oud begon te worden.

'Ik weet hoe het voelt om in de steek te worden gelaten,' zei Dianne hardop.

Amy keek haar aan.

'Het doet verschrikkelijke pijn. Zo erg dat je onmogelijk kunt doen alsof het geen pijn zou doen.'

Amy huilde, maar ze wilde niet dat Dianne het zou zien. Ze speelde verder met Julia. Dianne leed onder het eenzame gevoel van dat ze op dit moment de enige ouder was, de enige volwassene. Ze wou dat haar moeder bij hen was geweest. En wat ze ook wou, en waar ze van opkeek, was dat Alan bij hen was geweest.

Maar waarom keek ze daar eigenlijk van op? Hij gaf om hen allemaal: om Amy, om Julia en zelfs om Dianne. Dianne voelde de spanning in haar borst toenemen en ze was het liefste in snikken uitgebarsten. Op momenten zoals deze, was ze zich bewust van een overweldigend verlangen naar hem. Hij was de enige die wist, die echt wist, wat ze had doorgemaakt. Ze snakte naar de armen om zich heen van een liefdevol mens, van Alan, maar dat ging niet. Ze was niet met hem getrouwd, maar met Tim. Na al die tijd was Dianne bereid haar tragische vergissing onder ogen te zien. Ze had niet het vermogen gehad om te kiezen voor een man die echt van haar zou kunnen houden.

Ze zat roerloos en keek naar haar vriendinnetje en haar dochter die stille gedichten in de warme lucht zaten te schrijven. Ze keek naar de beuken en de dennenbomen, naar de oude picknicktafels en het gesmolten ijs, en ze vroeg zich af hoe het zou zijn om dit soort momenten te delen met een eigen vriendin of vriend. Met Alan.

De volgende nacht moest Julia huilen. Toen Dianne bij haar ging kijken, trof ze haar volledig buiten adem aan. Ze hijgde alsof ze zojuist een marathon had gelopen. Dianne deed wat ze altijd deed: ze keek of Julia niets in haar keel had, of haar luier nog droog was en of er niets aan haar huid plakte. Julia leek groter – kon het zijn dat ze in de loop van de nacht een paar centimeter was gegroeid? Dianne's eigen hart leek van het wilde bonzen uit haar borst te barsten. Ze pakte de telefoon, draaide Alans doktersdienst en zei dat het een spoedgeval was.

Vijf minuten later belde hij terug. 'Hallo, Dianne.' Het was drie uur 's nachts, maar hij klonk klaarwakker. 'Wat is er aan de hand?'

Zoals zo vaak gebeurde wanneer Dianne hem belde, leek Julia ineens een stuk rustiger. Haar ademhaling was niet meer zo gejaagd, en haar hart sloeg minder snel. Misschien had ze alleen maar een nachtmerrie gehad. Ze was bezweet en van streek, en lag zachtjes te huilen.

'Julia was helemaal buiten adem. Maar nu gaat het alweer wat beter...'

'Ik kom eraan.'

'Nee, Alan,' zei Dianne, terwijl ze Julia's pols voelde. 'Het spijt me dat ik je gebeld heb. Echt, het gaat alweer –'

'Dianne, je kunt kiezen. Of je gaat naar de Eerste Hulp, of ik kom naar je toe. Zeg het maar.'

Ze zat met de snikkende Julia in haar armen en voelde er niets voor om met haar het huis uit te gaan. Ze hadden hun nachtjaponnetjes aan – mouwloze witte ponnetjes waar de koele nachtlucht gemakkelijk doorheen kon ademen. De krekels tjilpten, en de donkergele maan hing laag boven het moeras.

'Ik denk dat ik dan liever heb dat je komt,' zei Dianne. Ze dacht terug aan die golf van overweldigend verlangen naar hem op het picknickweitje, en realiseerde zich dat haar handen beefden. Ze probeerde haar gevoelens erbuiten te houden: Julia had het benauwd en ze had haar dokter nodig. 'Dank je, Alan.'

Ze kleedde zich aan.

Alan parkeerde voor het huis van de Robbinsen, pakte zijn tas en liep naar de deur. Hij had dit al zeker honderd keer gedaan – bij hen langsgaan wanneer er iets met Julia was. Maar deze keer ging zijn hart als een bezetene tekeer. Hij was gekomen voor zijn nichtje, maar hij hield van haar moeder. Het was al jarenlang hetzelfde verhaal. Het licht brandde in de keuken, en hij kon Dianne aan tafel zien zitten. Ze zat met gebogen hoofd en haar gezicht was in de schaduw.

Hij liep het pad op en dacht aan die keren dat hij voor vals alarm uit zijn slaap werd gebeld. Zijn doktersdienst belde hem gemiddeld drie tot vier keer per week, en tegen de tijd dat hij de ouders terugbelde, was de paniek in de meeste gevallen alweer geweken. Het kind hoestte niet meer, de val uit bed was minder ernstig dan ze gevreesd hadden, het gegil was erger geweest dan de verwonding. Alan had aan Dianne's stem gehoord dat de crisis inmiddels geweken was.

Maar toch was hij meteen in de auto gesprongen. Niets had hem daarvan kunnen weerhouden. Ze mocht tot aan hun laatste adem bitter en boos zijn, maar hij zou blijven komen. In de verte riepen nachtvogels, en parende of vechtende dieren krijsten in het moeras. Alan haalde diep adem en klopte op de keukendeur.

'Ik voel me belachelijk,' zei Dianne.

'Ademt ze weer normaal?'

'Niet alleen dat,' zei Dianne, 'ze ligt in diepe slaap.'

Ze stonden dicht tegenover elkaar op de drempel. Motten vlogen rond het licht en botsten tegen het glas. Dianne droeg een spijkerbroek en een groot wit T-shirt. Alan vroeg zich af of ze in dat shirt sliep. Hij zag haar prachtige lichaam, haar zachte welvingen, en hij wilde niets liever dan haar tegen zijn onstuimig slaande hart aan drukken.

'Laat me toch maar even naar haar kijken,' zei hij na een poosje.

Dianne knikte en liet hem binnen. Ze ging hem voor naar boven, en de kleine overloop over. Alan had de weg blindelings kunnen vinden. In de afgelopen jaren had hij hier zo vaak gelopen dat het ritme van zijn voetstappen een geruisloze meditatie was geworden; een gebed om bescherming voor Dianne's dochter.

Ze gingen Julia's kamer binnen. Dianne liet er altijd een nachtlampje branden. Het wierp een oranjeachtige gloed op het slapende kind. Haar haren lagen uitgewaaierd op het kussen. De enige keren dat hij Julia zo kalm en rustig zag, was wanneer ze sliep. Dianne stond zo dicht bij hem dat hij de warmte van haar lichaam voelde stralen.

'Zie je wel?' zei Dianne.

Alan sloot zijn ogen om beter te kunnen horen, en luisterde.

'Ze is weer rustig,' zei Dianne.

Na elke zevende slag maakte Julia's hart een klein klikje. Alan had er al zo vaak naar geluisterd. Het was begonnen toen ze drie was. Toen was het om de tien slagen gekomen. De afgelopen zomer kwam het voor het eerst om de acht keer. En nu, sinds Kerstmis, was het om de zeven keer.

'Zie je wel?' fluisterde Dianne opnieuw, hoewel er een bezorgde blik in haar ogen lag.

Alan liet de stethoscoop zakken en luisterde naar het borrelen van haar ingewanden. Hij betastte haar buik en voelde of hij was opgezet. Toen maakte hij heel voorzichtig haar luier los, en keek erin.

'Ja, alles is in orde,' zei Alan opeens, terwijl hij zijn stethoscoop op-ruimde.

Ze gingen naar beneden.

'Het spijt me van de paniek,' zei Dianne.

'Ik ben blij dat je me hebt gebeld.'

'Ja?' vroeg ze. Toen hij de stethoscoop weer in zijn tas had gestopt was de zorgenrimpel van haar voorhoofd verdwenen, maar nu was hij er weer, en hij legde zijn hand op haar schouder om haar gerust te stellen.

'Ik wil er alleen maar mee zeggen dat we haar zo goed mogelijk in de gaten moeten houden. We hebben haar geobserveerd...'

Dianne hing aan zijn lippen en wachtte tot hij verder zou gaan, maar Alan was niet in staat zijn zin af te maken. Hij wist niet precies wat hij moest zeggen. Niemand begreep Julia's conditie zo goed als Dianne zelf. Ze stonden in de keuken en keken elkaar met grote ogen aan.

'Wat is er aan de hand?' vroeg ze.

'Met Julia?'

'Ik wil het weten.' Er was een wilde blik in haar ogen gekropen.

Alan wilde haar handen in de zijne nemen. Hij wilde haar in zijn ar-men nemen en haar zeggen dat hij al die jaren al van haar hield. Hij was zo vervuld van liefde voor haar, zag ze dat dan niet? Het leven was kort en de mensen maakten geen gebruik van de tijd die ze hadden. Niemand wist dat in feite zo goed als een arts.

'Wat?' vroeg Dianne.

'Wanneer je haar een schone luier omdoet,' begon hij, 'kijk je er dan in?'

'Hoe bedoel je? Natuurlijk kijk ik erin!'

'Ze is in de puberteit,' zei hij.

Dianne zat aan de keukentafel en reageerde als iemand die een shock had. Ze trok haar neus op en schudde haar hoofd.

'Eh, is dat koffie?' vroeg hij, terwijl hij wees op de pot die op het for-nuis stond.

'Ja, ik heb hem net gezet,' zei ze. 'Ga zitten, alsjeblieft.'

Alan ging zitten aan de oude grenenhouten tafel. Het was verre van de eerste keer dat hij dat deed. Indertijd, toen Dianne en Tim nog getrouwd waren geweest, had hij zijn vaste plaatsje aan deze tafel gehad. Nu zat Dianne naast hem. Ze was mooi en ze bloosde. Ze had een bruin kleurtje van de zon, en haar huid glansde in de warme nacht. Haar lippen waren vochtig en vol. Hij speelde met het lepeltje om haar hand niet in de zijne te nemen.

'De puberteit? Meen je dat echt?' vroeg Dianne.

'Wat?'

'Julia...'

'Ja, ik weet dat ze jong is,' zei hij. 'Sommige meisjes zijn eerder rijp dan andere.'

'Maar hoe weet je dat?' vroeg Dianne. Haar stem klonk gretig en verlegen tegelijk. Alan had dit onderwerp al met zo veel moeders besproken. Meestal wisten ze precies wat er in het lichaam van hun dochter gebeurde. Ze herinnerden zich hoe het voor hen zelf was geweest, en waren alert op de tekenen. Had Dianne dan niet verwacht dat dit met Julia zou gebeuren?

'Ze heeft drie schaamharen,' zei Alan zo klinisch als hij maar kon. 'De areola van haar rechterborst is groter geworden.'

'O, hemel,' zei Dianne. 'Mijn kleine Julia.'

Alan nipte van zijn koffie. Hij zag hoe Dianne haar hand voor haar mond sloeg. Achter haar hand was een glimlach, die zich verspreidde tot aan haar ogen. Even stond ze zichzelf toe om van het moment te genieten. Haar ogen begonnen te stralen, en hij vermoedde dat ze in gedachten een beeld van Julia als tiener zag. Haar gezicht met de sproetjes straalde, en opnieuw wilde Alan haar hand vastpakken. Zelf was hij zich ook bewust van hele heftige emoties: hij had Julia even lang zien opgroeien als Dianne.

Dianne keek hem over de tafel heen aan. Haar glimlach werd dieper, en ze keek hem net zo lang zo strak aan, tot hij haar glimlach beantwoordde. Ze schoof haar hand met uitgestoken wijsvinger over de tafel heen naar hem toe, en hij legde zijn wijsvinger er even tegenaan.

'Ik had niet verwacht dat ze... zich zo zou ontwikkelen,' zei Dianne.

'Ze stelt ons altijd weer voor verrassingen,' zei Alan.

'Zeg dat wel, zeg dat wel,' zei Dianne.

'Dat hijgen van haar, zoals vannacht, is, denk ik, het gevolg van een veranderende hormoonspiegel. Ze zit tegen het menstrueren aan, en dat gaat gepaard met emotionele veranderingen.'

'O ja, daar weet ik alles van,' zei Dianne.

Alan haalde een papieren zak uit zijn tas. Hij keek naar Dianne's gezicht en zag dat ze zich in verlegenheid gebracht voelde.

'Bedankt voor de soep,' zei hij.

'Geen dank.'

'Ik dacht wel dat jij het was. Ik was half wakker en ik zag je. Maar omdat het zo onwaarschijnlijk was, dacht ik dat ik ijlde van de hoge koorts.'

'Tropenkolder,' zei Dianne.

'Precies. En dus nam ik aan dat het toch iemand anders geweest moest zijn, maar er heeft zich niemand gemeld.'

Dianne haalde de thermoskan uit de zak en hield hem omhoog. 'Om deze prachtkan terug te verlangen? Hoe is het mogelijk. Maar fijn dat je hem naar ons hebt gebracht. We zullen het alarm weer inschakelen.'

'De soep was heerlijk.'

'Zeg dat maar tegen mijn moeder.'

Dus dan had Dianne hem niet zelf gemaakt. Het was Lucinda's idee geweest, en eigenlijk had Alan dat ook al vermoed. Hij dronk zijn koffie op en stond op.

'Voel je je weer wat beter?' vroeg Dianne zo veel later, dat het even duurde voor hij begreep dat ze het over zijn griep had.

'Ja,' zei Alan. 'Een stuk beter. Ik ben er al lang weer vanaf.'

'Mooi,' zei ze. 'Daar ben ik blij om.'

'Ik moet mijn conditie goed in de gaten houden,' zei hij. 'Om Julia bij te kunnen houden.'

'Ja,' zei Dianne. 'Daar rekenen we op.'

Alan lachte.

'O, Alan,' zei Dianne. Ze ging opeens op haar tenen staan, sloeg haar armen om hem heen en drukte zich hard tegen hem aan. Hij voelde haar adem op zijn huid en haar armen om zijn hals. Hij sloeg een arm om haar middel en voelde een huivering langs zijn ruggengraat en de achterkant van zijn benen trekken. Haar lichaam voelde zo heerlijk en vurig, en hij wankelde op het randje van de extase. Ze stonden in haar keuken, in elkaars armen en gierden het uit van de lach.

'Je bent blij,' zei hij.

'Ja, dat ben ik.' Dianne lachte. 'Dat ben ik echt.'

Het was zo heerlijk om haar te horen lachen, om te zien dat ze werkelijk vreugde beleefde aan haar bijzondere en verbazingwekkende dochter. Alan en Dianne brachten dit meisje samen groot, waarom besefte Dianne dat toch maar niet? Hij verlangde zo wanhopig naar haar. Hij wilde niets liever dan voor hen beiden zorgen.

Alan was het liefste tot zonsopkomst in Dianne's keuken gebleven, maar in plaats daarvan trok hij zijn tweedjasje weer aan en nam afscheid. Hij liep het pad af naar zijn auto, en voelde zich verschrikkelijk eenzaam. De maan was intussen ondergegaan. In het oosten was de hemel nog helemaal donker. De lichten in huis waren nog aan. En Alan ging weg.

Hoofdstuk 10

Het was een regenachtige dag, en er waren kinderen in de schuur achter Amy's huis. Amber had sigaretten van haar moeder gestolen, en iedereen rookte. Amy hoorde lachen en ging op onderzoek uit. David Bagwell, die hard op weg was om de grootste mislukkeling aller tijden te worden, stond tegen de muur geleund. Er bungelde een sigaret aan zijn onderlip.

'Jullie hebben hier niets te zoeken,' zei Amy geschrokken.

'Nou, gooi ons er dan maar uit.'

'Als Buddy het merkt –'

'Buddy is cool,' viel David haar in de rede. 'Hij zit in de band van mijn vader. Je boft maar met zo'n stiefvader als hij.'

'Ze zijn helemaal niet getrouwd!' riep Amy uit, terwijl ze met haar vingers een anti-vampierkruis sloeg. Ze probeerde door de rook heen te kijken. Het was net alsof er dichte mist hing, en het stonk verschrikkelijk. Buiten was het begonnen te regenen, en de druppels sloegen op het tinnen dak. Ze had medelijden met deze kinderen, met het feit dat ze rookten. Ze bofte niet met Buddy, maar ze bofte met Dianne en Dr. McIntosh, die haar lieten zien dat het leven stukken beter kon zijn dan stiekem roken in een schuur.

'Van roken ga je dood,' zei ze op scherpe toon, en ze schrok een beetje van haar stem. 'Roken is ongezond.'

'O, ga toch met die achterlijke debiel van je spelen,' zei Amber, terwijl ze rookkringen uitblies.

'Ze is geen –' begon Amy, geschokt en gekwetst.

'Lazer op, stomme teef,' zei David. Hij verkreukelde een leeg pakje sigaretten en gooide het naar haar.

'Alleen een onwetend iemand kan zulk soort dingen maar zeggen,' zei Amy, terwijl ze zich groot en lang maakte, en de woorden zei die Dianne gezegd had dat ze moest zeggen.

'*Teef* betekent vrouwtjeshond – en dat ben jij!' riep David, terwijl Amy de schuur uit liep.

Toen ze langs David liep probeerde ze medelijden met hem te hebben, maar dat was toch te veel van haar gevraagd. Amy's hoofd zat propvol pijnlijke gedachten. Ze rende door de regen en was van streek over het feit dat ze was uitgemaakt voor teef, en ze was boos over wat Amber van Julia had gezegd. Maar ze was vooral bezorgd om haar moeder. De vorige avond was er iets ergs gebeurd achter de dichte deur van haar moeders kamer. Amy had haar de hele dag nog niet gezien, en intussen was het al drie uur.

De regen kwam met bakken uit de hemel. De tuin was een grote modderpoel. Amy wist dat de kelder onder water zou staan, en dat betekende dat Buddy nog chagrijniger zou zijn dan anders. Amy was heel goed in het peilen van zijn stemmingen. Ze wist precies hoe ze hem een plezier kon doen en wat ze niet moest doen als ze niet wilde dat hij woedend werd, en ze deed wat ze kon om hem zo min mogelijk voor de voeten te lopen. Maar op dat moment kon het haar niet schelen hoe hij zou reageren, ze wilde haar moeder zien.

Amy was doorweekt toen ze de keuken binnenstapte. Ze schopte haar schoenen uit. Haar hart ging even wild tekeer alsof ze het spookhuis op de kermis binnen was gegaan. Het huis was de hele dag stil en donker geweest, en dat was het nu nog steeds. Het hondje maakte een hoog, piepend geluid: zijn angstige begroeting.

De ruzie was ontzettend luid geweest. De avond was goed begonnen. Amy, haar moeder en Buddy hadden samen in de keuken gegeten. Buddy was in een opperbeste stemming geweest. Hij had geld verdiend, en de een of andere bareigenaar had hem een complimentje gegeven omdat hij zo goed had gespeeld. Buddy deed niets zo graag als opscheppen. Hij leunde naar achteren in zijn stoel, spreidde zijn armen achter zich tegen de muur, en vertelde hun hoe zijn band nog veel beroemder zou worden dan Pearl Jam, Guns N' Roses of de Nine Inch Nails.

Buddy dronk bier, en Amy's moeder dronk witte wijn. Amy keek naar hoe Buddy zijn glas keer op keer leegdronk en weer vulde, en ze voelde hoe haar maag zich samenbalde. Ze herkende alle tekenen van het dreigende gevaar, en wist precies wat er zou komen. Hoe meer Buddy dronk, des te erger het werd.

Haar moeder had vissticks gemaakt. Toen Buddy dat zag, perste hij zijn lippen op elkaar. Vis, en zelfs deze gepaneerde stukjes vis uit de diepvries, deed Buddy altijd aan Amy's vader denken, aan het feit dat Amy's moeder getrouwd was geweest. Maar Buddy zei niets: hij gloeide nog steeds na van zijn succes, en niemand hoefde hem te vertellen dat een rockster die weldra zijn eerste Grammy in de wacht zou slepen, stukken beter was dan een visser die op zee verdronken, en nooit gevonden was.

Daarna vroeg haar moeder om James Taylor. Halverwege de cd van Tool, die als muziek bij het eten veel te luid en te opdringerig was, had haar moeder heel zacht gevraagd of iemand bezwaar zou hebben tegen een paar nummers van James. Buddy had niet gezegd dat hij er bezwaar tegen had, maar Amy had duidelijk gezien dat hij er helemaal niet blij mee was, want hij had niet alleen zijn lippen op elkaar geperst, hij had ook zijn ogen stijf dichtgeknepen. En daarmee – met James Taylor – was het allemaal begonnen. Omdat James Taylors muziek een gevoelige snaar bij haar moeder had geraakt, en dat haar verdrietig had gemaakt. Daarna had ze in oude fotoalbums gebladerd, en het had niet lang geduurd voor ze met een album op schoot op de bank had gezeten, terwijl ze naar allerlei foto's van vroeger had gekeken en de tranen haar over de wangen stroomden.

Nu, de volgende dag, liep Amy op haar tenen naar de deur van haar moeders kamer. Ze klopte zachtjes aan.

'Mam?' vroeg ze fluisterend. 'Mamma?'

Het hondje jankte wat luider. De wetenschap dat hij, als Buddy thuis was geweest, geen kik zou hebben durven geven, gaf haar moed, en ze duwde de deur open. Op regenachtige dagen was de kamer van haar moeder het donkerst. De gordijnen en de luiken waren alle twee dicht als dubbele bescherming tegen de afwezigheid van zonneschijn. De regen tikte op het dak. Haar moeder lag diep weggedoken in bed alsof ze zich de hele dag niet verroerd had.

Amy liep aarzelend naar het bed. Ze was bang. Er hing een walgelijke stank in de kamer. Het stonk niet alleen naar volle asbakken en Buddy's bier, maar er hing ook een wc-lucht, zoals van Julia's luieremmer. Bij Julia was die geur op de een of andere manier wel prettig, maar hier had het iets boosaardigs. Amy kon het niet uitleggen, maar het riep het verlangen in haar wakker om haar moeder zo hard als ze maar kon door elkaar te schudden en uit volle borst tegen haar te schreeuwen.

Maar op hetzelfde moment durfde ze zich amper te bewegen. Ze bleef aan het voeteneinde van haar moeders bed staan en keek en keek. 'Mam?' vroeg ze fluisterend. 'Mam, word eens wakker. Ik wil je wat vragen...'

Het was een heel akelig gevoel om je moeder niet wakker te durven maken. Sinds wanneer was ze zo bang om haar moeder te wekken? Sinds Buddy bij hen was ingetrokken. *En dat was op de kop af drie jaar, vier maanden en twee weken geleden geweest.*

'Mam!' riep Amy wat luider.

Haar moeder kreunde.

'Het is drie uur 's middags,' zei Amy. De afgelopen avond had ze, bij het horen van Buddy's gebrul, het geluid van de klappen en het geschreeuw van haar moeder, ontzettend veel medelijden met haar gehad. Amy had weggekropen onder de dekens in bed gelegen en ze had zich afgevraagd wat ze zou kunnen doen. Ze zou de politie kunnen bellen, of de buren waarschuwen, of Buddy met een keukenmes in bedwang houden. Maar ze had niet geweten wat het beste was of wat haar moeder zou willen dat ze deed, en daarom had ze maar helemaal niets gedaan.

'Oooo,' kreunde haar moeder.

'Mam!' riep Amy nu echt luid, en ze begon boos te worden. Waarom lag haar intelligente, mooie, grappige moeder midden op de dag als een rups in een cocon in haar bed? In plaats van in bed te liggen, zou ze iets moeten schilderen, een gedicht moeten schrijven of iets te eten voor Amy klaar moeten maken.

'Sta op!' zei Amy. Ze greep haar moeder bij de schouder en draaide haar naar zich toe.

Bij het zien van haar moeders gezicht voelde ze zowel opluchting als walging. Amy zag, in tegenstelling tot die vorige keer, een paar maanden geleden, geen zwellingen en geen blauwe plekken. Maar als haar moeder niets mankeerde, waarom lag ze dan in bed?

'Amy, ik heb vannacht geen oog dichtgedaan,' zei haar moeder. 'Laat me slapen.'

'Mam, kom mee.'

'Kom mee?' herhaalde haar moeder verbaasd.

'We gaan hier weg. Kom op.' Terwijl ze dat zei, trok er een heel scala van emoties door haar heen. Ze zou Dianne missen, en Julia en Dr. McIntosh – en hoe! Maar zij en haar moeder konden ontsnappen. Ze zouden ergens anders naartoe kunnen gaan en met een schone lei kunnen beginnen. En dan zou haar moeder zich langzaam maar zeker weer gelukkiger voelen, zoals ze geweest was voordat Buddy in hun leven was verschenen. Ze zouden een camper kunnen kopen, zoals de camper die ze bij het picknickweitje hadden gezien, en ermee naar mooie plaatsen gaan zoals de bergen en de canyons en de noordkust waar walvissen waren.

Maar haar moeder bleef lusteloos naar het plafond liggen staren terwijl Amy juist steeds enthousiaster werd. 'We hebben ons geld,' zei ze, doelend op het geld dat ze van de verzekering van de vissersbond hadden gekregen. 'Laten we ergens anders gaan wonen. O, Mam, stel je voor hoe fijn dat zou zijn. Ergens, zonder Buddy...'

'Dat van gisteravond was niet Buddy's schuld,' zei haar moeder. 'Ik ben begonnen.'

'Nee,' zei Amy. 'Het enige wat je hebt gedaan, was om de cd van James Taylor vragen.'

'Ik heb me zitten aanstellen en als een idioot zitten grienen,' zei haar moeder. 'Ik maak mezelf ziek wanneer ik zo zit te janken – wat moeten andere mensen daar wel niet van denken?'

'Ik heb gehoord hoe hij je heeft geslagen,' zei Amy.

Haar moeder schudde haar hoofd. Wilde ze het soms ontkennen? Dat maakte Amy zo boos dat ze de dekens van haar moeder afrukte om te kijken waar de blauwe plekken zaten. Daar – op haar moeders bovenarm. Een knoert van een blauwzwarte plek. En nog meer op haar borst.

'Daar,' zei Amy, wijzend.

'Amy, je weet helemaal niet waar je het over hebt. Ga nu maar televisiekijken.'

'Als je zou werken, zou je je veel beter voelen,' zei Amy. Ze keek naar hoe haar moeder in bed lag, en dacht aan Dianne. Met Julia, die altijd moest verzitten, of een schone luier nodig had, of moest eten, had Dianne nog altijd tijd genoeg over om de hele dag hard te werken. Soms zag Amy aan Dianne dat ze, net als haar eigen moeder, zorgen had, maar toch bleef ze altijd gewoon doorwerken. In plaats van dat ze op dat moment medelijden met haar moeder had, scheelde het weinig, of ze had haar gehaat. Bij het zien van al die blauwe plekken, en zoals ze gewoon maar in bed lag... *Waarom staat ze niet op?*

'Je weet dat we geen geldzorgen hebben, Amy,' zei haar moeder. 'Met dat verzekeringsgeld kunnen we het een hele tijd uitzingen.'

'Je zou er niets van aan Buddy moeten geven,' zei Amy. 'Voor dat stomme bier van hem.'

'Je begrijpt het niet,' zei haar moeder.

'Hij gebruikt je,' zei Amy.

'Ssst, je begrijpt het niet.'

'Waarom moeten we met zo'n gemeen mens leven?' Iets binnen in haar smolt als sneeuw voor de zon. 'We zijn toch niet slecht, of wel? Heb ik iets slechts gedaan?'

'Amy, laat me slapen.'

'Mamma,' begon Amy. Haar borstkas begon te kraken van alle tranen die ze onderdrukte. Ze voelde geen haat – ze voelde alleen maar liefde. Alleen maar liefde, wilde ze zeggen, en ze voelde zich misselijk van ellende over het feit dat ze haar eigen moeder haatte, haar eigen moeder.

'Ga televisiekijken,' zei haar moeder opnieuw, alsof ze schoon genoeg van het gesprek had.

Amy's adem stokte. Had haar moeder dan helemaal niet gemerkt dat vandaag bijzonder was? Dat Amy de hele dag thuis was geweest, in plaats van naar Dianne en Julia te gaan? Miste ze Amy dan helemaal niet, wanneer ze niet thuis was? Merkte ze dan helemaal niets van wat er in huis gebeurde? Maar in plaats van die vragen te stellen, slaakte ze een heftige snik en rende de kamer uit.

Dianne's verzameling cd's en platen was romantisch en ouderwets. Er waren platen bij die van haar ouders waren geweest en andere die uit haar jeugd stamden, uit de tijd dat ze urenlang, onder het luisteren naar melancholieke klanken, van jongens kon dromen. De teksten gingen over het algemeen over verlangen, over iets waaraan geen man kon voldoen. Wanneer ze die muziek nu draaide, zong ze nummers voor Julia hardop mee: *Sweet Caroline, If Not For You, The Look of Love*.

Dianne had The Supremes op staan. Ze zong de longen uit haar lijf. Werken zat er vandaag niet in. Dit was een moeder-dochtermoment bij uitstek. Julia was, ondanks het feit dat ze nog steeds zo klein was en er zo jong uitzag, een puber. Een vrouw. Dianne glimlachte, fronste haar voorhoofd, schudde haar hoofd, keek uit het raam, zong, ijsbeerde door de werkplaats op en neer, ging weer voor Julia staan en nam Julia's rechterhand in de hare.

'Ik heb je zoveel te vertellen,' zei ze.

Julia's hoofd zakte opzij en haar linkerhand begon te zweven.

Diana Ross zong een hele hoge noot. Dianne glimlachte.

'Nu hoor je er pas echt helemaal bij,' zei Dianne tegen Julia.

'Paaa,' zei Julia.

Wat zal de eerste concrete stap zijn, vroeg Dianne zich af. Dat ze ongesteld wordt? Dat ze een beha nodig heeft? Dianne dacht terug aan toen ze Julia's leeftijd had. Ze kon uren achtereen staren naar lingerie-advertenties in de tijdschriften van haar moeder. Op een dag waren zij en haar beste vriendin, Margie, niet naar school gegaan en hadden ze het ondergoed van Margie's oudere zus gepast, dromend van de dag waarop zij ook een beha zouden dragen.

Borsten waren het belangrijkste. Tegenwoordig stond Dianne er amper nog bij stil, maar toen... Dianne had onvoorstelbaar veel tijd besteed met piekeren over de vraag hoe het zou zijn om ze te hebben. Lucinda had haar terzijde genomen en haar over de bloemetjes en de bijtjes verteld. Het was een amusant en verhelderend gesprek geweest, dat ze verlevendigd had met boeken en illustraties die ze uit de bibliotheek mee naar huis had genomen.

'Kijk hier, lieverd,' had Lucinda gezegd, en ze had haar gewezen op een rode en blauwe tekening van de vrouwelijke voortplantingsorganen. Ze vertelde over menstruatie, ovulatie, krampen en bloedingen. Dianne had er ontzet naar gekeken, en ze had zich niets weerzinwekkenders kunnen voorstellen. Eileiders in haar lichaam? Nee, dank u feestelijk, mij niet gezien.

'Ik kan me voorstellen dat je die tekening nogal verwarrend vindt en dat het je allemaal een beetje griezelig lijkt,' zei Lucinda, 'maar dat is het echt niet. Het is gewoon een kwestie van goed naar je lichaam luisteren en goed voor jezelf zorgen.'

'Zoals wanneer je verkouden bent?' vroeg Dianne.

'Nee, met ziek zijn heeft het niets te maken! Men zegt dat het geweldig en fantastisch en wonderbaarlijk is, maar in werkelijkheid is het eigenlijk alleen maar lastig. Dat is alles. Je gaat naar de drogist om een pak maandverband te kopen waar je de eerste dagen een heel stel van nodig hebt, maar daarna neemt het bloeden af. Ik persoonlijk vind dat de regering maandverband zou moeten subsidiëren. Waarom zouden alleen vrouwen elke maand een enorm bedrag op tafel moeten leggen?'

'Doet het pijn?' vroeg Dianne.

Lucinda glimlachte. 'Ik wou dat ik nee kon zeggen, maar dat is niet altijd waar. Het is een grappig gevoel, een beetje als wachten tot het noodweer losbarst. Is het eenmaal op gang gekomen, dan voel je je meteen een stuk beter. En dan valt het reuze mee.'

'En dat krijg je *elke maand?*' vroeg Dianne somber.

'Om de achtentwintig dagen,' antwoordde Lucinda, met een bemoedigend klopje op haar hand.

'Wat een ellende.'

'Hier, lieverd, kijk eens naar deze afbeelding,' zei Lucinda, terwijl ze op een kaart van een hoofdloos menselijk lichaam wees, die zo op het eerste gezicht veel weg had van een wegenkaart. De tekenaar had er een voluptueus lichaam met een wespentaille van gemaakt. 'Het is het geheim van het universum,' zei Dianne's moeder. 'Dit ben jij. Je bent een vrouw en je bent een wonder. Laat je vooral niet wijsmaken dat je zwak of overgevoelig of humeurig of weet ik wat zou zijn wat de mensen – de mannen – zeggen dat je bent wanneer je ongesteld bent. Waak ervoor dat je niet zo'n meisje wordt dat, wanneer ze ongesteld is, ineens niet met gym mee kan doen.'

Dianne luisterde.

'Neem er geen genoegen mee als de mensen zeggen dat je gevoelens niet echt zijn, maar dat ze overdreven zouden zijn omdat je ongesteld moet worden. En waak ervoor dat je niet alles wat er eventueel misgaat toeschrijft aan het feit dat je ongesteld bent, want daarmee haal je jezelf alleen maar omlaag, en dat is absoluut nergens voor nodig.'

'O, Mam.'

'Er zijn vrouwen die het de vloek noemen,' vertelde Lucinda. 'Of mijn vriendinnetje. Maar zo zie ik het niet. Je bent gewoon ongesteld, precies zoals het getij het getij is, en de wind de wind.'

'Nou, volgens mij slaat de vloek de spijker aardig op zijn kop,' zei Dianne, terwijl ze naar het dooraderde beeld in het menskundeboek keek, en nog steeds moeite had met de ontdekking van het feit dat ze ineens een baarmoeder, een baarmoederhals en schaamlippen bleek te hebben. 'Zie ik er vanbinnen echt zo uit?'

'Ja. En Margie ook. En ik ook. En weet je wat het allermooiste is?'

'Nou?' had Dianne gevraagd.

'Jij bent daaruit gekomen. En als jij later een baby krijgt, dan komt jouw kind daar ook uit.'

En nu keek Dianne naar die baby van haar: Julia. Wat zou er gebeuren als Julia voor het eerst last van krampen kreeg? Zou ze zich dan afvragen wat er met haar buik aan de hand was? Dianne wilde haar dolgraag een doorsnee van het menselijk lichaam laten zien om haar alles uit te leggen. Ze drukte een kus op Julia's hand en legde haar wang tegen Julia's zachte huid.

'Julia,' vroeg ze, 'waar denk je aan?'

'Gaaa,' zei Julia.

Dianne moest rekeningen versturen, een catalogus samenstellen en de boekhouding doen. De regen kwam regelrecht vanaf het moeras gewaaid en sloeg tegen de ramen. Ze wou dat ze open water konden zien, want ze had een idee.

'De wind waait uit het zuiden,' zei Dianne, terwijl ze Julia naar de auto droeg. 'Voel je hoe warm hij is?'

Het goot echt verschrikkelijk. Dianne verbeeldde zich dat de regen vanuit Florida, over Cape Hatteras, over palmbomen en eilanden naar hen toe kwam gewaaid. Ze zette Julia in haar autozitje en maakte de gordel vast. Ze deed de radio aan en zocht de verschillende zenders af naar een vrouwenstem, want vandaag was een vrouwendag. Toen ze Blondie *Dreaming* hoorde zingen, liet ze hem op die zender staan.

Ze reden naar het centrum van Hawthorne. Het was vloed, en de werf stond onder water. Alans praktijk was in een van de oude, bakstenen gebouwen, en Dianne keek op naar zijn raam. Toen keek ze naar de regen. Ze haalde diep adem, en nam haar dochters hand in de hare.

Dianne had haar moeder gevraagd of het pijn deed, en Lucinda had gezegd dat het een beetje leek op het wachten op het losbarsten van het noodweer.

En toen ze dertien was, had Dianne inderdaad het gevoel gehad alsof er een noodweer in haar lichaam woedde. Ze had een orkaan ingeslikt en het gevoel gehad alsof haar lijf uiteen werd gereten. Ze was ongesteld geworden, ze had uiteindelijk borsten gekregen, en ze had in het geheim van jongens gedroomd. Maar haar moeder had haar woorden gegeven die de gevoelens op prachtige wijze in beeld brachten.

Maar hoe was het voor Julia? Ze had het uiterlijk van een klein kind. Ze kende geen jongens, maar als ze die wel gekend had, wat zou ze nu dan denken? Haar lichaam reageerde precies zoals het lichaam van elk meisje van haar leeftijd, ongeacht of haar hoofd dat nu wist of niet.

'Mijn grote meid,' zei Dianne.

Julia maakte een zacht jammerend geluid.

'Kijk, Julia.' Dianne wees op het water. Achter de jachtclub was de zee een kolkende massa. Golven braken over de steigers, en het water spatte hoog op. Dianne reikte over de voorbank heen en legde haar hand op de buik van haar dochter.

'Hier, in je buikje,' fluisterde ze, 'is het precies hetzelfde.'

Begreep Julia wat ze bedoelde? Dianne wilde haar geruststellen. Ze wilde haar alles vertellen over de bloemetjes en de bijtjes, over hoe het was om ongesteld te zijn, en over het gecompliceerde wonder van het vrouw-zijn.

'Ik hou van je, Julia,' zei Dianne. 'Je hoeft echt nergens bang voor te zijn.'

Daar liet Dianne het bij. Ze wist dat ze het Julia toch niet met woorden duidelijk zou kunnen maken. Ze wees met een hand op de kolkende zee, en drukte haar andere hand opnieuw op Julia's buikje. *Hier binnen is het precies hetzelfde als daar op zee. Wees niet bang voor een beetje noodweer in je buikje. Wees niet bang, m'n lief.*

Alans spreekkamer keek uit over de haven. Dianne vroeg zich af of hij daar nu was en of hij, wanneer hij naar buiten keek, haar bestelbus zou zien staan. De gedachte dat hij haar zou zien, dat hij zou weten dat ze hier was, zorgde ervoor dat ze zich ineens een heel stuk beter, maar ook zenuwachtiger en verward voelde.

Ze wilde zich niet afvragen waarom, maar ze herinnerde zich keer op keer hoe gemakkelijk het de afgelopen nacht voor haar was geweest om haar hoofd op zijn schouder te leggen. Hij had haar dicht tegen zich aan gedrukt gehouden, en ze had het verlangen vanbinnen voelen groeien. Ze dacht aan zijn gespierde, sterke armen om zich heen, en aan het feit dat ze ooit eens naar elkaar hadden verlangd. Ze hadden elkaar ooit eens gekust, maar dat leek honderden jaren geleden.

Ze keek omhoog naar zijn praktijk. Was hij dat, die voor het raam van zijn spreekkamer stond? Het moest hem zijn. Ze kreeg een kleur en voelde zich op heterdaad betrapt. Ze liet zich onderuitzakken en luisterde naar haar wild kloppende hart. Al deze jaren van angst en woede, en het gevoel was nog steeds niet helemaal weg.

'Daar heb je oom Alan,' zei Dianne.

'Paaa,' zei Julia, en ze zwaaide met haar handen.

Dianne keek uit over de werf. Daar stond de oesterloods waar ze samen met Tim had gewoond. Waar Julia was verwekt. Wat had Dianne indertijd gedacht? Dat een leven met Alan te gemakkelijk en te voorspelbaar zou zijn geweest? Ze had het niet kunnen laten en had voor zijn broer gekozen, de zwerver met littekens en een afgebroken voortand. Had ze dat gedaan om te bewijzen dat ze een supervrouw was? Dat ze zoveel van Tim McIntosh zou kunnen houden, dat hij nooit meer weg zou willen? Had ze echt gedacht dat ze zijn innerlijke pijn zou kunnen helen?

Alan stond voor het raam. Het leek alsof hij aan het telefoneren was en uitkeek over het water. Hij was lang en sterk; hij vulde het raam. Hij stond roerloos en Dianne kon voelen dat hij strak naar haar keek. Zelf was ze niet in staat haar blik van hem los te maken.

'Dlaaa,' zei Julia. Ze klonk verdrietig, alsof ze honger had of verschoond moest worden. Haar onrust nam toe, en even later begon ze te huilen.

'Rustig maar, liefje,' zei Dianne kalm, 'we gaan naar huis.'

Dianne voelde zich overdonderd door de realiteit. Ze keek op naar Alan, en wou met heel haar hart dat hij hen zag en naar beneden kwam. Ze had behoefte aan iemand die zijn armen om haar heen zou slaan, die haar zou verzekeren dat alles goed zou komen en dat ze het geweldig deed. Toen ze opnieuw aan Alans omhelzing dacht, sprongen de tranen haar in de ogen. Ze voelde zich in de steek gelaten. In de schaduw van Alans praktijk, met uitzicht op de oude oesterloods, en met Julia's hand in de hare, sloot Dianne haar ogen.

Alan stond voor het raam en maakte een eind aan het telefoongesprek. *Was dat Dianne's bestelbus, daar bij de werf? Wat deed ze daar in de gietende regen?* Hij zou Martha kunnen vragen om zijn patiënten te zeggen dat hij even weg moest, en dan zou hij zijn jas kunnen pakken en snel even naar beneden gaan om te kijken wat er aan de hand was. Maar net toen hij dat wilde doen, zag hij Dianne de motor starten en wegrijden.

Alan had een drukke dag. Een jongetje van drie had een paar Monopoly-huizen ingeslikt, en Alan was een groot deel van de ochtend bezig geweest met proberen uit te zoeken hoeveel het er precies waren geweest. Een? Dertien? De geschrokken moeder was de kamer binnengekomen op het moment waarop hij er eentje in zijn mond had gestopt. Voor ze hem had kunnen tegenhouden, had hij het tweede huisje doorgeslikt. Op de röntgenfoto waren er drie te zien geweest, en hij had de moeder naar huis gestuurd met de opdracht de ontlasting van het jochie te controleren. Nu pakte hij de telefoon op zijn bureau op, en draaide een nummer in Nova Scotia.

'Ja?' klonk de stem aan de andere kant van de lijn. Het was een diepe, hese stem. De stem van de slechte held van een stripverhaal.

'Wat klink je onvriendelijk,' zei Alan. 'Stel dat ik iemand van de International Dolphin Council was geweest die je een bom researchgeld had willen geven! Ze zouden meteen hebben opgehangen.'

'Ik heb hun geld al binnen. Waarom zou ik opnieuw voor ze in het stof bijten? Het probleem met jullie dokters is, dat jullie te veel waarde hechten aan goede manieren. Als je het mij vraagt is dat gewoon zonde van de tijd. Maar je hebt het me niet gevraagd.'

'Dag, Malachy.'

'Dag, Alan. Waar heb ik de eer aan te danken?'

'De eer?'

'Natuurlijk. Je bent zo'n drukke dokter, en je neemt de tijd om mij te bellen.'

In gedachten zag Alan Malachy in zijn stuurhut zitten. Nadat zijn tijd bij de Woods Hole Oceanographic Institution erop had gezeten en hij gepensioneerd was, was hij in Lunenburg, Nova Scotia, voor zichzelf begonnen. Hij woonde en werkte in een oude sleepboot, waar hij opnamen maakte van zeezoogdieren om hun manier van communiceren te bestuderen. Vreemd werk voor een man die zelf de grootste moeite met communicatie had.

'Hoe is het daar in het noorden?' vroeg Alan.

'Helder en prettig. Kom je?'

'Te druk.'

'Ik heb een idee. Maak alle zieke kinderen zo snel mogelijk beter. Geef jezelf tot Kerstmis. Dan hang je je doktersjas aan de wilgen, en kom je naar Canada om de hele dag naar walvissen te luisteren. Ik kan je hulp goed gebruiken.'

'Dat klinkt verleidelijk,' zei Alan.

'Nou, wat weerhoudt je er dan van? Hang een bordje op de deur van je praktijk waarop staat dat ze allemaal de pot op kunnen, en dan kom je gewoon.'

'Dat ze de pot op kunnen,' zei Alan, om de uitdrukking te oefenen, terwijl hij naar zijn muur vol foto's keek – baby's en kinderen, zijn patiënten, die hem glimlachend aankeken.

'Het enige waar ik me zorgen over maak,' vervolgde Malachy, 'is de AMB. Wat moet er van hen worden?'

'De AMB...' zei Alan.

'Ja... al die stoofpotten en ovenschotels en taarten die dan allemaal zullen bederven. En wie moet er al die truien dan dragen?'

'Je weet niet wat je mist,' zei Alan.

'Nou, van mij willen ze niets weten,' zei Malachy, 'de lieve vrouwtjes van Nova Scotia. Eén vrouw is meer dan genoeg geweest.'

'Misschien komt het wel door die doodskop op je deur,' zei Alan. 'Of door de manier waarop je de telefoon opneemt.'

'Zeur niet zo,' zei Malachy, 'en zeg liever waarom je belt. Ik ben de afgelopen nacht zes uur met de hydrofoon in touw geweest, en ik moet nog twee banden afluisteren. Wat is er aan de hand? Heb je een beetje genoeg van al die kinderen?'

'Ze eten hun speelgoed op.'

'Tja.' Malachy grinnikte. 'Die van mij heeft ooit eens een zeester opgegeten. Wat zit je verder nog dwars?'

'Mijn nichtje,' zei Alan, terwijl hij strak naar Julia's dossier keek.

'Het dochtertje van Tim?'

'Ja.'

'Ik luister.'

'Ze is nu elf. Er is meer mis met haar dan goed, Mal, en dat is al zo vanaf haar geboorte.'

'Dat weet ik. Of dacht je soms dat ik die soapopera vergeten was? Wat is er veranderd?' vroeg Malachy, en ineens klonk hij niet onvriendelijk meer.

'Waarom vraag je dat?'

'Je zorgt al elf jaar voor haar – dus er moet iets zijn gebeurd dat je van streek heeft gemaakt. Gaat ze opeens achteruit?'

Alan keek naar buiten. 'Nog niet.'

'Maar je verwacht dat dat weldra zal gebeuren?'

'Ja. Heb je onlangs nog iets van Tim gehoord?'

'Ik hou er niet zo van om met jou over hem te praten, net zomin als ik ervan hou om met hem over jou te praten, snap je wat ik bedoel? Ik wil geen moeilijkheden. Wat zegt haar moeder ervan?'

'Ze is op de hoogte van de feiten, maar ze wil ze niet echt onder ogen zien. Ze stopt haar kop –'

'Zeg niet dat ze haar kop in het zand steekt.'

'Goed, dan zal ik dat niet zeggen.' Zijn mentor had hem altijd voorgehouden dat hij geen uitdrukkingen moest gebruiken die klonken alsof ze in een tijdschrift thuishoorden, of die een echt probleem onnozel deden lijken.

'Luister,' zei Malachy. 'Jij bent de beste kinderarts die in de afgelopen twintig jaar van Harvard is gekomen. Je doet alles wat je kunt voor dat kind... ze is in goede handen. Meer kun je niet doen.'

'Voor mijn gevoel moet er meer zijn dan dat,' zei Alan.

'Ik heb je jaren geleden al gezegd dat het gemakkelijker is om oceanograaf te zijn,' zei Malachy bijna zacht.

'Ja, en soms wou ik dat ik naar je had geluisterd,' zei Alan.

'Hoe is het met haar?'

'Met Julia? Nou, ik zei al –'

'Nee, de moeder. Dianne.'

Ineens had Alan het ijskoud. Zijn hart ging als een gek tekeer en hij had een vreemd gevoel in zijn keel. 'Komt die vraag van jou, of van iemand anders? Is hij toevallig bij je?'

'Die vraag komt van mij.'

'Het gaat goed met haar,' zei Alan, in het besef dat Malachy alleen zijn eerste vraag maar beantwoord had. 'Heel goed.'

'Daar ben ik blij om,' zei Malachy. 'Het was niet haar schuld.'

'Nee, dat is zo,' zei Alan, die een oude woede in zich op voelde laaien. 'Ze kon er niets aan doen.'

'Gemeen van iemand, om het vriendinnetje van je broer te stelen.'

'Ze was mijn vriendinnetje niet,' zei Alan. 'We waren nog maar een enkel keertje met elkaar uit geweest.'

'Ja, ik kan me voorstellen dat je je aan die gedachte vastklampt, maar volgens mij dacht je gevoel er toch heel anders over. Je had je mond open moeten doen toen je dat kon. Maar je wilde de vrede bewaren, en daar moet je nu voor boeten.'

'Ja,' zei Alan, terwijl hij naar de golven in de haven keek.

'Gaat het, Alan?'

'Ik wil de kwestie uitpraten.'

'Met Tim, bedoel je?'

'Ja.'

'Dat lijkt me hoog tijd,' zei Malachy. 'Het is verkeerd om het allemaal op te kroppen, daar vergiftig je jezelf alleen maar mee.'

'Het bewaren van de vrede interesseert me niet meer,' zei Alan.

'Alsof het ooit een echte vrede was,' zei Malachy.

'Ik snap wat je bedoelt,' zei Alan. 'Dus, mocht je Tim zien, mocht hij toevallig bij je in de buurt zijn, zou je hem dat dan willen zeggen? Dat ik hem wil spreken? Zo snel mogelijk?'

'Ik zal mijn ogen openhouden,' zei Malachy Condon.

Buddy kwam, doorweekt van de regen en vloekend, het huis binnen. Amy, die naast de ren van het hondje, op de grond voor de televisie zat en

Anne van het Groene Huis aan het lezen was, negeerde hem. Ze hoorden hem kabaal maken in de keuken, waar hij, veel luider dan nodig was, kastjes openrukte en dichtsloeg. Als er iets was dat Amy van haar middagen met Julia en Dianne had geleerd, dan was het wel dat een positieve houding altijd superieur was aan een negatieve.

Laat hem maar vloeken, laat hem maar tieren, dacht Amy, terwijl ze haar best deed om zich te concentreren op het boek dat Dianne haar had gegeven. Ze probeerde dezelfde tactiek op Buddy toe te passen die ze zo succesvol op David Bagwell had toegepast: het hebben van medelijden met de stakker. Iemand die zo gemeen was, was in feite een ontzettend zielig, een treurig mens. Maar toen Buddy naar de deur van haar moeders kamer liep, had ze opeens helemaal geen medelijden meer met hem.

'Ga daar niet naar binnen,' zei Amy.

'Pardon?' vroeg Buddy, met zijn hand op de deurknop.

'Ik zei,' Amy slikte, 'laat mijn moeder met rust.'

'Ik laat me door niemand vertellen wat ik in mijn eigen huis wel en niet kan doen,' zei hij. 'Niet door jou, en niet door je moeder.'

'Wij wonen hier ook,' zei Amy. Haar hart ging opnieuw als een wilde tekeer. Om moed te verzamelen, probeerde ze zich Dianne's gezicht voor de geest te halen. Maar het lukte niet, en ze gaf het op.

'Hou je bek, Amy,' zei hij. 'Misschien is het nog niet zo'n slecht idee om de TV uit te zetten wanneer je zit te lezen. Je laatste rapport was nou niet bepaald om over naar huis te schrijven.'

Amy's rapport was, op het feit na dat haar moeder de meeste dagen in bed doorbracht, Amy's meest gevoelige onderwerp. Ze voelde zich krimpen als een naaktslak waar zout op was gegooid, en dwong zichzelf om Buddy aan te kijken: 'Je hebt Mammie pijn gedaan,' zei ze.

'Wat zei je?'

'Je hebt haar pijn gedaan,' zei Amy. 'Ik heb de blauwe plekken gezien.'

'Laat ruzie maken nu maar aan de volwassenen over,' zei Buddy. 'Je bent stukken jonger als wij –'

'*Dan* wij,' zei Amy. 'Niet *als* wij.'

'Je bent al net zo'n wijsneus als je moeder. Ze is alleen maar show, dus waarom zou jij –'

Amy's ogen schoten vol tranen. Hoe durfde zo'n onbenullige idioot als Buddy zo over haar moeder te praten? Hoe kon haar moeder onder hetzelfde dak blijven wonen als hij – en het goedvinden dat Amy van al deze ellende getuige was? In een flits was ze opgesprongen en vloog ze op hem af.

'Ik wil niet dat je zo over haar praat.'

'Je hebt haar gisteravond toch gehoord, zoals ze *You've Got a Friend*, stond te zingen. Alsof ze een stem zou hebben. Stom, ik heb er geen ander woord voor. Karaokeavond zonder toneel.'

'Dat is het nummer van haar en mijn vader!' brulde Amy, terwijl ze woedend naar hem opkeek.

Bij het zien van Buddy's stomverbaasde gezicht, realiseerde ze zich dat hij dat niet had geweten. Hij greep Amy bij de arm en draaide hem om. Zijn lelijke gezicht vertrok op een manier waarbij zijn lippen, wenkbrauwen en wangen bij de punt van zijn neus bij elkaar kwamen.

'O, vind je dat leuk, om me dat even onder de neus te wrijven?' vroeg hij. 'Eens kijken hoe leuk je dat vindt.'

Buddy was nog nooit eerder hardhandig tegen haar geweest. Hij rukte aan haar arm en sleurde haar naar de andere kant van de kamer. Amy schreeuwde het uit, maar het enige wat Buddy deed was haar van zich afgooien, en vervolgens de deur van de hondenren open maken. Het hondje zat helemaal achterin en keek Buddy met grote, doodsbange ogen aan. Buddy rukte hem uit de ren en slingerde hem naar de andere kant van de kamer.

'Buddy, niet doen, alsjeblieft,' klonk de stem van Amy's moeder. Ze klonk zwak, iel en angstig. 'Laat haar met rust –'

'Hier is wat voor jou, om je neus in te wrijven,' zei Buddy, terwijl hij Amy met haar neus in de kranten van de hond drukte. 'Kun je zelf zien, hoe leuk dat is, kleine wijsneus die je bent.'

Amy's moeder schreeuwde en trok aan Buddy's arm, en Amy kokhalsde en huilde. De stank deed haar maaginhoud omhoog komen, en prikte in haar ogen en in haar keel. Het hondje moest uit angst op het kleed hebben geplast, want het volgende moment liet Buddy Amy los, en begon hij de hond te schoppen.

'Godvergeten kolere beest,' brulde hij. 'Stomme kuthond. Waardeloos kreng – geef me een zak. Ga een zak voor me pakken.'

Amy's moeder rende hem achterna naar de keuken. Amy's gezicht was nat van de tranen en de kots en de hondenplas. Haar moeder smeekte Buddy om zich niet zo druk te maken, maar Buddy gooide in zijn woede alles omver terwijl hij achter in de werkkast een plastic zak probeerde te vinden. Amy wist zeker dat hij een zak wilde om het hondje in te verzuipen, en de angst dat hij dat inderdaad zou doen, zorgde ervoor dat ze plotseling weer in staat was om helder te denken.

Het hondje was onder het bed gevlucht. Ze ging hem achterna naar de kamer van haar moeder, en liet geen moment verloren gaan. Buddy had haar, in al zijn gemeenheid, op een idee gebracht. Ze rukte de vergeelde sloop van een van de kussens, dook onder het bed en verspilde geen moment aan lieve praatjes. Ze greep de hond en duwde hem in de sloop.

Terwijl Buddy nog bezig was om jan en alleman – alle vrouwen, Amy's vader, James Taylor en het hondje met zijn zwakke blaas – te vervloeken en alles in de keukenkast overhoop te gooien, rende Amy het huis uit. Het hondje, dat doodsbang was, worstelde om de sloop uit te komen.

'Ik breng je naar een betere plek,' beloofde ze het hondje. 'Naar een veel beter huis.'

Het hondje piepte en wrong zich in alle bochten. Amy droeg de zak op haar rug, en het hondje had scherpe nagels waarmee hij langs haar rug omhoog probeerde te klimmen. Hij hapte in het donker om zich heen, en raakte daarbij zo nu en dan haar schouder of de zijkant van haar hoofd. In haar haast had ze vergeten haar jack en haar muts te pakken. Ze was op blote voeten, en het was nog zo vroeg in het jaar dat ze nog geen echte strandvoeten had.

Ze hoorde gierende autobanden. Buddy reed altijd als een gek wanneer hij boos was. Via de achtertuinen rende Amy zo hard als ze kon tot ze twee straten verder was. Haar voeten deden pijn en haar schouder bloedde waar het hondje haar had gebeten. Ze huilde, maar zonder geluid te maken. Ze had voldoende oefening gehad in het verbergen van haar tranen, en dit was niet het moment om door een van de buren te worden gevonden die haar vervolgens naar huis zou willen brengen.

Ze zag een auto de hoek om komen. Hij kwam haar kant op. Het was niet Buddy, want de uitlaat was niet kapot en maakte geen kabaal als van een machinegeweer die de hele stad overhoop wilde schieten. Ze huilde zo hard dat ze nauwelijks nog iets kon zien. Ze keek over haar schouder en langs het hondje dat uit de sloop probeerde te komen. Het was een bestelbus. Een groene bestelbus. Hij had stickers van het aquarium en van de haven op de ruit.

'Hee, Amy,' zei Dianne grinnikend, terwijl ze het raampje opendeed. 'Wil je een lift?'

'Help me, Dianne,' huilde Amy. Ze spreidde haar armen wijd, waarbij ze het hondje bijna liet vallen. 'Help ons, alsjeblieft!'

Dianne reed rechtstreeks naar huis. Amy zat de hele weg te snikken. Zoals ze over haar schouder had gekeken, had ze duidelijk de indruk gemaakt dat ze voor iets of iemand op de vlucht was. Julia was stil. Haar handen zweefden vragend door de lucht. Toen ze bij het huis waren, en Dianne de deur van de werkplaats open had gemaakt, rende Amy zo snel mogelijk naar binnen. Ze bleef midden in de ruimte staan en keek met verwilderde ogen om zich heen. In haar handen hield ze een bewegende witte zak. Bloed druppelde van haar schouder omlaag over haar arm.

'Amy, wat is er gebeurd?' vroeg Dianne, terwijl ze langzaam op haar toe ging.

'Ik moest hem meenemen,' zei Amy. Ze stond wijdbeens en elke spier in haar lichaam was tot het uiterste gespannen. Ze hield de sloop voor zich alsof haar leven ervan afhing, en ze straalde iets uit van iemand die totaal bezeten was en op het punt stond een wanhoopsdaad te begaan.

'Wie moest je meenemen?' vroeg Dianne. 'En je bloedt...'

'Mag ik hem eruit laten?' vroeg Amy, en ze begon weer te huilen. 'Mijn armen zijn zo moe.'

'Ja –' zei Dianne.

Amy liet de sloop zakken, en er kroop een zwart hondje uit. Het was een puppy met opvallend lange poten, dat Dianne deed denken aan een hert. Zijn ogen waren enorm van angst. Hij liet zich door zijn achterpoten zakken, plaste op de houten vloer, en schoot vervolgens onder de slaapbank in de hoek.

Dianne deed nog een stapje naar Amy toe. Ze aarzelde en wist niet goed in hoeverre het verstandig zou zijn om haar aan te raken. Het kind beefde over haar hele lichaam en zag verschrikkelijk bleek. Dianne begreep dat ze een shock had. Haar lippen hadden een blauwachtige, roze kleur, en gingen open en dicht als de bek van een vis. Ze keek Dianne hulpeloos verlangend aan, en toen Dianne haar armen spreidde, bedacht Amy zich geen moment, maar stortte zich erin.

'Hier ben je veilig,' fluisterde Dianne tegen het snikkende meisje, hoewel ze niet precies wist waar ze zo bang voor was. 'Dat beloof ik je.'

'Ik maak me zulke zorgen om het hondje,' huilde Amy. 'Hij heet Slash, maar zo kan ik hem niet noemen. Het is zo'n afschuwelijke naam. We moeten een andere naam voor hem bedenken...'

'Ja,' zei Dianne, met een blik op het bloed en de rode krabben in Amy's nek, die al een beetje blauw begonnen te worden. 'Dat ben ik met je eens. Hij is veel te lief voor zo'n agressieve naam.'

Ze hielp Amy met het uittrekken van haar blouse, en zag dat het bloed afkomstig was van waar de hond haar had gekrabd en gebeten. Amy riep bijna fanatiek dat het hondje het niet kon helpen, dat hij bang was geweest en dat hij haar niet expres pijn had gedaan. Dianne beaamde dat dat waarschijnlijk inderdaad het geval was geweest. De verwondingen waren oppervlakkig, en ze maakte ze voorzichtig schoon met water en zeep. En Dianne zag een blauwe plek die niet door het hondje was veroorzaakt.

Amy's hele schouder werd, tot aan het holletje van haar nek, bedekt door een blauwpaarse plek in de vorm van een hand. Dianne keek naar de afdruk van de hand, de vier vingers op Amy's sleutelbeen en de duim op haar schouderblad. Dianne had niets om de bloeduitstortingen mee te behandelen. Het kijken ernaar bezorgde haar een misselijkmakend gevoel.

'Amy, wie heeft je deze blauwe plek bezorgd?'

'Niemand,' antwoordde ze.

'Ik bedoel niet de blauwe plekken waar de hond je heeft gekrabd. Je hebt hier een enorme blauwe plek die –'

'Ik heb mijn schouder gestoten,' zei Amy, 'toen ik het hondje uit zijn ren wilde halen.'

Dianne probeerde diep adem te halen. Wie de dader ook zijn mocht, hij had geen duidelijker spoor na kunnen laten.

'Heeft iemand je geslagen, Amy?' vroeg Dianne. Ze realiseerde zich dat haar stem beefde.

'Nee!'

'Je kunt het me rustig vertellen, lieverd. Ik beloof je dat ik het niet –'

'Ik mankeer niets,' zei Amy. 'Het gaat om de puppy. Ik wilde je de puppy laten zien.'

Nadat ze zich gedurende enkele minuten door Dianne troostend heen en weer had laten wiegen, begon ze onrustig te worden. Ze kroop half onder het bed om naar het hondje te kijken en het volgende moment keek ze omhoog om te zien hoe Stella reageerde. Stella zat zo diep weggedoken in haar mand boven op de kast, dat alleen haar grijze oortjes maar te zien waren. Vervolgens keek ze naar buiten, en toen pas ging ze bij Julia zitten. Ze schoof haar stoel tot vlak bij die van Julia en legde haar hoofd op het blad. Julia's handen beschreven ronde vormen in de lucht, alsof ze haar best deed om haar vriendinnetje te troosten.

Dianne liep naar haar bureau. Ze ging met haar rug naar de meisjes toe staan en draaide het nummer van Alans praktijk. Het was al laat – bijna halfzeven – maar Martha nam op.

'Hallo, Dianne,' zei hij even later.

'Hallo,' zei ze, 'ik heb Amy hier.'

'Mooi,' zei hij. 'Hoe is het met haar?'

Dianne probeerde zo zacht mogelijk te spreken, maar dat was moeilijk, want haar stem beefde nog steeds en ze kon hem niet beheersen. 'Iemand heeft haar mishandeld, Alan,' zei ze. 'Ze ontkent het, maar het is heel duidelijk te zien –'

'Ik kom eraan,' viel hij haar kortaf in de rede.

Het was verschrikkelijk om op afdrukken te hopen, maar dat deed Alan, toen hij in de auto sprong en zo snel als hij kon naar Dianne's huis reed. In zijn dokterstas zat een Polaroidcamera. Als kinderarts werd hij regelmatig geconfronteerd met misstanden en leugens. Er waren ondervoede kinderen die nauwelijks te eten kregen. Er waren kinderen met schroeiplekken van uitgedrukte sigaretten, waarvan de ouders beweerden dat het schroeiplekken van de kachel waren. En er waren kinderen met striemen die duidelijk veroorzaakt waren door slaag met een riem, en die beslist niet, zoals de ouders zeiden, het gevolg waren van een valpartij.

Wanneer Alan dergelijke gevallen onder ogen kreeg, ging hij onmiddellijk tot actie over. Een telefoontje was voldoende, en dan kwam er een maatschappelijk werkster die het kind in kwestie bij een pleeggezin onderbracht. Zonder dat er vragen werden gesteld. Kindermishandeling was bij de wet verboden.

Er waren echter ook gevallen die subtieler waren. Het leek onvoorstelbaar, maar 'mishandeling' was een begrip met gradaties. Er waren gevoelloze ouders die hun kind wel te eten gaven, maar die het geen liefde schonken. Het kind werd niet gekoesterd, kreeg nooit een zoen, en werd nooit op zijn gemak gesteld door een liefdevolle aanraking. Nog wreder waren de ouders die verbaal straffen uitdeelden, die hun eigen frustraties en beperkingen afreageerden op hun kinderen – die ze uitmaakten voor stom, lelijk, gemeen, sloerie en nietsnut. Woorden waarvan de ouders ongetwijfeld het gevoel hadden dat ze op zichzelf van toepassing waren, maar Alan, die hun psychiater niet was, kon geen greintje medeleven voor hen opbrengen.

Alan had een speciaal zwak voor de kinderen van depressieve ouders. Kinderen wier ouders ooit eens vol goede bedoelingen waren geweest, en die werkelijk en oprecht van hun kind hielden; liefdevolle ouders die een groot verdriet torsten waar ze maar niet overheen konden komen. Sommigen van die ouders, zoals Alans moeder, grepen naar de drank. Andere, zoals Amy's moeder, trokken de dekens over hun hoofd en maakten van hun kinderen eenzame en wanhopige wezens.

Buddy Slain was geen ouder, maar hij maakte deel uit van Amy's wereld. Als Amy blauwe plekken had, dan durfde Alan er wat om te verwedden dat die het werk van Buddy waren. En Alan zou alles doen wat hij kon om Amy nog voor zonsondergang weg te halen bij Tess Brooks, ongeacht hoeveel ze ook beweerde van haar dochter te houden.

Amy's hart ging als een wilde tekeer, maar zo dicht bij Julia voelde ze zich langzaam maar zeker weer wat tot rust komen. Julia deed haar handendans van goede bezweringen boven Amy's hoofd. Ze slaagde erin alle lelijke, nare en boze gedachten te verdrijven. Julia had van die tedere handen. Zo nu en dan streken ze zachtjes langs Amy's oor, haar huid en haar haren. Julia's stem was vandaag extra zacht, en haar gefluisterde 'gleee, gleee' was als een boodschap van zoete vrede.

Amy had zich slapende gehouden toen Dianne Dr. McIntosh had opgebeld, maar ze had ieder woord gehoord. Ze moest besluiten wat ze wilde.

In een van haar fantasieën zei Dianne dat ze haar wilde adopteren en dat ze Amy's moeder wilde worden. Dan zou Julia haar zusje zijn, en ze zouden met z'n allen gelukkig zijn hier, in het huis aan de rand van het moeras. De oude mevrouw Robbins zou Amy's grootmoeder zijn. Amy zou de mooiste boeken uit de bibliotheek kunnen lenen, en ze zou de beste cijfers voor grammatica halen.

De fantasie sprak haar aan, en het was heerlijk om er nog wat op door te borduren. Waarom zouden zij en Julia geen vader hebben? Dr. McIntosh was natuurlijk de ideale kandidaat. Hij en Dianne werden verliefd op elkaar. Ze zouden goede ouders zijn, en iedereen zou gelukkig zijn.

Julia zuchtte alsof ze aan precies dezelfde dingen zat te denken.

Amy was altijd al dol geweest op fantaseren. Wanneer ze droomde, kon ze haar zorgen en haar angst vergeten. Ze had gefantaseerd dat ze een dolfijn was, een hond, een kat, een mier en een vleermuis. Ze had zich voorgesteld dat Buddy zou sterven en dat haar vader weer levend was. Ze had zichzelf in slaap gewiegd met beelden van zichzelf en haar moeder terwijl ze bij een koraalrif onder water zwommen, door prachtige dolfijnen door het kristalheldere water werden getrokken, zelf in dolfijnen veranderden en naar haar vader zwommen. Zo veel heerlijke, gelukkige dromen...

Er rolde een traan over Amy's wang. Maar nu moest ze de realiteit onder ogen zien. Dr. McIntosh kon elk moment hier zijn. Hij zou haar vragen stellen over de blauwe plek die Dianne had gezien, en Amy zou moeten liegen. Zo simpel was dat. Ze wist hoe het verder zou gaan. De kinderbescherming had al een dossier van haar. Er zou niet veel meer hoeven gebeuren, of ze zou bij haar moeder worden weggehaald.

En er waren heus wel eens momenten geweest waarop Amy daar dankbaar voor zou zijn geweest.

En dat was nu juist het stukje dat haar zo veel verdriet deed. Het feit dat ze er, heel diep in haar hart, naar verlangde om haar sombere huis te verlaten. Om verlost te zijn van het geschreeuw en het drinken, de ruzies en het gekrijs, de dichte gordijnen en Buddy's lege flesjes bier. Er bestonden gezinnen zoals dat van Dianne en Julia, waar het leven dan misschien niet volmaakt was, maar waar de mensen toch van elkaar hielden. Amy hoefde het maar te zeggen, en Dr. McIntosh zou ervoor zorgen dat ze in zo'n gezin werd geplaatst.

Maar dat betekende dat ze haar moeder zou moeten verlaten.

En bij die gedachte onderdrukte Amy een snik. Amy hield zielsveel van haar moeder, meer dan de volmaakte meisjes van hun volmaakte moeders hielden. Het was een gevoel dat haar over haar hele lichaam deed beven. Ze maakte geen enkel geluid, om te voorkomen dat Dianne haar zou horen en naar haar toe zou komen. Maar Julia had haar wel gehoord. Of ze had het aangevoeld. Wat het ook geweest was, ineens kwamen haar handen tot rust. Ze kwamen tot rust op Amy's hoofd.

Amy bleef roerloos zitten en huilde stilletjes voor zich uit, en Julia's handen lagen losjes op Amy's hoofd. Ze ademde op haar eigen Julia-manier – zachtjes rochelend in en uit. Ze zei niets, maar wist desondanks toch zo heel veel over te brengen. Amy kende de taal zonder woorden. Ze sprak hem zelf op duizenden verschillende manieren – op dat moment tegen de kat op de kast, en tegen de hond onder het bed. Ze zat zonder zich te verroeren, en communiceerde stilzwijgend met haar vriendinnetje en de dieren.

'Amy?' vroeg Dianne. 'Kun je met ons praten?'

'Nee,' zei Amy voor de derde keer. 'Niemand heeft me geslagen. Ik heb mijn schouder gestoten toen ik het hondje uit de ren wilde halen.'

'Amy,' zei Alan, waarbij hij haar recht in de ogen keek.

Kinderen werden eerlijk geboren. Wanneer ze op de wereld kwamen, kenden ze alleen de waarheid maar. Het bad was nat, de handdoek was droog, de melk hielp tegen de honger, hun moeder rook naar Hun Moeder. Sommige kinderen groeiden op en leerden liegen, en het was iets waar Alan ontzettende moeite mee had. Hij voelde het bijna altijd aan. Amy deed het ook – de laatste tijd steeds vaker.

'Echt waar,' zei Amy, met een veelzeggende ontwijkende blik.

'Amy, je was volkomen over je toeren toen ik je vond,' zei Dianne zacht. Ze stond een paar stappen achter Dianne. Ze had haar armen over elkaar geslagen en scheen niet helemaal zeker van haar plek in dit gesprek. Alan deed een stapje opzij om haar erbij te laten.

'Ja, en Dianne zegt dat je op blote voeten was en geen jas aan had.'

'Dat heeft ze zelf ook niet,' zei Amy, en ze wees.

Alan keek naar Dianne's voeten. Het was waar. Dianne's blote voeten staken onder de pijpen van haar spijkerbroek uit. In de loop der jaren had hij haar thuis vaker op blote voeten zien lopen dan met iets aan haar voeten.

'In de auto had ik wel schoenen aan,' zei Dianne. 'En buiten ook.'

'Ja, maar –' begon Amy.

'Kom op, jongens, we hebben het niet over blote voeten,' zei Alan. 'We hebben het over die blauwe plek op je schouder, Amy. Je hebt intussen vast wel begrepen dat ik me zorgen om je maak. Waarom zijn jullie van huis weggelopen, jij en de hond?'

'De hond houdt niet van Buddy,' zei Amy.

'Buddy,' zei Alan. 'Heeft Buddy je geslagen?'

'Buddy heeft me niet geslagen,' zei ze ten slotte. Alan zag haar opnieuw wegkijken. Hij kon haar gedachten lezen. Ze wist dat ze, als ze zou toegeven dat Buddy haar mishandeld had, thuis zou worden weggehaald. Dat ze van haar moeder zou worden gescheiden.

In gedachten zag Alan het bed en de dekens over het hoofd van de slapende vrouw. Hij zag het voor zich alsof hij het gisteren nog had gezien. Niemand hoefde hem iets te vertellen over moeders, verdriet en verstoppen.

'Amy...' zei Dianne. 'We willen je alleen maar helpen.' Ze knielde voor Amy op de grond en nam haar hand in de hare. Dianne hield met elke vezel van haar lichaam, met een stralende, alles doordringende toewijding van haar dochter, en volgens haar behoorde elke moeder dat te doen. Dit soort conflict was nieuw voor haar, en het verbaasde haar dat Amy er niet eerlijk in kon zijn.

'Buddy heeft de hond geslagen,' fluisterde Amy, terwijl ze strak naar een onduidelijk punt bleef kijken. 'Dat is alles. Hij heeft alleen de hond maar geslagen.'

'Baaaaaa,' jammerde Julia. Tot nu toe was Julia heel rustig geweest, maar nu begon ze ineens te huilen. Dianne ging naar haar toe. Alan was zich van Dianne's frustratie bewust. Hij bleef bij Amy zitten en zag hoe ze al haar emoties achter slot en grendel stopte. Dat deed ze altijd wanneer er thuis iets was voorgevallen: ze trok zich in zichzelf, in haar eigen wereldje terug en werd ineens heel gesloten. Nu liet ze zich van de vensterbank glijden en kroop weg in een van Dianne's half afgewerkte speelhuizen.

Alan controleerde de film in het fototoestel; hij wilde er toch een foto van nemen.

Dianne keek hem aan vanaf de andere kant van de kamer. Er lag een nieuwsgierige en uitdagende blik in haar ogen. Ze was benieuwd naar hoe hij dit aan zou pakken – hoe hij dat deed, een mishandeld kind helpen dat bang was om zich te laten helpen. Alan dacht aan leugens, en aan het feit dat mensen leugens vertelden omdat ze de waarheid niet onder ogen durfden te zien.

Het was geen toeval geweest dat hij Malachy had gebeld en Tim op het spoor probeerde te komen. Alan wilde een aantal zaken rechtzetten met zijn broer, en het was tijd dat hij begon om Dianne de waarheid – de hele waarheid – te vertellen. De druk van elf jaar leugens vertellen had zijn tol geëist. Hij hield ontzettend veel van haar, maar omdat hij zich niet aan haar had willen opdringen, had hij zijn best gedaan om dat feit voor haar verborgen te houden. Hij had jarenlang gelogen, en daar moest een eind aan komen.

Lucinda had bij wijze van extra traktatie twee kwartels voor haar en Dianne gekocht, maar toen ze hoorde dat Amy en Alan zouden blijven eten, hakte ze ze doormidden en maakte ze wat extra rijst. Het duurde een poosje voor de stemming erin kwam – maar wat kon je ook verwachten, als je bedacht dat de maatschappelijk werkster van de kinderbescherming net weg was, nadat ze ruim een uur met alle betrokkenen had gesproken.

'Amy, hou je van koken?' vroeg Lucinda.

'Koken?' vroeg Amy, alsof ze het woord nog nooit eerder had gehoord.

'Dat vraag ik je, omdat er vandaag een paar gloednieuwe tienerkookboeken in de bibliotheek zijn aangekomen. Ik heb ze nog niet eens in de kast gezet, want ik werd helemaal in beslag genomen door de verrukkelijke recepten van toetjes.'

'Amy kan uitstekend koken,' zei Alan. Hij zat tussen Amy en Julia, en beiden keken hem aan alsof hij hun vader was.

'Paaaa,' zei Julia.

'Ik weet zeker dat jullie haar kookkunsten zullen kunnen waarderen,' zei Alan, terwijl hij Julia's rietje bij haar lippen hield. 'Ze maakt echt zalige milkshakes.'

'Weet u dat dan nog?' vroeg Amy, die eruitzag of ze elk moment aan een gebroken hart zou kunnen bezwijken. Ze had donkere kringen onder haar ogen, en haar oogleden waren opgezet van het huilen.

'Alsof ik dat ooit zou kunnen vergeten,' zei Alan. 'Je bent de afgelopen vierde juli voor het begin van het vuurwerk langsgekomen, en hebt de beste picknick gemaakt die ik ooit heb gegeten.'

'Kennen jullie elkaar al erg lang?' vroeg Dianne.

Amy knikte. 'Al vanaf dat ik nog heel klein was.'

'Weet je die fotomuur in mijn spreekkamer?' vroeg Alan. 'Met al die foto's van al die prachtige kinderen? Er zitten maar liefst vier kieken bij van deze tante hier –' Hij wees op Amy.

'Wauw,' zei Dianne, terwijl ze een stukje kwartel afsneed.

Lucinda keek Amy doordringend aan. Er waren in Hawthorne niet veel kinderen die ze niet van de bibliotheek kende, maar Amy was daar een van. Lucinda wist dat het, wanneer een kind niet van de bibliotheek gebruikmaakte, niet zijn of haar schuld was, maar dat het aan de ouders lag.

Lucinda had tweeëneenhalve generatie lezers zien opgroeien, en het vreemde was dat ze altijd van Tess Brooks verwacht had dat ze meer van Amy terecht zou brengen. Tess had als kind veel gelezen. Een kind zonder bibliotheekboeken was als een plant zonder water: verwelkt, gebrekkig en zonder wortels. Kon Julia maar lezen. Ze keek van Dianne naar Julia, en haar hart balde zich samen.

'Wat *is* dit voor een beest?' vroeg Amy, terwijl ze met haar vork in de kwartel prikte.

'Een kwartel.'

'Hij is zo klein,' zei Amy met een twijfelend gezicht.

'Je hoeft hem niet te eten,' zei Dianne.

'Ik wil hem wel eten,' zei Amy, terwijl ze er met haar vork in prikte, 'maar ik kan hem alleen niet goed snijden.'

Dianne reikte over de tafel heen om haar te helpen. Lucinda keek hoe Dianne Amy's vork en mes in de juiste positie zette. Zo'n op zich schijnbaar onbeduidend iets – een kind leren hoe het zijn eten moest snijden. Ze keek naar Julia die met haar slabbetje om in haar kinderstoel zat. Haar ogen dwaalden van de een naar de ander, en Lucinda schonk haar een warme glimlach.

Julia en Amy, dacht Lucinda. Je kon je bijna niet voorstellen dat ze ongeveer even oud waren. Twee schatten van meisjes met waanzinnige behoeften. Er was niets dat Lucinda, Dianne en Alan hun niet zouden geven als dat in hun vermogen had gelegen. Amy deed Lucinda denken aan een spons, zoals ze alle gezonde liefde aan deze tafel gretig in zich opzoog. En wat Lucinda niet had verwacht, was de manier waarop ook Dianne de liefde in zich opzoog. Ze zat te stralen terwijl ze het meisje hielp, en dat zag Lucinda niet elke dag.

Twaalf jaar geleden hadden Dianne en Tim hand in hand aan deze tafel gezeten, en hadden ze haar het ongelooflijke nieuws verteld: ze zouden een baby krijgen! Dianne had gestraald, en Lucinda had haar nog nooit zo gelukkig gezien. In een gebaar dat bijna verlegen was, alsof ze het niet echt bevatte dat er leven in haar groeide, had Dianne haar andere hand al die tijd op haar platte buik laten liggen. Ze had haar hele leven al naar kinderen verlangd.

'Wat is dit?' vroeg Amy, toen ze een krent in haar rijst ontdekte. Er zaten ook uitjes, walnoten en versnipperde bieslook in.

'Een krent,' zei Dianne. 'Dat is een soort rozijn.'

'In de rijst?' vroeg Amy verbaasd, maar zonder er een oordeel over uit te spreken.

'Als je rijst hebt waar van alles in zit, dan noem je dat pilaf,' zei Alan.

'Ik hou er nu eenmaal van om van alles bij elkaar te gooien, wanneer ik kook,' zei Lucinda.

'En dat doe je als de beste, Lucinda,' zei Alan. Hij had zijn bord tot op de laatste rijstkorrel leeg gegeten, en Lucinda glunderde.

'Dank je,' zei ze. 'Je moet echt vaker aanschuiven.'

'Aanschuiven?' vroeg Amy, terwijl ze vragend om zich heen keek.

'Dat is maar een uitdrukking,' zei Dianne. 'Lucinda bedoelt dat hij wat vaker moet komen eten.'

'Uitdrukkingen...' zei Amy somber, alsof ze ze nooit allemaal zou leren.

'Het giet pijpenstelen,' zei Dianne. 'Dat is een uitdrukking. Wie A zegt, moet ook B zeggen. Eieren voor je geld kiezen...'

'Nou, ik zie het wel zitten, die opmerking van Lucinda dat ik vaker moet aanschuiven,' zei Alan.

'Dat vind ik nou zo leuk,' zei Amy met een klein stemmetje, 'zoals je mensen vraagt om te blijven eten. Je wist niet eens dat we zouden komen, en je zet meteen zo'n pan vol pilaf op tafel...'

'Pilaf is een koud kunstje,' zei Lucinda.

'We zullen het je wel leren,' zei Dianne zo snel dat ze zichzelf verried. Lucinda vond de vreugde in haar ogen bijna ondraaglijk. Dianne had zoveel te geven, maar Julia kon maar zo weinig ontvangen. Ze zou Julia nooit kunnen leren koken, of haar verschillende uitdrukkingen bijbrengen. In sommige opzichten beschouwde Lucinda Amy als een hemels geschenk, maar in andere maakte het haar doodsbang: dat Dianne meer en meer aan haar gehecht zou raken en dat ze dan weg zou gaan.

'Daaaa,' zei Julia.

'Dag lieverd,' zei Dianne.

'Ze wil nog wat melk,' zei Amy.

Alan hield het rietje voor haar op, en ze nam het luidruchtig zuigend tussen haar lippen.

'Waar is haar vader?' vroeg Amy opeens.

'Wat?' vroeg Alan.

'Uw broer. Julia's vader?' vroeg Amy. Ze maakte de indruk alsof ze van streek was, en of het antwoord op de vraag erg belangrijk voor haar was.

'Weg,' zei Dianne.

'Op zee,' zei Alan, die onvriendelijker klonk dan hij gewild had.

'Net als mijn vader,' zei Amy met gebroken stem. 'Alleen dat hij nog leeft. Hij zou Julia haar melk moeten geven, en niet u. O, ik wou dat Julia haar vader had...'

'Hij is heel anders dan jouw vader,' zei Dianne.

'Het is maar zelden zo dat alles volmaakt is,' zei Amy, 'maar dat betekent nog niet dat een familie niet van elkaar zou moeten houden.'

'Of van elkaar zou behoren te houden,' zei Alan.

'Houdt u van uw broer?' vroeg Amy.

'Dat is een moeilijke vraag,' zei Alan, en hij klemde zijn kiezen op elkaar. 'Ja,' zei hij toen. 'Ik hou van hem omdat hij mijn broer is.' Dianne keek weg. Lucinda kreeg een prop in haar keel – ze had het liefste een potje gehuild om al haar verdrietige kinderen.

'Jullie zouden een camper moeten huren,' zei Amy. 'Om hem te zoeken. Jullie zouden naar elke haven moeten rijden en affiches op moeten hangen, om hem voor Julia naar huis te halen voor het te laat is.'

'Te laat?' vroeg Dianne, alsof Amy een orakel was dat meer wist dan zij. 'Zijn boot kan zinken, zoals die van mijn vader. Hij kan verdrinken. Stel je voor dat hij Julia dan nooit gekend zou hebben. Echt helemaal nooit. En dan zou hij dat ook nooit meer kunnen,' zei Amy, terwijl de tranen haar over de wangen stroomden. 'Ik heb toch zo'n medelijden met ze...'

'Met wie?' vroeg Dianne zacht, terwijl ze Amy's hand in de hare nam.

'Met ze allemaal,' snikte Amy. 'Met alle ouders die hun kinderen kwijt zijn, en met alle kinderen die hun ouders kwijt zijn. Ik hou zoveel van mijn moeder! Ik wil haar niet verliezen.'

'O, Amy,' verzuchtte Dianne met een snik.

Alan zàt zo intens naar Dianne te kijken, dat Lucinda's adem ervan stokte. Al zijn emoties stonden op zijn gezicht te lezen, en de spanning in de houding van zijn nek en schouders getuigde van alle onderdrukte liefde die hij voor Dianne koesterde. Hij werd erdoor overweldigd. Hij keek naar de snikkende Dianne die de snikkende Amy in haar armen hield, en hij moest zich tot het uiterste beheersen om te blijven zitten waar hij zat.

'Ze heeft me nodig,' huilde Amy. 'Zorg er toch alsjeblieft voor dat ik niet bij haar word weggehaald.'

'We hebben elkaar allemaal nodig,' fluisterde Lucinda, die nog steeds keek naar hoe Alan naar Dianne zat te staren.

Hoofdstuk 11

Amy zou een paar dagen bij de Robbinsen blijven, en Dianne had het logeerbed in Julia's kamer voor haar opgemaakt. Die eerste nacht kon Amy helemaal niet slapen. Ze kroop in en uit bed, liep door de kamer, knielde voor het raam en keek naar buiten, alsof ze hoopte dat haar moeder haar zou komen halen. Dianne kon ook niet slapen. Ze wilde Alan bellen en hem vragen of hij wilde komen om bij hen te zijn. Toen ze Amy zag huilen, liep ze de kinderkamer binnen.

'Over een paar dagen ga je weer naar huis,' zei Dianne.

'Ze redt het niet zonder mij,' zei Amy.

'Ik weet zeker dat ze je heel erg mist,' zei Dianne.

'Als ik er niet ben, dan herinnert niemand haar eraan dat ze haar vitaminepillen moet nemen,' snikte Amy. 'En dan is Buddy gemeen tegen haar. Met mij erbij, houdt hij zich tenminste nog een beetje in.'

Kinderen worden niet geacht hun ouders te beschermen, wilde Dianne zeggen. Het hoort andersom te zijn. Julia sliep onrustig en haar ademhaling rolde als verre donder. Amy zat op haar knieën voor het raam en tuurde in de richting van haar huis. Nachtzwaluwen riepen in het moeras. Het was zo'n donkere nacht dat alle sterren duidelijk te zien waren: De Draak, Cepheus, Cassiopeia. De Melkweg was een brede rivier van sterren.

'Ze zou willen dat je een beetje sliep,' zei Dianne, met haar hand op Amy's schouder.

'Ik ben zo bang dat er iets ergs zal gebeuren –'

'Dat weet ik.'

'En dat wil ik niet,' zei Amy met een klein stemmetje.

'Dat weet ik ook,' zei Dianne. Alan kende de situatie beter dan zij. Was hij nu maar hier, dan zou hij Amy kunnen omarmen en haar troosten en de juiste dingen tegen haar zeggen. Zoals hij altijd met Dianne probeerde te doen...

Aan de andere kant van de tuin lag haar werkplaats. Stella zat voor het raam en keek zoals altijd naar de sterren. Ze zat met opgeheven hoofd, en zelfs vanaf hier kon Dianne het verlangen in haar ogen zien.

'Kijk,' zei Dianne, terwijl ze haar gezicht tot naast dat van Amy bracht. De wangen van het meisje waren nat, en Dianne hoorde het beverige geluid van haar snikken. 'Daar heb je je vriendinnetje.'

'Mijn vriendinnetje?'

'Stella,' zei Dianne. 'En ze doet wat ze altijd doet: ze zoekt Orion.'

'Doet ze dat elke nacht?'

'Elke nacht. Ook wanneer het bewolkt is. Ze kijkt altijd naar de sterren. Ze weet dat Orion er altijd is, of ze hem nu kan zien of niet.'

'Ze gelooft,' zei Amy met gebroken stem.

'Ja, ze heeft vertrouwen. Ik probeer me altijd voor te stellen hoe het voor haar geweest moet zijn, toen ze nog in die stenen muur woonde en altijd naar de sterren keek. Ik weet zeker dat ze dacht dat Orion haar vader was. Hij is de jager, maar hij zorgde ervoor dat haar niets overkwam.'

'Net zoals mijn vader...' zei Amy, en ze keek van Stella naar de hemel. Dianne keek omlaag naar Amy, en vervolgens van Amy door de donkere tuin naar Stella. Ze keken alle twee naar Orion, het meisje en de vreemde kleine kat, en dachten aan hun vader. Dianne keek omhoog en dacht aan Emmett. En ze dacht aan een andere man, eentje die geen vader was, maar die precies wist hoe hij een geweldige vader moest zijn. Alan.

Vier dagen later zat het hondje nog steeds onder het bankbed in de werkplaats, en weigerde te voorschijn te komen. Dianne bewaarde architectuurboeken en fotoalbums en interessante stukjes hout onder het bed, en het hondje had tussen en achter al die dingen een plekje gevonden. Er was niets van hem te zien, zelfs zijn ogen niet.

Dianne had kommetjes met voedsel en water naast haar bureau gezet, maar hij kwam zelfs niet onder het bed vandaan om te eten en te drinken. Toen het na de tweede nacht duidelijk was dat hij weigerde te voorschijn te komen, schoof Dianne de kommen onder het bed. Ze had nog nooit een dier gezien dat zo doodsbang was, en ze maakte zich ernstige zorgen.

Nog erger was de gedachte aan wat Amy gezien en meegemaakt moest hebben. Dianne observeerde het kind dat afwisselend voor het raam stond en naar de telefoon staarde. Ze miste haar moeder verschrikkelijk. Intussen was er het nodige gebeurd. Eerst was er een rechterlijk bevel bezorgd waarin het Amy verboden werd om naar huis te gaan. Daarna had er een hoorzitting plaatsgevonden waarop Alan tot tijdelijke voogd was aangewezen. En verder had de rechter bepaald dat Amy voor een nog nader te bepalen periode bij Dianne moest blijven.

Amy's blauwe plek was zwart geworden, en was door het dunne katoen van haar zomerse bloesje heen te zien. Dianne keek van Amy naar Julia, en voelde een machteloze woede in zich opkomen.

Amy was de droom van elke moeder: gezond, knap, sportief, intelligent en lief. Hoe kon iemand zo'n kind hebben, en niet met heel haar hart van haar houden? Hoe was het mogelijk dat een moeder haar leven verspilde, en alle uren die ze met haar dochter door zou kunnen brengen, in bed lag te verslapen? Hoe was het mogelijk dat Tess Brooks het toestond dat haar vriendje haar, maar vooral ook Amy, zo mishandelde?

Maar wat Dianne nog wel het verschrikkelijkste van alles vond, was de manier waarop Amy van haar moeder hield. Zonder haar moeder leek ze een deel van haar innerlijke vonk te missen. Ze zei amper nog iets. Ze had geen honger. Toen Dianne haar vroeg wat voor kleur het volgende speelhuis moest worden, haalde Amy alleen haar schouders maar op. Zelfs Julia kon haar aandacht niet trekken. Amy zat gewoon met nietsziende ogen voor zich uit te staren.

Totdat Stella uit haar mandje kwam.

De kat sloop om het bed heen. Ze maakte geen uitgesproken angstige of nieuwsgierige indruk; ze liep alleen maar heen en weer, op zoek naar het beste plekje. Er lag een hond onder het bed. Een vreemde hond. Er was niets wat aan Stella's aandacht ontsnapte, maar Dianne zag aan de manier waarop ze bewoog dat ze wist dat de hond daar was, en dat ze iets van plan was.

'Amy,' zei Dianne, 'kijk eens.'

Amy keek.

'Wat doet ze?' vroeg Amy.

Stella dook in elkaar. Ze wiebelde met haar achterwerk en ging zitten alsof ze van plan was om voorlopig niet van haar plaats te komen. Dianne vermoedde dat ze zich min of meer op gelijke hoogte bevond met de plek waar de pup zich schuil hield. De turquoise ogen van de kat keken strak naar de twee centimeter brede kier tussen de sprei en de vloer.

'Ze wacht.'

'Waarom is ze niet bang?' vroeg Amy, terwijl er weer een beetje licht in haar ogen kwam. 'Hij is toch zo veel groter dan zij.'

'Nou,' begon Dianne, maar Amy had het antwoord intussen zelf al bedacht.

'Omdat ze vriendschap met hem wil sluiten?'

'Ja, dat denk ik ook. Ze wil hem duidelijk maken dat hij niet bang hoeft te zijn.'

'Maar Stella voelt zich anders nooit op haar gemak,' zei Amy, met een blik op de poezenmand boven op de kast. 'Ze ligt de hele dag in haar mandje! Voor ons komt ze nooit zo naar beneden.'

'Misschien wil ze hem wel vertellen dat het veilig is om zichzelf daarvan te overtuigen.'

'Denk je dat ze hem vanavond Orion zal laten zien?' vroeg Amy. 'Als de sterren te zien zijn?'

'Dat zou me niets verbazen,' zei Dianne.

'Zo noemen we hem,' zei Amy opeens. 'Orion.'

'Het hondje. Orion!' zei Dianne.

'Stella en Orion...'

Amy liep naar Julia. Julia was de hele dag een beetje suf en slaperig geweest, maar Amy's nabijheid leek haar op te monteren. Ze hief haar hoofd op en zette grote ogen op. Amy hurkte naast Julia's stoel, precies zoals de kat voor de hond zat gehurkt.

'We hebben huisdieren,' fluisterde Amy. 'Dit is de eerste keer van mijn leven dat ik een hond een naam geef. Hij heet Orion. De vissers op zee kunnen hem vanaf hun boot zien, Julia. Jouw vader, en de mijne. Als ze de sterren volgen om de weg naar huis te vinden, dan wijst Orion ze hoe ze moeten varen.'

Julia wiegde een beetje heen en weer. Amy's stem leek een kalmerende uitwerking op haar te hebben. Trouw en toewijding straalden van haar gezicht. Haar magere lichaam boog opzij naar haar vriendinnetje. Amy's ogen glommen van de tranen en van de waanzin van het houden van mensen die ergens anders waren. Dianne wist alles van het verlangen naar mensen die er niet waren, en ze voelde een pijnlijke prop in haar keel. Julia had een vader, en die vader was niet Alan. Die wetenschap was even waar als de sterren, en het brak Dianne's hart.

In het weekend ging Alan bij Amy's huis langs om nog wat spulletjes te halen die ze nodig had. Toen Dianne zijn auto hoorde, haastte ze zich naar buiten, hem tegemoet. Zijn ogen hadden iets glazigs, en zijn gezicht was een vertrokken masker.

'Je ziet eruit alsof je een spook hebt gezien,' zei Dianne.

'Tess Brooks. Ze zou een zusje van Lady Macbeth kunnen zijn,' zei Alan. 'Haar gezicht is volkomen uitdrukkingsloos, en de blik in haar ogen is die van een opgejaagd dier. Ze bezwoer bij hoog en bij laag dat Buddy het niet expres had gedaan. De hond sprong op Amy af om haar te bijten, en hij heeft haar alleen maar opzij geduwd. Bijt die hond?'

'Het arme dier zit zo ver onder het bed, en we hebben hem sinds ze hem hier heeft gebracht niet meer gezien. Maar Amy zegt van niet, en ik geloof haar.'

'Ik ook.'

'Dus dan heeft haar moeder gelogen.'

'Om Buddy te beschermen. Tess Brooks is depressief en hij heeft haar aangepraat dat ze niet voor zichzelf kan zorgen. Hij is een schoft die op de meest schandalige manier misbruik van haar maakt, en haar voorhoudt dat ze hem dankbaar zou moeten zijn.'

'Ik zou dolgraag medelijden met haar hebben,' zei Dianne. 'Maar hoe staat het met Amy? Wat moet ik vinden van een vrouw die liever liegt dan dat ze haar dochter in bescherming neemt?'

'Ze liegt omdat ze wanhopig en bang is,' zei Alan.

Dianne had het idee dat hij het in werkelijkheid over zijn eigen moeder had. Tim had haar een aantal dingen verteld, onder andere hoe zijn moeder er na Neils dood een gewoonte van maakte om wodka te drinken. Ze dronk er openlijk van en zei tegen de jongens dat het water was. Toen de jongens daar op een gegeven moment niet meer intrapten, verstopte ze de flessen en zei ze dat ze van de drank af was. Toen ze de auto in de prak had gereden, zei ze dat ze was uitgeweken voor een hond. Toen ze met de volgende auto op een kruising tegen een bestelwagen op knalde, vertelde ze de politie die onderzoek naar het ongeval deed, dat ze sinds de dood van haar zoon regelmatig last had van migraine, en dat ze het busje helemaal niet had zien aankomen.

'Wat zei ze verder nog?' vroeg Dianne. De gedachte aan Tess Brooks maakte haar misselijk. Ze was woedend, en haar bloeddruk schoot omhoog.

'Dat ze Amy terug wil.'

'Heeft ze dat gezegd?'

'Natuurlijk. Ze belooft dat ze in therapie zal gaan, dat ze Buddy eruit zal gooien en zal doen wat verder nog nodig mocht zijn. Ze is een wrak.'

'Hoe heeft ze dat kunnen laten gebeuren, dat die Buddy Amy zo mishandelde...' zei Dianne. Ze stond met haar armen over elkaar geslagen te beven van woede. In gedachten zag ze Amy's blauwe plekken weer voor zich.

'Ze is een en al spijt en berouw.'

'Nou, dat is dan een beetje te laat,' zei Dianne.

'Iedereen verdient een tweede kans,' zei Alan.

Dianne keek hem geschrokken aan. Hoe kon hij dat zo gemakkelijk zeggen? Na alles wat zijn eigen moeder hem en Tim had aangedaan? Heftig schudde ze haar hoofd.

'Ik kan het haar onmogelijk vergeven,' zei ze, 'wat ze Amy heeft aangedaan. Als ik denk aan wat ik voor Julia voel...'

'Jij bent anders,' zei Alan.

'Ja dat weet ik. Ik lig niet de hele dag in bed!'

'Ze is geen slecht mens,' zei Alan. 'Ze is ziek.'

'Ik snap echt niet hoe je dat kunt zeggen,' zei Dianne. Ze keek naar haar blote voeten opdat hij niet aan haar ogen zou kunnen zien hoe woedend ze was. 'Helemaal na wat jij zelf als kind hebt meegemaakt.'

'Dacht je dat Tim op dit moment hier zou zijn geweest,' vroeg Alan, ' als onze moeder niet aan de drank was geweest?'

Dianne keek met een ruk op.

'Daar verlang ik al lang niet meer naar,' zei ze, terwijl de tranen over haar wangen stroomden. 'Maar hij heeft in zijn jonge jaren veel verdriet te verwerken gehad, en dat heeft hem gemaakt tot de man die hij is. Ja, dat zijn dingen waar ik over nadenk. Ik denk aan hoe het allemaal is begonnen. Als zij zich niet voor haar kinderen had afgesloten en aan de drank was gegaan... Ja, ik denk inderdaad dat Tims leven dan anders verlopen zou zijn. Dan zou hij de kracht hebben gehad om bij mij en Julia te blijven...'

'Ach, hou toch op, Dianne,' zei Alan, met een van pijn vertrokken gezicht. 'En wou je dat dan echt? Dat hij was gebleven?'

'Hij is Julia's vader,' zei Dianne.

'Alleen maar in naam,' zei Alan.

Dianne wilde hem van zich af duwen. De realiteit van haar bestaan drong zich in een klap weer aan haar op. Wat wilden de woorden 'alleen maar in naam' zeggen wanneer het om ouders ging? Wat telde, was de bloedband. Julia was Tims dochter, en dat was iets dat geen van hen ooit zou kunnen vergeten. Ze hoorde Alans adem, en voelde hem op haar wang. Ze voelde zich verpletterd, en het verlangen om weg te lopen was groot.

'Ik kan niet over Tim praten,' zei ze.

'Ik zou hem het liefste bij zijn lurven grijpen om hem te confronteren met wat hij heeft achtergelaten.'

'Hij durft zijn eigen leven niet onder ogen te zien,' zei Dianne, terwijl ze het bloed uit haar wangen voelde trekken. 'Daar is hij gewoon niet toe in staat.'

'Ik doe dat wel,' zei Alan. 'Elke dag, elke minuut. En dat is niet altijd even gemakkelijk...'

'Jij bent anders,' zei Dianne.

'We zijn alle twee anders,' zei hij. 'Jij en ik, we lijken op elkaar.'

'In bepaalde opzichten,' fluisterde ze. Ze voelde het briesje over haar armen gaan, en hoe de haartjes ervan overeind kwamen. Zijn nabijheid deed haar duizelen.

'Ik ken niemand die zo liefdevol is als jij,' zei hij.

'Met Julia,' zei ze.

'En met Amy. Je hebt haar vanaf de eerste dag in je hart gesloten.'

'Ik wil dat Amy bij ons blijft, Alan. Zo lang als dat nodig is.'

'Zo lang je maar beseft dat haar moeder wil dat ze weer thuiskomt. En Amy ook weer naar huis wil.'

'O, ik weet dat Amy weer naar huis wil,' zei Dianne, met een blik achterom naar de werkplaats. De meisjes zaten bij Julia's stoel en waakten over de dieren.

'Ik zou het niet kunnen verdragen als je opnieuw weer zo volledig van streek raakt, omdat iemand van wie je houdt, je heeft verlaten.'

Dianne liet haar hoofd zakken. De woede was weggezakt tot een dof gevoel, maar de tedere klank van zijn stem deed de tranen in haar ogen springen. Hij deed een stapje naar haar toe. Ze kon zijn ademhaling horen, en ze keek naar zijn schaduw op het gras aan haar voeten.

'Dianne,' zei hij. 'Kijk me aan.'

Ze schudde haar hoofd. Hij had een aantal dozen met Amy's kleren in zijn armen, maar zette die nu op de grond. Hij legde zijn hand op haar wang, en ze hief haar hoofd op. De tranen stroomden over haar wangen en ze kon ze niet inhouden. Alan zocht in zijn zakken naar een zakdoek, maar kon er geen vinden, dus toen droogde hij haar tranen maar met zijn handen. Maar ze bleven komen.

Alan liet zijn hand op haar wang liggen alsof hij niet kon ophouden met haar gezicht aan te raken. Dianne keek met grote ogen naar hem op. Ze slikte en wilde hem zeggen dat het goed was, maar ze kon niet praten. Haar hart ging als een bezetene tekeer. Ze voelde het briesje in haar haren en ze had het gevoel dat haar knieën haar gewicht ineens niet meer wilden dragen – alsof iemand zich gebukt had en er een pinnetje uit had getrokken. Toen Alan haar in zijn armen sloot en dicht tegen zich aan hield, klampte ze zich aan hem vast alsof ze allebei ter plekke zouden sterven.

Alan fluisterde iets in haar haren.

'Wat?' vroeg ze.

Ze had kunnen zweren dat ze hem iets had horen zeggen, en dat ze hem 'Nu of nooit,' had horen fluisteren.

Maar hij schudde zijn hoofd. Ze voelde zijn lippen achter haar oor vaneen gaan. Hij maakte zich van haar los, legde zijn handen op haar bovenarmen, en hield haar vast alsof hij bang was dat ze zou vallen.

'Zei je iets?' vroeg ze opnieuw.

Ze wachtte op een antwoord van hem, maar in plaats daarvan hief hij zijn handen op naar de lucht. Het was een simpel gebaar. Het leek een combinatie van een vraag en een gebed. De zomerlucht was helderblauw, met slechts hier en daar een klein wolkje. Er vloog een visarend over met een grote, worstelende zilveren vis in zijn klauwen. In het moeras zwom een zwanenpaar.

Dianne keek naar Alan die naar de lucht keek, en toen keek ze naar de twee meisjes in de werkplaats. Ze dacht aan liefde, aan dochters, aan moeders en aan vaders. Ze dacht aan mensen die voor elkaar waren voorbestemd. Haar gezicht was nat en haar knieën waren nog een beetje bibberig. Iedereen had zo zijn eigen manier om te bidden, maar Dianne vermoedde dat de gebeden op zich weinig van elkaar verschilden.

De dag van Lucinda's pensionering was aangebroken. Op vrijdagochtend vijftien juli liep haar wekker, zoals hij dat gedurende veertig jaar had gedaan, om zes uur 's ochtends af. Ze liep de trap af naar de keuken en verwachtte half en half dat Dianne aan tafel zou zitten om de dag met haar te vieren. Maar er was niemand in de keuken. Julia had de vorige avond overgegeven, en Dianne was laat gaan slapen.

Ze nam haar koffie mee naar de veranda waar ze, uitkijkend over het moeras, een paar psalmen in de bijbel las. De oude blauwe reiger stond tussen het riet. Terwijl ze zo naar die grote vogel zat te kijken, kreeg ze opeens een prop in haar keel. Ze kreeg tranen in de ogen en kon niet meer lezen. Ze had het gevoel alsof ze op de kade stond om een groot schip vol mensen die haar dierbaar waren uit te zwaaien. Ze wilde ook dat ze gingen, en ze hoopte echt dat ze een fantastische reis zouden hebben, maar ze zou ze verschrikkelijk missen.

Het gevoel bleef, ook toen ze even later naar boven ging om zich aan te kleden. Ze koos voor haar mooiste blauwe mantelpak, speldde de camee van haar moeder op het kraagje van haar witte blouse, en deed een beetje lippenstift op. Ze besteedde extra zorg aan haar uiterlijk omdat ze vermoedde dat haar collega's van plan waren om haar voor deze laatste dag een lunch aan te bieden. Ze ging voor de spiegel staan om een verbaasd gezicht te oefenen.

Dianne sliep nog steeds, en Lucinda verliet het huis zo stil als ze maar kon. Nu Amy bij hen woonde, deed Dianne nog meer dan gewoonlijk. Hoewel ze teleurgesteld was over het feit dat niemand de moeite had genomen om op te staan om haar op deze laatste dag uit te zwaaien, probeerde ze die gevoelens zoveel mogelijk te onderdrukken.

Zoals elke ochtend, was het koel in de bibliotheek. Lucinda hield van de vroege ochtenduren. Ze liep langs de kasten, zette de boeken netjes recht en zette de boeken die op het wagentje lagen terug op hun plaats. Geel zonlicht viel door de hoge vensters naar binnen, en kleine, zilveren stofjes dansten in de lucht. Lucinda wist dat ze elk boek, elk venster en elk stofje verschrikkelijk zou missen.

'Het allerbeste, mevrouw Robbins!'
'We zullen je missen, Lucinda!'

'Het zal hier heel anders zijn zonder jou...'

Zo ging het de hele dag door. Lucinda bedankte haar collega's en de bezoekers voor hun lieve woorden. Kennelijk was ze indertijd heel duidelijk geweest over een verrassingsfeestje, want de lunch was nauwelijks anders dan anders. Twee van haar jongere collegaatjes haastten zich naar hun vaste aerobicsles, en een ander had met haar man in een cafeetje bij de haven afgesproken.

Lucinda deed haar werk, maar raakte de prop in haar keel niet kwijt. Ze wist dat ze zich geen betere baan had kunnen wensen. Ze was docente Engels, had haar diploma bibliothecaresse gehaald, en was hier veertig jaar geleden komen werken. Ze had veel zien veranderen, en had het betreurd dat de oude kaartenbakken het veld hadden moeten ruimen voor de computers.

Toen Dianne oud genoeg was, had ze de lidmaatschapskaart persoonlijk voor haar uitgeschreven. Ze had achter de balie gestaan en gekeken naar hoe de vijfjarige Dianne haar handtekening op het kaartje zette. Lucinda herinnerde zich hoe ze zorgvuldig geprobeerd had om alle letters netjes op het lijntje te krijgen, maar hoe de N er een beetje overheen was gegaan – maar Lucinda had zich nog nooit zo trots gevoeld.

Toen de nieuwe vleugel klaar was, had Emmett er de kasten in gemaakt. Hij had de bankjes in de erker van de kinderafdeling gemaakt, en een erker in de leeszaal gebouwd. Hij was dol geweest op Robert Ludlum, en zo gauw er een nieuw boek van de bekende schrijver binnen was gekomen, had Lucinda het onmiddellijk voor hem mee naar huis genomen. Hij had altijd getoeterd wanneer hij langs de bibliotheek was gekomen. Ze had er altijd om moeten glimlachen, hoewel ze hem keer op keer gezegd had dat daar niet getoeterd mocht worden.

'Is het echt waar, dat je elk boek hier hebt gelezen?'

Ze keek op en zag dat het Alan was. Hij had een bos rode rozen bij zich, en een feestelijk ingepakt pakje.

'Heb je dat gehoord?' vroeg ze.

'Je staat er in de hele stad om bekend. Je bent een plaatselijke legende.'

'Ja, net als het spook in de vuurtoren,' zei ze lachend. 'En de piratenschat die op Jetty Beach ligt begraven. Ik ben een van de toeristische attracties, hier.'

'Ja, dat ben je inderdaad,' zei hij.

Lucinda knikte. Tot haar verbazing kreeg ze opeens tranen in de ogen. Ze had zich maanden op deze dag verheugd. Eindelijk zou ze tijd hebben om alle films te zien die ze wilde zien, om alle talen te leren die ze wilde leren, en om alle plaatsen te bezoeken waar ze altijd van had gedroomd. Veertig jaar lang had ze de inwoners van Hawthorne gediend, en ze had altijd keihard gewerkt. Ze hield zich voor dat het niet uitmaakte dat het stadsbestuur geen fanfare had laten opdraven om haar deze laatste dag naar huis te begeleiden, maar de prop in haar keel werd er niet minder op.

'Nu zal ik eindelijk volop kunnen genieten,' zei ze op een geforceerd vrolijk toontje. 'Ik heb een ellenlange lijst van alle dingen die ik wil gaan doen.'

'Mooi,' zei hij.

'Maar wat ik zal missen, dat zijn onze woensdagen. Lang niet elke bibliothecaresse heeft een knappe jonge dokter die langs komt joggen om in de leeszaal uit te puffen.'

Alan knikte, en overhandigde haar de rozen en het pakje. Lucinda had haar best gedaan om een opgewekte en vrolijke indruk te maken, maar Alan keek haar door zijn brilletje met het stalen montuur met ernstige ogen aan. Hij keek alsof hij wist hoe ze zich in werkelijkheid voelde – alsof hij wist hoe verdrietig ze was nu ze de bibliotheek waar ze zoveel van hield, moest verlaten. Alan was iemand die zijn eigen verdriet op voorbeeldige wijze wist te dragen, en Lucinda realiseerde zich dat ze een voorbeeld aan hem kon nemen.

'Ik wens je veel geluk,' zei hij.

'Nou, we zullen elkaar natuurlijk blijven zien, en helemaal nu we twee van je patiënten in huis hebben...'

'Dat is niet hetzelfde,' zei Alan. Lucinda had gemeend dat zijn reden om te komen te maken had met de manier waarop hij de vorige avond tijdens het eten naar Dianne had gekeken, maar ze hoorde het oprechte medeleven in zijn stem.

'Dank je,' zei Lucinda. Ze schoot vol toen hij haar een zoen op de wang gaf, en vervolgens een stapje achteruit deed. De jongen probeerde het te verbergen, maar ook hij had tranen in de ogen.

De rest van de dag vloog om. Ze deed haar gebruikelijke werk. Iedereen was verschrikkelijk aardig. De zon draaide naar het westen en viel de zalen binnen. Het begon warm te worden, en de plafondventilatoren maakten een zacht zoemend geluid. Als alles meezat, zou er volgend jaar airconditioning worden geïnstalleerd. En toen sloeg de kerkklok vijf uur.

Het was tijd om te gaan.

Haar drie jongere collegaatjes gingen op een rij staan om haar een afscheidszoen te geven. Ze zeiden alle drie dat ze ontzettend veel van haar hadden geleerd en dat ze haar heel erg zouden missen. Lucinda kende ze al jaren. Ze kende hun verhalen, had hun advies gegeven en hun baby's op de arm gehouden. Cheryl, Ramona en Gwen.

Lucinda liep de stoeptreden af en hoorde de zolen van haar instappers contact maken met de treden. Ze liet haar hoofd hangen om te voorkomen dat iemand haar tranen zou zien, en rook aan de rozen die ze van Alan had gekregen. Ze roken heerlijk zoet. Toen ze in de auto zat maakte ze het pakje met trillende handen open. Hij had haar een nieuwe handdoek gegeven. Ze hield hem tegen haar gezicht en snikte het uit.

Voor ze wegreed, trok ze haar jasje uit. De wind blies door haar korte haar en koelde haar verhitte wangen. Ze zette de radio aan. Iemand vertelde over een reis naar Toscane en het huren van een oude boerderij op een olijvenboomgaard. Misschien dat Lucinda Italiaans zou leren. Tegen de tijd dat ze thuis was, waren haar tranen gedroogd.

De meisjes waren in de tuin. Ze waren zo druk aan het spelen, en zaten ergens diep overheen gebogen, dat ze niet opkeken. Lucinda parkeerde en toeterde. Wat gaf het dat Dianne vergeten was dat het vandaag haar laatste werkdag was geweest? Ze had zoveel aan haar hoofd, dat Lucinda het haar niet kwalijk kon nemen dat ze het vergeten was. Lucinda probeerde flink te zijn en haalde diep adem.

Maar toen ze uit de auto stapte, moest ze ineens lachen.

Het was een optocht. Amy liep voorop. Ze kon weer lachen, en ze droeg een groot bord waarop GELUKWENSEN VOOR DE BESTE BIBLIOTHECARESSE! stond geschreven. Dianne duwde Julia's rolstoel die met rood, wit en blauw crêpepapier was versierd, en waarop een tweede bord bevestigd was waarop stond DE WONDEREN VAN DE WERELD LIGGEN BINNEN JE BEREIK.

Lucinda, die met de rozen en de handdoek in haar armen lachend naar de optocht keek, wist niet wat ze moest zeggen.

Dianne en Amy verwisselden van plaats. Amy duwde de rolstoel voort, en Dianne dook achter de heg. Ze kwam terug met haar kruiwagen die bekleed was met blauwe zijde en kussens, en met twee bogen van ijzerdraad die met daglelies, gipskruid en rozen waren versierd.

'Uw praalwagen, mevrouw,' zei Dianne.

'Mijn wat?'

'Je bent de ster van de optocht, Mam,' zei Dianne, terwijl ze haar een zoen op de wang gaf.

'Heb jij dit gemaakt?' vroeg Lucinda, met haar hand op de bloemenbogen.

'Ja, dat heb ik,' zei Dianne, waarop ze Lucinda glimlachend in de feestelijke kruiwagen hielp.

Lucinda leunde naar achteren en liet zich door de tuin rijden. Amy zong en Julia maakte haar dolfijnengeluiden. Lucinda hield zich stevig vast toen haar dochter de kruiwagen over het hobbelige pad naar het moeras toe duwde.

Zwaluwen vlogen laag over en vingen insecten. Twee zeeotters gleden van de oever en zwommen weg. Hoge, gouden grassen fluisterden in de wind, en een ijsvogel dook naar vis. Amy zong nog steeds, maar opeens bleef ze staan en keek ze Dianne vragend aan.

'Nu?' vroeg ze grinnikend.

'Ja, nu,' zei Dianne, terwijl ze aan Lucinda's voeten knielde.

'Jullie zijn toch niet van plan om me in het water te gooien, hè?' vroeg Lucinda.

'Nee,' zei Dianne, terwijl ze Lucinda's rechterschoen vastpakte, en hem voorzichtig uittrok. Amy pakte de andere schoen, en ging wat minder voorzichtig te werk. De twee meisjes hielden haar stevige instappers op, de stevige instappers waar ze veertig jaar lang pijnlijke voeten in had gehad. Ze waren zwaar en stug, en ze had ze ontelbare keren laten verzolen.

'Is dit wat ik denk dat het is?' vroeg Lucinda.

'Je hebt zo vaak gezegd dat je hiervan droomde,' zei Dianne.

'Het moment waarop ik met pensioen ga...'

'Dit is de ceremonie van het tot zinken brengen van de schoenen,' zei Dianne op plechtige toon. 'En zonder deze daad zou onze feestelijke optocht niet compleet zijn geweest.'

'Oooo,' zei Julia.

'Eindelijk vrij!' riep Lucinda uit, terwijl ze haar tenen op en neer bewoog. De frisse wind blies door haar panty en koelde haar pijnlijke voeten. Dianne en Amy hadden elk een schoen in hun handen.

'Daar gaat-ie!' riep Amy, terwijl ze de schoen met zo'n kracht in het water gooide, dat de zwanen, otters en andere dieren geschrokken maakten dat ze wegkwamen.

'Mam?' vroeg Dianne grinnikend, terwijl ze haar moeder de schoen aanbood, alsof het een kostbare tiara op een satijnen kussen was.

'Maar natuurlijk,' zei Lucinda, waarop ze zich door Amy uit de kruiwagen liet trekken. Ze pakte haar schoen, nam Dianne's hand in de hare, en liep op haar tenen naar het water. De aarde was zacht en vochtig, en haar kousenvoeten zakten weg in de warme modder. Ze boog zich, haar dochter vasthoudend om niet te vallen, over het water heen en zette haar schoen op het water.

De instapper bleef even drijven, en Lucinda verwachtte dat hij langzaam weg zou varen. Het bruine leer glansde als goud in de warme gloed van de ondergaande zon. Hij schommelde zachtjes heen en weer. Amy hurkte naast Julia's stoel en schaterde het uit. Dianne drukte haar moeders hand, en haar moeder drukte terug.

Toen de schoen ten slotte onder het toeziend oog van het viertal op de oever toch zonk en onder het wateroppervlak verdween, wist Lucinda heel zeker dat ze gepensioneerd was.

Hoofdstuk 12

De saffierblauwe baai had talloze kleine, met pijnbomen begroeide eilandjes. De grote, donkere bomen groeiden tot op de rotskust. In dit gedeelte van Maine was er geen geleidelijke overgang van land naar zee, en was er geen langzaam aflopend zandstrand. Hier bestond de kust uit diepe zee, steile rotsen en meer kreeften dan Tim McIntosh kon vangen. De *Aphrodite* voer zo dicht langs de rotsen dat hij de elanden op laurierblaadjes kon horen kauwen.

Hij haalde een fuik op, gooide twaalf grote kreeften in de mand, deed nieuw aas in de fuik en gooide hem weer in zee. Op naar de volgende fuik. En de volgende. Zijn boeien waren rood en wit. Het bijhouden van de kleuren vereiste concentratie. Tim was vissend op weg naar het noorden, en werkte voor verschillende visserijbedrijven die elk hun eigen kleuren hadden. Hij ving de kreeften, kreeg zijn geld, en trok naar de volgende haven.

Het leven van zwervende kreeftenvisser beviel hem uitstekend. Doordat hij voortdurend onderweg was, had hij amper tijd om aan het verleden te denken. Piekeren over vroeger was een vloek. Tim hield er niet van om bij zichzelf naar binnen te kijken, en hield zijn blik liever op de toekomst, de rotsen, de blauwe lucht, de fonkelende zee, een school walvissen en een eenzaam cirkelende arend gericht. Tim had praktische dingen om aan te denken: brandstof, touwen, katrollen, het weer.

Op dat moment was hij op Elk Island. Prettige plaats en rustige mensen. Het loon was middelmatig; Dirk Crawford probeerde zo min mogelijk te betalen, en daarmee onderscheidde hij zich niet van alle andere reders voor wie Tim ooit had gewerkt. Dirk leverde de fuiken, en op grond daarvan meende hij dat hij voor vijfenzeventig procent eigenaar was van elke kreeft die Tim binnenbracht.

En wat dan nog? Tim had geen gezin te onderhouden. Hij sliep op zijn boot en kookte zijn eigen potje. De *Aphrodite* was zijn huis. En het was zijn gezin, zijn vrouw en zijn enige vriend. Tim McIntosh had zijn echte gezin en vrouw laten zitten, en op grond daarvan moest hij tevreden zijn met wat hij had. Het was een goede boot. Tijdens de nacht hield ze hem warm. Wanneer hij in zijn kooi lag, viel hij in slaap door het luisteren naar het kraken en piepen, en naar de manier waarop het water tegen de romp sloeg.

Aphrodite, zijn boot, zorgde voor hem.

Zijn boot zorgde goed voor hem en dat had hij te danken aan het feit dat hij haar naar de godin van de liefde had genoemd. Hij had haar gekocht kort nadat hij met Dianne was getrouwd. Ze had hem aangemoedigd om een nieuwe boot te kopen. Alan had hem het geld voor de aanbetaling gegeven, en Emmett en Lucinda hadden hem de rest van het geld geleend. Tim had zich de koning te rijk gevoeld. Hij was niet hoogbegaafd, maar hij was ook niet achterlijk – als deze boot geen geschenk van liefde was geweest, wat was het dan wel? En omdat Tim iedereen had willen bedanken maar onhandig was in het uiten van zijn gevoelens, had hij zijn boot *Aphrodite* gedoopt.

Tim haalde de laatste fuik van die dag aan boord. Een groep krijsende meeuwen was hem rond de landtong gevolgd. Hij keek naar de oude ganzenfokkerij. Vuile ganzen waggelden door het veld vol keien, en een oude man en een jongen liepen over het pad naar de schuur. Het witte huis was klein en aantrekkelijk, het soort huis waar Dianne van hield. Als ze hier was geweest, dan zou ze nu druk bezig zijn geweest met het fotograferen ervan, om er dan, bij thuiskomst, een speelhuis van te maken.

Tim keek hoofdschuddend naar het water. Denken aan Dianne deed hem geen goed. Het was al erg genoeg om haar stem 's nachts te moeten horen. Als hij niet uitkeek, zou hij nog beginnen te fantaseren over zijn dochter die in een Home Sweet Home speelhuis speelde. Dan zou hij zich voorstellen hoe het was om haar 'Pappa' te horen zeggen, en haar bij zich op schoot te hebben.

Zwervende kreeftenvissers stonden er niet om bekend dat ze zich aan de regels hielden, maar toch had Tim er een paar die hij gewetensvol in ere hield. De man die zijn eigen kind niet kende, mocht ook niet over dat kind fantaseren. Hetzelfde gold voor de man die zijn vrouw in de steek had gelaten. De man die dat had gedaan mocht niet opbellen, mocht geen verjaardagskaarten sturen en mocht niet vragen of hij terug kon komen. Zelfmedelijden was verboden, evenals stilstaan bij de vraag hoe het had kunnen zijn.

Het enige wat hij kon doen, was in beweging blijven. De zee was geen slechte partner. Ze trok hem mee en zorgde ervoor dat hij zich nooit verveelde. Er was genoeg om aan te denken: het getij, de stromingen, ruwe zee, slecht weer en onstabiele luchten. Andere mannen leefden een ander bestaan. Zoals de mannen die getrouwd waren. Dat was een vorm van bestaan waar hij niet veel van afwist. Hij had het geprobeerd, maar had zichzelf ontoereikend gevonden. Niemand had hem ooit verteld hoe moeilijk liefde kon zijn: voor ze hem de gebruiksaanwijzing hadden kunnen geven, had zijn vader zich doodgevist en had zijn moeder zich doodgedronken.

Zijn broer Alan was ook een zwerver, ook al realiseerde hij zich dat niet. Hij had zijn patiënten in het ziekenhuis. Hij bezat een huis in Hawthorne. Voor Tim was dat zo goed als hetzelfde als kreeftenvangen en de *Aphrodite:* werk om bezig te blijven, en een dak boven je hoofd om droog te blijven en je te kunnen verstoppen. Alan mocht dan een stel fraaie titels hebben, maar hij was minstens een even grote verliezer als Tim.

Tim miste zijn broer Neil. Soms voelde hij Neil – een volwassen Neil, en niet de jongen van achttien die hij was geweest toen hij was gestorven – in de stuurhut naast zich staan. Het was alsof Neil hem bij elk fiasco in zijn leven terzijde had gestaan, alsof hij zoveel van hem hield dat hij hem alles kon vergeven. Al die dingen die Tim zichzelf nooit kon vergeven, en die hij niet kon vergeten.

Tim hield het stuurwiel met beide handen vast en dacht aan zijn broer en aan Dianne. Ze hadden elkaar al gekend voordat Tim op het toneel was verschenen. Ze waren maar één keertje samen uit eten geweest, maar het had veel meer voor Alan betekend dan zomaar een afspraakje. Tim was heus niet zo dat hij zich in dat opzicht iets wijs wilde maken. Alan had besloten om, omwille van de lieve vrede met zijn broer, te doen alsof het weinig had voorgesteld, maar het zat er dik in dat hij toen al verliefd op haar was geweest.

Al dat gezeik over dat hij haar fatsoenlijk moest behandelen en een goede echtgenoot voor haar moest zijn: dat had hij echt niet alleen maar gezegd omdat hij Tims oudere broer was. Voor zover Tim wist had Alan zich nog nooit zo druk gemaakt over een vrouw. En toen had Tim Dianne zomaar voor zijn neus weggekaapt. Zonder rekening te houden met de gevoelens van zijn broer – of misschien *juist* om wat zijn broer voor Dianne voelde. De wedijver tussen twee broers... Tim probeerde positieve termen te vinden voor wat er was gebeurd, maar het bezorgde hem een akelig gevoel in zijn maag.

De belboei sloeg. Het stadje lag pal voor hem, vlak achter de pier. Tim zag de vlag op het postkantoor. Rood, wit en blauw, *Old Glory.* Bij het zien ervan kreeg hij een prop in zijn keel. De vlag gaf hem het gevoel dat hij deel uitmaakte van iets dat groter was dan hijzelf. Hij had zijn thuis en zijn gezin eraan gegeven, en het enige wat hem restte was zijn vaderland.

Nog even, en dan zou hij een poosje weggaan. Hij was van plan om van Elk Island naar Canada te gaan. Hij had behoefte aan een echte vriend, niet alleen maar Neils herinnering of de stem van zijn boot. Het verlangen had in het voorjaar opeens op een haast heftige manier bezit van hem genomen; de behoefte aan wezenlijk contact met de mens die hem zo door en door kende. En dus had Tim zich voorgenomen om naar Nova Scotia te gaan om Malachy op te zoeken.

Maar wat hij eerst moest doen, was kreeften verkopen en geld incasseren. Hij was nog steeds bezig met het aflossen van zijn lening voor de boot. Elke maand, waar hij ook was, stuurde hij Lucinda een cheque van honderd dollar. Tot dusver had hij haar zesentwintigduizend en vierhonderd dollar gezonden; aan het eind van het jaar zou hij alles hebben afbetaald.

Hij vroeg zich wel eens af wat ze dacht bij het ontvangen van zijn enveloppen die overal vandaan kwamen. Om Dianne te ontzien stuurde hij de cheques naar de bibliotheek – op die manier zou ze niet elke maand, bij het leeghalen van de brievenbus, met zijn handschrift worden geconfronteerd. Hij kon zich voorstellen dat ze al genoeg aan haar hoofd had met de zorgen voor het gehandicapte kind met wie hij haar had opgezadeld. Dat ze echt niet zat te wachten op een herinnering aan Tim McIntosh die nog steeds geen greintje veranderd was.

Amy en Julia waren alleen in de werkplaats. Dianne had hen even alleen gelaten omdat ze naar huis had gemoeten. Amy wist dat het een grote verantwoordelijkheid was. Ze zou Julia leren tekenen. Ze hield een blauw krijtje in Julia's hand en stuurde het over het papier. Ze maakten een tekening van Stella die nog steeds voor het bed zat te wachten tot Orion er eindelijk eens onder vandaan zou komen.

'Katten zijn niet blauw,' zei Amy tegen Julia. 'Ik weet wel dat je dat weet, en dat je je waarschijnlijk afvraagt waarom we dan toch een blauw krijtje gebruiken. Dat is alleen maar omdat het mooier is dan grijs of bruin, en ik vind –'

Opeens spitste Stella haar oortjes. Ze sprong op de kast en verdween in haar mand. Amy keek naar de deur en zag Amber op de drempel staan.

'Klop, klop,' zei Amber.

Amy verstijfde.

'Vraag je me niet binnen?'

'Eh...' begon Amy. Ze voelde zich als verlamd. Ze wilde niet dat Amber binnen zou komen. Stel dat Amber Amy zou vragen waar ze al die tijd geweest was? Ze voelde er niets voor om Amber uit te moeten leggen dat ze een poosje hier woonde in plaats van thuis. Maar Amber vond het niet nodig om te wachten. Ze deed de deur verder open. Ze droeg een heupbroek en een mouwloos topje. Haar behabandjes kwamen zo opvallend onder het topje uit, dat Amy er een kleur van kreeg. Toen Amber binnenkwam, ging Amy snel voor Julia staan.

'Wie is dat?' vroeg Amber.

'Je wordt niet geacht hier binnen te komen,' zei Amy. Ze bleef staan waar ze stond om Julia voor Amber te beschermen.

'Waar heb je verdomme gezeten? Ik heb je minstens dertig keer gebeld. Je moeder neemt nooit op, en ik zou je nooit hebben gevonden als Buddy niet aan Davids vader had verteld dat je was weggelopen.'

'O,' zei Amy alleen maar. Het verbaasde haar dat David en Amber zich voor haar verblijfplaats interesseerden. Ze vond het niet echt erg dat ze dachten dat ze was weggelopen, hoewel dat niet helemaal waar was. Weglopen klonk flink en moedig, iets dat Amy helemaal niet was, en het leek haar beter om Amber in die waan te laten, in plaats van te vertellen dat de kinderbescherming haar thuis had weggehaald.

'Ik snap alleen niet waarom je hier naartoe bent gegaan,' zei Amber, om er toen wat zachter aan toe te voegen: 'Ik kan wel iets leukers verzinnen dan heksen en debielen.'

'Amber, hou je mond,' zei Amy.

'Laat haar eens kijken,' zei Amber, terwijl ze om Amy heen probeerde te komen.

'Hou op.'

'Toe nou,' zei Amber. Ze greep Amy bij de schouders en gaf haar een zet. Ze lachte alsof het allemaal een grote grap was. Amy greep Amber op haar beurt bij haar magere bovenarmen en duwde haar naar achteren om haar zo ver mogelijk uit Julia's buurt te houden. Amber was niet eens mooi. Haar ogen stonden te dicht op elkaar, ze had roos en ze had twee wratten in haar nek die Amy aan aardappelogen deden denken.

Amber's aandringen maakte Amy doodsbang, en ze kreeg het ijskoud. Amber boog zich van links naar rechts en probeerde langs Amy's hoofd te gluren. Ineens deed ze alsof ze struikelde. Toen Amy haar vastpakte om te voorkomen dat ze zou vallen, gaf Amber haar een zet.

'Jezus Christus,' zei Amy. Ze keek met grote ogen naar Julia en haar mond viel open. 'En dat is een *kind?* Ze kan haar hoofd niet eens stilhouden!'

'Laat haar met rust,' zei Amy.

'Is dat een *meisje?*' vroeg Amber. 'Volgens mij is ze nep. Moet je kijken hoe ze haar hoofd en haar armen beweegt, ze lijkt wel een robot of zo. Of een opwindpop. Jezus, Amy.'

'Mieee!' riep Julia. Ze strekte haar armen en keek Amy recht aan alsof ze gered wilde worden. Amy kreeg een prop in haar keel. Ze knielde voor de stoel van haar vriendinnetje en sloeg haar armen om haar heen.

'Raak je haar aan?' vroeg Amber. 'Amy, ben je niet normaal? Haar hele gezicht zit onder de kwijl!'

'Ben je niet bang dat ze je wel eens zou kunnen verstaan?' vroeg Amy. Ze hield Julia losjes vast, zoals ze graag vastgehouden wilde worden. Amy had gezien hoe Dianne het deed. Je kon haar niet gewoon maar vastpakken en tegen je aan drukken. Dan deden haar ingewanden pijn, of zo, en daarom moest je haar losjes vasthouden. Amy's hart ging als een wilde tekeer en ze voelde Julia's hijgerige ademhaling op haar wang.

'Verdomme,' zei Amber, en ze boog zich naar voren. 'Begrijpt ze wat je zegt? Dat wist ik niet –'

'Je weet niet veel,' zei Amy.

'Het spijt me,' zei Amber.

'Mieee,' zei Julia in het holletje van Amy's hals.

'Hoe oud is ze?'

'Elf,' antwoordde Amy.

'Je lult.'

Amy zweeg. Het liefste zou ze haar hoofd keihard in Ambers holle maag rammen en haar naar buiten duwen, maar ze wilde Julia niet nog meer van streek maken dan ze al was. Julia had zenuwachtig zitten hijgen en puffen alsof ze geprobeerd had een veertje van haar neus te blazen, maar nu was ze alweer wat rustiger.

'Hoe heet ze?' wilde Amber weten.

Amy aarzelde. 'Julia,' zei ze ten slotte.

'O,' zei Amber. 'Dag, Julia.'

Amy zag hoe Julia zich bij het horen van haar eigen naam ontspande. Ze liet zich ineens helemaal slap worden, net alsof ze wist dat iemand die dat geluid maakte haar goed gezind moest zijn.

'Gaaa,' zei Julia.

'Laat me even met haar praten,' zei Amber, terwijl ze Amy opzij probeerde te duwen. 'Toe. Ik ben helemaal hierheen gekomen om je op te zoeken, en dit is wel het minste wat je terug kunt doen.'

'Ik heb liever dat je gaat, Amber.'

'Kom op, ik ben je vriendin. Jij bent weggelopen. Ik wilde zien hoe het met je is. Het is leuk hier. Ik kan het je niet kwalijk nemen dat je geen zin meer had in Buddy's zuiptent. Het is met hem net zo als bij David thuis, ze weten nooit wanneer ze moeten ophouden. Vrijdag hebben we zes blikjes van zijn vader gejat. Hij was zo zat dat hij dacht dat hij ze zelf had opgedronken.'

'Drink jij?' vroeg Amy. Ze was ontzettend teleurgesteld en ze begreep niet waarom. Wat kon het haar schelen wat Amber deed? Ze waren totaal verschillend. Maar het stoorde haar dat iemand van haar leeftijd, die met eigen ogen had gezien wat drank met iemand kon doen, zelfs maar in de verleiding kwam om het zelf te willen drinken.

'Een paar blikjes bier,' zei Amber, 'dat is geen drinken. Ik bedoel, dat is niets in vergelijking met wat zij allemaal zuipen. Kom ook, vanavond. We hebben een feest op het strand.'

'Gleee,' zei Julia, en haar handen begonnen te bewegen.

'Zie je wel? Julia vindt me aardig. Moet je haar horen. Laat me nou even naar haar kijken.'

Amy ging heel langzaam opzij. Ze streek Julia's blonde haar van haar voorhoofd. Julia's grote ogen draaiden van links naar rechts en terug, en haar grijns was zo breed dat al haar tanden zichtbaar waren.

'Lieve glimlach,' zei Amber met een ernstig gezicht.

'Inderdaad,' was Amy het met haar eens.

'Denk je dat ze tegen me wil praten?' vroeg Amber.

Amy keek Julia aan. Julia vond Amber hoogst interessant. Ze keek strak naar Ambers zilveren oorbellen. Julia was veel knapper dan Amber. Julia was tenger en engelachtig, en wanneer je in haar ogen keek, dan was het alsof je rechtstreeks in haar ziel keek. Terwijl Amy naar Amber keek die zich langzaam naar Julia toe boog, vroeg ze zich af of Amber dan toch een hart had. Amber hield haar gezicht recht voor dat van Julia, en glimlachte.

'Wil Lorre een koekje?'

'Gaaa,' zei Julia.

'Braaf, Lorre, braaf,' zei Amber. 'Zeg nu eens: "Breng me naar je meester..." ' Ze schoot in de lach.

Amy sprong op. Ze gaf Amber een flinke duw en verkocht haar tegelijkertijd zo'n harde mep in haar gezicht, dat het klonk als het knetteren van de donder. 'Donder op,' siste Amy. 'Donder op en waag het niet ooit nog terug te komen.'

'Stomme trut,' schreeuwde Amber. 'Je bent uitschot, weet je dat? Waardeloos uitschot. Dacht je soms dat we dat niet wisten, van die scène in het woonwagenpark?'

'Ik woon niet in een woonwagenpark!' riep Amy.

'Nou het scheelt niet veel. Wat een ouwe zooi! Je moeder komt d'r bed nooit uit met d'r luie reet. Ze is net zo'n oud wijf in een verpleegtehuis dat altijd maar tussen de gore, stinkende lakens ligt. Heb je je nooit afgevraagd waarom ik de laatste tijd nooit meer bij je langs ben gekomen?'

'Nee,' krijste Amy terug. 'Ik was al lang blij dat ik je niet meer over de vloer had!' Ze was zo boos dat ze over haar hele lichaam beefde.

'Het meurt naar stront bij jullie thuis. Dat zegt iedereen. Iedereen! Alsof je moeder in bed heeft gescheten en in haar drol ligt te draaien. Geen wonder dat je het hier zo fijn vindt, want het stinkt hier net zo!'

'Donder op!' riep Amy huilend.

'De stank en jullie vader. Twee dingen die jij en die debiel met elkaar gemeen hebben....' zei Amber.

'Wat is er met mijn vader?' vroeg Amy. De gedachte aan hem was voldoende om haar kracht te geven, en ze onderdrukte een snik.

'Haar vader heeft haar laten stikken,' zei Amber, terwijl ze met haar duim op Julia wees. 'Mijn ouders behandelen me als een volwassene, en ze vertellen me dingen waar jij nog veel te klein voor bent. Haar vader heeft haar moeder geneukt en is toen, voor hij die debiele kop ook maar gezien had, op zijn boot gestapt en nooit meer teruggekomen. Slimme kerel. Maar *jouw* vader –'

'Mijn vader is verdronken,' zei Amy.

'Dat weet ik,' zei Amber.

Amber trok een spottend gezicht en Amy's hart begon weer wild te slaan. 'En weet je toevallig ook *waarom* hij is verdronken?'

'Hou je mond, Amber,' zei Amy.

'Omdat hij ladderzat was, net als Buddy. Hij had een lekkere fles drank aan boord, en die heeft hij helemaal leeg gezopen. En wie kon hem dat kwalijk nemen, met zo'n dochter als jij? Zo verwonderlijk is dat niet. Je bent het waardeloze product van een luie moeder en een zuiplap van een vader. Uitschot – ik zei het al.'

Amy vloog Amber in een flits te lijf, en duwde haar omver. Ze huilde zo hard dat ze niets kon zien. Haar borst voelde als een keihard brok vurige woede die haar bloed deed koken. Julia huilde. Amy hoorde de angst en het verdriet in de klank van haar stem. Ze dacht aan haar lieve vader die met zijn schip ten onder was gegaan, en wilde niets liever dan Amber en die valse, boosaardige stem van haar, tot moes slaan.

Opeens voelde ze hoe Dianne haar van achteren in haar armen nam.

'Amy, hou op,' zei Dianne. 'Hou op, lieverd.'

Amy liet zich overeind trekken, waarop ze Dianne wanhopig snikkend om de hals viel. Dianne hield haar even dicht tegen zich aangedrukt, maar Amy kon aan niets anders denken dan aan Julia en aan de dingen die Amber had gezegd. Ze probeerde met huilen te stoppen en maakte zich van Dianne los. Hijgend ging ze voor Julia zitten. Beiden hadden een betraand gezicht.

'Gaat het?' vroeg Dianne, terwijl ze haar hand naar Amber uitstak om haar overeind te helpen.

'Nee!' krijste Amber. 'Ze heeft me omver gegooid! Ze is me als een bezetene aangevlogen, en ze –'

'Wie weet,' zei Dianne, Amber in de rede vallend, 'misschien kom je er nog wel eens achter dat het niet zo bevorderlijk voor je gezondheid is om leugens over andermans vader te vertellen.'

'Waarom...' stamelde Amber, terwijl ze achteruit naar de deur liep, 'waarom verdedig je haar? Jij bent hier de volwassene! Heb je dan niet gezien wat ze heeft gedaan? Moet je kijken!' Ze hief haar arm op en liet Dianne zien hoe ze, toen ze tegen de vloer was geslagen, haar elleboog had geschaafd.

'Ja, ik zie het,' zei Dianne op de meest ijzige toon die Amy haar ooit had horen gebruiken, 'en ik vind het echt ontzettend zielig voor je.'

Het moeras was donkergoud. Met vuur omrande wolken trokken in volle vaart langs de ondergaande zon. Zeearenden begonnen aan hun namiddagjacht, en vlogen in westelijke richting over het riet. Martha had Alan gezegd dat Dianne had gebeld met een verhaal over een vechtpartij tussen Amy en een van de kinderen uit de buurt. Hij was er, meteen nadat de laatste patiënt was opgestapt, naartoe gegaan. Toen hij de werkplaats binnenging, zag hij Dianne en de meisjes voor het raam zitten.

'Ze was echt ontzettend gemeen,' zei Amy.

'Ja, dat was ze,' beaamde Dianne.

'Wat is er precies gebeurd?' vroeg Alan. Hij bleef staan terwijl ze hem het verhaal vertelden. Innerlijk was hij witheet van woede, maar uiterlijk probeerde hij een professionele en onpartijdige indruk te maken. Amber DeGray was al vanaf haar geboorte een patiënte van hem; hij had ooit eens het leven van haar broertje gered nadat hij een wattenbolletje had ingeslikt.

'Heeft ze dat allemaal gezegd?' vroeg hij.

'Ja, en ze moest er ook nog om *lachen*,' zei Amy, 'alsof ze het een geweldige grap vond.'

'En toen heeft Amy die grijns van haar gezicht geslagen,' zei Dianne met een strak gezicht tegen Alan. Ze hielden elkaars blik even gevangen, en hij was zich bewust van de hitte die van haar afstraalde.

'Mijn vader was niet dronken...' fluisterde Amy, en ze moest weer huilen. 'Hij was *helemaal* niet zoals Buddy.'

Ze zaten op het bankje in de erker en dronken limonade. Dianne zat tussen de meisjes in, en ze had haar armen om hun schouders geslagen.

Beiden schokten na van het huilen, en Alan zag hoe Dianne Amy even extra dicht tegen zich aan trok.

'Natuurlijk niet,' zei Dianne.

'Mijn vader zou zoiets nooit doen.'

'Jouw vader was een goede visser,' zei Alan, terwijl hij op een stapel hout ging zitten. 'Dat weet ik van Tim. En ik heb nooit gehoord dat het zinken van zijn boot zijn eigen schuld geweest zou zijn. Het was zwaar noodweer, en er zijn die dag meerdere boten ten onder gegaan.'

'Ik heb hem niet goed gekend,' zei Dianne. 'Tim kende een heleboel vissers, maar ik had weinig met hen te maken. Maar van wat ik gehoord heb, was je vader een goed mens.'

Alans hart balde zich samen toen hij Dianne de naam van zijn broer hoorde zeggen. Zijn ademhaling was snel en oppervlakkig.

'Russell Brooks,' zei Amy met een scherpe zucht.

'Een goed mens,' herhaalde Dianne.

Amy liet de lucht met een huivering uit haar longen ontsnappen. 'Amber heeft gelogen,' zei ze. 'Ze heeft gewoon gelogen.'

'Je hebt nu eenmaal mensen die liegen,' zei Dianne.

'Helaas wel,' zei Alan.

'En toen heeft ze,' vervolgde Amy, zich om Dianne heen buigend opdat Julia haar niet zou kunnen horen, 'zulke ontzettende gemene dingen over Julia gezegd.'

'Ja, er zijn ook mensen die dat doen,' zei Dianne.

'Over hoe ze beweegt,' zei Amy. 'En over hoe haar lichaam eruitziet.'

Dianne sloot haar ogen en Alan zag haar vingers strelend over Julia's kruin gaan. Haar haren waren zo zijdeachtig en dun. Haar botten waren broos en breekbaar. Ze was zo'n klein mensje. Dianne trok Julia tegen zich aan in de wetenschap dat geen moeder ooit meer van haar kind had gehouden.

'Waarom?' vroeg Amy.

'Je bedoelt, waarom Amber dat soort dingen heeft gezegd?' vroeg Dianne.

Amy schudde haar hoofd. 'Nee,' zei ze met trillende stem, 'ik bedoel, waarom is Julia zoals ze is?'

'Ze is zo geboren,' zei Alan.

'Maar waarom?' vroeg Amy. 'Het is zo gemakkelijk voor mensen om gemene dingen over haar te zeggen, om haar te beledigen, om haar te negeren. Ik wil niet dat iemand lelijk tegen Julia doet. Nooit.'

'Dat weet ik,' zei Alan, terwijl hij Amy's hand in de zijne nam.

'Weet je,' zei Dianne, 'ik geloof niet dat iemand haar kan beledigen.' Haar stem was heel zacht. Ze had haar rechterarm van Amy's schouder gehaald en hield Julia nu met beide armen vast.

Julia sloot haar ogen. Haar moeder trok haar nog wat dichter tegen zich aan. Haar gezicht was bleek en haar lippen begonnen zuigende geluidjes te maken.

'Vroeger dacht ik daar anders over,' vervolgde Dianne, terwijl ze de haren van haar dochter bleef strelen. 'Ik dacht dat ze het erg vond zoals de mensen naar haar keken, of wat ze over haar zeiden. Maar dat was een vergissing. Ik had het mis.'

'En hoe denk je daar nu dan over?' vroeg Alan.

'Anders,' zei Dianne. Haar ogen schoten open. Ze waren helderblauw en ze schonk hem een stralende glimlach. 'Amy doet zoveel voor me. Amy is Julia's beste vriendin. Ze mag Julia zoals ze is...'

'Ik hou van Julia,' corrigeerde Amy Dianne zacht.

'Mijn moeder leest elke ochtend in de Bijbel,' zei Dianne. 'Ze heeft me al zo vaak gezegd dat God niet naar iemands uiterlijk kijkt, maar naar zijn hart. Samuel. En Amy helpt me dat te begrijpen,' zei Dianne, terwijl ze Julia zachtjes in haar armen wiegde.

'Echt?' vroeg Amy met een klein stemmetje.

'O, ja,' zei Dianne, en ze slikte. 'En hoe.'

Julia viel in slaap en krulde zich op in de foetushouding. Alan wist dat dat een symptoom van het syndroom van Rett was, maar hij verbeeldde zich dat het was omdat ze weer terug wilde kruipen in de baarmoeder van haar moeder. Het was een ontroerende gedachte waar hij een prop van in de keel kreeg. Hij voelde zich overweldigd door liefde voor hen allemaal. Amy zat aan de andere kant tegen Dianne aan geleund. De zon was onder, en het begon te ruiken naar het eten dat Lucinda aan het koken was.

Ze zaten met zijn viertjes zwijgzaam bij elkaar, en na een poosje kwam Dianne's kat uit zijn mandje op de kast. Dat had Alan de kat nog nooit zien doen. Ze was schuw en vertoonde zich nooit. Ze sprong met trage, steelse bewegingen van de kast, waarbij ze Alan angstvallig in de gaten hield.

'Ze probeert zichzelf ervan te overtuigen dat ze niet bang voor je hoeft te zijn,' fluisterde Amy.

'Dat je een vriend bent,' zei Dianne.

'Dat ben ik,' zei Alan, waarbij hij Dianne diep in de ogen keek.

Ze keken naar de kat die om het bed heen liep. Na een poosje ging ze aan het hoofdeinde zitten, waarbij ze zich zo klein mogelijk maakte. Ze tuurde strak naar de kier tussen de sprei en de vloer, en leek op iets te wachten, leek iets in de gaten te houden. Alans hart begon sneller te slaan. Hij wist niet waarom, maar opeens wist hij dat hij op precies hetzelfde wachtte.

Hoofdstuk 13

Het was in meerdere opzichten de zomer waar Dianne van had gedroomd. De dagen met Julia, haar moeder en Amy waren lang, vredig en zoet. Op een dag roeiden ze met zijn allen naar de overkant van het moeras. Ze trokken de boot op het zand, begroeven het anker diep in het harde duingras en liepen over het duin naar het strand van de vuurtoren.

Hier waren de golven hoger dan aan de kant van het moeras, waar het strand in de beschutting van het duin lag. Er kwam een rij hoge golven aan. Ze werden hoger en hoger, bereikten hun hoogste punt, rolden over zichzelf heen, en spoelden aan. Dianne zette de parasol op terwijl Lucinda de deken uitspreidde en de strandstoelen uitklapte. Amy was bang dat ze er dik uitzag in haar donkerblauwe badpak, maar Lucinda gaf haar de verzekering dat ze slank en beeldschoon was.

Dianne droeg Julia naar het water. Het zand was nat en koel, en er waren hier meer kiezels dan hoger op het strand. Ze smeerde haar dochter in met zonnecrème en streelde haar zachte huid. Daarna groef ze voor Julia een stoeltje in het zand, en nadat ze haar erop had neergezet, begon ze een zandkasteel voor haar te bouwen.

'Mag ik helpen?' vroeg Amy.

'Natuurlijk,' zei Dianne.

Ze werkten elk aan een kant van het kasteel en maakten er een schitterend, gecompliceerd bouwsel van. Dianne gebruikte haar handen om de muren en de torentjes mee te vormen, terwijl Amy het blauwe emmertje had genomen voor de bouw van de borstwering en de wallen. Ze lieten de ene na de andere hand nat zand over de randen druipen. Dianne maakte vlaggen van stukjes verdord bruin en groen zeewier, en ze drukten stukjes mosselschelpen met de donkere kant in het zand, waardoor het kasteel een eigen licht leek uit te stralen.

'Prachtig,' zei Amy, nadat ze op haar hurken was gaan zitten.

'Julia's kasteel,' zei Dianne, terwijl ze Julia hielp om er de allerlaatste

hand aan te leggen: een stukje zilverachtig wrakhout voor de ophaal-
brug.

'Voel je je nu ook zo wanneer je een speelhuis af hebt?' vroeg Amy.

'Mmm, ja,' zei Dianne met een glimlach, 'het lijkt erop.' Ze hield van
timmeren, van het feit dat er kinderen met haar creaties zouden spelen,
en dat er een cheque aan vast zat. Zandkastelen waren als zomerdagen:
zoet, vergankelijk en een prooi voor de zee. De enige betaling was het plezier van het bouwen ervan, en dat was meer waard dan welke cheque dan
ook.

'Vind je het fijn om te werken?'

'Ik ben dol op werken,' zei Dianne.

'Hmm,' zei Amy, en daar liet ze het bij.

Dianne wist dat ze aan haar moeder dacht. Amy's verblijf bij de Robbinsen was verlengd. Dianne had Alan gevraagd haar aanbod aan Tess
Brooks over te brengen, en Tess had toegestemd.

Ambers moeder had gebeld om te klagen over het feit dat Amy haar
een zet had gegeven. Er was een agent aan de deur geweest. Marla Arden
zei dat kinderen nooit zomaar agressief waren maar dat ze dat ergens geleerd moesten hebben, en de kinderbescherming weigerde haar zonder
een grondig onderzoek vooraf terug te laten keren naar een gevaarlijke
omgeving. Amy's dossier werd dikker en dikker, en Amy leek soms wel
eens het gevoel te hebben dat haar leven hopeloos was.

Soms realiseerde Dianne zich dat Amy haar met haar moeder vergeleek. Dianne werkte, haar moeder sliep. Dianne was altijd druk bezig,
haar moeder was lui. Het innerlijke conflict bracht rimpels op Amy's
voorhoofd.

'Maar waar ik vooral dol op ben,' zei Dianne met een glimlach, 'is spelen. Kom op, we gaan zwemmen.'

'Ik heb geen zin.'

'Nee?'

Amy haalde haar schouders op. Ze maakte een sombere indruk, alsof er
een donkere wolk over het strand was gekomen die boven haar hoofd was
blijven hangen. 'De golven zijn hier zo hoog. Wij gaan meestal naar Jetty
Beach, waar de zee veel rustiger is.'

'De golven kunnen geen kwaad, Amy. Ik zal je laten zien hoe je ermee
kunt spelen.'

'Nee, laat maar.'

'Denk er maar even over na,' zei Dianne teleurgesteld.

De golven waren wel te hoog voor Julia, dus Dianne bracht haar terug
naar Lucinda.

'Hoe is het water?' vroeg Lucinda.

'Warm,' zei Dianne.

'Ga je erin?'

'Ik wel. Amy durft niet.'

'Forceer het niet, lieverd. Jij wilde in het begin ook niets van de hoge golven weten. Weet je nog die keer toen je kopje onder ging en met je neus in het zand terechtkwam? Je had je neus en je voorhoofd geschaafd.'

'Ja, dat weet ik nog,' zei Dianne. 'Maar toen was ik veel jonger – vier, of vijf.'

'De eerste keer is altijd de eerste keer,' zei Lucinda.

'Dank je, Mam.'

Lucinda knikte tevreden en probeerde het Julia zo gemakkelijk mogelijk te maken. Ze had geen enkel probleem met het feit dat ze gepensioneerd was: ze had het strand, haar boek, haar familie en de verzekering van haar dochter dat het water warm was. De dansavond van de bibliotheek lag in het verschiet, en Lucinda zou eregast zijn.

Toen Dianne even later het water in wilde gaan, was Amy van gedachten veranderd. Ze zei niets, maar stond op van haar plekje bij het zandkasteel en liep naast Dianne het water in.

'Je kunt goed zwemmen,' zei Dianne, toen ze dieper waren, waar de golven alleen maar deinden.

'Mijn moeder heeft het me geleerd,' zei Amy. 'Toen ik klein was.'

'Nou, ze heeft alle eer van haar moeite,' zei Dianne. 'Ik heb het ook van mijn moeder geleerd.'

Ze keek naar Lucinda die met Julia onder de groen-witgestreepte parasol zat. Met haar zonnehoed en zonnebril op, en zoals ze met een boek in haar handen in de verschoten, gestreepte zandstoel zat, maakte ze een tijdloze indruk. Dianne's jonge moeder.

'Mijn moeder is bang voor golven,' zei Amy zenuwachtig. 'Bij Jetty Beach zijn geen golven.'

'Het geheim,' zei Dianne, terwijl ze Amy's hand nam, 'is dat je je er niet tegen moet verzetten. Je doet alsof je een zeehond bent en in het water leeft. Alsof je je nergens zo prettig voelt als in het water.'

'Zoals een dolfijn?'

'Meer als een zeehond,' zei Dianne. 'Je moet je door het water mee laten voeren.'

De zee voelde koel en verfrissend. Het water smaakte zout en haalde de druk van Dianne's borst. Toen ze het gevoel had dat Amy eraan toe was, lieten ze zich langzaam terugdrijven naar het strand. Dianne wees Amy hoe ze over haar schouder moest kijken en moest inschatten wanneer de aankomende golf zijn hoogste punt zou bereiken. Met hun armen boven hun hoofd gestrekt, doken ze als onbevreesde vrouwen in de golf en lieten zich door de schuimende golf naar het strand toe dragen.

'Wauw!' riep Amy uit, terwijl ze haar natte haren uit haar ogen wreef.

'Dat deed je fantastisch!'

'Lucinda!' riep Amy. 'Zag je dat?'

'Ja, ik heb het gezien!' antwoordde Lucinda.

Dianne was zo blij voor Amy. Het was een hele overwinning, om je voor het eerst door een golf te laten meevoeren. En nu het haar de eerste keer gelukt was, wist ze van geen ophouden. Ze bleef de rest van de dag met de golven spelen. Verderop het strand waren andere kinderen, maar Amy bleef ver uit hun buurt. Ze leek het fijner te vinden om met Dianne en Lucinda te zwemmen, en met Julia te spelen.

Het was de hele dag al vloed, en Dianne zag de zee steeds dichter bij hun zandkasteel komen. Ze kreeg een prop in haar keel. De eerste golf kwam bijna tot aan de slotgracht. Ze wilde niet zien hoe het kasteel werd weggespoeld.

'O, de zee, de zee, de zee,' zei haar moeder, terwijl ze uit het water kwam en haar haren droogde met een handdoek.

'Julia is ook dol op de zee,' zei Amy.

'Haar tweede voornaam,' zei Lucinda, 'is Lea. Dat is een oud Engels woord voor wei bij de zee. L-e-a.'

'Julia Lea Robbins,' zei Amy. 'O, wat klinkt dat mooi. Jullie hadden geen betere naam voor haar kunnen bedenken. Julia Wei bij de Zee Robbins.'

Dianne keek strak naar het kasteel. De golven kwamen er steeds dichterbij. Ze boog zich over Julia heen. Het kind was wakker en keek haar moeder met grote ogen stilzwijgend aan. Dianne hield haar handjes in de hare. Ze waren zacht en warm van de zon, en het contact bezorgde Dianne een gevoel van opluchting.

'Ik ga met Julia zwemmen,' zei ze. 'Aan de andere kant van het duin.'

Amy en Lucinda verzamelden de spullen. Dianne liep met Julia het duin op. Toen ze op het hoogste punt stond, kon ze de halve cirkel van het strand aan de ene, en het uitgestrekte moeras aan de andere kant zien liggen. De witte vuurtoren stond op de uiterste punt. De zee had hun prachtige kasteel weggespoeld, en daarmee was het voor Dianne tijd geweest om weg te gaan.

Julia bewoog in haar armen. Dianne hield haar dicht tegen zich aan. Hun huid was warm waar ze elkaar raakten. Hun armen waren naakt. Julia hield van de zomer, dat had ze altijd al gedaan, en weldra zou ze doen wat ze het liefste deed: zwemmen. Dianne droeg haar de beschutte kant van het duin af. De open zee lag links van hen, het moeras rechts.

Het water was rustig en warm. Dianne liep er, met Julia in haar armen, regelrecht in. De zandbodem voelde zacht en modderig. Dianne hield niet van krabben en scherpe schelpen, dus ze draaide zich om, tilde Julia op tot aan haar kin, en liet zich achterover in het water zakken. Het zilte, zijdeachtige water omsloot hen met zijn warmte.

'Maaa,' zei Julia.

'Je zegt het, lieverd,' zei Dianne. 'Ik ben je mamma.'

Ze lagen op hun rug en dreven wat verder het water in. Dianne hield Julia op haar borst terwijl ze haar benen zachtjes op en neer bewoog. Strandlopers schoten over het smalle strand en stegen op in een bruine wolk. Dianne probeerde zich voor te stellen hoe het zou zijn om te vliegen, en hoe het voor Julia zou zijn om geen last te hebben van het gewicht van haar gebroken lichaam.

'We zwemmen, lieverd.'

Julia drukte haar neus in het holletje van Dianne's schouder. Omdat ze haar armen niet om Dianne's hals kon slaan, liet ze het vasthouden aan haar moeder over. Het zoute water deed het werk. Het hield ze drijvende zonder dat ze er al te veel voor hoefden te doen.

'Het is zomer, Julia,' zei Dianne, en de spatjes zout water op haar gezicht smaakten naar tranen. 'Je houdt van de zomer, Julia.'

'Maaa,' zei Julia.

'Je bent dol op de zomer. Dat ben je altijd al geweest. Vanaf de dag waarop je bent geboren.'

Julia bewoog zich in Dianne's omhelzing, en ze wrong haar handen.

'Je bent een zomerkind,' zei Dianne. 'Nietwaar? Vind je het niet heerlijk, nu, in deze tijd van het jaar? Wanneer het zulk zalig warm weer is....'

Aan de overkant van het moeras zag Dianne hun huis. De verweerde houten dakpannen leken wel van zilver, en de luiken waren even blauw als de zee. Lucinda's tuin was een grote kleurenzee. Goudgroen riet wiegde heen en weer op het briesje, en de vlag wapperde aan de mast. Haar werkplaats zag er hier vandaan zo klein uit dat het bijna een van haar speelhuizen leek. Er stond geen auto op de oprit, maar Dianne vroeg zich af of Alan later misschien nog langs zou komen om te kijken hoe het met Julia en Amy was. Ze dacht aan hoe ze elkaar, bij zijn laatste bezoek, omhelsd hadden, en ze trok Julia wat dichter tegen zich aan.

'Halloooooo!' riep Amy. Ze stond boven op het duin naar hen te zwaaien.

'Hoor je dat?' vroeg Dianne. 'Dat is je vriendinnetje Amy, die je roept.'

'Gaaaa,' zei Julia.

'Hallo,' riep Dianne terug. 'Julia zegt hallo terug.'

Julia was gewichtloos en vrij. Amy en Lucinda stonden op het duin. Hun gezichten lagen in de schaduw, maar Dianne meende dat ze glimlachten. Dit was een gezegende dag. De ijsvogel zat op een oude paal en zag hen langs drijven. De zon was warm, het briesje was fris. Het was zomer, en de meisjes waren samen.

Vijftienhonderd kilometer noordelijker in noord-noordoostelijke richting, zat Malachy Condon op zijn oude rode sleepboot naar het liefdeslied van de dolfijnen te luisteren. Hij had zijn koptelefoon op. De afgelopen avond was hij voor Big Tancook Island voor anker gegaan, waarna hij de hydrofoon overboord had gehangen. De dolfijnen waren, sporen van groen vuur door het water trekkend, langs de boot gezwommen. Hun complexe en mysterieuze taal was, voor een oude Ier als Malachy, even onweerstaanbaar als poëzie.

Nu was hij weer terug op zijn vaste plek in de haven van Lunenburg, en was hij bezig de opnamen van de afgelopen avond te vertalen. Hij was een tweeënzeventig jaar oude, stevig gebouwde man met grijs haar. Zijn liefde voor de zee stamde nog uit de tijd dat hij in het westen van Ierland was opgegroeid. Zijn vader had met netten op zalm gevist, en tijdens een van de zomers hadden hij en zijn zussen er gaten in gemaakt om de zalm te laten ontsnappen. Hij was een geboren idealist met een grenzeloze liefde voor de natuur. Zoals ook op dit moment: hij luisterde veel liever naar het zingen van de dolfijnen, dan naar de stem van Pavarotti of de fluit van James Galway.

De haven achter het raam van de stuurhut was even stil als donkergroen glas. De felrode en blauwe gebouwen deden denken aan eenvoudige blokkendozen. Witte meeuwen cirkelden door de lucht. Een vissersboot verliet de haven, en Malachy slaakte een zucht. De prachtige muziek in zijn oren en het drama van een noordelijke haven als schouwspel – wat kon een mens nog meer verlangen?

Dat was een bittere vraag, en hij beet op zijn pijp. Malachy miste zijn vrouw. Brigid was vijf jaar eerder gestorven. Ze hadden een geweldig leven samen gehad – in Ierland, in de Verenigde Staten en op vele wereldzeeën. Brigid, die op de Aran eilanden was geboren, had hem van harte gesteund bij zijn studie van de zee. Ze had, om zijn studie te kunnen betalen, huizen schoongemaakt en voor andere mensen gewassen en gestreken. Er waren niet veel studenten op het Kerry Oceanographic College geweest met een jonge vrouw met rode handen en ruwe knieën die dat soort werk deed om haar echtgenoot onderzoek naar zeegras en haaienlevers te laten doen.

'Mijn dag komt nog wel,' had ze gezegd, op die zangerige toon van haar. Haar groene ogen straalden. 'Dan ben jij keihard aan het werk met het bestuderen van die vissen van je, terwijl ik heerlijk kan uitslapen en de dingen kan doen waar ik zin in heb. Ik zie het al voor me – jij de hele dag op zee of in het lab, en ik lekker thuis met de kleintjes.'

'Dat beloof ik je,' had Malachy gezegd. 'Ik verdien de kost voor jou en elf kindertjes, totdat je barst van puur geluk.'

'Kan dat, denk je?' had ze gevraagd, terwijl ze haar hoofd op zijn borst had gelegd. 'Kan iemand zo gelukkig zijn dat hij ervan barst?'

'Nou, misschien dat een vrouw, nadat ze elf kinderen ter wereld heeft gebracht, zo gelukkig kan zijn dat ze haar man smeekt haar in het vervolg met rust te laten.'

'O, Mal,' had ze lachend uitgeroepen.

Maar er kwamen geen elf kindertjes. Er kwam er maar een. Malachy en Brigid kregen een zoon. Ze noemden hem Gabriel omdat hij hun aartsengel was. Daarna kreeg Brigid geen kinderen meer, en Malachy had er vrede mee gehad. Gabriel was voldoende. Hij was hun volle maan, hun opkomende zon. Hij was klein en grappig, en had het krullende rode haar van zijn moeder. Hij was een dichter geweest.

Nee, zijn werk was niet uitgegeven. Maar dat zou uiteindelijk wel zijn gebeurd, dat wist Malachy zeker. De jongen had talent. Zijn woorden waren regelrecht afkomstig van zijn voorouders; Yeats, Synge en Joyce. Hij was een kind van veertien met de ziel van een wijze oude man. Zijn woorden hadden het ritme van muziek, en wanneer hij schreef over het maanlicht op de baai, kon je het water zien golven. En schreef hij over zijn liefde voor een meisje – iets dat hij nog niet had meegemaakt – dan boorden zijn woorden zich dwars door je hart en lieten het bloedend achter.

Gabriels begaafdheid en genie hadden hun episch centrum in zijn hart. Hij was de meest gelukkige baby die ooit was geboren, en greep het leven dat hem was geschonken met beide handen beet. Iedereen wist dat hij een bijzonder kind was. Zijn docenten Engels droegen hem op handen, en verkondigden de Condons dat hun zoon later beroemd zou worden. Malachy gaf niet om roem. Hij zou al blij zijn als hij de woorden van zijn zoon de rest van zijn leven zou mogen horen.

Maar Gabriel was op zijn veertiende bij een verkeersongeluk om het leven gekomen. Het was gebeurd op Route 132 in Hyannis, vlak voor de Airport Rotary. Zijn ouders hadden de shock nauwelijks kunnen verwerken, maar hun geloof had hen gered.

Brigid was elke ochtend in de St. Francis Xavier Kerk naar de mis gegaan. Rose Kennedy had een aantal banken voor haar geknield. Soms hadden hun blikken elkaar gekruist – de oudere vrouw had Brigid's diepe verdriet begrepen.

Malachy had zich met hart en ziel op zijn werk gestort. Het Woods

Hole Oceanographic Institute was nachtuilen gewend, maar op geen enkele kamer brandde het licht tot zo laat als op die van Malachy. Hij raakte in de ban van de dolfijnen. Hij kon uren achtereen naar hun gesprekken luisteren. Hij had vergezochte theorieën waar niemand in geïnteresseerd was – dat dolfijnen romantisch waren, dat ze elkaar met gecompliceerde rituelen het hof maakten, en dat de klank van hun stem veranderde wanneer ze verliefd waren.

Malachy zat voorovergebogen met zijn koptelefoon op, en kwam om van verdriet. Het enige wat hij kon was luisteren. Hoe kon een menselijk wezen de liefdesliederen van de dolfijnen interpreteren zonder die muziek in zijn hart te laten weerklinken? Dat jaar was hij zijn toelage bijna kwijtgeraakt. Hij had de liefdesliederen niet kunnen horen en had er geen verslagen over kunnen schrijven. Er was nu eenmaal geen geld beschikbaar voor research zonder bijbehorende theorie.

Dankzij de hulp van zijn jonge assistent had hij het hoofd boven water kunnen houden. Enkele maanden na Gabriels dood, drukte Alan McIntosh hem een geluidsband in handen.

'Uit het Caribisch gebied,' had hij gezegd. 'Opnamen van de dolfijnen in de Anegada Passage.'

'Nog meer onverstaanbaar gebrabbel,' had hij gezegd.

'Dat ben ik niet met je eens,' zei Alan. 'Als ik ernaar luister zoals jij me geleerd hebt ernaar te luisteren, dan klinkt het me als poëzie in de oren. Op school zijn we bezig met het werk van Yeats, en dit klinkt precies zo.'

'Yeats,' zei Malachy. Gabriel was zijn Yeats geweest. Gabriels gedichten waren bedoeld om harten te breken en de ziel te wekken. Wat wist een Amerikaanse student als Alan McIntosh van Yeats?

Malachy had zijn aanblik maandenlang gehaat: een jongeman die elke dag naar school ging en die leefde, twee dingen die Gabriel niet meer deed. Aan de andere kant stond dat Alan een broer had verloren. Dat was tragisch en ellendig, en zijn ouders waren eraan onderdoor gegaan. En dus had Malachy, omdat hij de jongen een plezier wilde doen, de koptelefoon opgezet en getracht om Yeats in de taal van de dolfijnen te herkennen. In plaats van Yeats, had hij Gabriel gehoord.

Alan was degene geweest die Malachy dat geschenk had gegeven. Met het noemen van Yeats' naam, had hij Malachy de sleutel tot Gabriel overhandigd. En Malachy kon zijn zoon nog steeds horen. Het lied van de dolfijnen was als Gabriels poëzie: prachtig, etherisch en te mooi voor deze wereld. Na al die tijd had Malachy nog maar weinig mensen ontmoet die het begrepen, en die in staat waren de magie erin te horen. De meeste mensen hoorden alleen klikken, trillen en hoge, klaaglijke piepgeluiden. De enigen die in staat waren om de liefdesliederen van de dolfijnen te herkennen, waren mensen met diepe emoties, mensen die in spiritueel opzicht ver ontwikkeld waren, verliefden, gekken, dwazen, mensen met een groot verdriet, mensen met een intens schuldgevoel, verlichte geesten en mensen met een dichterziel of een kinderhart.

Alan McIntosh was zo'n man. Zijn broer Tim was dat niet.

De twee broers, Alan en Tim, waren de enige kinderen die Malachy Condon nog had. Goed, ze waren niet zijn eigen vlees en bloed, maar was dat echt zo belangrijk? Malachy had ze in zijn hart gesloten, precies zoals zij hem in hun hart hadden gesloten. Malachy geloofde niet dat mensen elkaar kozen. Hij was ervan overtuigd dat God de mensen aan elkaar gaf als metgezel voor de reis. De twee broers waren niet zomaar in zijn leven gekomen, ook al was de reden erachter hem niet altijd even duidelijk.

'Bel me,' zei hij hardop, met zijn pijp in zijn mond.

Hij zat alleen op zijn sleepboot. De dolfijnen kletsten hem de oren van het hoofd, er zat geen menselijke stem tussen – tenzij hij Gabriels ziel meetelde. Malachy was ervan overtuigd dat stemgeluid zich door de ether voortbewoog en dat Tim en Alan, hoewel hij ze niet kon zien, hem over een grote afstand konden horen roepen.

'Bel me,' zei hij opnieuw. 'Jullie weten dat jullie dat willen, dus waar wachten jullie op? Dachten jullie soms dat dit leven geen einde heeft?'

Alan had een maand geleden gebeld. Hij belde altijd een keer per maand, en het was tijd voor zijn telefoontje. Hetzelfde gold voor Tim. De broers hadden nog een kwestie die ze met elkaar moesten uitspreken, en pas wanneer ze dat hadden gedaan, zouden ze in staat zijn om verder te gaan met hun leven. Malachy had voor beiden een wijze raad.

Hij beschikte over een zeldzame vorm van helderziendheid – een vorm die in Ierland niet ongewoon was, maar die verder nauwelijks voorkwam. Hij dacht aan Dianne, een ingetogen, natuurlijke schoonheid zoals zijn Brigid was geweest, en hij dacht aan het meisje, Julia, met haar mismaakte lichaam, dat zich baadde in het licht en de liefde van haar moeder. Natuurlijk, Malachy zou de telefoon kunnen pakken om de jongens te bellen, maar dat zou niet hetzelfde zijn. Vaders hielden ervan om opgebeld te worden. En een goede zoon wist dat. Malachy had vertrouwen, dus hij luisterde naar de dolfijnen terwijl hij zijn andere hand klaar hield om de telefoon op te nemen wanneer Tim hem zou bellen. Het was tijd.

Hoofdstuk 14

'Met wie ga je?' vroeg Amy.

'Waar naartoe?' vroeg Lucinda.

'Naar de dansavond van de bibliotheek.'

'O,' zei Lucinda met een glimlach. Ze zaten op de veranda een kopje thee te drinken. Dianne was met Julia voor controle naar Alan.

'Gezien het feit dat je de – hoe noemen ze dat ook alweer?'

'De eregast,' zei Lucinda, zo bescheiden als ze kon.

'Nou, gezien het feit dat je de eregast bent, vind ik dat je zelf zou mogen uitmaken wie je mee wilt nemen.'

'Bedoel je dat ik jou mee zou moeten nemen?'

Amy's mond viel open. Ze had al dagenlang op bepaald niet subtiele wijze laten doorschemeren dat ze dolgraag mee zou willen, maar nu ze daarop betrapt werd, deed ze alsof ze dat maar een bijzonder vergezocht idee vond. 'Ik? Nee, natuurlijk niet. Ik bedoelde helemaal niet dat –'

'Hoe ver ben je met lezen?' vroeg Lucinda.

'Nou, ik heb dat boek dat ik van Dianne heb gekregen, *Anne van het Groene Huis*, bijna uit.'

'Maar dat heeft ze je bijna twee maanden geleden gegeven! Ik had verwacht dat je intussen al minstens zeven andere boeken had gelezen.'

'Maar ik vind het zo mooi,' zei Amy met een stralend gezicht. 'Anne is te gek, zoals ze, op zoek naar gelijkgestemde zielen over dat eiland zwerft... ontzettend gaaf, gewoon! Vind jij het een mooi boek, Lucinda?'

'Ik vind het een prachtig boek,' zei Lucinda op droge toon. 'En het is zeker drie maanden waard.' Ze wist dat ze ertussen werd genomen. *Anne van het Groene Huis* was haar lievelingsboek, en ze was ervan overtuigd dat Amy dat wist. Net als Anne, was Lucinda op jonge leeftijd wees geworden. Ze had drie jaar in een weeshuis gewoond, waarna ze door hele onvriendelijke mensen geadopteerd was. Hoewel ze hen haar ouders noemde, had ze in haar hart een speciaal plekje gekoesterd waar haar echte ouders woonden. En ze had heimelijk verlangd naar lieve pleegouders, zoals Anne had gehad.

'Bestaat het Prince Edward Island echt?' vroeg Amy.

'Ja,' antwoordde Lucinda. 'Het in ligt in Canada en is een van de Maritieme Provincies.'

'Ben je er ooit geweest?'

'Nee,' zei Lucinda, terwijl ze een slokje van haar thee nam. 'Emmett heeft altijd beloofd dat we er ooit nog eens heen zouden gaan, maar hij is gestorven voor hij die belofte waar kon maken.'

'Was Emmett je tweelingziel?' vroeg Amy, over de rand van haar theekopje heen kijkend.

'O, ja,' zei Lucinda, 'dat was hij zeker.'

'Mijn vader was mijn moeders tweelingziel,' zei Amy. 'Ze waren elkaars beste vrienden – ze waren niet zomaar een getrouwd stel.'

Lucinda glimlachte. Het kind was bijzonder wijs voor haar leeftijd. 'Zo hoort het ook te zijn,' zei ze. 'Maar helaas is het niet altijd zo.'

'Hun speciale nummer was *You've Got a Friend*,' zei Amy. 'Van James Taylor. Ze hadden elkaar beloofd dat ze er altijd voor de ander zouden zijn. Mijn vader heette Russell en mijn moeder heet Theresa, en bij de bibliotheek is een boom met hun initialen in de bast. Een R en een T in een groot hart. Dat heeft hij er voor haar in gekerfd.'

'Hij heeft geboft dat de bibliothecaresse hem dat niet heeft zien doen,' zei Lucinda.

'Je zou hem aardig hebben gevonden,' zei Amy. 'Hij was een goed mens. Dat zegt Dianne.'

'Nou, hij heeft in ieder geval twee dingen die voor hem pleiten: dat Dianne dat zegt en dat jij zijn dochter bent.'

'Waren Dianne en Tim ook tweelingzielen?' vroeg Amy.

'Ach...' begon Lucinda.

'Waren ze echt hopeloos en wanhopig verliefd op elkaar, en konden ze niet buiten elkaar?'

'O, verliefd waren ze zeker,' zei Lucinda. 'Maar ik zou ze geen tweelingzielen willen noemen. Dat is heel wat anders. "Verliefd" moet heel veel groeien om aan het begrip van tweelingzielen te kunnen tippen. Er zijn een aantal factoren die daartoe kunnen bijdragen, zoals moeilijke tijden, vreugde, ziekte, humor, geldzorgen en het hebben van kinderen. Alles wat zo bij het dagelijks leven komt kijken. Maar wanneer een van tweeën tot de conclusie komt dat hij weg wil, dan zijn de kansen daarmee verkeken.'

'Ik kan alleen maar hopen,' zei Amy zacht, 'dat ik niet het type van de wegloper ben.'

'Ik geloof niet dat je dat bent,' zei Lucinda.

'Ze vinden me slecht,' zei Amy, terwijl ze haar hoofd liet zakken.

'Wie?'

'De Staat van Connecticut,' fluisterde Amy. De tranen drupten van haar neus. 'Ze vinden me agressief en gewelddadig omdat ik Amber tegen de vlakte heb geslagen.'

'Dat betekent niet meer dan dat je een enkel foutje hebt gemaakt,' zei Lucinda. 'Het wil nog helemaal niet zeggen dat je een gewelddadig en agressief mens zou zijn.'

'Ze zeggen dat ik het van Buddy heb geleerd. Dat wanneer een kind in haar ouderlijk huis met zulk soort gedrag geconfronteerd wordt, ze het kan overnemen en ook slecht wordt.'

'Het feit dat je ermee geconfronteerd wordt,' zei Lucinda, terwijl ze terugdacht aan het wrede gezicht, de bijtende tong en de klappen van de broekriem van haar stiefvader, en aan al die uren die ze opgesloten in haar kamer had gezeten, 'wil echt nog helemaal niet zeggen dat je je zulk soort gedrag eigen hoeft te maken.'

'Niet?' vroeg Amy, opkijkend.

'Nee. Sterker nog, ik zou juist willen zeggen dat het iemands plicht – tegenover zichzelf, tegenover zijn of haar ouders en tegenover God – is om erbovenuit te stijgen.'

'Meen je dat?' Amy droogde haar tranen.

'Iedereen maakt zijn eigen leven,' zei Lucinda. 'Je bent verantwoordelijk voor je daden. De schuld aan anderen geven is een excuus. Jij hebt een goed hart, Amy.'

'Dank je,' zei Amy.

'Je hebt Dianne en Julia heel veel vreugde gegeven.'

'Ik wou dat Tim bij hen was gebleven.'

'Ik ook.'

'Je laat je tweelingziel niet in de steek,' zei Amy.

'Nee, dat doe je niet,' was Lucinda het met haar eens.

Dianne stond naast Julia terwijl Alan het ECG maakte. Hij spoot witte gelei op haar huid en drukte de zuignapjes erop. Haar ribbenkast was misvormd, haar borst was ingevallen. Aan de witte lijntjes op de plaats waar de bandjes van haar badpak hadden gezeten, was te zien dat ze een beetje bruin was geworden. Op haar schouder zat de rest van een sticker van een roosje.

'Haar tatoeage,' zei Dianne, toen ze Alan ernaar zag kijken.

'Amy?' vroeg hij.

Dianne knikte. 'Ja. We waren bij Layton's, en Amy vond dat zij en Julia voor de zomer een paar tatoeages moesten hebben. Kijk.' Ze wees op Julia's linkervoet.

Alan glimlachte. Vlak boven Julia's enkel zat een oranje met blauwe vlinder. En om de enkel zat een enkelbandje van gekleurde kralen die in bloemachtige groepjes bijeen waren geregen.

'Wat mooi, Julia,' zei Alan. 'Mijn nichtje is het coolste meisje op het strand.'

'Alan,' zei Dianne, en ze kon het niet helpen dat haar stem zo onvast klonk. 'Zou je alsjeblieft een beetje willen opschieten met het onderzoek?'

Alan knikte. Hij zette het apparaat aan. De motor zoemde zacht, en het duurde nog geen vijf seconden voor de printer in actie kwam. Er kwam een lange, smalle, op een kassabon lijkende reep papier uit, waar allemaal zwarte tekens op stonden. Hij zag Dianne haar hoofd schuin houden terwijl ze probeerde te kijken wat erop stond.

'Ontspan je nu maar,' zei hij.

Ze liet de lucht uit haar longen ontsnappen.

'Het spijt me,' zei hij. Hij was minstens even zenuwachtig als zij. Zijn handen waren vochtig toen hij de strook opnam en bekeek. Hij keek of deze grafiek veranderingen vertoonde ten opzichte van eerder gemaakte grafieken. Julia's eerdere ECG's zaten in haar dossier, maar hij had er al zo vaak naar gekeken dat hij ze niet naast deze hoefde te leggen om eventuele veranderingen te constateren. Ze had ruis en een klikje.

'Wat zie je?' vroeg Dianne.

'Laat me eerst even kijken,' zei hij.

Julia lag op de tafel en keek op naar de volwassenen. Ze wrong haar handen. Handenwringen was normaal voor meisjes met het syndroom van Rett – een genetische aandoening die bijna uitsluitend bij meisjes voorkwam – maar wanneer Alan Julia haar handen zag wringen, ervoer hij dat als een gebaar van wanhoop dat een hulpeloos gevoel in hem opriep.

'Kun je er iets aan zien?' vroeg Dianne, toen Alan het apparaat uitzette.

Alan liet zijn bril tot op het puntje van zijn neus zakken en keek over de rand van het montuur naar de kleine tekens. Hij bekeek de hele strook zorgvuldig. Hij wist dat het laag en primitief van hem was om op een moment als dit van Dianne's nabijheid te genieten. Ze stonden Julia's ECG te bekijken, en ondertussen snoof hij de geur van haar huid en haren genietend in zich op.

'Als je niet snel iets zegt,' zei ze, 'dan ga ik gillen. Ik kan het niet helpen. Ik voel de gil opkomen – hij zit in mijn keel –'

'Ik zie geen belangrijke verandering,' zei hij, terwijl hij zich bewust was van het feit dat ze tegen zijn zij leunde. Hij tikte op de strook, en ze boog zich nog wat verder naar hem toe. 'Hier, dit stukje hier zou iets kunnen zijn, maar ik weet het niet zeker. Ik zal het naar Providence faxen en Barbara Holmes vragen om ernaar te kijken.'

'Hoe bedoel je, het zou iets kunnen zijn?' vroeg Dianne. Ze nam Julia's hand in de hare, maar bleef heel dicht bij Alan staan. Ze stond tussen hem en het kind in, en raakte hen beiden aan.

'Een onregelmatigheid,' zei Alan. 'Een minimale verandering in het patroon.'

'Maar je zei net dat er geen belangrijke verandering was,' zei ze.

'Inderdaad. Ik heb het over een eventuele minimale verandering,' zei hij. Ze droeg een mouwloos geel-wit geruit bloesje. Haar blote arm had sproeten en een kleurtje van de zon. Hij voelde warm tegen Alans arm, door de dunne stof van zijn blauwe overhemd. Hij wilde zich opzij buigen en haar naakte schouder kussen, maar toen deed ze zo onverwacht een stapje opzij dat zijn hele linkerzij opeens ijskoud voelde.

'Ik ben geen dokter,' zei ze op dreigende toon, terwijl ze zich over Julia heen boog en de zuignapjes van haar huid begon te halen.

'Dat weet ik,' zei hij.

'Ik hou er niet van wanneer je op zo'n verwaande manier tegen me praat.' Haar stem trilde. 'Ik weet heus wel wat het verschil is tussen belangrijk en minimaal. Maar kennelijk is het toch belangrijk genoeg om de uitslag naar Dr. Holmes te faxen, iets dat je niet gedaan zou hebben als alles normaal was geweest.'

Alan keek naar haar terwijl ze de plakkerige gelei voorzichtig van Julia's huid veegde. Ze gebruikte de babydoekjes die ze zelf had meegebracht, en maakte er zachte, deppende bewegingen mee. Ten slotte hield ze een aantal wattenbolletjes onder de warme kraan en veegde er de allerlaatste restjes mee weg. In plaats van de stugge papieren handdoekjes, gebruikte ze verbandgaasjes om Julia's borst mee af te drogen. Ze had haar schouders opgetrokken.

'Dianne,' zei Alan, in de hoop dat ze zich om zou draaien.

Ze bleef met haar rug naar hem toe gekeerd staan, schudde haar hoofd en ging verder met het drogen van Julia's huid.

'Het was niet mijn bedoeling om verwaand te klinken. Niet nu, en nooit,' zei hij, met een prop in zijn keel.

Hij zag haar haar schouders ophalen, maar ze was zo gespannen dat ze opgetrokken bleven. Ze had gezegd dat ze geen dokter was, maar ze kende de weg in de praktijk beter dan Martha. Ze had medische behandelingen bij Julia verricht die de meeste leken doodeng zouden vinden.

Alan pakte haar bij de schouders en draaide haar naar zich toe. Ze verzette zich en hij begreep dat ze hem echt niet aan wilde kijken. Ze liet haar hoofd hangen en keek naar zijn voeten. De zon scheen op haar haren, en het leek van puur gesponnen goud. Ze rook naar bloemen en strand. Alans hart ging zo heftig tekeer dat hij zijn stem amper durfde vertrouwen.

'Ik maak me zorgen om Julia,' zei hij.

Ze hief abrupt haar hoofd op. In haar blauwe ogen lag een intense, smekende blik. Alan wou dat hij haar verdriet en angst kon overnemen.

'En dat zal ik, zo lang het om Julia gaat, altijd blijven doen,' zei hij. 'Net als jij. Het maakt deel uit van het feit dat ze ons leven deelt.'

'Maar de uitslag –' begon ze te zeggen.

Alans handen lagen nog steeds op haar schouders. Hij wilde haar tegen zich aan trekken en haar kussen. Op dit soort momenten wist hij dat zijn emotionele band met haar en haar dochter veel te sterk was, en dat hij Julia's behandeling eigenlijk zou moeten overdragen aan iemand die wat meer afstand had. Maar dat kon hij niet. Hij zou haar of Dianne nooit in de steek laten. Hij schraapte zijn keel.

'De uitslag zegt niets,' zei hij. 'Het is veel te vaag. Er is geen zwart en wit en er zijn geen duidelijke aanwijzingen. We bevinden ons met Julia in een grijs gebied, en dat is van het begin af aan zo geweest. Laten we er vrede mee hebben. Laten we genieten van wat we hebben, en van elk moment dat ze in ons midden is. Elke seconde –'

'Ik heb haar zo nodig,' zei Dianne.

'Dat weet ik,' zei hij.

'Hoeveel, dat realiseer ik me pas wanneer we hier zijn,' zei ze. 'Wanneer ik geconfronteerd word met de gedachte dat ik haar op een dag zal verliezen.'

'Denk je dat, wanneer je hier bent?' vroeg Alan. Zijn maag balde zich samen. Hij had zichzelf altijd als Julia's beschermer gezien, als Dianne's steun en toeverlaat. Hij had altijd geprobeerd te helpen. Die keren dat het echt slecht met Julia was gegaan, had hij al zijn afspraken afgezegd en conferenties laten schieten om onmiddellijk klaar te kunnen staan wanneer ze hem nodig hadden.

'Ja,' bekende Dianne, en ze haalde diep adem. 'Dit is de plek waar we het nieuws te horen krijgen. Wat het ook zijn mag, dit is de plek waar het ons wordt meegedeeld.'

'Maar niet al het nieuws is slecht,' zei Alan. Hij streelde haar rug en probeerde zijn eigen paniek de baas te blijven. Hij wilde zo graag dat ze hem anders zou zien. Was hij echt alleen maar de verkondiger van het slechte nieuws? Zag ze, wanneer ze naar hem keek, echt alleen maar het ergste wat Julia zou kunnen overkomen? 'Lang niet alles was negatief. Er zitten zo veel positieve kanten aan Julia's leven. Dankzij jou.' Klonk hij wanhopig, alsof hij verschrikkelijk zijn best deed om haar te overtuigen?

'Vroeger vroegen de mensen me vaak waarom ik besloten had om haar te houden,' zei Dianne. 'Toen de uitslag van de vruchtwaterpunctie bekend was, had ik haar immers gewoon weg kunnen laten halen... Het was voor mij een keuze tussen haar en mijn man.'

Alan voelde zich van top tot teen verstijven. Met zijn hand op Dianne's rug dacht hij aan zijn broer die ergens op zee was en hier geen flauw idee van had.

'Ik weet niet hoe vaak ik die vraag heb gehoord,' zei Dianne. 'Kun je je voorstellen dat mensen zoiets vragen?'

'Mensen denken niet altijd na,' zei Alan.

'Het was heus niet omdat ik zo'n goed en nobel mens was,' zei Dianne. 'Ik was niet eens moedig, ofschoon dat altijd van me werd gezegd. Ik was juist ontzettend laf! Ik was verschrikkelijk bang...'

'Hoe bedoel je?' vroeg Alan.

'Een dochter hebben,' zei Dianne. 'Ik had mijn hele leven naar een dochter verlangd. Ik was zo bang dat ik geen tweede kans zou krijgen. Als kind was ik dol op poppen. Ik speelde altijd met mijn poppen en liet mijn moeder echte luiers en babykleertjes voor ze kopen. Mijn vader maakte wiegjes voor ze. Ik had een speelhuis...'

'Je bedoelt het speelhuis dat Emmett voor je heeft gebouwd?' vroeg hij. Hij kende dit verhaal.

'Ja,' zei Dianne. 'Het was prachtig. Het stond in mijn kamer. Het had bloembakken in de vensterbanken en een echte bel die op een batterij werkte. Ik was er niet uit weg te slaan. Het was een kopie van een van de huizen hier in Hawthorne, mijn lievelingshuis. En ik verbeeldde me hoe het zou zijn om groot te zijn en een eigen kind te hebben. Om in zo'n huis als dat gelukkig te kunnen zijn.'

'En toen kreeg je een baby,' zei Alan.

'Julia,' zei Dianne, terwijl ze een stapje opzij deed. Hij stak zijn hand naar haar uit en wilde haar weer naar zich toe trekken, maar ze had zich over haar dochter heen gebogen. Ze sprak nog steeds, maar heel zacht, en hij moest dicht bij haar gaan staan om haar te kunnen verstaan. 'Je kunt je kinderen niet kiezen. Als ik Julia niet had willen hebben, wie zegt dat ik dan een tweede kind zou hebben gekregen? Julia is van mij.'

'Dianne –' zei Alan.

Maar Dianne leek hem niet te horen. Ze nam Julia in haar armen en hield haar dicht tegen zich aan. 'Ze is van mij en ik ben van haar. Maar heb het niet over een grijs gebied, Alan. Zeg alsjeblieft niet dat we ons in een grijs gebied bevinden.'

'Goed.'

'Een grijs gebied is voor mij het gebied waar kinderen vertoeven die niet naar de hemel kunnen. Dat is niet voor Julia.'

'Nee, de hemel is gemaakt voor mensen als Julia,' zei Alan.

'Ik hou van je,' zei Dianne, terwijl ze Julia in haar armen wiegde. De enorme ogen van het meisje gingen hongerig over het gezicht van haar moeder. Haar handen kwamen omhoog en haar vingers streelden over Dianne's lippen en kin.

'Ik ook,' zei Alan. Hij deed een stapje naar voren en legde zijn handen op de schouders van zijn nichtje. Julia draaide haar hoofd naar hem toe en schonk hem een enorme grijns. Dianne bleef haar wiegen. Ze dacht dat Alan het alleen maar tegen Julia had. Ze wist niet dat zijn woorden voor hen beiden waren bedoeld.

'Ik wil ergens met haar naartoe,' zei Dianne.

'Waar?'

'Op reis. Een beetje van de wereld zien. Denk je dat dat kan?'

'Nou,' zei Alan, die even moest wennen aan de gedachte dat Dianne weg zou gaan. 'Zo lang je in de buurt blijft van steden waar goede ziekenhuizen zijn. Voor het geval dat. Heb je iets speciaals in gedachten?'

'Niet Disney World,' zei Dianne, terwijl ze de hand van haar dochter in de hare nam. 'Ergens waar het mooi is, meer weet ik nog niet.'

Alan keek naar buiten. Hawthorne lag te fonkelen in de zon. De haven was druk met zeilboten, trawlers en sportvissers. Hij keek naar de grote, witte huizen langs het water, en vroeg zich af welke daarvan Dianne's vader geïnspireerd had. Martha zoemde. Haar stem klonk door de intercom en zei dat Bettina Gorey had gebeld om te zeggen dat hij haar die avond niet thuis moest afhalen, maar dat ze elkaar bij het theater zouden zien.

'Een wijziging in de plannen,' zei hij tegen Dianne. Hij had die avond een afspraakje en keek aandachtig naar haar gezicht om te zien of hij tekenen van interesse of van jaloezie kon bespeuren.

'O,' zei ze, terwijl ze Julia begon aan te kleden. 'Het spijt me dat we zoveel van je tijd in beslag hebben genomen. Ik weet dat er nog andere patiënten in de wachtkamer zitten –'

'Dat bedoelde ik niet,' zei hij.

Maar even later trok ze de deur van de spreekkamer achter zich dicht.

Alan had het regelmatig over de patronen in Julia's conditie, maar toen ze naar huis reed, ontdekte ze er eentje bij zichzelf. Enkele dagen voor Julia's afspraak begon ze zenuwachtig te worden. Ze kreeg last van hoofdpijn en van slapeloosheid, en ze werd onnodig driftig. De innerlijke druk werd steeds groter. Ze lag in bed en dacht over alle verschrikkelijke dingen die ze te horen zou kunnen krijgen. Tegen de tijd dat ze met Julia Alans spreekkamer binnenstapte, was ze een absoluut wrak. Als hij ook maar tien seconden besteedde aan een praatje dat niets met het doel van het bezoek te maken had, zou ze hem het liefste hebben afgesnauwd. En dat had hij echt niet verdiend.

Was het bezoek eenmaal achter de rug, dan kon ze het wel uitzingen. Op dat moment had ze alle raampjes open, en de radio stond aan. Ze kon opzij reiken en Julia's hand in de hare nemen. Het was zomer en ze waren samen; ze voelde zich lichter, alsof ze opnieuw uitstel hadden gekregen. De spanning was voorbij op het moment waarop ze Alans deur achter zich dichttrok. Ze dacht aan de witte vlag, aan de overgave waar ze op had gehoopt. Kon ze maar ophouden met Alan overal de schuld van te geven.

Toen ze thuis waren, droeg ze Julia naar de werkplaats. Amy zat achter haar bureau, en ze schrok toen ze binnenkwamen.

'Ben je boos?' vroeg ze. 'Ik wilde alleen maar even een brief schrijven.'

'Je kunt altijd achter mijn bureau zitten,' zei Dianne. 'Daar heb ik helemaal niets op tegen.'

'Ik schrijf een brief,' zei Amy opnieuw.

Dianne glimlachte omdat ze wist welke vraag er van haar werd verwacht. 'Aan wie?' vroeg ze.

'Aan mijn vader,' antwoordde Amy trots. 'Hij is mijn tweelingziel.'

'Je hebt weer in *Anne van het Groene Huis* zitten lezen,' zei Dianne.

'En ik heb met Lucinda gesproken. Ze zegt dat ze gewoon tegen Emmett blijft praten, ook al leeft hij niet meer. Dus ik dacht, waarom zou ik mijn vader niet kunnen schrijven?'

'Tja, waarom niet?' vroeg Dianne, terwijl ze Julia in haar stoel zette.

'Er gaat niets boven de communicatie met je tweelingziel,' zei Amy, terwijl ze haar pen weer opnam. 'Degene die het meeste van je houdt, kent je het beste. Ik weet zeker dat mijn vader alles van mij weet, maar toch wil ik hem een paar dingen vertellen. Hoe is het met Julia?'

'Goed,' zei Dianne, terwijl ze het haar van haar voorhoofd streek.

'Ik ga mijn vader alles over haar schrijven. Hoe is het met Dr. McIntosh?'

'Met hem is het ook goed.'

'Hij is mijn tweelingziel hier op aarde,' zei Amy. 'En jij en Julia ook. Maar mijn vader kent me het langst, en ik heb hem een heleboel te vertellen. Wie is de jouwe?'

'Mijn wat?'

'Jouw tweelingziel,' zei Amy.

'O,' zei Dianne, 'mijn moeder, denk ik. Jij. Julia.' Ze dacht aan Alan, en voelde dat ze een kleur kreeg.

'O,' zei Amy. Ze streek het papier glad en begon te schrijven. Aan het tempo waarin de pen over het papier vloog, zag Dianne dat ze inderdaad veel te vertellen had.

Op de een of andere manier bracht de aanblik van Amy Dianne van haar stuk. De woorden vloeiden in een schijnbaar onstuitbare stroom uit haar pen, net alsof Amy's hart helemaal vol was en ze eindelijk iemand had gevonden tegen wie ze kon praten. Dianna had al zo lang niet meer op die manier met iemand gepraat, dat ze niet eens zou weten waar ze zou moeten beginnen. Ze stelde zich voor hoe het zou zijn als Alan naar haar luisterde, en ze wist gewoon zeker dat hij haar hand vast zou houden. Ze was moe van alles wat ze die dag had doorgemaakt, en besloot op de bank te gaan liggen. De veren kraakten, en Stella schrok. Ze zat nog steeds op haar vaste plekje voor het bed.

Dianne sliep. Ze droomde – brokstukjes van haar leven dat aan haar voorbij dreigde te gaan. Alan die haar in de golven in zijn armen hield. Tim die vanuit zijn stuurhut naar haar zat te loeren. Julia die als een engel door de lucht vloog, waarbij haar gouden haren achter haar aan wapperden. En toen Amy's stem die haar riep.

'Dianne!' fluisterde Amy. 'Word wakker, dit moet je zien!'

Dianne's ogen schoten open. Automatisch keek ze als eerste naar Julia, maar met Julia was alles goed. Ze zat rechtop in haar stoel en haar armen gingen door de lucht. Amy zat als verstijfd achter het bureau, en leek zich niet te durven bewegen. Maar ze glimlachte en wees naar de vloer.

'Kijk Orion!' fluisterde Amy.

Dianne rolde op haar zij en keek.

Het hondje kwam onder het bed vandaan. Dianne zag zijn zwarte neusje trillend onder de sprei uitkijken. Stella ging niet weg, maar kroop juist dichter naar Orion toe. Alsof ze het hondje duidelijk wilde maken dat het niet bang hoefde te zijn, en dat was ongelooflijk moedig van haar. Haar snorharen schokten, en haar roze neusje raakte het zijne.

'Hij komt eruit!' fluisterde Amy, en ze sloeg haar handen in elkaar.

Ze wisten dat hij 's nachts onder het bed uit was gekomen om te eten en op Stella's kattenbak te gaan, want daar hadden ze de bewijzen van gevonden. Maar tot op dat moment was Orion te schuw geweest om te voorschijn te durven komen wanneer er mensen in de buurt waren. Dianne kreeg een prop in de keel bij de gedachte aan de verschrikkingen die hem zo angstig hadden gemaakt.

Julia zuchtte. Orion jankte zachtjes en Stella piepte. Dianne keek glimlachend naar Amy, maar toen ze weer naar het hondje en de kat keek, kreeg ze pijn in haar hart. Ze hield zichzelf voor dat het was omdat de hond zo wreed behandeld was, maar ze wist dat dat niet de enige reden was. De twee dieren zaten neus aan neus. Stella, Dianne's schuwe kat, had het mishandelde hondje naar het licht gelokt.

'Ze heeft hem onder het bed uit gekregen!' riep Amy verrukt uit.

En ineens wist Dianne waarom ze pijn in haar hart had. Ze was getuige van waar liefde toe in staat was: liefde kon angstige dieren moedig maken, en het schonk hopeloze wezens vertrouwen. Orion kwam beetje bij beetje onder het bed vandaan. Stella deed een paar stapjes naar achteren om hem de ruimte te geven. Hij schudde zich alsof hij zojuist uit zee was gekomen. Dianne had haar leven lang van dit soort liefde gedroomd; het soort dat een beschadigde kat en een mishandeld hondje tot tweelingzielen maakte.

'Brave hond,' zei Amy, terwijl ze haar hand uitstak. 'Weet je nog wie ik ben? Ik ben degene die je altijd kaas gaf.'

'En degene die hem gered heeft,' zei Dianne. Ze zat dichterbij, dus de hond wendde zich als eerste tot haar. Hij gaf haar hand een schuchter likje, en deinsde toen meteen weer achteruit.

'Hier, Orion,' zei Amy, en Dianne hoopte vurig dat het hondje haar zou gehoorzamen. 'Hier, Orion.'

Orion liep naar Julia. Hij snuffelde aan haar tenen, haar hielen en haar enkels. Stella volgde hem op de voet, en verstijfde telkens wanneer hij zich omdraaide. Julia's handen bewogen boven de hond alsof ze hem haar zegen gaf. Door de hordeur woei een briesje naar binnen, en Orion liep erheen. Hij hief zijn kop op en snoof alsof hij de wereld probeerde te ruiken.

'Hij wil niets van me weten,' zei Amy. 'Hij weet niet meer wie ik ben!'

'Wacht, Amy,' zei Dianne. Ze kon Amy's ongeduld, en haar angst om afgewezen te worden voelen. Dianne kende dat gevoel maar al te goed – hoe vaak had ze niet gehoopt dat Tim zijn boot zou keren en thuis zou komen? De herinnering bezorgde haar pijn in haar buik, en ze dacht aan hoe het had gevoeld om de man te verliezen van wie ze gemeend had dat hij haar tweelingziel was.

Heel langzaam liep Orion Amy's kant op. Toen bleef hij opeens staan en keek haar lang en doordringend aan. Misschien herinnerde ze hem wel aan het slaag, en aan al het wreeds dat Buddy hem had aangedaan. Misschien riep haar geur wel doodsangst bij hem op. Dianne zag Amy's onderlip trillen. Het meisje stak haar hand uit.

Orion liep verder naar haar toe, maar zijn bewegingen waren aarzelend en hij was zichtbaar op zijn hoede. Amy bleef haar hand naar hem uitgestoken houden. Hij rook aan haar vingers, deed een stapje dichterbij, en likte haar hand. Amy zat geluidloos te huilen. Ze liet de hond haar hand likken, en toen hij klaar was, liet hij zich door haar over zijn kop aaien.

Liefde is een wonder, dacht Dianne. Ze lag op het bed en keek naar de opbloeiende liefde om zich heen. Het hondje legde zijn kop op Amy's schoot, en Amy drukte haar gezicht in zijn nek. Dianne zwaaide naar Julia, en ze kon bijna geloven dat Julia terugzwaaide. Tweelingzielen bleven bij elkaar. Ze stonden elkaar door dik en dun terzijde. Ze begrepen dat liefde altijd weer, dag in dag uit, een wonder was.

Dianne dacht aan de McIntosh die was gebleven, en ze sloot haar ogen. Ze was vandaag onaardig tegen Alan geweest, en dat was ze veel te vaak. Maar ondanks haar kribbigheid was hij er nog steeds. Ze herinnerde zich dat hij die avond een afspraakje had. Ze vroeg zich af wat het betekende dat ze jaloers was op iemand die ze helemaal niet kende – op een vrouw die Bettina Gorey heette.

De hond liet een klein blafje horen, en met haar ogen nog steeds gesloten, hoorde ze Amy zeggen: 'Nu woon je hier, Orion. En je hoeft nergens meer bang voor te zijn.'

Hoofdstuk 15

Aangezien Lucinda de eregaste van het bal van de bibliotheek was, ging ze ervan uit dat ze kon uitnodigen wie ze wilde. Ze koos Dianne en Amy. Er zou die avond een verpleeghulp komen om op Julia te passen. En terwijl de familie van huis was, zou Orion waakhond zijn.

Het bal zou op de tweede zaterdag van augustus in de bibliotheek zelf gehouden worden. Dianne nam Amy mee winkelen, en ze kochten jurken in de Schooner Shop in Essex. Dat was *de* winkel waar iedereen zijn kleren voor bijzondere gelegenheden kocht. Dianne's moeder had er vaak met haar ingekocht, en Dianne vond het leuk om er met Amy naartoe te gaan.

'Hoe staat deze?' vroeg Amy, terwijl ze uit de paskamer kwam in een gele jurk die haar donkere krullen en groene ogen nog mooier deed lijken dan ze al waren.

'Schitterend,' zei Dianne.

'Echt?' vroeg Amy. Ze draaide zich om en keek in de spiegel. Haar gezicht was een combinatie van verlegenheid, trots en opwinding. Dianne had het vermoeden dat ze nog nooit in een echte modezaak was geweest.

'Ja echt,' zei Dianne. Ze draaide Julia's wandelwagen zodat ze Amy kon zien.

'Dank je! Ik voel me net een prinses!' Amy viel Dianne om de hals. 'Ik ben nog nooit in zo'n soort winkel geweest.'

Maar op weg naar huis was Amy opvallend stil. Toen ze over de Baldwin Bridge kwamen, tuurde ze diep in gedachten over de Connecticut Rivier naar Long Island Sound.

'Wat is er?' vroeg Dianne, haar van terzijde aankijkend.

'Niets,' zei Amy, terwijl ze de zak met de jurk tegen haar borst hield gedrukt.

'Die jurk staat je echt prachtig.'

'Hmm.'

'En ik ken iemand die het van harte met me eens zou zijn,' zei Dianne.
Amy keek op.

'Je moeder,' zei Dianne. 'Wil je hem aan je moeder laten zien?'

'Ze heeft niet veel mooie dingen,' zei Amy, terwijl ze strak naar haar
knieën keek. 'Ik ben bang dat ik haar alleen maar verdrietig zou maken.'

'De meeste moeders hopen dat hun dochters al die dingen zullen krijgen die ze zelf nooit konden hebben,' zei Dianne.

Het hof had beslist dat Amy tot aan het einde van de grote vakantie bij
de Robbinsen moest blijven, en intussen was de zomer al half om. Haar
moeder had bezoekrecht zo lang Buddy ver uit de buurt bleef. Ze spraken
af dat Tess Brooks Amy op zaterdagochtend bij de Robbinsen zou bezoeken, maar tot dusver had ze al twee keer afgebeld met de mededeling dat
ze ziek was.

Dianne had gezien hoe Amy zich, telkens wanneer haar moeder afzei,
in zichzelf had teruggetrokken. Dan staakte ze haar spel met Julia, hield
ze op met praten en met eten, en deed ze niets anders dan televisiekijken.
Ze kon dan uren achtereen, ongeacht de programma's die er waren, naar
het scherm zitten staren. Wanneer Dianne of Lucinda haar naar haar gevoelens vroegen, dan zei ze dat het haar niet echt kon schelen, want haar
moeder was nu eenmaal vaak ziek.

Toch wist Dianne dat ze haar moeder heel erg miste. Soms werd ze 's
nachts wakker, en hoorde ze Amy zachtjes huilen. En het zat Dianne echt
dwars, want Tess had beloofd dat ze Amy's geboortebewijs langs zou
brengen. Als ze nu naar Amy's huis gingen, dan konden ze het meteen
halen.

'We zouden langs kunnen gaan,' begon Dianne.

'Nadat we ons er eerst van overtuigd hebben dat Buddy er niet is?' Amy
klonk opgewonden. 'Meen je dat?'

'Ja,' zei Dianne.

Ze stopten bij een Dairy Mart en Dianne belde naar Amy's moeder. Er
werd niet opgenomen. Toen besloten ze om langs het huis te rijden. Van
Buddy's auto viel geen spoor te bekennen, maar alle gordijnen waren
dicht.

'Zullen we naar binnen gaan?' vroeg Dianne. 'Wil je dat ik eerst ga om
te kijken of hij er echt niet is?'

'Nee, laat maar,' zei Amy, terwijl ze strak naar een bepaald raam keek.
'We kunnen beter doorrijden. Ze kan erg moe zijn.'

In gedachten zag Dianne Amy's moeder in bed liggen, en het was duidelijk dat Amy zich zorgen maakte over de staat waarin ze haar zouden
aantreffen. Het zou wel eens pijnlijk kunnen zijn met Dianne erbij. Maar
toen Dianne doorreed, keek Amy met een grenzeloos liefdevolle en ver-

langende blik in haar groene ogen, achterom over haar schouder.

Dianne nam zich voor om er hoe dan ook voor te zorgen dat Amy haar moeder te zien kreeg. En daarbij, ze had dat geboortebewijs nodig. Zodra ze thuis waren, zou ze Alan bellen. Ze wist dat ze op hem kon rekenen.

Iedereen die bereid was om vijfentwintig dollar te betalen, kon een kaartje voor het bal krijgen. Mensen werden aangemoedigd om meer te betalen, als ze dat konden. De Hawthorne Park Public Library had dringend behoefte aan meer boeken, meer computers en een nieuw dak. Het personeel werd zwaar onderbetaald. Elk jaar schreef Alan McIntosh een cheque voor duizend dollar uit, waarna hij een blauwe blazer uit de kast haalde en een das omdeed.

En dit jaar had hij een speciale opdracht. Dianne had gebeld en hem om een gunst gevraagd. Het was vroeg toen hij langsging om Amy te halen; Dianne en Julia waren in de werkplaats. Lucinda was zich boven aan het mooi maken, maar Amy was klaar en stond op hem te wachten. Ze stond achter de hordeur en maakte een opgewonden, en verlegen trotse indruk.

'Dag,' zei ze met een stralend gezicht.

'Amy Brooks, ben jij dat echt?'

'Ja,' zei ze. Ze maakte een pirouette om hem haar nieuwe jurk te laten zien. De kleur stond haar prachtig, en het was de ideale jurk voor een zomerfeest. Alan had het gevoel alsof hij zijn eigen dochter afhaalde om haar naar haar eerste feest te brengen.

'Laten we dan maar gaan,' zei hij. Hij hield de deur open, gaf haar een arm en bracht haar naar de auto. 'Je ziet er prachtig uit, Amy. Ik ben er trots op om samen met jou gezien te worden.'

Amy glunderde toen hij het portier voor haar open hield. Alan keek op en zag Lucinda die, met een handdoek om haar hoofd, boven voor het raam stond en zwaaide. Hij keek naar de werkplaats en zag Dianne in haar werkkleren vanuit de openstaande deur naar hen kijken. Hun blikken vonden elkaar en hielden elkaar even vast, en toen glimlachten ze. Toen hij wegreed, voelde hij hoe ze hen nakeek.

'Weet Mam dat we komen?' vroeg Amy.

'Ja,' antwoordde hij. 'Ze verwacht ons.'

'Zie ik er goed uit? Ze zal toch niet denken dat ik er overdreven uitzie, hè?'

'Je ziet eruit als een plaatje,' zei Alan. 'En ik weet zeker dat ze je alleen maar beeldschoon zal vinden.'

Ze liepen het pad af naar de voordeur. Amy maakte een zenuwachtige indruk en wrong haar handen zoals Julia altijd deed. Alan belde aan. Binnen klonken voetstappen. Amy liet de ingehouden lucht uit haar longen ontsnappen. Ze stond alsof ze voor een grote spiegel stond – met een rechte rug, gevouwen handen, losse handen, een vriendelijk glimlachje, geen glimlachje. Maar toen de deur openging, was ze op slag niet zenuwachtig meer.

'Mammie!' riep ze uit, terwijl ze haar moeder om de hals viel.

'Amy,' riep Tess Brooks. 'O, lieverd.'

Alan hield zich afzijdig en sloeg het weerzien gade. Moeder en dochter bleven met de armen om elkaar geslagen, zachtjes heen en weer wiegend in de deuropening staan. Na een poosje nam Tess Amy bij de hand, en ging ze hen voor naar binnen. De zitkamer was schoon en licht, en de gordijnen waren helemaal open.

'Wat zie je er mooi uit,' zei Tess. 'O, wat zie je er mooi uit!'

'Te mooi?' vroeg Amy, terwijl ze aan haar rok stond te plukken.

'Nee, nee, lieverd. Prachtig. Je ziet er prachtig uit. O, ik mis je zo...'

'Mam, ik mis je,' zei Amy.

'Ik moet je iets vertellen. Over die zaterdagochtenden,' zei Tess. 'Dat ik je niet ben komen opzoeken.'

'Ik weet dat er iets heerst. Een hele akelige griep, of zo,' zei Amy, alsof ze de verklaring van haar moeder niet zou kunnen verdragen.

'Het was geen griep,' zei Tess. Haar handen beefden. 'Ik ben op een andere manier ziek geweest. Ik was depressief... ik ben depressief. Zo heet dat. Ik wil dat je begrijpt dat het echt een ziekte is. Dat het niet zomaar iets is dat ik verzin.'

'Het is goed, Mam,' zei Amy snel. 'Je hoeft je niet te verontschuldigen.'

Alan herkende het gevoel – hij had ook altijd het verlangen gehad om zijn moeder zoveel mogelijk te verontschuldigen. Hij bewonderde Tess Brooks voor wat ze vervolgens deed. Ze nam Amy's handen in de hare en keek haar diep in de ogen.

'Ja, Amy,' zei Tess. 'Dat moet ik wel.'

'Ssst, Mam,' zei Amy. 'Je hoeft niet –'

'Sinds de dood van je vader,' vervolgde Tess, 'heb ik niet echt goed voor mijzelf gezorgd. Het was zo verschrikkelijk, het was zo'n nachtmerrie, zo zonder hem. Ik wilde niets anders dan wegkruipen onder de dekens en slapen, want op die manier hoefde ik niet na te denken. En dat heb ik gedaan.'

Amy luisterde met grote ogen.

'Dat was op zich al erg genoeg,' zei Tess. 'Maar wat nog veel erger was, was dat ik ook niet zo goed voor jou heb gezorgd. Ik heb je verwaarloosd –'

'Nee,' zei Amy. 'Je –'

'Ja, dat heb ik wel, liefje. Rustig maar. Het is hoog tijd dat ik eerlijk ben, want anders komen we nergens. Ik heb Buddy eruit gegooid.'

'Mam!' Amy's ogen begonnen te stralen.

'En ik ben in therapie om van mijn depressie af te komen. Zoals ik al zei, het is een echte ziekte. Net zo echt als longontsteking.'

'Dus... Mag ik dan weer thuis komen?' vroeg Amy.

'Gauw,' zei Tess.

'Waarom niet meteen? Ik hoef niet naar het bal. Dr. McIntosh kan me terugbrengen om mijn spullen te halen, of we kunnen ze later gaan halen. Het kan me niet schelen. Ik wil alleen maar weer thuis zijn, bij jou.'

'Amy, we moeten afwachten,' zei haar moeder zacht. 'De rechter heeft gezegd dat je nog bij de Robbinsen moet blijven, en daar ben ik het ook mee eens. Voor de zekerheid.'

'Welke zekerheid?' vroeg Amy ontzet. Het was alsof iemand haar het paradijs had laten zien, en de deur toen voor haar neus had dichtgegooid. Haar gezicht was een vertrokken masker van teleurstelling en verdriet. 'Ben je bang dat je niet meer voldoende van me houdt?'

'Och, Amy,' zei Tess, terwijl ze haar dochter tegen zich aan trok. 'Dat is iets waar niemand ooit aan zal kunnen twijfelen.'

'Waarom dan?' riep Amy uit.

'Om er zeker van te zijn dat ze voldoende van zichzelf houdt,' zei Alan. 'Voldoende om voor zichzelf te blijven zorgen.'

Tess keek hem dankbaar aan. Ze knikte, maar was niet in staat iets te zeggen. Door zijn hulp aan Tess en Amy, had hij het gevoel dat hij een tweede kans kreeg ten opzichte van zijn eigen verleden. Intussen was hij arts, en een stuk ouder en wijzer dan destijds, toen zijn eigen moeder zo ziek was geweest.

'Beloof me dat je dat zult doen,' zei Amy, terwijl ze het gezicht van haar moeder in haar handen nam. 'Dat je voor jezelf zult zorgen.'

'Ik krijg hulp,' zei Tess. 'Het gaat allemaal niet zo snel als ik wel zou willen.'

'Maar denk erom dat je beter wordt hoor, want anders...' zei Amy, en haar moeder lachte.

'Mijn kleine tiran,' zei ze. 'Je probeert altijd de baas over me te spelen.'

'Ik wil bij je blijven...' zei Amy, terwijl ze zich aan haar moeder vastklampte.

'Kom mee, Amy,' zei Alan. Hij trok haar met zachte dwang weg bij haar moeder. 'Wat moet Lucinda wel niet denken als je er niet bij bent wanneer ze haar onderscheiding krijgt?'

'Ze heeft me uitgenodigd,' zei Amy op ernstige toon tegen haar moeder.

'Dan moet je gaan,' zei Tess.

'Waarom heb je hem er uiteindelijk uitgeknikkerd?' wilde Amy weten.
'Toen ik die foto zag,' zei Tess, en ze slikte. 'Toen ik die foto zag van al je blauwe plekken, wist ik dat ik hem niet langer in huis wilde hebben. En ik was erbij toen hij je zo mishandeld had, maar op de een of andere manier heb ik er niets van gemerkt. Ik geloofde zijn versie van het verhaal, dat het een ongeluk was. Maar toen ik die foto zag van de afdruk van zijn hand op jouw mooie schouder...' Tess boog zich naar Amy toe en drukte een kus op haar schouder.

'Dank je,' fluisterde Amy.

'Ziezo,' zei Tess, en haar ogen straalden. 'Het is een prachtige avond, en ik wil dat je nu naar de bibliotheek gaat, en dat je een dans voor mij danst!'

'Dat doe ik,' beloofde Amy.

'Ik zal erop toezien dat ze woord houdt,' zei Alan, waarbij hij Tess gedurende enkele seconden lang en doordringend aankeek. Ze gaf hem het papier waar hij voor was gekomen. Hij knikte bij wijze van dank.

'Heel veel plezier,' zei Tess, 'en stuur me...'

'Wat?' vroeg Amy.

Tess schudde haar hoofd. Ze maakte een jonge en hoopvolle indruk, maar Alan zag de rauwe pijn in haar ogen toen Amy de deur uit ging. Ze zorgde voor zichzelf. Ze probeerde eerlijk te zijn en ze hield zoveel als ze kon van haar kind, maar probeerde het nu los te laten. Dat was, zoals de dokter het zag, de eerste stap op weg naar genezing.

De bibliotheek had een metamorfose ondergaan. Achter in de grote leeszaal speelde de band. Alle tafels en stoelen waren verwijderd om plaats te maken voor het dansen. Mensen dronken punch en aten van de kleine sandwiches die gemaakt waren door een groep vrijwilligers. De enige decoratie bestond uit talloze, van onder tot boven met kleurige boeken gevulde kasten.

Dianne had haar haren opgestoken en zich een beetje opgemaakt. Ze droeg een nieuwe, nauwsluitende, mouwloze jurk, die ze had gekocht omdat Amy had gezegd dat het maagdenpalmblauw zo goed bij haar ogen paste. In haar oren droeg ze de saffieren en diamanten die van Dorothea McIntosh waren geweest. Ze stond in de hoek naar de muziek te luisteren, en voelde zich blij en opgewonden. Ze was al zo lang niet meer echt uit geweest.

Ze keek naar haar moeder en voelde zich trots. Iedereen wilde iets tegen Lucinda zeggen. De mensen verdrongen zich om haar heen en wilden haar vertellen hoe ze hen had geholpen bij het vinden van de juiste literatuur voor werkstukken, bij het vinden van hun favoriete schrijver en bij het leren begrijpen van poëzie. Lucinda hoorde alles aan en straalde.

De band zweeg, en mevrouw Theophilus Macomber, een indrukwekkende verschijning in zwarte crêpe en parels, pakte de microfoon. Ze behoorde tot de notabelen van Hawthorne, en was voorzitster van het bestuur van de bibliotheek. Nadat ze alle aanwezigen welkom had geheten, bedankte ze iedereen voor hun gulle schenkingen.

'En dan is nu het moment aangebroken waar al jullie lezers en lezeressen op hebben gewacht,' zei ze. 'Ik vraag Gwen Hunter, onze kersverse hoofdbibliothecaresse, op het podium te komen en onze dierbare eregaste te introduceren.'

'Dank u, mevrouw Macomber,' zei Gwen met haar zachte Tennessee accent. Ze nam de microfoon van haar over en bekeek het ding van alle kanten. 'Ik persoonlijk ben niet zo'n fan van dit soort apparaten, maar als er iemand is voor wie ik bereid ben me over mijn aversie heen te zetten, dan is dat wel onze eregaste. Ze heeft geen echte introductie nodig, want iedereen kent haar. Mevrouw Lucinda Robbins...'

Iedereen begon te klappen. Lucinda glimlachte, bloosde en boog het hoofd. Dianne klapte het hardst van allemaal. Terwijl ze naar haar moeder stond te kijken, zag ze Alan binnenkomen, en haar hart maakte een sprongetje.

'Ik heb zoveel in mijn leven aan mevrouw Robbins te danken, dat ik werkelijk niet weet waar ik moet beginnen. Toen Paul en ik hier tien jaar geleden kwamen wonen, kende ik geen mens. Ik was op zoek naar werk. Ik had niet gestudeerd, had geen titel, maar ik was gek op boeken...'

Ze ging verder met te vertellen hoe ze eerst als lezeres, en daarna als parttime assistente naar de bibliotheek was gekomen. Mevrouw Robbins had haar onder haar vleugels genomen. Ze had Gwen aangemoedigd om verder te leren, om bibliotheekwetenschappen te studeren, en om te solliciteren op banen die beschikbaar waren. Ze was zowel een vriendin als mentor geweest, en had Gwen gewezen hoe je lezers, en met name jonge mensen, kon helpen bij het vinden van de boeken die hen het meeste zouden aanspreken.

'Wij hier,' zei Gwen, 'beschouwen Lucinda Robbins als een heel bijzonder mens. We houden van haar en missen haar elke dag. Maar we zijn ook blij voor haar. Toen ze hier nog werkte, had ze het voortdurend over haar dochter en haar kleindochter, en dat ze wou dat ze meer vrije tijd had om met hen door te brengen.'

Lucinda keek over de vele hoofden heen naar haar dochter. Hun blikken vonden elkaar en hielden elkaar even vast. Ze knikte en zond Dianne een kushandje. Dianne glimlachte door haar tranen van trots heen.

'En dat heeft ze nu,' ging Gwen verder. 'Tijd voor haar familie. We zullen haar werk in ere blijven houden. We houden van onze jonge lezers en we doen ons best om hen die boeken te laten lezen die het best aansluiten bij hun specifieke interesses. Maar in het gros der gevallen beginnen we echter met het aanraden van een bepaald boek waar mevrouw Robbins zelf het meeste van hield...'

'*Anne van het Groene Huis*!' riep de zaal, en Amy riep het luidst van allemaal.

'Dankzij haar zijn er drie generaties lezers die met dat prachtige klassieke werk kennis hebben mogen maken,' vervolgde Gwen, 'met dat schitterende verhaal dat zich honderd jaar geleden heeft afgespeeld op een weelderig groen eiland voor de Canadese kust.'

'Prince Edward Island!' riep Amy met luide stem.

'Ja,' zei Gwen glimlachend. 'Heel goed, jongedame. Lucinda, bij wijze van onze dank en affectie, wilden we jou namens alle leden van de Hawthorne Public Library, deze wegenkaart aanbieden...'

De mensen gingen opzij om Lucinda erdoor te laten. Ze beklom het podium, liep naar Gwen en keek haar jonge opvolgster met tranen in de ogen aan.

'Eigenlijk waren we van plan geweest om je een vliegreis naar Prince Edward Island te geven,' zei Gwen. 'Om je in staat te stellen de omgeving te bekijken waarin je favoriete boek zich afspeelt. Maar toen ik dat met je dochter besprak, vertelde ze me dat ze van plan was om een camper te huren en er samen met jou naartoe te gaan. Dus hierbij overhandig ik je een cheque die bestemd is voor de huur van een camper die groot genoeg is voor jou en je familie. Heel veel dank voor alles, Lucinda.'

Ze omhelsden elkaar – de oude bibliothecaresse die een goed hoofd kleiner was dan de nieuwe – en hielden elkaar ten overstaan van de jubelende menigte, enkele seconden innig vast.

'O, jeetje,' zei Lucinda, terwijl ze naar de cheque keek en de tranen over haar wangen stroomden. 'Je kunt je niet voorstellen hoeveel dit voor mij betekent. Je hebt geen idee... Ik dacht, misschien geven jullie me een oorkonde, of zo! Maar een reis naar Canada... om te zien waar Anne heeft gewoond en waar ze is opgegroeid... met mijn Dianne!'

Opnieuw keek Lucinda over alle mensen heen naar Dianne, en ze glimlachten elkaar toe. Dianne vond het verschrikkelijk jammer dat haar vader er niet bij was. Ze veegde haar tranen weg en blies haar moeder een kushandje toe.

'Mijn jaren hier op de bibliotheek hebben me zoveel gegeven,' vervolgde Lucinda, die zo ontroerd was dat ze amper in staat was om te spreken. 'Jullie allemaal hebben me zoveel geschonken. Vroeger, als kind, waren boeken altijd mijn beste, en soms ook mijn enige vrienden. Ik kon helemaal opgaan in een boek, en er waren dagen dat ik mijn boek amper weg kon leggen. En eigenlijk gold dat precies zo voor mijn werk hier. Met al die prachtige boeken' – ze keek om zich heen –'en jullie allemaal, heeft mijn leven mijn stoutste dromen overtroffen.'

'We houden van je, Lucinda,' fluisterde Gwen, terwijl ze de microfoon probeerde af te dekken.

'Ik zou mijn dochter, Dianne, willen bedanken,' zei Lucinda. 'Velen van jullie weten dat ze de maakster is van het speelhuis op de kinderafdeling. Ik wil haar bedanken voor al haar liefde en steun. En mijn prachtige kleindochter Julia, die elke dag tot een geschenk maakt. Verder gaat mijn dank uit naar Alan McIntosh, de geweldige man die de arts van mijn kleindochter is, en die elke woensdag langskwam om, in plaats van met zijn collega's te gaan golfen, het laatste nieuws over de dolfijnen te lezen. Maar vooral...'

Het was doodstil in de leeszaal, en aller blikken waren gericht op Lucinda die door het raam naar buiten keek en de tranen terug probeerde te slikken.

'Maar vooral dank ik mijn lieve man Emmett. Emmett Robbins. Tweemaal per dag reed hij, naar en van de houthandel, langs de bibliotheek en toeterde hij. O, jullie hebben er geen idee van hoe vaak ik hem boos heb gezegd dat hij niet zo veel herrie moest maken.... En dan zei hij altijd dat hij misschien beter niet met een bibliothecaresse had kunnen trouwen. Met iemand wiens lievelingswoord "stil" was. Hij zei altijd dat we samen naar Prince Edward Island zouden gaan, maar...' Ze slikte. 'Daar is het helaas nooit van gekomen.' Ze wuifde met de wegenkaart en keek weer naar buiten. 'We komen eraan, lieverd,' riep ze. 'Tot kijk in Canada!'

De menigte begon als een gek te klappen. Vrienden verdrongen zich om Lucinda heen, maar ze spreidde haar armen voor Amy die het toneel kwam oprennen en haar om de hals vloog. De microfoon stond nog aan, en Dianne hoorde Amy aan Lucinda vragen: 'Stuur je me een briefkaart?'

'Nee, lieverd,' zei Lucinda, terwijl ze het meisje in haar armen nam, en Dianne een blik vol liefde en dankbaarheid schonk, 'je gaat met ons mee. Ik weet zeker dat Dianne je erbij heeft gerekend, toen ze de reisplannen heeft gemaakt. We gaan met z'n allen.'

'Nog even, Lucinda, en dan ben je weer bij je tweelingziel,' riep Amy. 'O, hij wacht op je!'

De emoties werden Dianne even te veel, en ze glipte de leeszaal uit. Maar het was druk in de grote zaal, en ze liep verder, de trap op. Ze wist niet precies waar ze naartoe wilde, maar ze moest hier weg. Snikkend ging ze de afdeling romans binnen. Hier was het stil – er was verder niemand. In de leeszaal begon de band te spelen. Ze moesten Lucinda om een verzoek hebben gevraagd, want de muziek was *Ev'ry Time We Say Good-bye*, het nummer dat van haar en Emmett was.

'Dianne...'

Ze schrok van de bekende stem.

'Ik zag je de leeszaal uit gaan,' zei Alan. Hij stond op de drempel van de zaal, en zijn gestalte stak af tegen het licht in de gang. Hij had zijn bril afgezet en hield hem in zijn hand. Heel even had ze gedacht dat hij Tim was. De stem, de vorm van zijn lichaam, alles. Ze kon het niet uitstaan van zichzelf dat dit keer op keer weer gebeurde, de manier waarop ze zichzelf tot slachtoffer van haar eigen, nare herinneringen maakte.

'Je liet me schrikken,' zei Dianne, met een hand op haar hart.

'Waarom zeg je dat?' vroeg hij.

'Ik dacht even dat je Tim was,' zei ze. 'Heel even maar...'

Alan deed een stapje naar achteren. Dianne zag hem vooroverbuigen. Ze kon hem bijna horen kreunen, en toen hij tegen de boekenkast leunde, zag ze aan de blik in zijn ogen dat ze hem diep had gekwetst.

'Heel even maar...' herhaalde ze, terwijl ze wou dat ze haar woorden terug kon nemen.

'Ik ben niet Tim,' zei hij op scherpe toon.

'Maar je lijkt op hem,' zei ze. 'Als er weinig licht is, en ik je zie... en je je bril niet op hebt...'

Hij zette hem op, en trok hem vervolgens weer van zijn neus.

'Godallemachtig, het gaat niet om hoe ik eruitzie,' riep hij uit op een toon die getuigde van zijn boosheid en frustratie. 'Het gaat om wat er in mijn hart leeft. Ik heb je niet verlaten, Dianne!' Zijn woorden galmden door de ruimte. Beneden speelde de muziek, en ze hoorden vrolijke stemmen.

'Alsof ik dat niet weet!' snauwde ze. 'Dacht je echt dat ik dat niet wist?'

'Hee –'

'Ik kan er niets aan doen dat ik dit zo voel,' riep ze uit.

'Hoe bedoel je, je kunt er niets aan doen dat –'

'Ik weet heus wel dat je Tim niet bent. Ik weet dat je een goed mens bent, dat je een gouden hart hebt voor mij en Julia en Amy. Jezus, Alan! Denk je echt dat ik dit zo wil voelen?' Even stonden ze, als met stomheid geslagen, zwijgend tegenover elkaar. En toen vervolgde Dianne snel, voor ze zich zou kunnen bedenken: 'Ik heb de verkeerde gekozen.' Ze hield haar hoofd vast en de woorden rolden als vanzelf van haar lippen. 'Indertijd. Als ik het opnieuw zou kunnen doen, als ik terug zou kunnen gaan in de tijd, dan zou ik –'

'Je hebt de verkeerde gekozen?' vroeg Alan.

Dianne keek hem aan. Alan keek haar aan. Hun blikken hielden elkaar lange seconden gevangen, en Dianne leunde tegen de dichtstbijzijnde boekenkast.

'Ik heb de verkeerde broer gekozen,' zei ze. En terwijl ze dat zei, had ze het gevoel dat er ineens talloze knoppen om werden gezet en er naar andere versnellingen werd geschakeld. Dit was de waarheid. Ze slikte. Ze wilde hem aanraken, maar ze durfde het niet. Ze dwong zichzelf een stapje in zijn richting te doen. Heel langzaam hief ze haar hand op en streek het haar uit zijn ogen.

Hij hief zijn hoofd op. Ze keek hem recht aan. Zijn bril was naar het puntje van zijn neus gezakt, en ze duwde hem met een teder gebaar weer op zijn plaats. Haar keel deed pijn in het besef van de intensiteit van haar gevoelens voor deze man. Er had een verbaasde en gekwetste uitdrukking op zijn gezicht gelegen, maar nu verscheen er langzaam maar zeker een fonkeling in zijn ogen en meende ze het aarzelende begin van een glimlachje te zien.

Pijn, schuldgevoelens en misplaatste wrok – emoties die hun leven gedurende jaren en jaren hadden beheerst. Dianne had er zo genoeg van. Opnieuw verscheen die gekwetste blik in Alans ogen, alsof ze hem dieper geraakt had dan ze besefte.

'Vergeef me alsjeblieft,' zei ze.

'Wat moet ik je vergeven?'

'Alles,' zei ze, met hese stem. 'Dat ik je zonet even aanzag voor Tim. En dat –'

'Wat?' vroeg hij.

'Deze bibliotheek,' begon Dianne. Ze zweeg en leek in gedachten verzonken terwijl haar vingers strelend over de boeken gingen. 'Mam ging hier elke dag naartoe om te werken, en vroeger, toen ik klein was, dacht ik altijd dat de bibliotheek van haar was. Dat al deze boeken hier van haar waren. Ik dacht zelfs dat ze ze allemaal geschreven had.'

'Mijn patiënten denken dat ze ze allemaal gelezen heeft.'

'Dat is ook zo,' zei Dianne.

'Moet je daarom huilen?'

'Nee,' antwoordde ze. De tranen stroomden over haar gezicht, maar ze kon ze niet tegenhouden. 'Ik dacht alleen aan wat ze zei.'

'Van dat geschenk?'

'Over mijn vader,' zei ze, terwijl ze haar handen voor haar gezicht sloeg.

'Ik kan me hem nog herinneren,' zei Alan. Hij stond zo dichtbij dat ze, wanneer ze omlaag naar haar schoenen keek, de zijne ook kon zien.

'Vertel me iets dat je je van hem herinnert,' zei Dianne.

'Hij was echt een schat van een man,' zei Alan. 'Jij was met Tim getrouwd, maar hij behandelde mij ook altijd alsof ik deel uitmaakte van de familie. Hij heeft de kasten op de praktijk gebouwd, en in die tijd probeerden we zoveel mogelijk op hetzelfde moment te pauzeren. Dan gingen we samen koffie drinken, en spraken we met elkaar. Hij kon zo grappig uit de hoek komen, en ik moest om hem lachen. Hij was dol op kinderen, en hij vond het geweldig dat ik een speelhuis in de wachtkamer heb. Hij hield van je, Dianne.'

'Dat weet ik,' fluisterde Dianne.

'Er zijn niet veel dochters die in het voetspoor treden van hun vader die timmerman is.'

'Ik kon kiezen – timmerman of bibliothecaresse,' zei Dianne. 'Ik had twee uitstekende voorbeelden.'

Flarden muziek kwamen de zaal binnen. Dianne voelde Alan's hand op haar wang. Het was een heel teder gebaar. Hij streek een plukje haar achter haar oren, en duwde een van haar oorbellen heen en weer: de oorbellen van zijn grootmoeder. Dianne sloot haar ogen.

'Wanneer gaan jullie?' vroeg hij.

'Morgen,' antwoordde ze.

'Hier is Amy's geboortebewijs,' zei Alan, toen hem dat opeens te binnen schoot. 'Tess had het klaarliggen toen we kwamen. Ik ben je alleen maar achterna gegaan om het je te geven.'

'Bedankt,' zei Dianne, terwijl ze het van hem aannam. Ze had een officieel verzoek ingediend of Amy met hen mee op reis mocht, en Marla Arden had er met Tess Brooks over gesproken. Tess had ja gezegd. Het was een ideale kans voor Amy, en die wilde ze haar niet onthouden.

'Ik zal je missen,' zei hij.

'Dans met me,' zei ze.

De muziek speelde. Ze hoorden hoorns en violen, en de melodie riep zo'n intens melancholiek gevoel in Dianne op, dat haar hart er pijn van deed.

'Dansen?' vroeg hij, alsof hij het woord voor de eerste keer hoorde.

'Je kunt dansen,' zei ze. 'Ik heb je zien dansen. Op de jachtclub, en op het vissers –'

Hij liet haar niet uitspreken. Hij trok haar in zijn armen en drukte haar hard tegen zich aan. Met een arm stevig om haar middel, walste hij met haar langs de boeken. Het licht was zwak en mysterieus, en haar borsten drukten tegen zijn borst.

'Kus me,' zei hij zo zacht dat ze hem maar net kon verstaan, maar hij gaf haar niet eens de gelegenheid om te antwoorden.

Dianne smolt in zijn armen. Zijn kus was onstuimig en zoet. Ze voelde zich schuchter en opgewonden tegelijk, alsof ze iets deed dat ten strengste verboden was. Gedurende al die jaren hadden ze zo'n nauwe band gehad en had hun hartstocht de vorm van boosheid aangenomen, en al die tijd hadden ze op deze kus gewacht.

'Alan,' fluisterde ze. Ze verbaasde zich over de intensiteit. Over het tintelen van haar huid en de huivering die van haar kruin, via haar rug, langs haar benen trok. Haar adem stokte. Ze kusten elkaar in de halfdonkere gang tussen de stoffige boeken, pal voor Hemingway. Ze hield haar ogen gesloten, en haar knieën voelden zo bibberig dat ze bang was dat ze erdoorheen zou zakken.

De band speelde Gershwin. Ze hielden op met kussen, maar Alan bleef haar in zijn armen houden. Hun voeten begonnen te bewegen, en Dianne realiseerde zich dat ze aan het dansen waren. Ze keek door de glazen van zijn bril in zijn ogen, en vroeg zich af hoe dit had kunnen gebeuren.

'Dansen in de bibliotheek,' zei ze.

'Niet tegen de bibliothecaresse zeggen,' zei hij.

'Ze zou er blij om zijn,' zei Dianne.

'Dat weet ik,' zei Alan.

'Ja?'

'Ze wist het,' zei Alan. 'Al veel eerder dan jij.'

'Wat wist ze?' vroeg Dianne.

'Dat je de verkeerde broer had gekozen,' zei Alan, met zijn mond tegen Dianne's oor.

Dianne knikte. Ze was het met hem eens. Haar moeder had het inderdaad geweten.

'Het begint hier warm te worden,' zei Alan even later. 'Heb je zin om een eindje te lopen?'

'O, ja. Ik snak naar een beetje frisse lucht,' zei Dianne, terwijl ze haar hand over haar voorhoofd haalde, en ze de zaal met romans verlieten.

Alan wachtte terwijl Dianne even tegen Lucinda en Amy ging zeggen dat ze weg gingen. Hij stond op de stoeptreden van de bibliotheek en begroette vrienden, buren en ouders van patiënten. Hij probeerde een zo normaal mogelijke indruk te wekken, en niet te laten blijken dat hij hoopte dat zijn dromen nu weldra in vervulling zouden gaan. Misschien kwam ze wel niet naar buiten. Misschien realiseerde ze zich wel dat ze, met hem te kussen, de grootste fout van haar leven had gemaakt.

Maar daar kwam ze.

'Ze kunnen amper wachten,' zei ze. 'Ze willen zo snel mogelijk naar huis om te pakken. Mijn moeder leert Amy walsen.'

'Het zou me niet verbazen als elke man daarbinnen met je moeder wil dansen,' zei Alan. 'Ze is de ster van het feest.'

'Ik geloof niet dat mijn moeder sinds de dood van mijn vader nog met een man heeft gedanst,' zei Dianne.

Ze liepen bij de bibliotheek vandaan langs de haven. De avond had al iets herfstigs, en er stond een kille bries van zee. De straatlantaarns verspreidden een helder licht, en sommige bomen hadden rode klimopranken rond hun stam. Alan wilde Dianne's hand in de zijne nemen, maar hij beheerste zich.

'Dat was geweldig,' zei ze. 'Daarbinnen.'

'Het feest? De muziek? Ja, ik weet wat je bedoelt. En dat allemaal voor Lucinda,' zei Alan.

'Jij en ik,' zei ze zacht.

'Ja?' vroeg hij, terwijl het bloed door zijn aderen kolkte. 'Vond je?'

'Ik was mezelf niet,' zei Dianne. 'De sentimentele speech van mijn moeder, het feit dat we morgen op reis gaan... Je denkt vast dat ik me daarom zo heb laten gaan, klopt dat? Dat het alleen maar daardoor kwam?'

'En is dat zo?' vroeg Alan.

'Kom, we gaan nog wat verder.'

Nu pas nam hij haar hand in de zijne.

Dianne trok hem niet terug. Sterker nog, ze vlocht haar vingers door de zijne. Met haar andere hand trok ze haar schoenen uit en hield ze ze vast, zodat ze op blote voeten kon lopen. Ze wandelden door de stad, door de straat waar de walvisvaarders hun mooie huizen hadden gebouwd.

'Welke is het?' vroeg hij.

'Wat bedoel je?'

'Wat is het huis waar je vader zich door heeft laten inspireren?' vroeg hij. Op de een of andere manier verbaasde het hem dat hij dat na al die jaren nog niet wist. 'Voor je speelhuis? Het eerste speelhuis dat je tot voorbeeld heeft gediend?'

'O,' zei Dianne. 'Dat is nog een stukje verder. Om de hoek.'

De fonkeling van het water in de haven was door de bomen en de huizen heen te zien. De lichtjes van de boten weerkaatsten op het zwarte water. De lichtbundel van de vuurtoren schoot door de lucht, van oost naar west en weer terug. Auto's reden langs. Dianne scheen het niet erg te vinden dat de mensen haar zo met hem zagen lopen. Hij had geen verklaring voor de plotselinge verandering, maar eigenlijk kon het hem ook niet schelen.

'Kon Bettina Gorey vanavond niet?' vroeg ze zacht.

'Hoe bedoel je?' vroeg hij niet-begrijpend.

'Kon ze niet naar het bal komen?'

'Ik heb haar niet gevraagd,' zei hij.

'Ik vroeg het me af,' zei Dianne. 'Martha had het over haar... toen Julia en ik bij je waren voor het ECG. Ze zei iets van dat jullie elkaar bij het theater zouden zien. Is ze je vriendin?'

'Nee,' zei Alan, toen ze de hoek om gingen en in een buurt kwamen waar de huizen en de tuinen veel groter waren. De straatverlichting was niet zo hel hier, en de straten waren donkerder. 'Ik heb geen vriendin. Ik heb altijd alleen maar jou gewild,' zei hij. Zijn hart sloeg tegen zijn ribbenkast. In de bibliotheek had zij hem de waarheid verteld, en nu was het zijn beurt.

Dianne zei niets. Ze liepen langs een wei, de oostelijke grens van een van de huizen aan het water. Het gras was hoog, en er groeiden asters en guldenroede tussen. Alan zag de bloemen oplichten in het schijnsel van de enkele straatlantaarn. De wei, die omheind werd door een smeedijzeren hek, ging over in een zorgvuldig onderhouden gazon. Er brandde geen licht in het voorname witte huis.

'Hier,' zei Dianne. 'Dit is het.'

'Je speelhuis,' zei Alan.

Dianne pakte de spijlen van het hek met beide handen beet en keek naar binnen. Het huis was wit en rechthoekig, en het had een schuin dak en een zuilengalerij. De luiken waren donkergroen, en in de vensterbanken stonden bloembakken met geraniums. De verf glansde in het licht, en alles zag eruit alsof het pas geschilderd was. Het huis maakte een goed onderhouden, maar onbewoonde indruk. Alans huis, dat twee straten verder lag, was precies het tegenovergestelde: het werd intensief bewoond, maar had veel achterstallig onderhoud.

'Vroeger droomde ik van dit huis,' zei Dianne.

'Echt?'

'Toen ik klein was... Ik dacht dat iemand die in zo'n huis als dit kon wonen, wel gelukkig moest zijn.'

'En toen heeft je vader het voor je nagebouwd zodat je erin kon spelen.'

'Ja,' zei Dianne. 'Het echte huis kon hij niet voor me kopen, maar met het speelhuis wist hij mijn droom in ieder geval voor een deel waar te maken. En ik kan dat begrijpen, dat je alles wilt doen om je kind gelukkig te maken.'

'En denk je dat nog steeds,' vroeg Alan, terwijl hij op haar neerkeek, 'dat de mensen die in dit huis wonen wel gelukkig moeten zijn?' Hij hoopte met heel zijn hart dat ze ja zou zeggen.

Het duurde even voor ze reageerde. Ze bleef het hek vasthouden en tuurde naar het huis alsof ze probeerde om door de muren en de gesloten gordijnen heen naar binnen te kijken.

'Ik weet niet,' zei ze zo zacht, dat hij haar amper had verstaan.

Alan wilde haar opnieuw kussen. Hij wilde haar in zijn armen nemen, haar dicht tegen zich aan houden en haar dat geloof teruggeven.

'Je zou het voor ze kunnen hopen,' zei hij zacht. 'Ook al weet je het niet zeker.'

'Hopen dat ze gelukkig zijn?' vroeg ze.

'Ja.'

'Denk *jij* dat ze gelukkig zijn?' vroeg Dianne fluisterend.

Alan legde zijn hand op de hare en hield hem vast. 'Ja,' zei hij. 'En jij gelooft dat ook. Want als je dat niet deed, dan zou je niet met je hele familie de reis van je leven maken, en met een camper naar Canada trekken.'

'De reis van mijn leven in een camper.' Dianne lachte. 'Bestaat zoiets wel?'

'Ik denk van wel,' zei Alan, terwijl hij haar in de ogen keek. 'Luister, om bij Prince Edward Island te komen, moet je door Nova Scotia. Ik zal je het nummer van Malachy Condon geven, voor het geval dat –'

'Malachy,' zei Dianne. Hij was Alans mentor en Tims vaderfiguur geweest, en hij was bij hun huwelijk geweest. 'Dat is Tims vriend.'

'En de mijne,' zei Alan, terwijl hij het nummer achterop een kaartje schreef. 'Hij is een goed mens en hij kent daar goed de weg. Ik vind het een veilige gedachte als je zijn nummer hebt.'

'We zullen het niet nodig hebben...' zei Dianne.

'Kom je terug?'

'We zullen wel moeten. Amy moet in september weer naar school.'

'Ik wist wel dat er een reden was waarom ik haar naar je toe heb gestuurd,' zei Alan.

'Alan...' zei Dianne.

'Je hoeft niets te zeggen.'

De muur die hen gescheiden had gehouden was ingestort, maar hij wilde niet dat ze overhaaste dingen zou doen. Ze hoefde zichzelf niet nog kwetsbaarder te maken. Hij sloeg zijn armen om haar heen en hield haar een poosje zonder iets te zeggen tegen zich aan.

'Ik wil het,' zei ze.

'Je kunt me hier altijd vinden,' zei hij.

Ze keek met glanzende en lachende ogen naar hem op. Hij voelde hoe ze een stapje naar hem toe deed, en toen hij zijn handen op haar rug legde, kon hij haar slanke lichaam door haar jurk heen voelen.

'Iets is er vanavond anders dan anders,' zei ze.

Alles, dacht hij.

'Ik heb het hardop gezegd,' fluisterde ze. 'Ik heb er heel lang over gedaan, maar eindelijk heb ik alles eruit gegooid. Ik droomde...'

'Wat droomde je?'

'Ik droomde van dit,' fluisterde ze. Ze stonden met de armen om elkaar heen. Alan voelde het warme zomerbriesje in zijn haar, en hij hoorde het in de bomen. Boven hun hoofd fonkelden de sterren zo helder als dat boven de stad maar mogelijk was. Er was een lichte nevel, en de sterren leken op oranje bollen.

'Dianne...' fluisterde hij in haar haren.

'Van dit,' zei ze. Ze ging met haar blote voeten op de neuzen van zijn schoenen staan en kuste zijn kin en zijn wang. Hij bracht zijn mond naar de hare en wiegde haar zachtjes heen en weer in de zwoele avondlucht.

Ze kusten elkaar lange tijd, en toen voelde Alan Dianne's armen van zijn schouders glijden, en even later nam ze zijn gezicht tussen zijn handen. Haar wangen glansden in het licht van de sterren, en hij wist dat ze nat waren van de tranen.

'Waar ik van droomde,' zei ze huilend en lachend tegelijk, 'was een kans. Ik hoopte op een kans. Een kans om bij jou te kunnen zijn. Om het verleden los te kunnen laten.'

'Het verleden heeft ons bij elkaar gebracht,' zei hij, met een stem die hees was van ontroering.

'Ja, maar het heeft ons ook lange tijd uit elkaar gehouden.'

'En dus droomde je ervan...'

'Om weer bij jou te kunnen zijn,' zei ze, en ze slikte. 'Als dat mogelijk is.'

Hij drukte haar opnieuw tegen zich aan. Was dat mogelijk? Als het aan Alan lag wel. Zijn hart sloeg snel en talloze woorden schoten door zijn hoofd, mooie zinnen om haar ervan te overtuigen dat het zou kunnen als ze dat alle twee echt wilden. Om samen te kunnen zijn... Wat wenste hij nog meer?

'Ik droom er al jaren van,' zei hij, 'om bij jou te kunnen zijn.'

'En dat alles uitgerekend op de avond voor mijn vertrek naar Canada,' zei ze.

De moed zonk hem in de schoenen. Morgen ging ze weg. Hij hield haar dichter tegen zich aan, alsof hij haar daarmee bij zich zou kunnen houden.

'Ik wou dat je niet ging,' zei hij.

'Dat wou ik ook,' zei ze.

'Hoe werken wensen en dromen eigenlijk?' vroeg hij.

'Hoe bedoel je?' vroeg ze lachend. Ze kuste de onderkant van zijn kin terwijl ze tegen het smeedijzeren hek stonden geleund. Ze dacht dat hij een grapje maakte, maar dat was niet zo. Hij was een dokter, een wetenschapper, en hij wilde hier het fijne van weten. Hij wilde er zeker van kunnen zijn dat ze echt bij elkaar zouden blijven.

'Hoe?' vroeg hij.

'Je kijkt naar de lucht,' zei ze. Ze pakte zijn hand en wees omhoog. 'En je wijst.'

'Ja?' vroeg hij, en hij tuurde naar de sterren.

'En dan doe je een wens.'

Alan knikte. Hij sloot zijn ogen en deed een wens. Toen hij zijn ogen opendeed, stond ze er nog steeds.

'Tot dusver werkt het,' zei hij, terwijl hij de knokkels van haar rechterhand, die van haar linkerhand, en ten slotte haar mond kuste.

Hoofdstuk 16

De volgende ochtend vertrokken ze voor dag en dauw. Dianne reed. Iedereen was aanvankelijk verschrikkelijk opgewonden, maar na een kilometer of vijftig vielen Amy en Lucinda in slaap. Stella vond een plaatsje boven op de keukenkastjes, en Orion maakte het zich gemakkelijk onder een van de slaapbanken. Dianne was met haar gedachten bij de vorige avond, en bij Alan. Ze hadden elkaar gekust en elkaars hand vastgehouden en opnieuw gezoend tot haar knieën haar gewicht niet langer hadden willen dragen, en Dianne wist dat het goed was dat ze een poosje weg ging. Ze had tijd nodig om aan de nieuwe situatie te wennen. Wensen en realiteit hadden tijd nodig om zich met elkaar te vermengen.

'Jij en ik zijn de enigen die nog wakker zijn, Julia,' zei ze.

'Gaaaa,' zei Julia handenwringend.

'Jij mag de copiloot zijn, goed? Amy en Oma weten niet wat ze missen.'

'Oooo,' zei Julia, en het klonk Dianne in de oren alsof ze het begreep.

De camper was groot, ruim en luxueus. Iedereen had een eigen bed, er was meer dan voldoende kast- en bergruimte, en er was een opklaptafel om aan te eten. Dianne had de keukenkastjes gevuld met soep, brood, pindakaas, rozijnen en mueslirepen.

Toen Dianne jong was, had haar vader Bill Putnam van de houtopslag gevraagd of ze in de vrachtwagens mocht rijden om te oefenen. Uiteindelijk had ze niet alleen met een grote oplegger gereden, maar ook met een vorkheftruck. Vergeleken met wat ze toen geleerd had, was het besturen van de camper, met zijn stuurbekrachtiging, rembekrachtiging en automatische versnelling, een koud kunstje, en het enige waar ze een beetje aan moest wennen, was het gebruik van de achteruitkijkspiegels.

Ze nam Route 395 en reed in noordelijke richting. Het was stil op de weg. De laatste sterren flonkerden nog aan de donkerblauwe hemel die als fluweel over de heuvels van Connecticut lag. Ze dacht aan haar wens.

Het was een vreemde wens, een vage wens. Wie vroeg er nu om zoiets, de bereidheid tot loslaten? Het loslaten van wat? Van hard zijn, vermoedde ze. Van niet willen of kunnen vergeven, van het verzet tegen liefde.

Maar het leven kon echt zwaar zijn. De zorg voor Julia vergde al haar krachten, en daardoor was ze vaak kribbig en had ze de gewoonte om anderen de schuld te geven. Er was niet veel ruimte voor liefde in een leven dat voortdurend onder druk stond. Er waren dagen waarop Dianne's ruggengraat een absoluut onbuigzame ijzeren staaf was. En nu, op weg naar het noorden, wist ze dat ze in feite niets anders wilde dan het vermogen om buigzaam te kunnen zijn. Om iemand anders bij zich binnen te kunnen laten. Boven Worcester, Massachusetts, kwam de zon op, en de oude steenfabrieken kleurden oranje-rood in het licht van de eerste stralen. Ze ontbeten onder het rijden.

Op de ringweg rond Portsmouth, New Hampshire, zette Dianne de camper op een parkeerplaats om Orion een plasje te laten doen. Van daaruit namen ze de kustweg. Ze hadden nog tien uur tot negen uur die avond, wanneer ze bij de boot moesten zijn die hen van Portland, Maine, naar Yarmouth in Nova Scotia zou brengen. Amy was van plan om haar moeder van elke mooie plaats een briefkaart te sturen.

'Er wordt hier echt een heleboel kreeft gevangen,' zei Amy. Het was haar opgevallen dat bijna elk restaurant zijn gevel versierd had met boeien, fuiken en ander vissersgerei dat voor het vangen van zeekreeft werd gebruikt.

'Met alle kreeft die we op deze reis zullen eten, is de kans groot dat we zelf in schaaldieren zullen veranderen,' zei Lucinda.

'Schaaldieren,' herhaalde Amy, en ze pakte haar schrift. Ze had zich voorgenomen om een lijst te maken van alle nieuwe woorden die ze tegenkwam. Lucinda had haar een leeslijst gegeven, en in plaats van over Anne, las ze nu over Jo. Ze was halverwege *Onder Moeders Vleugels*.

Ze reden schiereilanden op en af, en bewonderden de pittoreske weggetjes en mooie huizen. Vissersdorpen lagen glinsterend in de zon, en in de heuvels in de verte rezen kerktorens hemelwaarts. Ze reden door de Yorks, langs de zandstranden van Ogunquit, en door de kronkelige straatjes van Kennebunkport.

'Ik voel me een echte toerist,' zei Dianne. Haar beide handen lagen op het stuur terwijl ze de camper door een smal straatje met talloze souvenirzaakjes en kaarsenwinkels stuurde.

'Geen wonder, want dat ben je ook,' zei haar moeder.

'Nou,' zei Dianne, 'je zult moeten toegeven dat we het doen zoals het hoort. Compleet met camper en alles. Eigenlijk is het jammer dat onze raampjes niet volgeplakt zitten met stickers van alle plaatsen waar we zijn geweest, zoals je bij zo veel andere campers ziet.' Ze zaten midden in een lange sliert verkeer van mensen die deze weg langs het water hadden gekozen om een glimp op te vangen van het huis van George Bush.

'Dat kunnen we niet doen, want deze camper is niet van ons, schat,' zei Lucinda.

'Wie weet, Mam,' zei Dianne. 'We blijven ervan dromen, en domen kan geen kwaad, of wel?'

Lucinda lachte. Ze droegen shorts en poloshirts, en het briesje van zee blies door de open raampjes naar binnen terwijl ze blikjes suikervrije cola dronken. Amy en Julia zaten achterin hun versie van het schaakspel te spelen en naar buiten te kijken. Stella maakte een tevreden indruk, en Orion gaf geen kik zo lang hij maar om de paar uur even werd uitgelaten.

'En aangezien we zo toeristisch bezig zijn,' zei Dianne, 'en de boot pas om negen uur vertrekt, stel ik voor om even bij L.L. Bean langs te gaan.'

'Wat is dat?' vroeg Amy.

'Wat is *dat*?' herhaalden Dianne en Lucinda in koor.

'Amy, elke Newengelander die ook maar een beetje zelfrespect heeft, bezit minstens twee artikelen van L.L. Bean,' zei Dianne. 'Modderlaarzen en een pyjama met de afbeelding van een eland erop.'

In Freeport vonden ze een speciale parkeerplaats voor grote voertuigen. Er stonden nog een heleboel andere campers, en het viel hen ongewild op dat de hunne niet alleen de grootste, maar ook de meest luxueuze was. Ze stuurden een briefkaart naar Gwen en alle anderen van de bibliotheek, en bedankten hen voor het feit dat ze deze reis mogelijk hadden gemaakt. Dianne stuurde er een aan Alan die ze niet aan de anderen liet zien. En toen gingen ze winkelen.

In L.L. Bean was Amy diep onder de indruk van de hoeveelheid kano's, sneeuwschoenen en ski's, en Lucinda vertelde haar de geschiedenis van de zaak, die ooit eens als echte, ouderwetse sport- en modezaak was begonnen, en nu wereldberoemd was. Ze vonden de pyjama's van dik, groen, met afbeeldingen van elanden bedrukt flanel. Lucinda kocht er voor iedereen een, en ze kocht er voor iedereen een paar soksloffen bij. Dianne fuifde iedereen op lange onderbroeken voor de koude Canadese nachten, zakmessen en pakjes gedroogd rundvlees.

'Overlevingsuitrusting is belangrijk op zo'n reis als deze,' zei ze.

'Heb je het vogelboek meegenomen?' vroeg Lucinda.

'Vergeten,' zei Dianne, en ze lieten Amy een veldgids uitkiezen.

'Jullie denken ook aan alles,' zei Amy met een stralend gezicht, terwijl ze Julia op weg naar de kassa door de winkel duwde.

Om halfzeven sloten ze zich aan bij de rij auto's die stonden te wachten om aan boord van de *Scotia Prince* te gaan. De veerboot had maar een beperkt aantal plaatsen beschikbaar voor hoge voertuigen, en ze wilden deze oversteek niet missen. Voor ze aan boord gingen, moesten ze hun kaartjes laten zien, en aantonen dat ze het Amerikaanse staatsburgerschap bezaten. Lucinda was de enige die een paspoort had. Dianne, Julia en Amy hadden hun geboortebewijs, en terwijl Dianne de documenten verzamelde, realiseerde ze zich met iets van een schok dat ze het altijd zo druk had gehad met Julia, dat ze nog nooit naar het buitenland was geweest. Ze had het nooit nodig gehad om een paspoort aan te vragen. Ze had zichzelf altijd zoveel ontzegd.

'Wat is er, lieverd?' vroeg Lucinda, die Dianne's onthutste gezicht had gezien.

'Niets, Mam,' zei Dianne, terwijl ze haar moeders hand in de hare nam. 'Ik realiseerde me net hoe fantastisch dit is. Dat we zo, met z'n allen op reis zijn.'

'Ik ben je zo dankbaar,' zei Lucinda, 'dat je dit voor mij hebt willen doen.'

'Ja, dat dacht ik ook,' zei Dianne, met een blik op de ondergaande zon boven de haven van Portland, en de met stenen geplaveide boulevard. 'Ik dacht dat ik het voor jou en Julia deed, en misschien ook wel een beetje voor Amy. Maar nu begin ik te beseffen dat ik het voor me*zelf* doe. Jij bent gepensioneerd, en ik heb Julia altijd al wat van de wereld willen laten zien...'

'Maar dat doe je zelf nu ook,' maakte Lucinda Dianne's zin voor haar af, omdat ze zag dat ze daar zelf te ontroerd voor was. 'Nu zien jullie de wereld samen.'

Dianne knikte en keek haar moeder glimlachend aan. De meisjes zaten achterin te spelen, en probeerden Orions interesse te wekken voor een poedel in de camper naast de hunne.

'Dat is een van de leukste dingen aan het hebben van een dochter,' zei Lucinda, terwijl ze Dianne's hand pakte. 'Ze zorgen ervoor dat je op plekjes komt waar je alleen nooit naartoe zou zijn gegaan.'

'Bedankt, Mam,' zei Dianne, waarna ze Lucinda krachtig omhelsde. Ze moest maar steeds denken aan wat Alan had gezegd, dat hij op haar zou wachten. Elf jaar lang had ze zichzelf de liefde van een man misgund, maar nu, op weg naar het noorden, voelde ze daar verandering in komen. Dianne's hart ging langzaam maar zeker open.

Ze voeren door het donker! Het was een mysterieuze en goddelijke ervaring. Amy kon amper geloven dat ze op een echt schip, de *Scotia Prince,* was. Er konden vijftienhonderd passagiers op, en het was half veerboot, half cruiseschip. Er waren een casino en een theater, een bioscoop en een bingo aan boord. Ze hadden een eigen luxehut! De dieren hadden hun eigen kennel. Als dit niet het ware leven was, dan wist Amy het niet.

'Is de *Queen Elizabeth* ook zo groot en mooi?' vroeg ze aan Dianne.

'Nou, deze boot is een beetje kleiner,' antwoordde Dianne.

Ze stonden aan dek en keken naar het wegglijdende Portland. De zee was glad en de lucht was fris. Amy zwaaide naar de mensen op de kade. Het speet haar dat ze geen zakdoek had, want dan zou het nog echter zijn geweest. Het enige wat er aan haar geluk mankeerde, was dat haar moeder en Dr. McIntosh er niet bij waren.

Ze aten in het restaurant en luisterden naar een zangeres die nummers uit Broadway musicals zong. En toen was het tijd om te gaan slapen. Hun hut had vier kooien – twee beneden, en twee boven. Dianne wilde beneden slapen met Julia, dus Lucinda en Amy namen de bovenste bedden. Ze hadden allemaal hun nieuwe pyjama aan.

'Welterusten,' zeiden ze tegen elkaar.

'Slaap lekker.'

'Slaap lekker,' zei Lucinda, terwijl ze haar hand over de smalle ruimte naar Amy uitstak en haar vingers drukte. Onder hen hoorden ze Dianne een slaapliedje voor Julia zingen, en Julia ademde alsof ze zich van haar leven nog nooit zo prettig had gevoeld. De boot voelde als een reusachtige wieg, die hen op weg naar Canada langzaam in slaap schommelde.

Amy voelde zich heel dicht bij haar vader. Ze was nog nooit eerder op zee geweest, en ze realiseerde zich dat dit het leven was waar hij zo van had gehouden. De golven sloegen tegen de romp en weergalmden als kerkklokken door het schip. Ze voelde de boot omhoog komen en weer zakken, in een beweging die overeenkwam met het ritme van haar ademhaling en het slaan van haar hart. Haar vader leefde nu in de zee, maar zijn geest zou altijd in Amy voort blijven leven.

'Welterusten, Pap,' fluisterde ze, met de armen stijf om zich heen geslagen.

Ze reden de veerboot af en Canada binnen. De hemel boven Yarmouth, Nova Scotia, was stralend blauw met talloze schapenwolkjes. In de haven heerste een gezellige drukte, en de stad zelf was bezig te ontwaken. Ze waren door de Bay of Fundy gekomen, de baai met het grootste getijverschil ter wereld, maar het meest verbazingwekkende was nog wel dat ze een walvis en een paar dolfijnen hadden gezien.

'Jullie hebben ze toch ook gezien?' vroeg Amy. 'Ik bedoel, heb ik het alleen maar gedroomd, of was het echt?'

'Zulke sierlijke wezens,' zei Lucinda.

'Je eerste walvis, Julia,' zei Dianne opgetogen. Julia had zowaar haar hoofd opzij gedraaid toen de walvis boven water was gekomen. Zijn glanzende, zwarte rug had wel een enorm tafelblad geleken, en hij had een dikke waterstraal uitgespoten.

'Glie,' zei Julia.

'En dolfijnen, Julia,' zei Amy, terwijl ze haar van pure vreugde omhelsde. 'We moeten het meteen aan Dr. McIntosh schrijven. Of we kunnen hem bellen!'

'Alan zou ons kunnen vertellen welke soort het was,' zei Lucinda.

'Welke kant moeten we op voor Prince Edward Island?' vroeg Dianne, toen ze bij een splitsing kwamen. De weg naar rechts ging naar Lunenburg, waar Alans vriend Malachy met zijn boot lag. Ze zouden bij hem langs kunnen gaan, en hem een bezoekje brengen. Hij zou hen van alles over zeezoogdieren kunnen vertellen. Aan de andere kant was het zo dat haar avond met Alan zuiver en kostbaar voelde. Het was om meerdere redenen goed dat ze elkaar een poosje niet zouden zien, en ze wilde voorkomen dat ze hier, door Malachy op te zoeken, gedwongen zou worden om aan die andere McIntosh, om aan Tim te denken.

'Die kant, lieverd,' zei Lucinda, op de kaart wijzend. 'Naar links.'

'Het is hier zo mooi!' riep Amy uit. 'We zijn in een ander land!'

'Links?' vroeg Dianne, met een blik op het bord dat naar Lunenburg wees.

'Ja, links,' herhaalde Lucinda.

'Daar gaat-ie dan,' zei Dianne, terwijl ze Route One, de *Evangeline Trail,* op draaide, die hen naar het noorden, naar de veerboot van Pictou naar Prince Edward Island zou brengen, en waarmee ze Lunenburg en de mentor van de broers McIntosh ver achter zich zouden laten.

Tim McIntosh had geen vergunning om in Canada kreeft te vangen, maar dat kon hem niet schelen. Hij had zin om een poosje niet te vissen. Een week eerder was hij met het getij in oostelijke richting naar Lunenburg gevaren. Malachy's sleepboot was nergens te zien geweest.

'Ik dacht dat hij hier woonde,' had Tim opgemerkt tegen een oude man in de haven.

'Wel, jongen, dat heb je nu met mensen die op een boot wonen,' had de oude visser gezegd. 'Je woont waar je boot is, en Malachy's boot is niet hier.'

'Ik snap wat je bedoelt,' had Tim gezegd.

Op de ochtend van de zevende dag, toen Tim van plan was geweest om terug te keren naar Maine, zag hij, toen hij wakker werd, Malachy's boot op zijn vaste plekje aan de andere kant van de haven liggen.

'Tim, m'n jongen!' had Malachy uitgeroepen, terwijl hij hem op de rug had geslagen.

'Waar was je?' vroeg Tim.

'In de Golf van St. Lawrence,' zei Malachy. 'Om na te gaan of de dolfijnen daar mooier zingen dan de dolfijnen hier.'

'Jezus, Malachy,' zei Tim. 'Dolfijnen zingen niet. Ze brabbelen. Ze raken verstrikt in visnetten en maken al die new age mensen stapelgek. Iedereen vindt ze zo verrekte romantisch, maar in werkelijkheid zijn ze alleen maar ontzettend lastig. Elke visser met een geweer aan boord weet precies op welk plekje hij moet richten...'

'En het is waar,' zei Malachy, terwijl hij zijn pijp opstak.

'*Wat* is waar?'

'Dat ze verder naar het noorden mooier zingen dan hier.'

'Nou, het moet wel interessant zijn wat ze doen, want anders was je nooit zo lang weggebleven,' zei Tim grinnikend. 'Ik wilde net weer gaan.'

'Nou, ik ben blij dat je dat niet hebt gedaan.'

'Ja.'

'Je broer zou zich flink geërgerd hebben,' zei Malachy. 'Hij probeert al tijden contact met je te maken.'

'Alan?' vroeg Tim, terwijl zijn hart opeens als een gek begon te slaan. 'Is Alan naar mij op zoek?'

'Voor zover dat mogelijk is vanuit Hawthorne, ja. Hij heeft me gebeld.' Malachy rookte zijn pijp en keek uit over de haven. Het beloofde een schitterende dag te worden. De zon was zojuist aan de andere kant van het water boven land opgekomen, en hulde alles in een helder, gouden licht. 'Maar het is fijn om weer thuis te zijn. Kom mee naar beneden, dan krijg je een kop thee van me.'

'Jezus Christus,' gromde Tim. 'Ik ben Amerikaan. Ik hou van zwarte koffie.'

'Goed, dan krijg je zwarte koffie, jongen,' zei Malachy glimlachend. 'Je zegt het maar, en je kunt het krijgen, dat weet je.'

'Wat wil hij?' vroeg Tim.

'Je weet dat ik me overal buiten hou,' zei Malachy streng. 'Dus als je dat wilt weten, dan zul je hem dat zelf moeten vragen.'

Tim knikte en wierp de oude Ier een respectvolle en verontschuldigende blik toe. Het feit dat Alan had gebeld, had hem kribbig gemaakt. Hij was een kleine tweeduizend kilometer van huis, en hij kon er niet onderuit: zijn familie, zijn verleden, zijn schuldgevoelens. Dit soort dagen waren heel moeilijk. Op het eind van zo'n dag ging hij meestal op zoek naar ruzie. Of naar een vrouw. Of naar alle twee. Malachy zweeg en observeerde hem liefdevol alsof hij zijn gedachten had gelezen en wist dat hij de hele dag had om hem op andere gedachten te brengen.

Prince Edward Island was precies zoals Lucinda verwacht had dat het zou zijn. Een streek van weilanden en rivieren, wind en zee. Overal waren stranden, sommige met rood zand, en andere met zulk fijn wit zand dat het wel tot poeder vermalen parels leek. Het was alsof ze door de bladzijden van haar lievelingsboek liep, waar bijna elke gebeurtenis de tranen in haar ogen deed springen.

Dianne reed langzaam opdat Lucinda zoveel mogelijk zou kunnen genieten. Ze kwamen door het Acadische Tignish, de hoofdstad Charlottetown en langs de gotische kerktorens van de St. Dunstan's Basilica. Ze reden door het vredige landschap van Summerside, waar ze een paar zilvervossen zagen, en eindelijk waren ze dan bij de Blue Heron Drive, die hen via de kust van rode zandsteen naar het gebied van *Anne van het Groene Huis* zou brengen.

'Blue Heron, blauwe reiger,' las Amy uit het vogelboek. 'Een grote watervogel die elk voorjaar naar de zeeprovincies trekt om daar in de ondiepe baaien en moerassen te broeden. Denken jullie dat we hem op deze reis zullen zien?'

'We hebben ze thuis in het moeras,' zei Dianne. 'Je kent hem. Het is die grote vogel die altijd op van die schaduwrijke plekjes staat...'

'En van die knokige knieën heeft,' zei Amy.

'Dat is een grote zilverreiger,' corrigeerde Lucinda haar dochter.

'Dat is hetzelfde,' zei Dianne, terwijl ze de helling van een heuvel op reed.

'Is dat hetzelfde, Amy?' vroeg Lucinda. 'Is de blauwe reiger dezelfde vogel als de grote zilverreiger?'

'Nee hoor, het zijn twee verschillende vogels!' riep Amy, met het gidsje zwaaiend. 'Dezelfde soort, maar verschillende vogels!'

'Goed, goed,' zei Dianne lachend. Ze vond het heerlijk om te zien dat Amy zo veel plezier in leren had. Zij en haar moeder wisselden een glimlachje. Julia zat in haar stoel te dutten.

Ze bezochten Cavendish. Hier liep Lucinda's enthousiasme een klein deukje op. *Anne van het Groene Huis* leek hier in een plaatselijke industrie te zijn veranderd. Er waren zwemparadijzen en go-karts, een kermis en een nationaal park. Lucinda wilde zo snel mogelijk verder om elders op zoek te gaan naar het jonge weesmeisje Anne dat haar in haar jeugd zo veel troost had geschonken, maar Orion moest plassen.

Terwijl Lucinda en het hondje een ommetje maakten, liep Dianne met de meisjes naar de kermis. Ze waren in shorts en mouwloze T-shirts, en de zomerzon voelde even warm als in Hawthorne. Er waren een draaimolen en een reuzenrad, botsautootjes en een waterpartij.

'Glie,' zei Julia, terwijl ze haar hoofd ophief om omhoog te kunnen kijken.

'Wat zie je?' vroeg Amy, terwijl ze naast haar hurkte.

'Misschien wel een blauwe reiger in de vlucht,' plaagde Dianne.

'Nee,' zei Amy, Julia's blik volgend. Toen Dianne ook opkeek, zag ze het reuzenrad. Het rees hoog boven het kermisterrein uit, en het zilverachtige en bontgeschilderde metaal flonkerde in de zon. Het draaide langzaam rond en leek op een reusachtig windmolentje van het soort dat Dianne voor Julia, toen ze nog heel klein was, had opgehouden en in de wind had laten draaien.

'Ze wil erin,' zei Amy.

'Dat kan ze niet,' zei Dianne.

'Waarom niet?' vroeg Amy. Haar ogen straalden en ze pakte Dianne's hand. 'Mag ik er met haar in?'

'Nee,' zei Dianne, die in paniek begon te raken.

'Kinderen zijn dol op dat soort dingen,' zei Amy. 'We vinden het prachtig. Je hebt haar hier helemaal naartoe gebracht, dit is de reis van haar leven... en nu wil je haar niet in het reuzenrad laten?'

Julia keek op. Haar ogen straalden van vreugde. De kermismuziek was luid. Dianne had een prop in haar keel, zoals ze altijd had wanneer ze aan Julia dacht alsof ze een normaal meisje was. Wat kon het voor kwaad? Veel jongere kinderen dan Julia waren in het reuzenrad geweest...

'Goed dan,' zei Dianne. 'Jullie mogen.'

'Joepie!' riep Amy uit. Ze hupte en wees naar boven. 'We gaan helemaal naar boven, Julia! Heel hoog in de lucht!'

Dianne kocht twee kaartjes. Ze was bang dat de man iets zou zeggen, dat hij op een vreemde manier naar Julia zou kijken, dat hij haar er niet in wilde laten. Maar hij nam haar geld aan en gebaarde dat ze door moest lopen om de volgende bij de kassa te laten. Dianne wilde de gordels van de meisjes zelf om doen. De man die de mensen in de wagentjes liet, scheen daar geen bezwaar tegen te hebben.

'Die wagentjes zijn toch wel veilig, hè?' vroeg Dianne met angstig kloppend hart.

'Ja,' zei hij.

'Is er wel eens iets misgegaan?'

'Ik ben nog nooit een kind kwijtgeraakt,' zei hij lachend.

'Dianne...' zei Amy, die zich schaamde.

'Maaa,' zei Julia, terwijl ze Dianne's neus en haar haren aanraakte.

'Volgende!' riep de man, toen het rad langzaam in beweging kwam, en

Amy en Julia een stukje omhooggingen en Dianne niet meer bij hen kon. Mensen stapten in het volgende wagentje. Bij elk volgende wagentje gingen Amy en Julia verder omhoog, en raakten ze verder bij haar vandaan. Dianne stond beneden en keek omhoog. Ze wilde haar dochter terug.

'Liefje, waar zijn de meisjes?' Lucinda kwam naast haar staan.

'Ik ben gek, Mam,' zei Dianne. 'Ik heb ze in het reuzenrad laten gaan.'

Nu keek Lucinda ook omhoog. Ze hield haar hand boven haar ogen tegen de schelle zon, en probeerde de meisjes te ontdekken. Ze zwaaide wild en grijnsde van oor tot oor. Julia en Amy waren helemaal boven. Daar bleven ze lange tijd hangen, en toen het wagentje helemaal beneden gevuld was, kwamen ze weer een stukje omlaag.

'Moet je ze zien!' zei Lucinda. Ze zwaaide nog steeds.

'Ik kan het niet aanzien,' zei Dianne.

'Joepieeee!' hoorden ze Amy's stem boven al het kermislawaai uit. 'We vliegen!'

'O, Mam,' zei Dianne. Ze was zo bang dat ze haar handen tegen haar hart drukte. Ze had haar kindje, haar kleine, hulpeloze Julia, de dood in gejaagd. Dianne had haar alleen gelaten met oppassen, had haar nachten alleen in het ziekenhuis gelaten, maar ze had zich nog nooit zo machteloos gevoeld als nu. Wat als Julia bang was? Wat als ze onder de stang uitgleed en overboord viel?

'Joepieee!' riep Amy opnieuw.

'Wieeee! Wieeeee!'

'O, God,' zei Lucinda, terwijl ze Dianne's hand in de hare nam. 'Hoor je dat?'

'Ja,' zei Dianne, nadat ze haar andere hand over haar ogen had geslagen. 'Amy is opgewonden.'

'Dat is Julia, liever,' zei Lucinda. 'Dat is je dochter.'

Dianne haalde de hand van haar ogen. Het rad draaide vrolijk rond en de muziek schalde door de zomerlucht. De wagentjes waren vol en draaiden aan de spaken van het grote wiel. Dianne zag haar dochter, keek eens goed, en zag Julia die met wijd open mond zat te grinniken en het uitriep van de pret.

'Wieee!' riep Julia. 'Wieee!'

Dianne bleef de hand van haar moeder vasthouden en keek naar haar dochtertje dat jubelend van plezier door de lucht ging. Toen het wiel tot stilstand kwam en Dianne naar hun wagentje snelde, hoorde ze Amy zeggen: 'Wauw, dit is te gek. Mogen we nog een keer?'

'Misschien later,' zei Lucinda, terwijl ze de meisjes hielp uitstappen.

Dianne verwachtte half en half dat Julia in tranen zou zijn. Ze wilde niets liever dan Julia in haar armen nemen, maar ze beheerste zich. Haar dochter zat breed te grijnzen en bewoog haar hoofd van intens genot en plezier heen en weer.

'Wieee!' fluisterde Julia, terwijl ze haar moeder in de ogen keek. Dianne betrapte zich erop dat ze wou dat Alan hierbij had kunnen zijn om hier getuige van te kunnen zijn.

Hoofdstuk 17

Alan keerde van het ziekenhuis terug naar zijn praktijk. Een van zijn patiënten was binnengebracht nadat hij op Jetty Beach een hoofdwond had
opgelopen, en Alan was door de Eerste Hulp gebeld. Chris Wright, een
jongen van zeven met twee oudere zussen, was met zijn hoofd tegen zijn
surfplank geslagen. De ouders van de kinderen waren op zee aan het zeilen, en zijn zus Abigail had de ambulance gewaarschuwd en erop gestaan
dat het ziekenhuis Dr. McIntosh zou bellen. Hij was er meteen naartoe
gegaan.

Hij zat weer achter zijn bureau en keek naar de boodschap die Martha
voor hem had neergelegd. Het duurde even voor de betekenis van de
woorden tot hem was doorgedrongen. 'Uw broer Tim heeft gebeld.' Er
stond een verkeerd telefoonnummer bij.

Alan zoemde Martha. Ze was op een andere lijn aan het bellen, en was
in afwachting van het moment waarop ze zou worden doorverbonden
met de neuroloog van Chris Wright, maar ze reageerde meteen.

'Ja, Dr. McIntosh?' vroeg ze.

'Die boodschap van mijn broer?'

'O, ja. Hij heeft gebeld toen u in het ziekenhuis was. Hij –'

'Je hebt een verkeerd nummer opgeschreven,' viel Alan haar in de rede.

'Niet waar,' zei ze.

Martha was een geweldige doktersassistente, maar als secretaresse liet
ze het nodige te wensen over. Hij had zich al talloze keren voorgenomen
om een receptioniste in dienst te nemen die een deel van het werk van
haar zou kunnen overnemen. Maar nu, met het verkeerde nummer voor
zijn neus en een wachtkamer vol patiënten, verloor hij zijn geduld.

'Je hebt niet Tims nummer, maar dat van Malachy Condon opgeschreven,' snauwde hij. 'Ik weet niet waar mijn broer tegenwoordig uithangt
om te vissen, maar dat hij niet in Canada is, dat is zeker. Dus zou je alsjeblieft nog een keer willen kijken, en me dan het goede nummer –'

'Hij is bij Malachy,' zei Martha koeltjes. 'Dat heeft hij heel duidelijk gezegd.'

'O,' zei Alan. 'Neem me niet kwalijk.'

'En als u het niet erg vindt, dan heb ik nu op twee Chris' neuroloog aan de lijn.'

'Hallo, Jake?' Alan had het knopje van lijn twee ingedrukt, in de hoop dat Jacob Trenton, de beste neuroloog van het ziekenhuis in Hawthorne, hem de uitslag van zijn onderzoek zou kunnen geven. Alan luisterde naar zijn verslag en was blij dat de jongen geen hersenschudding bleek te hebben, en dat ze zich geen zorgen hoefden te maken, omdat alles goed zou komen. Maar Alan had moeite om zich op het gesprek te concentreren.

Even later hing hij op, en hij keek weer naar de boodschap die voor hem lag. Zijn broer was in Lunenburg, Nova Scotia, bij Malachy Condon, en dat was precies de plek waar Alan Dianne naartoe had gestuurd voor het geval ze iets nodig mocht hebben. Het feit dat hij de vrouw van wie hij hield regelrecht naar de armen van zijn broer had verwezen, maakte zijn dag er bepaald niet beter op.

Hij draaide het vertrouwde nummer van Malachy's sleepboot.

Dianne genoot van elke kilometer. Waarom hadden ze dit nooit eerder gedaan? Na deze reis zouden ze er eentje langs alle belangrijke bezienswaardigheden van de Verenigde Staten kunnen maken: de bergen van Colorado, de grotten van Kentucky, Memphis, de Grand Canyon, de Mississippi. Ze bezochten Woodleigh Replicas, en verdwaalden in het middeleeuwse doolhof. Ze zagen Cape Traverse, waar, honderd winters geleden, passagiers in ijsboten door sterke mannen door de zee-engte waren getrokken. En vanuit elke plaats stuurde ze Alan een kaart.

Ze bouwden zandkastelen op elk strand dat ze zagen. In het noorden waren de stranden wit, langs de zuidelijke kust waren ze rood. Op elk strand bouwden ze prachtige forten, en van elk kasteel maakten ze een foto. Julia scheen het heerlijk te vinden om met hen op het strand te zijn, en om schelpen en gedroogd zeewier als versiering in het zand te drukken.

'Misschien moet ik een andere koers inslaan,' zei Dianne, 'en geen speelhuizen meer maken, maar zandkastelen. En dan kan Julia me helpen.'

'Zandkastelen kun je niet verkopen,' zei Amy verdrietig. 'Ze worden weggespoeld of storten in.'

'Ja, dat weet ik,' zei Dianne, terwijl ze Julia hielp met het maken van een druiptorentje. 'Maar tot aan dat moment zijn ze zo mooi.'

'Maaaa,' zei Julia.

Ze bezochten plaatsen die iets betekend hadden voor Lucinda's geliefde Anne. In Cavendish zagen ze de tuinen bij het huis van Lucy Maud Montgomery, waar de schrijfster van het boek na de dood van haar moeder bij haar grootouders had gewoond.

'Ze schreef uit eigen ervaring,' zei Lucinda.

'Hoe het was om wees te zijn?' vroeg Amy.

'Ja,' zei Lucinda. 'Je hebt geen idee. Het is het meest eenzame gevoel ter wereld.'

'Ik kan het me alleen maar voorstellen,' zei Amy, terwijl ze Lucinda's hand in de hare nam.

Ze wandelden door de velden en oude appelboomgaarden. Het enige wat van het oorspronkelijke huis over was, waren het witte, houten hek en de funderingen, en Dianne was teleurgesteld. Ze had foto's van het huis willen maken om het dan thuis na te bouwen voor een meisje in Hawthorne. Ze duwde Julia en luisterde naar het gesprek tussen haar moeder en Amy. Ze was zo blij dat ze elkaar hadden. Dat ze haar moeder had, en dat Lucinda gezond was.

'Het betekent zoveel voor mij dat ik dit allemaal kan zien,' zei Lucinda, terwijl ze Dianne en Amy een arm gaf.

'Ik weet dat je dol bent op het boek,' zei Dianne.

'Ik heb een erg eenzame jeugd gehad,' zei Lucinda. 'Mijn pleegouders hadden bijna altijd ruzie, en het gebeurde vaak dat die ruzies uitliepen op vechtpartijen.'

'O,' zei Amy, 'daar weet ik alles van.'

'Ik wou dat je eerder met lezen was begonnen,' zei Lucinda, waarna ze een zoen op Amy's kruin drukte. 'Ik vluchtte in boeken. Zodra ik mijn vader hoorde schreeuwen, pakte ik een boek en dook erin. Ik weet werkelijk niet wat ik zonder boeken gedaan zou hebben.'

'Ik deed niets anders dan vurig hopen dat ze zouden ophouden,' zei Amy. 'Ik kroop weg onder de dekens en wenste het zo hard als ik kon. Ik bad tot elke langsvliegende engel en vroeg om iets te doen opdat Buddy zijn boeltje zou pakken, en dat alles dan weer zou worden zoals het was.'

'Nou, een van de engelen moet je hebben gehoord,' zei Lucinda.

'Ja,' zei Amy, en ze knikte. 'Dat geloof ik ook.'

'Buddy is weg en met je moeder gaat het alweer een stuk beter.'

'Het was echt verschrikkelijk,' fluisterde Amy, 'om te moeten horen hoe hij haar sloeg...'

'Dat geluid,' zei Lucinda. Ze sloot haar ogen alsof ze de ruzies en vechtpartijen bij haar thuis nog steeds kon horen. 'De klap van een grote, blote hand op haar naakte huid... en het was nog erger wanneer hij zijn vuisten gebruikte...'

'En hoe ze dan gilde,' zei Amy. 'Terwijl je wist dat je helemaal niets kon doen om te helpen.'

'Ook al wilde je dat nog zo graag,' zei Lucinda.

'Er was niets wat ik zo graag wilde,' zei Amy.

Dianne duwde Julia en hield zich opzettelijk volledig buiten het gesprek. Het gebeurde maar zo zelden dat haar moeder over haar eigen, moeilijke jeugd sprak. Dat was het gedeelte van zichzelf wat ze niet graag met iemand deelde. Dianne had altijd medelijden gehad met het idee van haar moeder als kind, maar haar moeder leek het te pijnlijk te vinden om over die tijd te praten.

En Amy liet ook bijna nooit iets los over haar eigen moeilijke leven thuis. Dianne wist dat Alan het eigenlijk nodig vond dat ze in therapie ging, en dat hij ervan uitging dat haar leven thuis diepe wonden in haar psyche had geslagen. Hij zei dat het trauma van iemand die in een gewelddadige omgeving leefde, vergeleken kon worden met dat van iemand die de oorlog in werd gestuurd.

Ze wandelden met zijn vieren door het open veld. De middagzon scheen op de appelbomen vol fruit, en overal hing een doordringende cidergeur. Dianne dacht aan Alan, en wist dat hij blij zou zijn met het feit dat Amy over haar ervaringen sprak.

'We boffen toch maar,' zei Dianne.

'Ja?' vroeg Lucinda.

'Julia en ik,' zei ze. 'Wij hebben een goed leven.'

'Maar, Dianne,' begon Amy, met een vragende blik in haar ogen. 'Hoe kun je dat nu zeggen? Julia is toch zo ziek...'

'Ja,' zei Dianne, 'en daar ben ik verschrikkelijk boos om geweest. Veel meer dan ik eigenlijk wel toe wil geven. Maar desalniettemin zijn we gezegend. Wij kennen alleen maar liefde.'

'Haar vader heeft jullie laten zitten,' bracht Amy haar zacht in herinnering.

'Maar ze krijgt zo veel liefde van andere mensen,' zei Dianne, 'zodat het weggaan van haar vader er eigenlijk niet meer toe doet. Ze heeft mij, haar grootmoeder, haar oom...' Terwijl ze dat zei, realiseerde ze zich hoe zeer ze Alan miste.

'Wie kan er nu niet van Julia houden?' vroeg Lucinda, terwijl ze zich naar haar kleindochter boog om haar een zoen te geven.

'Buddy,' zei Amy heel ernstig.

'Ja, daar heb je gelijk in,' zei Lucinda. 'En mijn stiefvader. Mensen die zo ziek zijn, zijn niet in staat om liefde te voelen. Ze hebben geen liefde in zich.'

'Ik vind het heerlijk hier,' zei Dianne. In de boomgaard waaide een warm briesje. Ze sloot haar ogen om de herinnering aan het moment voor altijd vast te houden. Het ging haar niet alleen om de omgeving, maar ook om het gesprek: deze mensen van wie ze zoveel hield, die elkaar voldoende vertrouwden om hun hart te durven openen. Het voelde alsof Alan, hoewel hij niet was meegekomen, toch voortdurend bij hen was, en ze wist dat alles uiteindelijk goed zou komen.

'Ik ook,' zei Lucinda.

'Laten we iets meenemen,' zei Amy. 'Als aandenken.'

'O, liefje,' zei Lucinda. 'Het is niet netjes om dingen –'

'Dit,' zei Amy, terwijl ze vier half vergane appels opraapte. 'Ik kan me niet voorstellen dat iemand het erg zal vinden dat we deze meenemen, wel?'

Dianne keek verbaasd naar de vier vruchten in Amy's hand. Ze waren halfrot en verschrompeld. Hun steeltjes stonden in een vreemde hoek, en ze roken naar azijn of wijn. Waarom had Amy zoiets lelijks gekozen? Ze had een paar bloemen kunnen plukken, of een paar mooie steentjes kunnen zoeken, of een klavertje-vier, of mooie gele blaadjes.

Maar Lucinda had het begrepen. Ze bleef staan, knikte, en beroerde elke appel met een uiterst teder gebaar.

'Ze zullen mooi opdrogen,' zei ze.

'Denk je?' vroeg Amy.

'Ja. We geven ze een veilig plekje in de keuken van de camper, en dan zijn ze droog wanneer we thuiskomen. Ze zijn prachtig,' zei Lucinda. 'Heel mooi.'

'Maar waarom?' vroeg Dianne. 'Ik begrijp het niet. Waarom wil je vier rotte appels meenemen?'

'Die appels, dat zijn wij,' zei Amy.

'Begrijp je het echt niet?' vroeg Lucinda, terwijl ze haar met stralende blauwe ogen aankeek. 'Juist jij zou het moeten snappen. Amy heeft gelijk. Die appels, dat zijn wij. Ze zijn gebutst en lelijk, en niemand keurt ze een blik waardig. Ze liggen in het gras en zijn absoluut waardeloos...'

'Totdat iemand ze opraapt,' fluisterde Amy. 'Totdat jij mij opraapte, Dianne.'

'O!' riep Dianne uit, terwijl ze haar hand voor haar mond sloeg.

'Dingen waar andere mensen niets in zien, waar ze niet van kunnen houden,' zei Lucinda, en nu begreep Dianne het. Haar moeder dacht aan hoe ze zelf was geweest als kind. Dianne keek naar Julia die met haar grote ogen naar de hemel tuurde. Julia luisterde naar de zee en naar het ritselen van de blaadjes aan de bomen. Dianne dacht aan al die mensen die Julia alleen maar zouden zien als een mismaakt wezen, die niet in staat waren om van haar te houden, en ze kreeg een prop in haar keel.

'We zullen ze altijd blijven koesteren,' verklaarde Amy plechtig, op een toon waarvan Dianne meende dat je die alleen maar kon verwachten van een kind van twaalf. Tot ze Lucinda het volgende moment hoorde zeggen: 'Voor eeuwig en altijd.'

Dianne nam haar eigen appel in haar hand en sloot haar ogen. Ze dacht aan hoe het was om uit een boom te vallen. Ze dacht aan hoe het was om in de steek te zijn gelaten, en om te worden opgeraapt door de broer van een man die niet in staat was van haar te houden. Dianne was hard op weg verliefd te worden.

'Die appels, dat zijn wij,' zei Dianne, toen ze het eindelijk helemaal begreep. Ze zei het tegen Julia, tegen haar moeder, tegen Amy en tegen iemand honderden kilometers ver weg.

Die avond vonden ze een plekje op een caravancamping bij de zee. De sterren daar leken veel helderder dan thuis. Stella zat voor het raam naar haar constellatie te staren. Het hondje lag op Amy's bed, en sliep aan haar voeten. Het was een beetje fris, en allemaal hadden ze hun eland-pyjama's aan.

Dianne en Lucinda zaten buiten op de vouwstoelen. Ze zaten met hun sloffen aan en met dekens om zich heen naar de golven te luisteren. Op het tafeltje tussen hen in brandde een kaars tegen de muggen. Ze dronken honing-sinaasappelthee, en hielden de dampende mokken in hun handen.

'Voel je je gepensioneerd?' vroeg Dianne.

'Ik voel me jong,' zei Lucinda. 'Gelukkig, opgewonden, bruisend van de energie...'

'Geniet je van je reis?' vroeg Dianne.

'Het is een droom die werkelijkheid is geworden,' antwoordde Lucinda. 'Het is meer dan ik ooit had durven hopen, duizend keer meer, omdat jij en Julia er ook bij zijn. En Amy maakt het er extra bijzonder op...'

'De enige die ontbreekt is Pap.'

'Voor mij,' zei Lucinda. 'En voor jou?'

'Ik weet niet,' zei Dianne.

'Je was die avond van het bal erg laat thuis,' merkte Lucinda op.

'Mmm,' zei Dianne, terwijl ze naar de hemel keek. Zo ver naar het noorden was de lucht volkomen helder. De sterren straalden erop los tegen een blauwzwarte achtergrond. De Melkweg beschreef zijn witte pad door de nacht, en ginds boven zee viel een ster. 'Zag je dat?' vroeg Dianne.

'Ja,' zei Lucinda. 'Een vallende ster – hoe treffend.'

'Nog een!' zei Dianne, en ze sprong op. Ze keek naar haar moeder. 'Hoe bedoel je, treffend?'

'Om vallende sterren te zien juist wanneer je het hebt over mensen van wie je houdt. Je wilde me vertellen over je wandeling.'

'Mam –'

'Je wandeling met Alan.'

'We hebben alleen maar langs de haven gelopen,' zei Dianne. Haar hart miste een slag bij de herinnering, en ze probeerde voor zichzelf uit te maken in hoeverre ze bereid was om het met haar moeder te delen. Ze zagen de ene vallende ster na de andere. 'Wat is dat? Heeft deze plek soms een speciale aantrekkingskracht voor vallende sterren?'

'Het is een sterrenregen,' zei Lucinda. 'Dat gebeurt elk jaar in augustus. Overal. Ook in Connecticut. Jij en je vader bleven er altijd speciaal voor op.'

Dianne knikte, ze kon het zich herinneren. Ze had hand in hand met haar vader aan de rand van het moeras gestaan, en hij had haar een heleboel vallende sterren beloofd. En toen had ze ze gezien, de een na de ander. Ze had niet geweten dat het een natuurverschijnsel was; ze had gedacht dat haar vader zo'n bijzondere man was dat hij ervoor kon zorgen dat die sterren vielen.

'Ik heb het al jaren niet meer gezien,' zei ze.

'Je hebt ook zoveel aan je hoofd gehad, lieverd,' zei Lucinda. 'Je ging veel te veel op in Julia om nog naar de hemel te kunnen kijken.'

'Dat weet ik,' zei Dianne, terwijl ze naar de sterren keek.

'Of om je te realiseren dat er een heel fantastisch mens is die graag van je wil houden.'

'Mam...' zei Dianne.

'Hij houdt van je, liefje,' zei Lucinda.

'Ja, daar begin ik achter te komen,' zei Dianne. Ze sloeg haar armen om zich heen.

Dianne keek naar boven. Ze had al gedurende enkele seconden geen vallende ster meer gezien, en ze hield haar adem in. Toen zag ze er weer een, en ze ontspande zich een beetje. Ze dacht aan hoe ze Alan op de sterren had gewezen. Het was zo gemakkelijk om gewend te raken aan dingen die eigenlijk aanhoudende verwondering verdienden. Even gemakkelijk als gewend raken aan verdriet. Dus waarom zou je niet aan liefde kunnen wennen? Het leven kon in een oogwenk veranderen, en dan kon je vergeten dat het ooit anders was geweest.

'Dianne?' Haar moeder hoopte dat ze er meer van zou willen vertellen.

'Ik heb hem die avond iets verteld,' zei Dianne zacht.

'Wat?'

'Dat ik de verkeerde broer had gekozen.'

'Nee, maar,' zei Lucinda, en Dianne was zich bewust van de lach in haar stem. 'Nee, maar.'

'Ik wil dat het goed gaat.'

'Ik zou niet weten waarom het niet goed zou gaan.'

'Hoezo?' vroeg Dianne. 'Hoe kun je daar zo zeker van zijn?'

'Ik ken jullie. Jou en Alan...' zei Lucinda nog steeds glimlachend.

'Ik heb overal heel lang een puinhoop van gemaakt,' zei Dianne. 'Het kan niet in een klap volmaakt zijn.'

'Als er al zoiets als volmaakt bestaat,' zei haar moeder.

'Inderdaad.'

'Wat je moet doen,' zei Lucinda, 'is een streep onder het verleden zetten.'

Dianne zei niets. Achter haar, voor het raam in de camper, had Stella Orion ontdekt, en ze begon van vreugde te piepen.

Lucinda vervolgde: 'In zeker opzicht heb ik mijn hele leven niets anders gedaan dan iedere keer weer een streep onder het verleden zetten. Om te beginnen moest ik mijn ouders vergeven – mijn echte ouders omdat ze waren doodgegaan, en mijn pleegouders omdat ze me geadopteerd hadden.'

'Hoe doe je zoiets?' vroeg Dianne.

'Er is maar een manier,' zei Lucinda, terwijl ze over het tafeltje heen reikte en haar hand op die van haar dochter legde.

'Liefde,' zei Lucinda.

'Maar hoe heb je het voor elkaar gekregen? Terwijl je zo verdrietig was?'

'Het begon met Emmett,' zei Lucinda, 'en daarna kwam jij.'

'Ik wil het proberen,' fluisterde Dianne.

'De grootste fout die een mens kan maken,' zei Lucinda, 'is denken dat liefde een gevoel, een emotie is. Want dat is het helemaal niet. Het is beweging, het is een manier van leven. Het is de manier waarop jij omgaat met Julia. En wat je met Alan doet.'

'Ja, dat wil ik,' fluisterde Dianne. 'Ik weet al een tijdje dat ik dat wil.'

'Nou, hou jezelf dan niet tegen, lieverd,' zei Lucinda. 'Sta jezelf toe om van hem te houden.'

Dianne knikte en keek naar de vallende sterren.

De dieren maakten hun geluiden, de meisjes lagen binnen te slapen. De golven spoelden aan op het strand. De Atlantische Oceaan strekte zich uit tot aan Hawthorne en verder, en Dianne verbeeldde zich dat Alan dezelfde golven hoorde als zij. Ze wist dat Alan reikhalzend uitkeek naar haar terugkeer, en ze wist dat ze eraan kwam.

Op weg naar de veerboot, besloot Dianne om Orion uit te laten, en ze reed een zandweggetje in tot aan de verwaaide duinen. Iedereen was verdrietig, en allemaal vonden ze het jammer dat ze Prince Edward Island op zo'n stralende dag als deze moesten verlaten. Amy klom voor hen uit het duin op, en ze was de eerste die het zag: een inham met een strand van zwart zand.

'Vooruit, jongens, schiet op!' riep ze. 'We moeten hier een kasteel bouwen. Het zand is zwart!'

'Daar hebben we geen tijd meer voor,' zei Lucinda, met een blik op haar horloge. 'We willen de boot niet missen.'

'Dleee,' zei Julia. Ze was de afgelopen nacht oververhit geweest. Dianne had haar gewreven met een vochtig washandje en ze had de ontluchting opengezet voor een koel briesje. Maar nu leek Julia weer helemaal de oude, en Dianne wist hoe heerlijk ze het vond om in het zand te spelen.

'Nou, ik denk dat we nog net even tijd hebben voor een kleintje,' zei Dianne. 'Maar dan moeten we wel heel snel bouwen.'

'Jij bent de architect,' zei Lucinda. 'Ik laat de beslissing aan jou over.'

En dus klommen ze over de duinen naar het strand. Het zand kraakte onder hun blote voeten. Het voelde heel fijn, als talkpoeder, en het plakte als scherfjes zwarte diamant aan hun huid. Ze zochten een plekje niet ver van de aanspoelende golven en maakten het glad. Toen schepten ze er een berg zand op, die ze vervolgens met hun handen de gewenste vorm gaven.

'Maaa,' zei Julia, toen Dianne haar hielp om wat hard zand in haar handen te nemen.

'Lieverd,' fluisterde Dianne. 'Dit is heel zeldzaam. We hebben nog nooit eerder zwart zand gezien.' Het zand behield zijn vorm, en ze sneden er wallen en balkons in uit. De schelpen waren al even bijzonder als het zand: roze en heel teer. Dianne hielp Julia, en samen drukten ze er langs elk raam een rij van in het zand. Ze probeerde niet op haar horloge te kijken.

'Een zwart kasteel,' zei Amy.

'Ons meesterwerk,' zei Lucinda verdrietig. 'Op onze laatste dag.'

'Waarom moeten we eigenlijk weg?' vroeg Amy. 'Waarom kunnen we niet gewoon blijven?'

'Dat vind ik ook,' zei Lucinda. 'Ik ben gepensioneerd. Ik kan zijn waar ik wil en doen wat ik wil.'

'Jij zou me les kunnen geven,' zei Amy. 'We zouden in de camper kunnen wonen, en het zou ons schoolgebouw kunnen zijn. En Julia zou het ook leuk vinden.'

'Dat noem ik een uitstekend idee,' zei Lucinda. 'Onze eeuwigdurende pelgrimstocht. We kwamen, we zagen en we bleven.'

'Gaaa,' zong Julia in het holletje van Dianne's nek. Ze zaten aan de andere kant van het zwarte kasteel tegenover Amy en Lucinda. Dianne lag op haar zij en gebruikte een aangespoelde tak om een poort mee in de wal te maken, en Julia lag met opgetrokken knieën naast haar. Het als sterretjes fonkelende zwarte zand plakte aan haar huid. Dianne luisterde naar het spel van de anderen. Ze verzonnen manieren om langer op het eiland te kunnen blijven. Toen liet ze de tak vallen.

Ze trok haar dochter naar zich toe. De stemmen en het zachte geluid van de golven waren als muziek. Kon dit gevoel maar eeuwig duren: de warme zon, het zachte briesje, het gevoel van saamhorigheid. De zomer was bijna voorbij; nog een week, en het zou september zijn. Dianne luisterde naar haar moeder en Amy die samen lachten, en ze trok Julia zo dicht mogelijk tegen zich aan.

Zou ze blijven, als ze kon? Als ze een wens kon doen om dit moment altijd voort te laten duren, zou ze dat dan doen? Geen enkele soort zand voelde zo warm als het zwarte. Het trok de hitte naar zich toe, en hield de zon in zijn zwarte korreltjes gevangen. Dianne dacht aan de vallende sterren en aan het opwindende vooruitzicht van het weerzien met Alan. Maar had ze niet alles wat ze maar zou kunnen wensen hier, op dit zeldzame en onvoorstelbare strand?

Had ze een ander soort liefde nodig?

Ze had haar dochter, haar moeder, hun vriendinnetje, dit schitterende kasteel... Kon ze de vloed maar tegenhouden, de vloed die het weldra weg zou spoelen. Lucinda stond op en sloeg het zand van haar handen. Zoals gewoonlijk haalde ze haar fototoestel te voorschijn en maakte een foto. De tijd vloog, ze moesten opschieten als ze nog op tijd bij de veerboot wilden zijn. Het hondje rende als een gek in kleine kringetjes in de wetenschap dat hij weer aan boord van de camper moest.

'Vooruit, Orion,' zei Amy lachend. 'Wil je een slokje water? Kom maar mee.'

'Veertig minuten,' zei Lucinda. 'Dat is hoeveel tijd we nog hebben om de boot niet te missen. En als we hem niet halen, dan blijven we voorgoed op dit eiland. Dan zul je me er met geen tien man vanaf kunnen krijgen.'

Dianne aarzelde. Wat als ze zich opzettelijk niet haastte? Ze kon langzaam lopen, en ervoor zorgen dat ze de boot misten. Dan zouden ze op deze magische plek kunnen blijven, zou ze niet naar huis hoeven, zou ze haar gevoelens niet onder ogen hoeven zien, en zou de realiteit altijd op een veilige afstand blijven.

'Gaaa,' zei Julia.

'Gaan, liefje?' vroeg Dianne. 'Probeer je dat te zeggen?'

'Glie,' zei Julia.

Julia's geluiden. Julia's woorden konden niet worden vertaald, maar

Dianne hoorde er van alles in. Net als in het opspatten van de golven, het fluisteren van het zand en het krijsen van de meeuwen. Alles in de natuur had zijn eigen betekenis en leefde met zijn eigen poëzie voor iedereen die bereid was te luisteren. Julia was moediger dan haar moeder. Ze zei dat ze terug moesten naar Hawthorne, om te zien wat de toekomst voor hen in petto had.

Dianne tilde Julia op en begon naar het duin te lopen. Het was eb, en het zou nog een paar uur duren voor het weer vloed werd. Tegen die tijd waren ze op de boot naar Nova Scotia, en waren ze op weg naar huis. Dianne drukte haar dochter tegen zich aan en was blij dat ze niet hoefden te zien hoe hun zwarte kasteel zou worden opgeslokt door de zee.

En weldra zou ze weer bij Alan zijn.

Wanneer Malachy aan het werk was, had hij de telefoon meestal niet aan staan. Hij wilde niet dat de muziek van de dolfijnen het zou moeten opnemen tegen het rinkelen. Maar even nadat hij het toestel weer had aangesloten, belde Alan.

'Je hebt je broer net gemist,' zei Malachy. 'Hij is bezig met het inslaan van voorraden voor zijn reis terug naar Maine. Ik schat dat hij er over een uurtje wel weer is.'

'Gaat hij weg?' vroeg Alan. 'Wanneer?'

'Wanneer?' herhaalde Malachy, terwijl hij naar een paar vissers in de haven keek. Hij was een geoefend luisteraar die elke nuance in het gezang van de dolfijnen kon onderscheiden. Het herkennen van nuances in menselijke stemmen was daarbij vergeleken een koud kunstje. De klank van Alans stem was een combinatie van opluchting en teleurstelling. 'Waarom vraag je dat niet aan hem wanneer hij je terugbelt? Ik zal hem de boodschap geven.'

'Vertel jij het me nu maar, Mal,' zei Alan. 'Wat zijn zijn plannen?'

'Jezus,' zei Malachy. 'Wil je het zwart op wit hebben? Hij is van plan om morgenochtend uit te varen met het getij. Wat heb je?'

'Dat zal ik je zeggen, Malachy,' zei Alan kortaf. 'Dianne houdt bij jou in de buurt vakantie. Ik heb haar je nummer gegeven en haar gezegd dat ze bij je langs moest gaan. Ik wil niet dat ze Tim tegenkomt, met alle ellende van dien. Daar zit ze niet op te wachten.'

'Ze is oud genoeg,' zei Malachy. 'Misschien is een ontmoeting juist wel goed voor haar. Iedereen moet zijn eigen problemen zelf uitvechten. Of met zichzelf in het reine komen. Daar kun jij je niet mee bemoeien.'

'Malachy,' begon Alan.

'Luister naar me,' zei Malachy. 'Als ze voor jou is voorbestemd, dan kom je daar vanzelf wel achter. Het manipuleren van de situatie met Tim doet je geen goed. Laat de natuur zijn eigen gang gaan, laat Gods wil ge-schieden, of hoe je het ook zeggen wilt. Maar verlang niet van mij dat ik in jullie liefdesdriehoek voor scheidsrechter ga spelen. Ik hou te veel van jullie allemaal om zoiets te kunnen doen.'

'Goed,' zei Alan. Hij tuurde door het raam van zijn spreekkamer naar de haven. Hij wist dat Malachy gelijk had. Maar dat maakte zijn buikpijn er niet minder op. Hij was doodsbang dat Dianne en Tim elkaar na al die jaren weer tegen zouden komen, en zich zouden herinneren hoe het ooit eens tussen hen was geweest. Alan was ver weg, en hij kon niets doen.

Hoofdstuk 18

In Nova Scotia, op weg naar de boot die hen terug zou brengen naar het vasteland, kreeg Julia een epileptische aanval. Haar lichaam verstijfde, ze beet zo hard op haar tong dat hij ervan bloedde, en daarna sloeg en schopte ze gedurende een minuut of twee als een wilde om zich heen. Amy zette het op een krijsen, en de dieren verstopten zich onder de bedden. Dianne stuurde de camper onmiddellijk de berm in, hetgeen ze met zo veel paniek deed dat ze bijna een greppel in reed.

'Julia,' zei Dianne, terwijl ze haar in bedwang probeerde te houden. Bloed en schuimend speeksel stroomden uit Julia's mond, en haar ogen draaiden weg in hun kassen.

'Wat is er? Wat heeft ze?' riep Amy uit.

'Dianne, hier heb je een lepel,' zei Lucinda, terwijl ze een lepel tussen Julia's tanden probeerde te duwen. 'We moeten haar tong vasthouden om te voorkomen dat ze hem inslikt.'

'Ga weg!' schreeuwde Dianne. 'Neem Amy mee naar buiten en laat ons alleen. Ik weet echt wel wat me te doen staat, Mam. Die lepel doet haar alleen maar pijn. Geef me de ruimte. Ga naar buiten!'

Diep onthutst verlieten Lucinda en Amy de camper. Dianne hoorde hun stemmen – Amy was van streek en Lucinda probeerde haar gerust te stellen. Dianne had zoiets als dit nog nooit eerder meegemaakt, maar Alan had haar voor dit soort aanvallen gewaarschuwd. Hij had heel duidelijk gezegd dat ze, tijdens zo'n aanval, nooit een hard voorwerp in Julia's mond mocht stoppen, omdat ze haar tanden daarmee zou kunnen breken en de kans groot was dat het zachte weefsel van de mondholte werd beschadigd. Dianne kon niets anders doen dan haar vasthouden en wachten. De heftigheid van de aanval werd minder. Julia's spieren verslapten. Er trok een laatste stuip door haar lichaam, en toen slaakte ze een diepe zucht.

Dianne kon wel huilen. Het speet haar dat ze tegen haar moeder had

geschreeuwd. Ze wilde zich verontschuldigen, en zich ervan overtuigen dat Amy gekalmeerd was. Ze wilde alles rechtzetten dat Julia omver had geschopt – een fles vruchtensap, een stapel reisgidsen. Maar ze wist dat er iets ergs gaande was en dat Julia hulp nodig had.

'Mam!' riep ze.

Lucinda en Amy keken om het hoekje van de deur.

'Wil jij rijden, Mam?' vroeg Dianne. 'Breng ons naar een ziekenhuis.'

Lucinda knikte en ging achter het stuur zitten. Het landschap van Nova Scotia was adembenemend mooi. Velden vol bloemen strekten zich uit zo ver het oog reikte. In de verte lagen blauwe heuvels, en erachter lag de zee. Hoge pijnbomen wierpen hun schaduw over de weg, maar nergens was een stad te zien. Amy bestudeerde de kaart en probeerde Lucinda zo goed en zo kwaad als het ging de weg te wijzen.

'Liefje,' zei Lucinda toen ze vijftien kilometer gereden hadden, 'zeg me wat ik moet doen.'

'Zie dat je ergens een telefooncel vindt,' zei Dianne. Julia lag rillend en bevend op haar schoot. Haar ademhaling was oppervlakkig en haar huid was abnormaal bleek. Haar oogleden maakten snelle, knipperende beweginkjes alsof ze een nare droom had, maar ze werd niet wakker. Dianne was zich bewust van een intense, primitieve angst, alsof zij en haar kind ergens in de jungle waren verdwaald.

Op de volgende parkeerplaats waren vier telefooncellen. Lucinda nam Julia op schoot en Dianne rende naar de dichtstbijzijnde telefoon. Amy bleef bij Lucinda. Dianne's hart ging als een gek tekeer, en haar paniek was zo groot dat ze niet meer in staat was om helder na te denken. Wat was het Canadese nationale alarmnummer? Was dat 911, hetzelfde als in de Verenigde Staten? En als het nummer werkte, waar moest ze dan zeggen dat de ambulance naartoe moest komen? Op dat moment herinnerde ze zich het nummer van Malachy, en ze draaide het met bevende handen.

'Ben je dat nu alweer?' snauwde hij, toen hij de telefoon opnam. 'Ik heb je toch gezegd dat dat een kwestie is tussen jou en je broer –'

'Malachy?' riep Dianne uit. 'Je spreekt met Dianne Robbins. Ik ben op Nova Scotia, en –'

'Rustig, Dianne,' zei hij, op een heel andere toon. 'Ik weet dat je hier bent. Ik heb er alles van gehoord. Vertel me wat er aan de hand is. Waarom klink je zo angstig?'

'Mijn dochter is ziek, Malachy,' zei ze. 'Ze moet zo snel mogelijk naar een ziekenhuis, maar ik weet niet waar ik er hier een kan vinden –'

'Zeg me waar je bent.'

Dianne deed haar best. Ze vertelde dat ze door Pictou waren gekomen, en daarna in westelijke richting op weg naar Yarmouth waren gegaan. Ten slotte noemde ze hem de laatste wegwijzer die ze zich kon herinneren.

'Dan moet je naar Halifax,' zei hij. 'Dat is het beste ziekenhuis, en alle andere zijn ongeveer even ver. Denk je dat ze het zo lang kan volhouden? Hoe is het op dit moment met haar?'

'Ze is bewusteloos. Ze heeft een epileptische aanval gehad. Haar hart slaat sneller dan anders, en haar...' Dianne barstte in snikken uit. Malachy's stem was diep en bezorgd, en in een flits bedacht ze dat haar vader net zo zou hebben geklonken.

'Ik weet dat ze het lang niet gemakkelijk heeft gehad, de arme meid,' zei hij. 'Zorg jij nu maar dat ze naar Halifax komt, en dan zien we je bij het ziekenhuis. Kun je rijden?'

'Ik denk van wel,' zei Dianne. 'Voor Julia moet het me lukken. Bedankt, Malachy. Ik ben blij dat ik je heb gebeld.'

Pas nadat ze had opgehangen vroeg ze zich af met wie Malachy van plan was naar het ziekenhuis te komen, en hoe het kwam dat Malachy wist dat ze hier was.

'Lunenburg is mooi,' zei Tim, terwijl hij met zijn armen vol levensmiddelen aan boord van de sleepboot kwam. 'Fraai stadje. Misschien moet ik –' Bij het zien van Malachy's gezicht wist hij meteen dat er iets aan de hand was.

'Je dochter is er slecht aan toe, Tim,' zei hij.

'Julia...' zei Tim verbaasd.

'Dianne heeft zojuist gebeld.'

'Heeft ze *hier* naartoe gebeld?' vroeg hij.

Dan moest het echt ernstig zijn. Er lag een treurige uitdrukking op Malachy's verweerde gezicht, en de blik in zijn ogen was oprecht verdrietig. Natuurlijk, hij was Ier, en Ieren konden overal een drama van maken, al was het maar een smeltend ijsje of dichte mist. Toch slikte Tim, en hij wachtte op de rest van het verhaal. Hij was al jaren op de vlucht, maar dat betekende nog niet dat hij nooit aan haar zou denken, aan die baby die hij had verlaten. Zijn hart ging als een gek tekeer.

'Ze heeft het zwaar gehad,' zei Malachy.

'Dat weet ik.'

'Heel zwaar,' zei Malachy. 'Het leven zou niet zo hard moeten zijn voor een klein meisje. Het zou niet zo hard moeten zijn voor een moeder, noch voor een vader. Zet die boodschappen neer en kom mee.'

'Wat?'

'We gaan naar Halifax. Want daar zijn ze.'

'Halifax op Nova Scotia?' vroeg Tim geschokt. 'Hier vlakbij?'

'Inderdaad,' antwoordde Malachy. 'Je broer Alan heeft gedaan wat hij kon om je te spreken te krijgen. Dianne is hier met vakantie, en het kind heeft een epileptische aanval gehad. Vooruit, pak je jas, en –'

'Dat kan ik niet,' zei Tim geschokt.

'Stel je niet aan,' zei Malachy, terwijl hij hem een zet gaf. 'Ze is je dochter, Tim. Ik weet niet wat Dianne te wachten staat, maar het zal draaglijker voor haar zijn wanneer Julia's vader er ook bij is. Vooruit, zet je over die bespottelijke trots van je heen, en gedraag je als een man. Doe het voor je dochter.'

'Het is niet dat ik het niet wil,' zei Tim, 'maar ik kan het niet.' In gedachten zag hij Dianne voor zich zoals hij haar de laatste keer had gezien: negen maanden zwanger, terwijl ze hem in tranen, en aan zijn hand trekkend, smeekte om niet weg te gaan. Hij was al elf jaar op de vlucht voor die herinnering, en hij had alleen maar een vermoeden van wat hij had gedaan. Wanneer hij nu opeens weer in haar leven zou verschijnen, dan zou hij haar daar alleen maar onnodig verdriet mee doen, en dat wilde hij haar besparen.

'In Godsnaam, Tim,' zei Malachy. 'Je bent niets anders dan een geest van jezelf die jezelf achtervolgt! Zeg nou toch zelf, wat is dat voor leven, om voor anderen kreeften te vangen? Je hebt geen familie en geen gezin, en je hebt zelfs Alan niet meer. Je hebt geen thuishaven en je hebt geen liefde. Dit is je kans, Tim.'

Tim stond als verstijfd. Hij hield zijn ogen dichtgeknepen alsof hij de hele kwestie daarmee buiten kon sluiten.

'Ben je blind, jongen? Het is een wonder, dat is het. Je dochter heeft je nu nodig, en het lot wil dat je heel dicht in de buurt bent. Dacht je soms dat dit soort dingen toevallig zijn?'

'Ik weet niet,' zei Tim.

'Nou, ik weet het wel,' zei Malachy, terwijl hij hem fel en doordringend aankeek. 'Toeval bestaat niet. Dit is je kans, en misschien is het wel je laatste kans. Ik zou de rest van mijn leven geven voor zelfs maar een seconde met Gabriel en Brigid. Grijp deze kans, Tim!'

Tims keel zat dicht. Stel dat Malachy gelijk had? Stel dat hij Dianne terug zou kunnen zien en zijn dochter zou kunnen ontmoeten? Waarom was hij uitgerekend nu naar Canada gekomen? En waarom waren zij uitgerekend nu in Canada?

'Halifax?' hoorde hij zichzelf vragen. 'Zijn ze in Halifax?'

'Ze zijn er onderweg naartoe,' zei Malachy. 'Vooruit, we gaan.'

Tim schudde zijn hoofd. Hij wist dat hij niet mee zou gaan.

'Schiet op,' zei Malachy, en hij trok hem aan zijn arm.

Tim rukte zich los.

'Hou op, Malachy,' zei hij. 'Laat me met rust.'

'*Moet ik je met rust laten?*' brulde Malachy. Hij maakte zich zo lang mogelijk en tierde zonder schaamte en zonder zich in te houden: 'Je dochter is hier vlakbij en ze heeft je nodig, maar jij bent te laf om haar onder ogen te durven komen?'

'Ik kan het niet,' zei Tim.

'Slappeling,' zei Malachy. 'Walgelijke slappeling.'

'Mal –'

'De maat is vol,' zei Malachy. 'Het is afgelopen. Indertijd, toen je je dochter geen bloed wilde geven, hield ik het erop dat je jong en ver weg was, en dat het allemaal een onverwachte schrik voor je was. Maar dit. Ze is zo vlakbij. Nog geen uur hier vandaan –'

'Geef me niet de schuld, Mal,' zei Tim. Hij voelde zich net een kleine jongen uit de tijd waarin zijn moeder de drank belangrijker was gaan vinden dan haar kinderen. 'Zeg niet –'

'Kun je er niet tegen om de waarheid te horen?' blafte Malachy. 'Ik wil niets meer met je te maken hebben. Ik heb van je gehouden alsof je mijn eigen zoon was, maar mijn eigen zoon zou nooit zo laf zijn geweest. Je bent een ongelooflijke lafaard, Tim McIntosh, en ik wil je nooit meer zien.'

'Toe, Malachy,' riep Tim, terwijl hij de oude man achterna rende. De tranen stroomden hem over de wangen.

'Je wilde dat ik je met rust zou laten,' zei Malachy, terwijl hij zijn stap versnelde, 'en dat doe ik. Je hebt het gevraagd, en ik doe alleen maar wat je wilde. Loop naar de hel.'

Tim bleef staan waar hij was, op de kade in de haven van Lunenburg. Snikkend van woede keek hij naar de rug van de man die hij de afgelopen twintig jaar of langer als zijn vader had beschouwd. De man die nooit meer iets met hem te maken wilde hebben. De man die hem liet vallen alsof hij een waardeloos wezen was.

Julia was stabiel tegen de tijd dat ze bij het ziekenhuis arriveerden. Het was bij die ene aanval gebleven. Ze was wakker en redelijk alert. Om de zoveel tijd deed ze haar mond open alsof ze iets wilde zeggen. Ze wrong weer met haar handen, maar haar bewegingen waren slap en lusteloos. Dianne hield haar zo lang als ze kon in haar armen, maar de artsen wilden haar meenemen voor een scan.

'Mag ik erbij zijn?' vroeg Dianne.

'U kunt beter hier wachten,' zei de broeder. 'Maar u hoeft zich om haar geen zorgen te maken, en ze is ook zo weer terug.'

Dianne keek Julia na terwijl ze werd weggereden. Ze hield haar hand tegen haar hart gedrukt. Ze was doodsbang en probeerde zich niet voor te stellen wat er op dat moment in Julia om moest gaan. Dianne wilde in alles bij haar zijn, zodat ze, wanneer ze bang was, in ieder geval haar moeder in de buurt zou hebben. Dianne keek om zich heen en verlangde naar haar eigen moeder, maar Lucinda was met Amy naar het restaurant gegaan.

Dianne was verschrikkelijk zenuwachtig. De televisie in de wachtkamer stond aan, maar ze kon zich niet op de uitzending concentreren. Naast de verpleegstersbalie hing een aantal openbare telefoons. Haast zonder erbij na te denken, liep ze erheen en draaide Alans nummer. Haar handen beefden.

'Met de praktijk van Dr. McIntosh,' zei Martha.

'Martha, je spreekt met Dianne Robbins. Ik wil Alan spreken.'

'Hij is bezig met een patiënt, Dianne. Nu kan ik hem niet storen, kan ik hem vragen –'

'Martha,' zei Dianne, terwijl ze de hoorn met beide handen vastgreep. 'Ik kan niet wachten. Ik heb hem nu meteen nodig. Laat hem alsjeblieft aan de telefoon komen. Alsjeblieft –'

Nog geen tien seconden later had ze Alan aan de lijn. Hij zei hallo, en Dianne's ogen schoten vol tranen. Haar lichaam schokte van de onderdrukte snikken, en de opluchting dat ze zijn stem hoorde was zo groot, dat ze alles er in een keer uitgooide.

'Alan, met mij,' snikte ze. 'We zijn in het ziekenhuis. Julia heeft een epileptische aanval gehad en ze hebben haar meegenomen voor een scan. Onze reis was zo fantastisch en ze heeft zo genoten...'

'Is ze bij bewustzijn?' vroeg Alan zacht. 'Haalt ze adem?'

Zijn vragen hadden een kalmerende uitwerking op Dianne. Het waren duidelijke, praktische vragen, waardoor ze ineens weer helder kon denken.

'Ja,' antwoordde Dianne. 'Op beide vragen. Tegen de tijd dat we bij het ziekenhuis kwamen, was ze bijna weer helemaal normaal.'

'Je bedoelt dat ze weer probeerde om onzichtbare vlinders te vangen?' vroeg Alan. Hij had Julia's armbewegingen niet treffender kunnen beschrijven, en Dianne moest bijna glimlachen.

'Ze wrong haar handen,' zei Dianne.

'Zo mag ik het horen,' zei hij.

Ze waren al vaker met een crisis geconfronteerd, en tot nu toe waren ze ze allemaal te boven gekomen. Niemand kende Julia's conditie zo goed als Alan. Meer dan eens had Dianne nieuwe, jonge dokters een blik op Julia zien werpen, om ze vervolgens medelijdend het hoofd te zien schudden. Julia was voor Alan zijn prachtige nichtje. Hij was heel kalm, en Dianne kon zich laten gaan.

'Wie behandelt haar?' vroeg Alan, en hij schreef de naam en het telefoonnummer van de dokter op.

'Moet ik Julia laten opnemen?' vroeg Dianne. Ze voelde zich verschrikkelijk ver weg.

'Ik praat wel met haar dokter,' zei Alan, 'maar ik wil haar zo snel mogelijk thuis hebben. Is er een vliegveld in de buurt?'

'Ik ben in Halifax,' zei Dianne, en ze herinnerde zich dat ze op de kaart een symbooltje van een vliegveld had gezien.

'Als ze haar het groen licht geven, dan wil ik dat jullie tweetjes vandaag nog met het eerste het beste vliegtuig naar huis komen. Ik haal je in Providence van het vliegveld, en dan brengen we haar rechtstreeks naar Hawthorne Cottage.'

'O, ik hoop zo dat ze haar laten gaan,' zei Dianne, en haar ogen schoten opnieuw vol tranen. Het idee van thuis en Alan klonk zo geruststellend dat ze het amper kon verdragen. Ze moest er niet aan denken dat Julia hier zou worden opgenomen, in een vreemd ziekenhuis met artsen die haar geschiedenis niet kenden. Ze begon te huilen en liet haar hoofd zakken, en ze schrok toen ze opeens een hand op haar schouder voelde.

Het was Malachy Condon. De oude man stond voor haar in zijn verschoten overal en zeemleren overhemd. Zijn witgrijze haren hingen in zijn ogen, en hij had een doorgroefd en zongebruind gezicht. In zijn ogen lag een meelevende blik. Dianne kende hem niet echt goed, maar toen hij zijn armen om haar heen sloeg, leunde ze tegen hem aan en liet ze haar tranen de vrije loop.

'Wie is daar, Dianne?' vroeg Alan.

Dianne probeerde antwoord te geven, maar ze kon niet spreken. Malachy rook naar tabak en zeelucht. Ze wist dat hij een kind had verloren, en zijn medeleven en warmte waren zo intens dat ze alleen nog maar kon huilen. Hij streelde haar rug en vroeg zich af of hij de telefoon van haar moest overnemen. Ze hapte naar lucht en gaf hem de hoorn.

'Dianne?' vroeg Alan. 'Ben je daar nog?'

Hij hoorde niets anders dan haar snikken. Even had hij een mannenstem gehoord, en zijn hart was op hol geslagen. Was het Julia's dokter met slecht nieuws? Of was het Tim? Dianne had gezegd dat ze in Halifax was, en dat was maar een uurtje rijden van Lunenburg, en het was helemaal niet ondenkbaar dat Tim bij haar was.

'Met wie spreek ik?' vroeg de bassende, Ierse stem.

'Malachy?'

'Ik ben het, Alan. Ik ben net aangekomen.'

'En Tim?' vroeg Alan. Hij had een droge mond en zijn hart dreunde uit zijn ribbenkast. Julia lag in het ziekenhuis, en het enige waar hij aan kon denken was zijn broer die opnieuw zou proberen Dianne voor zijn neus weg te kapen. Ze was zo kwetsbaar, en zo bezorgd. Ze zou geen weerstand kunnen bieden aan een confrontatie met de vader van haar kind, en hij zou maar weinig hoeven doen om de show te stelen.

'Weg,' antwoordde Malachy kortaf.

'Hoe bedoel je?'

'Precies wat ik zeg. Weg.'

'Toen ik je vanochtend belde, was hij daar nog,' zei Alan, die alle details wilde horen. Hadden Dianne en Tim elkaar gesproken? Was hij alleen maar weg uit het ziekenhuis, of uit de omgeving? De vragen schoten door zijn hoofd, maar toen drong het tot hem door dat Malachy en Dianne vlak bij elkaar moesten staan, en dat hij probeerde haar voor de waarheid te beschermen.

'Heeft hij haar gezien?' vroeg Alan. 'Hebben ze elkaar gesproken?'

'Nee.'

'Heeft zij hem gezien? Weet ze dat hij in de buurt is?'

'Jezus,' verzuchtte Malachy.

Alan zuchtte zelf. Hij liet zijn hoofd zakken en steunde zijn voorhoofd even op zijn bureau. Hij stelde zich aan als de eerste de beste idioot. Hij was arts, en zijn nichtje zat midden in een crisis. In plaats van kalm en rustig te reageren, gedroeg hij zich als een verliefde kip zonder kop.

'Heb je Julia gezien?' vroeg Alan. 'Weet je hoe het met haar is?'

'Zo mag ik het horen,' zei Malachy kalm. 'Nee, ik heb haar niet gezien en ik weet niet hoe het met haar is.'

'Doe me een plezier, Mal,' zei Alan. 'Blijf bij haar. Ik bel nu naar het ziekenhuis en kijk of ik een van de artsen aan de lijn kan krijgen en kan regelen dat ze wordt overgevlogen naar Hawthorne. Zou je ervoor willen zorgen dat Dianne alle hulp krijgt die ze nodig heeft?'

'Ja.'

'Een lift naar het vliegveld, en een ambulance voor Julia als dat nodig mocht zijn?'

'Ja.'

'Haar moeder is bij haar,' zei Alan. 'Is ze in de buurt?'

'Niet voor zover ik kan zien,' zei Malachy. Hij moest zich tot Dianne hebben gewend, want Alan kon horen hoe hij haar troostte. 'Rustig maar, lieverd, stil maar. Die Julia van jou is een engeltje. En ze is in uitstekende handen. Hier in Halifax hebben ze echt de beste artsen. Misschien niet helemaal wat je van thuis gewend bent, maar bijna net zo goed. Bijna. Waar is je moeder?'

Alan probeerde haar antwoord te horen. Dianne's stem klonk zacht, en hij kon goed horen hoe bang en zenuwachtig ze was. Hij was het liefste dwars door de telefoon heen gesprongen om haar in zijn armen te kunnen nemen. Als hij gekund had, dan was hij hen het liefste persoonlijk gaan halen, en hij moest zich echt tot het uiterste beheersen om te blijven waar hij was.

'Haar moeder is naar buiten gegaan met Amy,' zei Malachy. 'Wie Amy dan ook mag zijn. Kennelijk hebben ze een hondje dat moet worden uitgelaten.'

'Orion,' zei Alan.

'Precies,' zei Malachy.

Alan liet zijn blik over de Muur gaan, vond Julia's babyfoto en keek ernaar. Dianne had haar op haar schoot gehouden: hij zag haar beide handen die in elkaar geslagen op het borstje van haar baby lagen. Haar hoofd was van de foto geknipt, maar haar handen waren lang en slank, de mooiste en meest sierlijke handen die Alan ooit had gezien. De tranen sprongen hem in de ogen en het duurde even voor hij zijn stem weer had gevonden.

'Zorg goed voor haar, Mal,' zei Alan.

'Je kunt op me rekenen, Alan,' zei Malachy.

'Kan ik haar nog even aan de lijn krijgen?' vroeg Alan.

Malachy aarzelde. 'Ik geloof niet dat ze op het moment echt in staat is om te spreken, jongen. Bel jij nu maar naar het ziekenhuis, en dan ontferm ik me wel over de situatie hier, goed?'

'Goed,' zei Alan.

Bloed kroop waar het niet gaan kon.

Alan hing op en liet zijn gedachten teruggaan in de tijd. Hij was weer even woedend op Tim als hij toen was geweest. Julia was een jaar oud, en ze lag in het ziekenhuis voor haar derde operatie aan haar verdraaide dikke darm, en ze had een bloedtransfusie nodig gehad. Het ziekenhuis had niet voldoende van Julia's bloedgroep in voorraad gehad.

Met de hulp van de Kustwacht en bevriende vissers, was Alan Tim op het spoor gekomen. Hij lag in de haven van Newport, Rhode Island, amper een uur rijden vanaf het Cottage Hospital van Hawthorne. Alan had Dianne en Julia in het ziekenhuis achtergelaten, was in zijn auto gesprongen en zo snel als hij kon via de snelweg naar het noorden gereden.

Tim lag meestal in de Long Wharf. Alan was vertrouwd met zijn gewoonten, en hij was langzaam langs de haven gereden terwijl hij zijn blik over de daar afgemeerde vissersboten had laten gaan. Geen spoor van de *Aphrodite.* Toen was hij Thames Street afgereden. Hij had alle kaden daar afgespeurd en haar uiteindelijk bij Bowens gevonden, waar ze vast lag aan een sleepboot uit New Bedford. Vanaf dat moment was het alleen nog maar een kwestie van het aflopen van de bars geweest.

Hij vond Tim in The Ark. Hij zat over zijn bier gebogen en vertelde zijn trieste verhaal aan een meisje met blond haar en een nauwsluitende spijkerbroek. Ze droeg een haltertopje en de stof spande strak om haar borsten. Tim schudde zijn hoofd, en hoewel Alan hem niet woordelijk kon verstaan, wist hij dat zijn verhaal over Julia en Dianne ging. Wat hij ook wist, was dat Tim het verhaal een zodanige draai had gegeven dat hij er heel zielig in werd afgeschilderd, waardoor het meisje medelijden met hem zou hebben.

'Hallo,' had Alan gezegd, terwijl hij zijn hand met een klap op Tims schouder had gelegd.

'Hee, Alan,' had Tim gezegd. Hij was blij geweest om hem te zien. Hij schoof zijn stoel af en omhelsde hem innig. Alan had aan zijn bewegingen kunnen zien dat hij nog niet dronken was. En dat was mooi.

'Ik ben hier vanwege Julia,' zei Alan. Hij had een uur verspild met de rit naar het noorden, en hij had ook weer een uur nodig om terug te komen. Hij wilde dit zo snel mogelijk achter de rug hebben. Hij keek zijn broer in diens diepliggende ogen en realiseerde zich dat hij dit net zo goed voor Tim zelf, als voor alle andere betrokkenen deed. Dat hij Tim de kans wilde geven zijn fouten te herstellen.

'Je dochter?' vroeg de blondine vol medeleven, alsof ze het hele verhaal had gehoord – of in ieder geval Tims versie daarvan.

'Ja, mijn dochtertje,' had Tim gezegd.

Daar had Alan even moeite mee.

'Vooruit, Tim,' had hij gesnauwd, 'kom mee naar buiten. Ik moet je spreken.'

Tim maakte een verongelijkt geluid, maar volgde hem de kroeg uit. Het was zomer, en Newport wemelde van de toeristen. In Thames Street was het een drukte van jewelste, en Tim en Alan stonden midden op de stoep terwijl ze voortdurend door voorbijgangers heen en weer werden geduwd.

'Ze heeft bloed nodig,' vertelde Alan. 'Ze ondergaat een reeks operaties, en ze beginnen een beetje door haar bloedgroep heen te raken. Jullie hebben dezelfde bloedgroep, type A, en ik wil dat je wat bloed voor haar afstaat.'

'Wil je dat ik bloed geef?' had Tim gevraagd. Hij had rode ogen van zijn drinkpartij van de vorige avond, maar vanavond was hij nog redelijk nuchter.

'Ja,' zei Alan.

'Moet ik daarvoor naar het ziekenhuis?' had Tim met een angstig gezicht gevraagd.

'Als je dat liever hebt,' zei Alan. Hij wist dat Tim sinds het ziek worden van hun broer Neil een primitieve, panische angst voor ziekenhuizen had. 'Maar we kunnen het overal doen. Ik heb alles bij me.'

'In je tas, bedoel je?' vroeg Tim. Hij liet zijn blik zakken, en leek nu pas te merken dat Alan zijn dokterstas bij zich had. Alan had alles bij zich wat hij nodig had om Tim ter plekke bloed af te kunnen nemen: naalden, een slangetje, de zakken om het bloed in op te vangen. Tim zou een halve liter kunnen geven. Hij zou op de achterbank van Alans auto kunnen liggen, of ze zouden het op Tims boot kunnen doen.

'Ik probeer het zo gemakkelijk mogelijk voor je te maken,' zei Alan. 'Ze heeft bloed nodig, en jij bent de aangewezen figuur om haar te helpen.'

'Ik heb net een pilsje gedronken,' zei Tim, in een poging eronderuit te komen. 'Dat is niet zo best, wel?'

'Een enkel pilsje stelt niet veel voor.'

'Ik heb nog nooit eerder bloed gegeven,' zei Tim, die bleek was geworden.

'Je hoeft nergens bang voor te zijn,' zei Alan. Hij deed verschrikkelijk zijn best om aardig te zijn. 'Het doet echt geen pijn.'

'Ik weet niet. Ik vind het niet zo'n goed idee.' Hij had Alan aangekeken, maar zijn blik vrijwel meteen weer afgewend. Het was nog niet helemaal donker. Hij tuurde door een smal steegje tussen twee gebouwen aan de overkant naar de ondergaande zon. Hun aandacht werd getrokken door twee meisjes in strakke rokjes, en hij keek ze na totdat ze voorbij waren.

Alan gaf hem een zet en duwde hem tegen de muur.

'Ik wil niet dat je naar die grietjes kijkt terwijl we het over Julia hebben,' snauwde Alan.

'Laat me los, man,' zei Tim, terwijl hij Alans arm van zich af trok.

'Ze is je dochter,' zei Alan. 'Ze kan dood gaan, Tim.'

'Hou je mond,' zei Tim. 'Daarmee hoef je bij mij niet aan te komen.'

'Je moet haar helpen. Wil je dat niet? Denk je echt dat je in het vervolg met jezelf zult kunnen leven als je haar nu niet helpt?'

'Het zou voor iedereen een zege zijn wanneer ze stierf,' siste Tim. De tranen waren hem in de ogen gesprongen, en nu rolden ze over zijn wangen.

'Nee,' zei Alan, terwijl hij zich zo lang mogelijk maakte. 'Dat ben ik helemaal niet met je eens, en haar moeder denkt er ook niet zo over.'

'Haar moeder. Ik ben weggegaan, en jij hebt gekregen wat je hebben wilde,' zei Tim zo fel, dat het speeksel van zijn lippen spatte. 'Jij hebt Dianne. Je bent haar held. Dus je hoeft je echt niet zo zuiver en nobel voor te doen. Jij bent de dokter – je wilt me toch niet vertellen dat je niet aan haar bloedgroep kunt komen?'

'Ik had het van jou willen hebben,' zei Alan.

Tim schudde zijn hoofd. Hij hijgde alsof hij zojuist een paar kilometer gerend had. De tranen stroomden over zijn wangen.

'Ik geef geen bloed. Wilde je dat niet horen? Opdat je je beter kunt voelen dan ik? Ik ben ertegen. Ik ga zelf niet naar de dokter, ik heb al sinds Neils dood geen dokter meer gezien. Het kan me geen barst schelen wat jij denkt. Het zou me niets verbazen als je me een bijgelovige zak vindt, maar dat laat me ijskoud. Het kan me niet schelen, gesnopen, Alan?'

'Ja, Tim,' zei Alan, terwijl hij achteruitliep. 'Ik heb het begrepen.'

'Mooi zo,' zei Tim. Hij schokte over zijn hele lichaam.

De menigte voetgangers kwam tussen hen in en dreef hen nog verder uit elkaar. De rode zonsondergang was verbleekt tot donkerpaars en dof goud. Alan herinnerde zich dat het voor een zomeravond aan de frisse kant was geweest. Hij was blijven staan en had naar zijn broer gekeken, die een paar stapjes naar achteren had gedaan, en de bar weer was binnengegaan.

Misschien had Tim wel gelijk gehad. Misschien had Alan het alleen maar gedaan om zich superieur te kunnen voelen. Hij had eigenlijk al geweten dat Tim geen bloed zou willen geven. Het redden van Julia's leven zei hem niets. Hij had haar al laten stikken, waarom zou hij haar leven willen redden? Maar afgezien van zijn altruïstische motief om helemaal naar Newport te rijden, was hij ook iets over zichzelf te weten gekomen.

Hij was in staat zijn eigen broer te haten. Zijn eigen vlees en bloed. Hij reed vol gas over de snelweg en hield het stuur zo stevig vast dat zijn knokkels er wit van zagen. Hij haatte Tim. Met heel zijn hart. Omdat hij een lafaard was die zijn eigen zieke kind liet stikken. Alan schaamde zich ervoor dat hij familie was van de volwassen Tim McIntosh. Hij leek in de verste verte niet op de jongen met wie Alan voor de stranden van Cape Cod had gevist.

En nu, tien jaar later, dacht Alan daar nog precies zo over.

Alles was geregeld. Dianne en Julia zouden naar huis vliegen, en Lucinda en Amy gingen met de camper. Dianne had het niet meer. Ze wist niet wat haar de meeste zorgen baarde, Julia's toestand of de gedachte aan haar moeder en Amy alleen op de weg. Lucinda omhelsde haar, gaf haar een zoen en probeerde haar gerust te stellen.

'Vind je soms dat ik niet goed rij?' vroeg ze.

'Dat is het niet,' zei Dianne. 'Maar ik ben bang voor wat er allemaal wel niet zou kunnen gebeuren. Het is zo'n ontzettend eind. Met mij erbij waren er twee chauffeurs aan boord – voor het geval een van ons niet zou kunnen rijden. Stel dat je moe wordt? Of dat je de weg kwijtraakt?'

'Ik ben bij haar,' zei Amy. 'Ik zal haar de oren van het hoofd kletsen en haar liters koffie laten drinken.'

'We redden ons wel, liever,' zei Lucinda, die Dianne's gezicht tussen haar handen had genomen. Dianne kreeg tranen in de ogen en keek Lucinda strak aan. 'En dat zul jij ook.'

Amy was bezig Julia's spulletjes te verzamelen, en toen ze Dianne riep om te controleren of ze alles had, draaide Dianne zich om en ging de camper in. Lucinda en Malachy Condon stonden naast elkaar bij de camper op de parkeerplaats van het vliegveld.

'Dus jij bent de beroemde mentor,' zei ze.

'Ik ben voor ergere dingen uitgemaakt,' zei hij.

'Bij een van het stel heb je werkelijk succes gehad,' zei ze. 'Ik heb het over Alan en Tim McIntosh.'

'Ja, hou maar op,' zei hij. 'Ik sta op het punt die andere klootzak zijn nek om te draaien.'

Lucinda was geschokt, en haar mond viel open.

'Neem me niet kwalijk,' zei hij, bij het zien van haar gezicht. 'Er is zoveel gebeurd vandaag, en ik ben niet helemaal mijzelf.'

Ze keken elkaar aan. Lucinda was het niet gewend om mannen echt te bekijken, maar ze moest toegeven dat ze Malachy werkelijk aantrekkelijk vond. Hij was groot en breed, en was wat Emmett een echte kerel zou hebben genoemd. Er lag zowel een hartelijke als gekwelde blik in zijn diepliggende blauwe ogen.

'Maak je daar maar geen zorgen om.'

'Dat doe ik juist wel,' zei hij, hoofdschuddend. 'Ik maak me echt grote zorgen. Je moet namelijk weten dat ik vijfennegentig procent van de tijd alleen ben, waarbij de dolfijnen mijn enige gesprekspartners zijn. En dan wen je je alle mogelijke slechte eigenschappen aan. Mijn dierbare vrouw, Brigid, zou me stevig de les hebben gelezen wanneer ze me dergelijke woorden in bijzijn van een dame had horen gebruiken.' Hij haalde een cassettebandje uit zijn borstzakje. 'Hier, om het weer goed te maken. Iets om onderweg naar te luisteren.'

'Dank je,' zei Lucinda, terwijl ze het bandje glimlachend van hem aannam.

'En dan nog iets,' zei Malachy. 'Ik heb van die jongens gehouden. Van alle twee. In zeker opzicht was het gemakkelijker om van Tim te houden. Hij maakt overal zo'n puinhoop van dat je gewoon wel met hem te doen moet hebben.'

'Daar heb ik geen last van,' zei Lucinda.

'Ik heb geprobeerd hem over te halen om samen met mij naar Halifax te gaan,' zei Malachy. 'Maar dat was van het begin af aan een verloren strijd.'

'Vandaag?' vroeg Lucinda geschrokken. 'Is Tim dan hier? In Nova Scotia?'

'Dat was hij,' antwoordde Malachy.

'Hoezo?' vroeg ze. 'Heeft hij naar Dianne en Julia gevraagd? Wat zei hij, toen je vroeg of hij mee wilde –'

'Ach, wat doet het er allemaal nog toe,' zei Malachy, met opgeheven handen. Hij klonk kalm en sereen, als een vredestichter. Zijn stem had een spijtige klank, maar afgezien daarvan bespeurde Lucinda er nog iets anders in, iets diepers en donkerders. 'Wat hij niet kan, dat kan hij niet.'

'Dat is altijd zo geweest met hem,' zei Lucinda. Ze zag Dianne Julia klaarmaken voor de vlucht, en ze kreeg tranen in de ogen.

'Ik heb hem afgeschreven,' zei Malachy, die nu ook tranen in de ogen kreeg. 'Ik hoop dat God het me vergeeft, maar ik kan werkelijk geen begrip opbrengen voor zo veel onverschilligheid. Ik heb hem gezegd dat hij me nooit meer hoeft op te bellen, en dat meende ik. De vuile egoïst. Harteloos, dat is wat hij is.'

'Tim McIntosh heeft zijn eigen hel gemaakt,' zei Lucinda, terwijl ze haar hand even op die van de grote man legde. Op hetzelfde moment hoorden ze dat Dianne's vlucht werd omgeroepen. 'Want hij schijnt nog maar steeds niet te hebben begrepen waar het in dit leven om gaat.'

De horizon leek duizenden kilometers ver, een plek die Tim nooit zou bereiken. Hij stuurde de *Aphrodite* in zuid-zuidwestelijke richting. Zo nu en dan kwam hij langs een verlaten eiland, een indrukwekkend stukje land met majestueuze rotsen en pijnbomen. Of hij zag een andere vissersboot die ergens naartoe op weg was – naar huis, waarschijnlijk.

De last van zijn falen drukte zwaar op zijn schouders. Hij had de teleurstelling, de afkeuring en de haat in Malachy's ogen gezien, toen hij gezegd had dat hij het vertikte om mee naar Halifax te gaan.

Haat – van Malachy. Tim had het eerder van Dianne en Alan gevoeld. Maar nog nooit van Malachy. Hij huiverde. Het verbranden van schepen. Tim was er een eersteklas deskundige in geworden.

Dianne en Julia waren hier, en ze hadden hulp nodig. Hoe had Malachy het ook alweer genoemd? Een wonder? Ja, in zeker opzicht moest hij

Malachy daar gelijk in geven. Een reeks van elkaar opeenvolgende gebeurtenissen, van toevalligheden, twee mensen die op hetzelfde moment ongeveer op dezelfde plek waren. Tim had alleen maar ja hoeven zeggen, had alleen maar met Malachy mee hoeven gaan, en dan zou iedereen tevreden zijn geweest. En zou alles zijn vergeven.

Maar in plaats daarvan had Tim naar zijn gevoel geluisterd.

Diep in zijn hart wist hij dat Dianne hem helemaal niet wilde zien. En terecht. Tim voer pal tegen de wind in, en de tranen stroomden over zijn wangen. Zijn ogen waren half dichtgeknepen tegen de zon. Hij trok een pet onder het kussen van zijn stoel vandaan, zette hem op, en trok de klep tot vlak boven zijn ogen. Hij huilde, maar zelfs daar, ver op zee met in de wijde omtrek geen enkel ander menselijk wezen, moest hij er niet aan denken dat iemand hem zou kunnen zien.

Een slok tequila zou hem goed doen, maar Tim dronk niet meer zoveel als vroeger. Hij had aan zijn gevoelens willen ontsnappen. Hij had gemeend dat wegvaren uit Lunenburg zou helpen, en dat had het ook, maar het was niet genoeg. Het wilde hem maar niet lukken om de gedachten aan Dianne en hun zieke kind van zich af te zetten. Ze schoten onophoudelijk door zijn hoofd, en deden hem beseffen dat hij een vuile schoft was.

Hij had kunnen blijven.

Die gedachte kwam, wanneer Tim zich op zijn allerslechtst voelde, altijd automatisch bij hem op. Twaalf jaar geleden, toen hij en Dianne het slechte nieuws te horen hadden gekregen, had hij kunnen besluiten om haar door dik en dun tot steun te zijn. Hij had haar hand vast kunnen houden, en bij de geboorte aanwezig kunnen zijn. In plaats van haar aan Alan over te laten...

Volgens Tim was het allemaal de schuld van zijn ouders. Zij hadden zijn leven voor hem verpest. Ze waren helemaal opgegaan in Neils ziekte, en hadden gedaan wat ze konden om de confrontatie ermee uit de weg te gaan. Tim had ontelbare keren naar de horizon zitten staren in afwachting van het moment waarop zijn vader, terug van waar hij dan ook naartoe ging om weg te kunnen zijn, de haven van Hyannis weer binnen zou varen.

Tim had nooit zo'n vader willen zijn. Een bange eenling die liever op zee was dan bij zijn vrouw aan de keukentafel om haar over haar moeilijke dag te horen vertellen. Of haar fijne dag. Tim had moeten weten dat hij niet voor een huiselijk bestaan was voorbestemd. Hij had Dianne's liefde zo wanhopig nodig gehad, waarom had ze ooit zwanger moeten worden? En waarom hadden ze een ziek kind gekregen? Het enige wat Tim had kunnen doen, was weggaan.

Hij had geen andere keuze gehad – zo zag hij het zelf. Het leven had hem geen andere keus gegeven. Wat het hem had gegeven was een dode broer, ouders die met hun emoties in de knoei hadden gezeten, een ziek kind. Tim was een zwerver, en het leven had hem niets anders gegeven dan het ene drama na het andere. Mensen vonden dat romantisch. Hij ging naar een bar, dronk zijn whisky en vertelde het verhaal over zijn vrouw en zijn zieke kind aan wie het maar horen wilde. Hij schilderde zichzelf af als de slechterik, en wachtte op het moment waarop de vrouw achter de bar zou zeggen dat hij helemaal geen slecht mens was, maar dat hij alleen maar veel te gevoelig was voor alle ellende die hem was overkomen. En dan vertelde hij over Neil, en wachtte hij tot de vrouw beide verhalen met elkaar in verband bracht en er een conclusie uit trok.

En in verreweg de meeste gevallen reageerden ze precies zoals hij verwacht had. Het was alleen maar *logisch* dat hij gereageerd had zoals hij had gedaan. Het leven had hem immers geen keus gelaten! Het verlies van zijn broer was te pijnlijk geweest, en het was alleen maar begrijpelijk dat hij niet was gebleven om aan te moeten zien hoe ook zijn kind het niet overleefde. Iemand met ook maar een beetje gevoel, begreep dat meteen.

De enige die dat niet hadden begrepen waren Dianne en Alan, en nu dan ook Malachy. Uitgerekend de drie mensen die van Tim zouden moeten houden, die medelijden met hem zouden moeten hebben om wat hij allemaal had doorgemaakt. Maar nee hoor, zij niet. De gedachte daaraan deed zijn hart als een gek tekeergaan. Hoe konden ze zo gemeen, zo onrechtvaardig zijn!

Er waren mensen die ervan genoten om op anderen neer te kunnen kijken. Dat verklaarde het voor een groot deel. Dianne en Alan hadden zichzelf immers altijd al geweldig en superieur gevonden. Maar Malachy... Tim schudde zijn hoofd en veegde de tranen van zijn wangen. Dat deed echt verschrikkelijk pijn, het feit dat Malachy nu ook niets meer met hem te maken wilde hebben.

Tim kon zich de blik in Alans ogen nog steeds herinneren, die avond waarop hij geweigerd had bloed af te staan. In Newport, te midden van al die massa's mensen, had zijn eigen broer hem aangekeken alsof hij een absoluut waardeloos wezen was. Was dat niet ook wat Malachy nog maar een paar uur geleden tegen hem had gezegd? Dat hij een waardeloos wezen was?

Tim voer zo snel als hij kon bij Nova Scotia vandaan, en hij zou niet teruggaan. Hij zou ver uit de buurt van zijn familie blijven. Tim McIntosh was een eenling, en dat zou hij blijven. Hij was van plan geweest om naar Maine te gaan, maar dat was niet ver genoeg. Misschien dat New Hampshire in Massachusetts een beter idee was. Of misschien was het nog beter om New England maar helemaal te vergeten, om met het vangen van zeekreeft te stoppen, en het in Chesapeake met krabben te proberen. Of anders zou hij naar de Golf kunnen gaan om daar op garnalen te vissen.

De zon was nog steeds heel schel, en zijn ogen traanden nog steeds. Hij trok zijn pet nog wat dieper over zijn voorhoofd, hield het stuurwiel stevig vast, en tuurde strak voor zich uit. De zee was leeg en eindeloos. Tenminste, zo leek het vanaf de brug van de *Aphrodite*. Julia zou er wel weer bovenop komen. Ze was er tot nu toe ook altijd weer bovenop gekomen, en er was geen enkele reden om aan te nemen dat haar dat deze keer niet zou lukken.

Hoofdstuk 19

Alan wachtte op het vliegtuig uit Nova Scotia. Het regende en het zuidoosten van New England lag onder een grijze wolkendeken. Hij stond naast de ambulance op het asfalt naar de lucht te turen, terwijl de wind door zijn haar en zijn jack heen blies.

Eindelijk zag hij het vliegtuig. Het zakte afwisselend een beetje naar links en naar rechts, en deed hem denken aan de onzekere vlucht van een kwetsbare en broze libelle. De wind wiegde het vliegtuigje heen en weer, en Alan keek met angstig kloppend hart naar hoe de piloot zijn tweemotorig toestelletje op het T.F. Green Airport van Providence aan de grond zette.

Dianne en Julia waren de eersten die uitstapten. Ze stonden boven aan de trap. Dianne hield Julia in haar armen en trok haar schouders op tegen de wind en de regen. Twee stewardessen trokken hen weer naar binnen en zeiden dat ze moesten wachten. De broeders van de ambulance haalden de brancard uit de wagen, maar Alan rende voor hen uit de trap op.

'O, je bent gekomen,' zei Dianne, met grote ogen naar hem opkijkend.

'Je bent er,' zei Alan, terwijl hij hen beiden in zijn armen nam.

Ze vormden een klein driehoekje zoals ze daar stonden, met hun hoofden tegen elkaar. Alan had een prop in zijn keel van de ontroering. Hij dankte God voor het feit dat ze veilig bij hem terug waren, dat Julia niet in Nova Scotia was gestorven en dat hij hen in zijn armen hield.

'Beeee,' zei Julia zacht.

Alan nam zijn nichtje van Dianne over en keek in Julia's ogen. Er was iets veranderd. Haar ogen, die voorheen groot waren geweest en aandachtig in het rond hadden gekeken, waren nu klein, lusteloos en plakkerig van de slaap. Het verschil was zo opvallend dat Alans hart zich ervan samenbalde. De broeders kwamen de trap op met de brancard, maar Alan wuifde ze weg. Hij trok zijn schouders op tegen de regen, hield Julia onder zijn jack, en volgde Dianne de vliegtuigtrap af naar de gereedstaande ambulance.

Dianne wachtte terwijl Julia opnieuw uitgebreid onderzocht werd. Ze had al zo vaak in Hawthorne Cottage Hospital zitten wachten, dat ze er heel wat verpleegsters kende. Ze vonden het goed dat ze hun keukentje gebruikte om thee en instantsoep te maken, en als er iets te snoepen was, dan mocht ze daar ook wat van nemen. Dianne dacht aan haar moeder en Amy in de camper, en wou dat ze snel thuis zouden komen. Toen ze haar hand in de zak van haar spijkerbroek stak om er een tissue uit te halen, gleden er een paar steentjes van het zwarte strand uit.

'Hoe gaat het?' vroeg Alan, terwijl hij naast haar kwam zitten. Hij droeg een witte jas en zijn stethoscoop hing om zijn hals.

'Het gaat wel,' zei Dianne, zijn hand vastpakkend. 'Heb je Julia gezien?'

'Ze wordt gescand.'

'Dat hebben ze in Halifax ook al gedaan,' zei Dianne vermoeid. Ze hadden Julia echt uitgebreid onderzocht: bloed, urine, ECG, EMG, MRI, botscans, spiertesten. De MRI's waren het ergste. Daarvoor werd ze op een plank gebonden omdat ze niet mocht bewegen. Ze begreep niets van wat het verplegend personeel tegen haar zei, hoe lang het nog zou duren en wanneer ze weer naar haar moeder mocht.

'Ja, dat weet ik,' zei Alan. 'Maar we moeten ons eigen onderzoek doen. Ze is zo klaar. Hou je het een beetje vol?'

'O, *ik*,' zei Dianne hoofdschuddend. In vergelijking met wat haar dochter allemaal moest doorstaan, had ze werkelijk niets te klagen. Het kwam niet bij haar op om iets te zeggen over haar hoofdpijn, haar rugpijn en de pijn in haar hart, want dat had absoluut niets te betekenen in vergelijking met wat Julia op dat moment doormaakte. 'Met mij gaat het best.'

Alan sloeg een arm om haar schouders. Maanden eerder zou ze mogelijk opzij zijn geschoven. Nu nestelde ze zich tegen hem aan en luisterde naar zijn kalmerende ademhaling in de hoop dat hij een deel van haar angst weg zou kunnen nemen. Ze keek naar haar schoot waar hij zijn hand op de hare had gelegd.

'Wat heeft ze precies?'

'Dat proberen we uit te zoeken,' zei Alan.

'We hebben zo genoten,' zei Dianne, terugdenkend aan hun dagen op het strand, de magische overtocht met de boot, het reuzenrad, de appelboomgaarden en de zandkastelen die ze hadden gebouwd. 'Julia was zo gelukkig.'

'Gisteren is je briefkaart aangekomen,' zei Alan. 'Zo te horen hebben jullie het fantastisch gehad.'

'Is het te veel voor haar geweest?' vroeg Dianne, terwijl ze zijn hand steviger vasthield. 'Was het te vermoeiend voor haar? Was het een te zware belasting voor haar zenuwstelsel? Of was het de tocht zelf, het lange autorijden?'

'Nee,' zei Alan. 'Dat moet je jezelf niet aandoen.'

'Het begon zo plotseling, die aanval. Er was geen enkele waarschuwing –'

'Dat is normaal, Dianne. En het hoort bij Rett, het is een van de symptomen. En we komen er vast wel achter wat de aanleiding was.'

'Ach ja, het is altijd hetzelfde, niet?' verzuchtte Dianne, terwijl ze haar hoofd liet hangen. 'Van het begin af aan is het zo geweest.'

Dianne wist dat Julia nooit beter zou worden. Ze had een neurologische afwijking die met het verstrijken van de tijd alleen maar erger zou worden. De groei nam af, de spieren verpieterden en het oogcontact werd minder. Dianne was Julia's handenwringen en zwaaien als een vorm van expressie gaan beschouwen. Ze wist dat er een moment zou komen waarop er geen enkele vorm van communicatie met Julia meer mogelijk zou zijn. Dianne had altijd gemeend dat ze op dat moment was voorbereid.

'Ik ben bang,' zei ze met een heel zacht stemmetje.

'Dat weet ik,' zei Alan.

'Wat gaat er gebeuren?'

'Dat weten we niet. Je zult altijd van haar blijven houden,' zei hij. 'En ik zal voor haar blijven zorgen. Dat is het enige waarover we zekerheid hebben.'

Dianne beet op haar lip. Ze knikte. Op de gang klonken belletjes, en het karretje met het avondeten kwam langs.

'Ik ben zo dankbaar dat je hier bent,' zei ze nog zachter, en ze dacht niet dat Alan haar gehoord had. 'Dat we thuis konden komen en dat jij er voor ons was.'

'Ik ben zo dankbaar dat je thuis bent gekomen,' fluisterde hij terug, terwijl hij haar nog dichter tegen zich aan trok. Zijn lichaam voelde stevig en sterk. Dianne dacht aan al die keren dat hij haar had getroost. Jarenlang had ze zijn lieve zorgen als iets vanzelfsprekends beschouwd, maar het enige wat ze op dit moment voelde was een oneindige dankbaarheid, en ze wist dat ze zijn zorgen nooit meer als iets vanzelfsprekends zou beschouwen. Ze kon zich niet herinneren dat ze hem ooit zo nodig had gehad als op dat moment.

'Hoeveel is dat bij elkaar?' vroeg Lucinda.

'Even kijken,' zei Amy, met een blik op de lijst. 'Prince Edward Island, Nova Scotia – twee provincies. Dan de feitelijke grens tussen Canada en de Verenigde Staten, dat is drie. En Maine, dat is vier.'

Ze waren grenzen aan het tellen, om te zien hoeveel ze er over moesten voor ze weer terug waren in Hawthorne. Lucinda hield hen bezig om te voorkomen dat ze te veel aan Julia zouden denken. Ze kon de gedachten aan haar kleindochter niet verdragen, en Amy was zo zenuwachtig dat ze om de haverklap vroeg hoeveel kilometer het nog was.

'Is alles weer goed met Julia?' vroeg Amy.

'Dat hoop ik,' antwoordde Lucinda.

'Wat was er eigenlijk aan de hand, toen ze zo begon te schokken?'

'Ze had een epileptische aanval.'

'Is dat als een beroerte?' vroeg Amy.

'Zoiets.'

'Ik was echt bang,' zei Amy zacht, 'toen er opeens bloed uit haar mond kwam.'

'Dat kwam doordat ze op haar tong beet,' zei Lucinda. 'Dat kon ze niet helpen.'

'Ik dacht dat ze doodging,' zei Amy.

'Mmm,' zei Lucinda, met haar blik op de weg.

'Gaat ze dood, Lucinda?'

'Ooit eens, liefje.'

'Ooit eens, dat geldt voor ons allemaal,' zei Amy. 'Mijn vader en Emmett, en de broer van Dr. McIntosh, die zijn al dood. Maar wanneer iemand echt jong is, zoals Julia en Neil, dan lijkt het zo oneerlijk. Hoe kan dat?'

'God besluit wanneer iemands tijd gekomen is,' zei Lucinda. 'Dat is het moment waarop Hij besluit dat Hij iemand in de hemel meer nodig heeft dan wij hier op aarde.'

'En waar heeft Hij Julia dan voor nodig?' vroeg Amy. Ze keek strak naar de langsflitsende pijnbomen. 'En waarom heeft Hij Julia meer nodig dan mij?'

'Om te beginnen,' zei Lucinda, 'is dat een mysterie. En ten tweede, Julia leeft nog. Het enige wat we weten, is dat Julia een epileptische aanval heeft gehad en dat Alan wilde dat ze zo snel mogelijk thuis zou komen omdat hij haar wilde onderzoeken. Ze heeft al veel meer achter de rug dan dit, liefje. Julia is echt onvoorstelbaar.'

'Ik mis haar,' zei Amy. Ze plukte aan de draadjes van een gat in haar spijkerbroek.

'Dat weet ik. De camper is maar akelig leeg zo zonder haar en Dianne. Maar we moeten ons op positieve dingen concentreren. We hebben met zijn allen een geweldige vakantie gehad, en we hebben stapels heerlijke herinneringen waar we de rest van ons leven aan terug kunnen denken.'

'En we hebben onze souvenirs,' zei Amy grinnikend, met de gedachte aan de vier half vergane appels die ze uit de appelboomgaard hadden meegenomen, en die boven op het keukenkastje lagen te drogen.

'Precies,' zei Lucinda. 'En we zijn op weg terug naar huis, terug naar de mensen van wie we houden. Dianne en Julia...'

'Mijn moeder,' zei Amy.

'Alan.'

'Ik noem hem Dr. McIntosh.'

'Mmm,' zei Lucinda.

'Eerst wou ik dat er nooit een einde aan de vakantie zou komen, maar nu kan ik niet snel genoeg weer thuis zijn,' zei Amy.

'Ik ook niet,' zei Lucinda.

Het was een gemakkelijke rit. Er was voor een nazomerse dag maar weinig verkeer op de snelweg. Lucinda had zich aangesloten bij een spontaan ontstane karavaan van campers die in westelijke richting reden. De meeste van de campers werden bestuurd door oudere mensen zoals zij. Er was haar een echtpaar opgevallen waarvan de man net zulk wit haar had als Malachy Condon, en dat had haar ineens weer aan het bandje doen denken. Ze had het ergens weggestopt... Ze voelde boven het zonneklepje, en daar was het.

Lucinda stopte het in de cassettespeler. Eerst was het lange tijd stil, en toen begon de muziek.

'Dat zijn dolfijnen,' zei Amy.

Lucinda knikte, en reed verder.

De prachtige hoge klanken vulden de camper. Het lied van de dolfijnen was ontelbare eeuwen oud en zuiver, en vervuld van liefde en eenzaamheid. Lucinda luisterde en dacht aan haar familie.

Ze dacht aan dolfijnen die in een grote groep zwommen, die van het begin af aan bij elkaar waren geweest, die baby's, echtgenoten en vaders hadden verloren. De tranen sprongen haar in de ogen en ze streek ze weg, en toen ze even opzij, naar Amy, keek, zag ze haar hetzelfde doen. Ze waren op weg naar huis. Naar hun thuis.

Dolfijnen waren magisch. Amy luisterde naar hun muziek en wist dat ze onderwaterengelen waren. Ze zwommen en speelden, en sprongen van puur plezier recht omhoog uit de zee. Ze droegen een cape van zilver water die, wanneer hij in aanraking kwam met het licht, uiteen leek te spatten in duizenden fonkelende diamanten. Dolfijnen leefden in de zee, maar ze ademden lucht. Waren ze ooit eens mensen geweest?

Amy dacht aan haar vader. Hij was al zo lang weg. Al zo lang had ze een gat in haar hart wanneer ze zich probeerde voor te stellen hoe haar leven zou zijn geweest als hij bij haar was gebleven. Haar moeder zou altijd gelukkig zijn geweest. Er zou geen ruzie zijn geweest, geen verdriet en geen Buddy.

En Amy zou een vader hebben gehad. Ze zou zijn opgegroeid als zijn kleine meid, en hij zou haar beschermd hebben. Hij zou haar hebben leren lopen en fietsen, en hij zou haar bij haar huiswerk hebben geholpen. Russell Brooks was een goed mens geweest.

Amy's vader was nu bij de dolfijnen. Ze luisterde naar hun gezang en probeerde zijn stem te horen. Er sprak zo veel liefde uit het geluid. Was haar vader een liefdevol mens geweest? Had hij het altijd weer afschuwelijk gevonden om uit te moeten varen, omdat hij veel liever thuis was gebleven bij zijn vrouw en kind? Dat kind, dat was Amy geweest. Ze was zijn enige kind, zijn enige dochter, zijn vlees en bloed!

Lucinda had het over een mysterie. Amy wist wat ze bedoelde. Waarom had het leven zo veel vragen en niet genoeg antwoorden? Ze probeerde met al haar macht om Ambers hatelijke opmerkingen over haar vader te vergeten. Amy vertrouwde veel liever op haar eigen hart, op wat haar eigen hart haar vertelde. Als haar vader geen prachtmens was geweest, zou ze dan ook zoveel van hem kunnen houden?

Amy luisterde naar de dolfijnen. Liefde...

Hoe zat het dan toch met liefde? Ze was op weg naar huis. Nog even, en de school zou weer beginnen. Hoe zou het zijn om weer naar huis te gaan? Ze hield zielsveel van haar moeder, maar toch zag ze op tegen een weerzien met haar. Ze was verwend, door die tijd die ze bij Dianne en Lucinda had gewoond, door de liefde en het daaruit voortkomende licht dat ze bij hen thuis ervaren had. Ze verlangde naar een gezin waar gesproken werd. En diep in haar hart was ze bang dat Buddy terug zou komen.

Buddy was al heel lang de vriend van haar moeder. Dit was voor Amy een van de grootste onbegrijpelijke mysteries van het universum. Hoe kon een vrouw van zo'n soort man houden. Ze sloot haar ogen en luisterde naar de dolfijnen, in de hoop dat ze haar alles over liefde zouden kunnen leren, opdat haar iets dergelijks nooit zou overkomen.

'Waar denk je aan?' vroeg Lucinda.

'Ik wil een dolfijn zijn,' zei Amy.

'Of op z'n minst als een dolfijn kunnen zingen...'

'Nee,' zei Amy. 'Ik wil er eentje zijn. Ik en Julia. We zouden heerlijk kunnen zwemmen en kunnen spelen, en op zoek kunnen gaan naar onze vaders.'

'Och, liefje,' zei Lucinda.

'Ze zijn alle twee op zee,' zei Amy. 'De mijne onder water, en die van haar in een boot. Ik hou zoveel van de mijne, Lucinda. En ik wil zo graag dat mijn moeder zich weer herinnert...'

'Wat?'

'Hoe het was toen hij van haar hield,' zei Amy. 'Toen we nog allemaal samen waren. Toen het nog goed was allemaal.'

'Soms,' zei Lucinda, 'kan het juist ontzettend veel pijn doen om terug te denken aan hoe fijn iets was.'

Amy stond op, liep de camper in, pakte de vier verschrompelde appels van de kast en ging weer naast Lucinda zitten.

'Wat heb je aan mooie herinneringen,' zei Amy, terwijl ze de appels in haar hand hield, 'als ze ons zo verdrietig maken dat we ze alleen nog maar willen vergeten?'

'Na Emmetts dood,' zei Lucinda, 'heeft het me een vol jaar gekost voor ik in staat was een foto van hem te bekijken.'

'Maar daar heb je nu geen moeite meer mee?' vroeg Amy.

'Nu kijk ik er voortdurend naar,' antwoordde Lucinda.

Amy staarde naar de appels. Bij hen thuis stonden geen foto's van haar vader. Zelf had ze een kiekje van hem dat ze in de la van haar bureau bewaarde. De dolfijnen klikten – een vriendelijk en grappig geluid. Op de achtergrond riepen een paar andere. Ze probeerde te begrijpen hoe het mogelijk was om tegelijkertijd verdrietig en blij te zijn. Ze had het gevoel dat Lucinda haar dat probeerde te vertellen, maar ze begreep het niet zo goed.

Hoofdstuk 20

Hoewel epileptische aanvallen op zich niet ernstig waren, kon de onderliggende oorzaak dat wel zijn. Julia's conditie was stabiel genoeg om haar naar huis te kunnen laten gaan. Langzaam maar zeker werd ze ook weer wat alerter, en werden ook haar zwaaiende bewegingen weer wat krachtiger. Dianne was waanzinnig opgelucht. Het was al eerder voorgekomen dat Julia in het ziekenhuis moest worden opgenomen, en net als toen had ze ook nu getwijfeld of ze er ooit weer levend uit zou komen.

Alan bracht ze naar Gull Point. Bij de laatste bocht hoopte Dianne dat de camper op de oprit zou staan.

'Mam heeft gisteravond uit Haverhill, Massachusetts gebeld,' zei ze. 'Ze kunnen elk moment hier zijn. Ik kan gewoon niet geloven dat ik haar heb opgezadeld met die enorme rit terug naar huis.'

'Ik weet zeker dat Amy een uitstekende copiloot is geweest,' zei Alan.

'Ik had moeten weten dat het alleen maar een aanval was,' zei Dianne, terwijl ze over haar schouder naar Julia keek. 'Ik had me niet zo druk moeten maken, en niet meteen het ergste moeten denken.'

'Weet je wat ik zou willen?' vroeg Alan, haar van terzijde aankijkend. 'Ik wou dat je je realiseerde wat voor geweldige moeder je bent. En je hebt volkomen juist gehandeld.'

Dianne keek omlaag naar hun handen en hun verstrengelde vingers. Toen hief ze haar hoofd weer op, en keek Alan in de ogen. Zijn blik hield het midden tussen liefdevol en onderzoekend. Ze leunde weer naar achteren en schonk hem een glimlachje over haar schouder. In Nova Scotia had ze voortdurend aan hun kussen in de bibliotheek moeten denken. De raampjes van de auto stonden open, en het briesje deed haar huid tintelen.

'Het is fijn om weer thuis te zijn,' zei ze.

'Het moeras is schitterend vandaag,' zei hij, met een blik op het riet dat een gouden deken leek. Na het onweer en de regen van de vorige dag, was de lucht nu helder en koel. Het briesje deed het gras golven alsof het een groot vel glanzend bladgoud was.

'Dat bedoel ik niet,' zei Dianne.

'Nee?'

'Ik heb je gemist,' zei ze.

Alan glimlachte alsof ze hem zojuist de gelukkigste man ter wereld had gemaakt. 'Je kunt je niet voorstellen hoe ik jou heb gemist.'

'Dit was de eerste keer dat Julia en ik echt zo lang en zo ver weg zijn geweest,' zei ze. 'We hebben een onvoorstelbare tijd gehad. Ik wil je er alles van vertellen, je de foto's laten zien, en ook de souvenirs die we hebben meegenomen. We hebben de mooiste stranden van de wereld gezien, maar weet je wat...' Ze glimlachte en moest slikken om verder te kunnen gaan.

'Wat?' vroeg hij zacht.

'Het was zo heerlijk om je op het vliegveld te zien.'

'Had je me dan niet verwacht?'

Dianne hield haar hoofd schuin. 'Jawel. En dat is juist het meest verbazingwekkende. Ik wist dat je er zou zijn – je bent er altijd.'

'Daar heb je familie voor,' zei hij.

'Als het goed is,' zei Dianne, terwijl ze van Alan naar Julia keek. Ze dacht aan Tim, en aan alle ellende die zich bij Amy thuis had afgespeeld.

Toen was het tijd om Julia van de auto naar binnen te brengen. Ze droegen haar het huis in, waarna ze de deuren en de ramen opendeden om alles lekker door te laten luchten en het septemberbriesje door de kamers te laten waaien. Julia was blij dat ze thuis was. Ze keek om zich heen en pakte de lucht. Dianne voelde dat ze zich afvroeg waar Lucinda, Amy en de dieren waren.

'Ze kunnen elk moment hier zijn,' zei ze.

'Oooo,' piepte Julia.

Alan bracht Julia naar boven. Dianne liep achter hem aan, en keek naar hoe teder hij het kind in zijn armen hield. Hij bracht haar naar haar kamer en legde haar op de kleedtafel. Dianne deed een stapje naar voren om het van hem over te nemen, maar Alan was al begonnen.

Het was op zich zo'n kleinigheid, toekijken hoe hij Julia verschoonde. Ze schopte haar hielen tegen het kussen en maakte niet echt overtuigde wuivende gebaren. Alan sprak aan een stuk tegen haar, en ze keek naar zijn gezicht. Dianne keek naar hem toen hij zich naar voren boog om haar te kussen. Julia reikte omhoog en pakte zijn bril vast. Julia's kromme vingers hielden Alans metalen brilmontuur stevig beet, en even bevonden hun gezichten zich vlak bij elkaar.

'Paaa,' zei Julia.

'Ik ben blij dat je weer thuis bent,' zei Alan. 'Je kunt je niet voorstellen hoe ik je heb gemist.'

Dianne's adem stokte. Ze pakte zijn hand, en hij nam haar in zijn armen.

Later die avond arriveerden Lucinda, Amy en de dieren. Het was even fris als het in Canada was geweest, dus Dianne deed de open haard aan. Lucinda stopte het dolfijnenbandje in de cassetterecorder. Ze zaten in hun pyjama's bij het vuur, vertelden elkaar over wat ze de afgelopen dagen hadden meegemaakt, en haalden herinneringen op aan hun reis. Stella lag op de vensterbank, en Orion lag opgerold voor het vuur.

'Ik vind het heerlijk om weer in een huis zonder wielen te zijn,' zei Lucinda.

'Ja, deze camping bevalt me het beste,' zei Dianne.

'Dleee,' zei Julia zacht.

Amy lag naast haar op de vloer en keek in de vlammen.

'Wat ben je stil, juffrouw Brooks,' zei Lucinda, terwijl ze Amy met haar grote teen een porretje gaf.

'Julia klinkt anders,' zei Amy.

'Ze is herstellende van die aanval,' zei Dianne. 'Het is normaal dat ze de eerste week nog een beetje zwak en stilletjes is.'

'O,' zei Amy, met een bezorgd gezicht.

Lucinda wilde niets zeggen, maar ze dacht er net zo over als Amy. Julia was lusteloos, net alsof ze veel minder energie had. Haar ogen waren doffer dan anders, en haar stem leek van heel ver weg te komen. Julia's regressie voltrok zich altijd beetje bij beetje. Toen ze een was, was ze in staat geweest om kleine stukken speelgoed op te pakken. Tegen de tijd dat ze twee was, had ze al niets meer kunnen oppakken.

Haar belangstelling voor speelgoed was verdwenen. De hoop dat haar geluiden langzaam maar zeker zouden overgaan in woorden, vervaagde. Ze zakte steeds verder weg in haar eigen wereldje, en wat Dianne ook probeerde, het lukte haar niet om Julia weer terug te krijgen. Dianne werd van verschillende kanten aangemoedigd om haar meer te stimuleren: ze zou haar vaker moeten voorlezen, haar meer met blokken moeten laten spelen, en haar Dianne's wijsvinger moeten laten vastpakken om zich aan overeind te trekken.

'Denken ze nu echt dat ik dat niet weet?' riep Dianne regelmatig huilend uit. 'Denken ze nu heus dat ik geen boeken over opvoeden lees, en dat ik geen goede moeder wil zijn?'

'Je bent een fantastische moeder,' zei Lucinda tegen haar, maar dat maakte Dianne's verdriet er niet minder op. Het was alsof ze geloofde dat ze Julia op een bepaalde manier voor haar geboorte op een verschrikkelij-ke manier tekort had gedaan, dat ze haar slechte genen had gegeven en dat ze haar vader had verdreven.

'Oooo,' zei Julia nu.

'Dag, lieverd,' zei Lucinda. 'Voel je je weer een beetje beter? Heb je een fantastische vakantie gehad?'

'Oooo,' zei Julia met een zucht.

'Als ze "Oooo" zegt, dan bedoelt ze oma,' zei Amy.

'Ja, dat heb ik zelf ook altijd gedacht,' zei Lucinda.

'Ik vraag me af hoeveel van onze kastelen nog overeind staan,' zei Amy. 'We hebben ze toch redelijk ver op het strand, en van de vloedlijn af ge-bouwd, hè?'

'De vloed heeft er een handje van om alle zandkastelen te vinden,' zei Lucinda. 'Volgens mij is dat de taak die de vloed op aarde heeft.'

'Misschien niet alle kastelen,' zei Dianne, terwijl ze haar neus in Julia's borst drukte.

Amy had naar Julia liggen staren, maar nu knipperde ze met haar ogen en keek ze naar Dianne en naar de manier waarop ze met haar kind speel-de. Lucinda keek naar hoe Amy moeder en dochter observeerde, en vroeg zich af waar het meisje aan dacht. Ze had Amy op hun reis een heel stuk beter leren kennen, en inmiddels was ze ervan overtuigd dat ze gevoelig, meelevend en intelligent was, en dat ze het heerlijk vond om zich dingen te verbeelden. Lucinda zou proberen of ze haar zo ver kon krijgen dat ze in november meedeed aan de korte verhalenwedstrijd van de bibliotheek.

'Waar denken jullie aan?' vroeg Lucinda.

'Ik?' vroeg Dianne. 'Aan de foto's die we hebben genomen. Ik wil de filmpjes zo snel mogelijk laten ontwikkelen. En aan dat het fijn is om weer thuis te zijn. En dat Julia zo mooi is.'

'Maaaa,' mompelde Julia.

'Over een paar dagen is de grote vakantie voorbij,' zei Amy. 'Daar zat ik aan te denken. En dan kan ik terug naar huis. Aan de ene kant wil ik dat ook graag, maar aan de andere kant juist weer niet.'

'Dat voel ik net zo,' zei Dianne, terwijl ze Amy tegen zich aan trok. 'Ik vind het heerlijk voor je dat je weer naar huis mag, maar aan de andere kant zou ik het minstens even heerlijk vinden als je bij ons bleef.'

'Laten we het daar nu niet over hebben,' fluisterde Amy. 'Laten we nu alleen maar denken aan hoe fijn het is om weer hier te zijn, en niet dat we over een paar dagen niet meer samen zijn.'

'En jij, Mam?' vroeg Dianne. 'Waar zat jij aan te denken?'

'Ik zat zomaar wat te denken,' zei Lucinda. Ze dacht aan de lange rit, aan de eindeloze stranden, de vallende sterren, en aan hoe fijn het was geweest om het eiland te zien waarop zich het verhaal van *Anne van het Groene Huis* had afgespeeld. 'Dat ik de beste meisjes ter wereld heb. En daarmee bedoel ik jullie alle drie.'

'Oooo,' zei Julia, terwijl ze zachtjes meezong met de dolfijnen op het bandje.

Amy zou de volgende dag naar huis gaan. Ze werd heel vroeg wakker, toen het nog maar net licht begon te worden. De tuin en het moeras gingen nog schuil onder violette schaduwen, en de zee erachter was een donker glanzende spiegel. Ze stond voor het raam van Julia's kamer en luisterde naar de krakende ademhaling van haar vriendinnetje, terwijl ze wou dat ze naar buiten konden gaan om te spelen.

Het feit dat ze al die tijd van huis weg was geweest, had haar nog onafhankelijker gemaakt dan ze al geweest was. Ze liep naar beneden, at een koekje, riep Orion en ging naar buiten. Op blote voeten rende ze het pad af naar het moeras. Het oude bootje lag op zijn vaste plek, en het stond vol water van alle regen die was gevallen. Nadat ze het leeg had geschept, liet ze Orion aan boord springen.

Nergens rook het zo als in het moeras van Hawthorne. Het bruiste van het zeeleven, en was warm en modderig, fris en schoon. Amy had op haar reis naar Canada een heleboel over verwarring geleerd. Ze had langzaam maar zeker begrepen dat het leven op een bepaald moment meerdere facetten kon hebben, en dat iemand tegelijkertijd meerdere dingen kon voelen zonder zijn verstand te verliezen.

Ze roeide over het donkere water en voelde zich volwassen en klaar voor ze wist niet wat. Ze wist niet precies wat ze thuis aan zou treffen. Ze wilde iets meenemen van het strand, het diep in zichzelf opslaan en ervoor zorgen dat ze overal op voorbereid was. Ze haalde de roeispanen door het water en voer in de richting van de vuurtoren.

Ze trok de boot half op de oever en wurmde het anker in de modder zoals ze Dianne had zien doen. Orion rende over het duin en blafte tegen de zon die opkwam uit de oceaan, alsof het zijn eigen rode bal was. Hij snuffelde door het duingras en vond vissenkoppen en aangespoeld wrakhout. Amy liep achter hem aan en verzamelde stukjes zeeglas, kapotte eierschalen van strandvogels en een oude wijnfles.

Toen ze bij de vuurtoren was, liet ze zich op haar knieën vallen. Het zand voelde vochtig onder haar benen, en ze begon te graven. Ze keek op om zich ervan te verzekeren dat het de juiste plek was. De vloedlijn was ruim twintig meter van haar plekje verwijderd. De enige reden dat het zand hier nat en hard was, was dat dit de plek was waarlangs het regenwater van de vuurtoren wegspoelde.

'Deze blijft altijd bestaan,' zei ze tegen Orion.

Hij blafte.

Amy had, door Lucinda en Dianne te observeren, heel wat geleerd over het bouwen van zandkastelen. Deze hier moest even sterk en onverwoestbaar worden als een echt fort, en het moest even lang blijven bestaan als de speelhuizen die Dianne in haar werkplaats maakte. Het kasteel had een symbolische betekenis voor haar: als het haar lukte een zandkasteel te bouwen dat vloed en regen overleefde, dan zou Julia weer gezond worden. Dan zou Julia blijven leven.

Amy sloeg het zand extra hard aan. Ze maakte dikke muren met zorgvuldig gevormde kantelen. Ze gebruikte stenen om de basis extra stevig te maken, en wrakhout voor het versterken van de muren. Ze sloeg het zand aan en dacht aan het bouwen van een veilig huis. Een plek waar niemand ooit pijn of verdriet gedaan kon worden.

Over een paar uur zou Amy naar huis gaan. Die gedachte maakte haar een beetje bang, maar waarom? Haar moeder hield van haar; haar moeder ging vooruit. Amy's angst was niets vergeleken met wat Julia moest voelen. Om zo'n aanval te krijgen, om zo hard op je tong te bijten en over je hele lichaam te schokken zonder dat je ermee op kon houden. Om voor de eerste keer van je leven in het vliegtuig te zitten, om de lucht in te gaan en door de hemel te zoeven zonder te weten of je wel of niet zou vallen. Om woorden te hebben die niemand kon verstaan, en dat je stem zo zacht werd dat de anderen je amper nog konden horen.

Het kasteel was klaar.

Orion blafte en rende een aantal vreugderondjes. Amy's benen waren stijf van het knielen, dus ze begon achter de hond aan te rennen. Al haar opgekropte energie kwam eruit, en ze slaakte kreten en maakte onduidelijke geluiden die geen menselijk wezen ooit zou kunnen verstaan. De rode zon balanceerde op de golven en stuurde roze en lila golfjes op het strand.

Het kasteel was stevig. Het was niet zo mooi als de kastelen die ze op Prince Edward Island hadden gebouwd. Het was geen teer sprookjesslot, zoals sommige prachtige kastelen verstopt in de bossen in de hoge bergen. Het leek ook niet op de kastelen die Amy op de televisie had gezien, of op het prachtige kasteel midden in Disney World.

Dit kasteel was Julia's kasteel. Het was stevig en sterk en het was vervuld van hoop. Amy had wakker gelegen en zich bezorgd afgevraagd of de kastelen die ze in Canada hadden gebouwd er nog stonden of dat ze, zonder ook maar een spoor achter te laten, waren weggespoeld. Dat zou met dit kasteel niet gebeuren. Voor de zekerheid haalde ze een briefkaart en een pen uit de zak van haar jack, en schreef een boodschap op de kaart. Ze stopte de kaart in de fles die Orion had gevonden en liep ermee naar de rand van het water.

Ze haalde uit en slingerde de fles zo ver in zee als ze maar kon. Hij dobberde op de golven, maar Amy had er geen kurk op gedaan, dus even later begon hij te zinken. En dat was ook de bedoeling. Ze staarde naar de golven en dacht terug aan die dag waarop Dianne haar hier, precies op deze plek, in de golven had leren duiken. Het was de ideale plek voor haar kasteel, en voor het versturen van haar briefje.

Lieve Pap,
Ik hou van je. Wanneer ik de dolfijnen hoor zingen, vraag ik me altijd af of je me kunt horen. Volgens mij kun je dat. Wat ik vooral wil weten, is of je dit kunt horen. Help ons, Pappie. Help Mammie weer beter worden, help mij lief en gehoorzaam te zijn, help Julia beter worden. Julia is mijn vriendin. Als een zandkasteel kan blijven bestaan, dan kan een meisje dat ook. Ik hou van je. Ik heb je in de dolfijnen gehoord. Heel veel liefs van Amy Brooks, voor eeuwig je dochter.

De fles zonk. De zon stond intussen alweer een beetje hoger en bakte de muren van Amy's kasteel nog harder dan ze al waren. Orion liep terug naar het bootje en ging liggen aan de schaduwzijde van het duin. Amy wist dat ze nu klaar was om terug te gaan naar haar moeder, om weer terug naar huis te gaan. Ze trok aan de roeispanen, en stuurde het bootje terug door het moeras.

Dianne stond op de oever en keek naar Amy die door het moeras kwam aanroeien. Ze had Julia thuisgelaten bij Lucinda, omdat ze even met Amy alleen wilde zijn. Ze had gezien hoe het meisje eerder het huis uit was gegaan, en had de roeispanen gehoord toen ze was weggevaren. Het water was glad als een spiegel, en er rezen flardjes mist omhoog.

Ze pakte de boeg van de roeiboot vast en hielp Amy de boot vastbinden. Het bootje dobberde zachtjes op het water met Amy er nog in. Dianne keek op haar neer. Het enige geluid was het zingen van de vogels. Dianne wilde iets filosofisch, iets wijs, zeggen, iets dat een samenvatting zou zijn van hun zomer. Maar er kwam geen woord over haar lippen. Zij en Amy keken elkaar strak aan in de wetenschap dat dit hun afscheid was.

Dianne stapte aan boord.

Amy zat tegenover haar, met haar ellebogen op de roeispanen. Ze zuchtte. Dianne zuchtte ook. Beiden hadden tranen in de ogen, en beiden glimlachten.

'Wat een zomer,' zei Dianne.

'Zeg dat wel,' zei Amy met een knikje, terwijl ze met de rug van haar handen de tranen wegveegde.

'En nu ga je weer naar huis.'

'Ja.'

'Je moeder is ontzettend blij,' zei Dianne. 'Dat heeft ze gisteravond tegen me gezegd toen ze belde.'

'Buddy is voorgoed het huis uit.'

'En de school begint weer...'

'Ik ga dit jaar goed mijn best doen.' Ze keek naar haar knieën, en toen keek ze weer naar Dianne. 'Bedankt,' zei ze toen.

Een school witvisjes zwom langs de roeiboot en het water was opeens vol zilveren vlekjes. Een krab kroop uit de modder, zwaaide met zijn scharen, en liet zich weer naar de bodem zakken.

'Ik bedoel,' zei Amy, 'bedankt voor alles. Echt voor alles. Je had het niet allemaal hoeven doen.'

'O, maar dat wilde ik juist,' zei Dianne, met pijn in het hart. Ze dacht aan alles wat ze samen hadden gedaan, en aan hoeveel vreugde Amy haar had geschonken. Amy had Julia zo veel goed gedaan, en ze had Dianne geholpen haar eigen dochter als een ander soort meisje te zien, als een echt kind van elf, en niet alleen maar als een ziek kind.

'Echt?'

'Ja,' zei Dianne. 'Jij hebt mij veel meer gegeven dan ik jou.'

Amy schudde haar hoofd. 'Dat geloof ik niet.'

'Heel veel meer,' zei Dianne. Ze keek over het bankje heen naar Amy's sproetige gezichtje. Ze zag een meisje met een warm hart, gevoel voor humor en een diepe intelligentie. Ze wist dat Amy een fantastische vrouw zou worden.

'Als ik ga,' zei Amy, terwijl ze Dianne met grote, groene ogen aankeek, 'mag ik dan terugkomen?'

'Altijd. Wanneer je maar wilt,' antwoordde Dianne.

'Ik wist wel dat je dat zou zeggen,' zei Amy, met een knikje.

'Ik weet niet of een mens op twee verschillende plaatsen thuis kan zijn,' zei Dianne. 'Maar als dat wel zo is, dan hoop ik dat dit een van jouw twee huizen zal zijn.'

'Dat is het al,' fluisterde Amy.

Hoofdstuk 21

Toen Dianne achter in de bestelbus naar twee blikjes witte verf zocht, vond ze het oude vogelhuis. Ze had het, die dag toen ze Alan soep had gebracht, in zijn tuin gevonden, achter in de auto gegooid en het vervolgens totaal vergeten. Nu nam ze het mee naar de werkplaats. Ze zette het tegen haar bureau, roerde de verf en voorzag het prieel dat ze voor een meisje in Noank had gebouwd, van een eerste laagje.

Julia zat in haar stoel te dutten. Ze zat, met opgetrokken knieën, diep in elkaar gedoken, en hield haar tot vuisten gebalde handen dicht bij haar hart. Stella zat op het blad van Julia's stoel, en Julia's hoofd lag zwaar op de rug van de kat. Orion lag met zijn kin op zijn voorpoten. Dianne had muziek op staan en ze zong mee. De verf moest drogen, en ze besloot het vogelhuis te bekijken.

Het was een koolmeesjeshuis. Dianne had het twaalf jaar geleden voor Alan gemaakt. Ze kon zich nog herinneren hoe ze de maten had overgenomen uit een vogelboek, en de boor van tweeëneenhalve centimeter had gebruikt om het gat erin te maken. Het hout was intussen zo verweerd dat het wel zilver leek. De spijkergaten aan de achterkant zagen donkerrood van de roest. Het stokje onder het gat was afgebroken, en vlijtige snavels hadden het gat groter gemaakt dan het aanvankelijk geweest was.

Dianne trok het haakje en de spijker waarmee het dak op zijn plaats werd gehouden los, keek in het huisje, en zag een nestje met drie gespikkelde eitjes. Het nestje was een grof weefsel van takjes en bruin gras, en het was bekleed met donzige veertjes en haren. Dianne stak haar hand erin en haalde het nestje er heel voorzichtig uit.

'Maaa,' zei Julia, die wakker werd.

'Kijk eens, liefje,' zei Dianne, terwijl ze met het nestje naar haar toe liep.

Julia knipperde met haar ogen. Haar huid was strak en glad en deed denken aan was. Haar hoofd ging maar een beetje heen en weer, lang niet zo vol overtuiging en kracht als voorheen. Haar handen maakten een vermoeide indruk: ze sloeg ze in elkaar en liet ze weer los, net alsof Julia niet wilde dat iemand ze zou zien. Stella rekte zich uit, sprong van het blad, sprong op de kast en verdween in haar mandje.

'Dit is een vogelnestje, Julia,' zei Dianne.

'Vooo,' piepte Julia.

'Wij wonen in ons huis, en de vogels wonen in een nestje.' Ze pakte Julia's hand en liet haar vingers over de takjes gaan.

'Dleee,' zei Julia.

Dianne hield Julia's handen tegen elkaar en legde er een eitje in. Het eitje was klein, niet groter dan een flinke eikel. Het was zachtgeel en had bruine en gouden spikkels. Julia sloot haar vingers er losjes omheen, alsof ze er een beschermend kooitje voor wilde maken.

'Er woont een babyvogeltje in het eitje,' zei Dianne.

'Maaa.'

'Een kuikentje. Een heel klein, piepend vogeltje met donzen veertjes.'

Julia hield haar hoofd schuin. Ze bleef het eitje vasthouden en zwaaide haar handen door de lucht. Dianne keek naar haar dochter en het eitje dat nooit uitgebroed zou worden. Ze vroeg zich af hoeveel vogels er, sinds ze het vogelhuis aan Alan had gegeven, in hadden genesteld, en hoeveel vogelfamilies hij af en aan had zien vliegen.

'Maaa,' zei Julia, terwijl ze haar handen liet zakken. Ze was moe. Haar hoofd zakte voorover en haar kin steunde op haar borst. Voorzichtig nam Dianne het eitje van haar over. Ze legde het weer in het nestje en legde het nestje vervolgens op haar bureau. Er moesten een paar kleinigheden aan het vogelhuis gerepareerd worden, en dat zou ze doen in de tijd die de verf van het prieel nodig had om te drogen.

Amy en haar moeder moesten weer helemaal opnieuw aan elkaar wennen. De eerste schooldag zat erop, en toen Amy uit de schoolbus stapte en naar haar huis liep, stak de vertrouwde buikpijn zijn kop weer op. Haar huis zag er precies zo uit als altijd. De verf bladderde van de hoeken, onder de struiken bij het hek lagen dezelfde gebroken bloempotten, en het gras was een beetje aan de lange kant. Maar Buddy's auto was nergens te bekennen, en dat gaf haar hoop.

Ze ging naar binnen en vond haar moeder in de zitkamer, waar ze een sigaret zat te roken. Maar toen ze Amy zag glimlachte ze, waarna ze haar sigaret op de asbak legde en opstond om haar te begroeten.

'Hoi, Mam,' zei Amy.

'Hoe was het op school?' vroeg haar moeder.

'Leuk,' zei Amy. 'Ik heb een hele aardige juf voor Engels.'

'Engels was altijd mijn lievelingsvak.'

'We lezen verhalen uit de mythologie,' zei Amy. Om de een of andere reden was ze zenuwachtig. Het voelde bijna alsof ze een nietszeggend praatje met een verkoopster in een winkel maakte. Haar moeder had een doos met snoepjes op tafel gezet. Ze keek er voortdurend naar alsof ze hoopte dat Amy er op aan zou vallen, maar Amy was een beetje misselijk van de zenuwen en ze had geen trek.

'Welk verhaal vind je het mooiste?' vroeg haar moeder.

'Nou, dat van Orion...' Bij het uitspreken van de naam sprongen de tranen haar in de ogen. Ze had de hond bij Dianne gelaten. Niet omdat ze niet van hem zou houden en hem niet bij zich zou willen hebben. Maar ze wist dat alles in huis hem aan Buddy zou herinneren, en dat wilde ze het arme dier niet aandoen. Het hondje was erg gevoelig, en hij was nog maar net een paar weken uit zijn ren en onder het bed uit.

'Hoe gaat het verhaal van Orion?' vroeg haar moeder.

'Orion was een Griekse jager,' zei Amy. 'Hij was charmant en hij was knap, en Artemis hield van hem, maar ze doodde hem per ongeluk. Haar verdriet was zo ondraaglijk en zo groot dat ze hem, samen met zijn hond Sirius, een plaatsje aan de hemel gaf.'

'Wil je een snoepje?' vroeg haar moeder.

Amy aarzelde. Ze was bezig haar moeder over haar favoriete verhaal uit de mythologie te vertellen, dat toevallig ook nog eens haar lievelingssterrenbeeld was. Ze hadden ook astronomie gehad, en ze had geleerd dat twee van de meest heldere sterren, Rigel en Betelgeuse, deel uitmaakten van Orion. Amy had het op school nog nooit zo fijn gevonden als dit jaar, en ze wilde er alles over vertellen, maar haar moeder vroeg of ze een snoepje wilde. Dianne en Lucinda zouden er alles van hebben willen horen.

'Ik wilde je over Orion vertellen,' zei Amy zacht.

'Ga je gang,' zei haar moeder. Ze tilde haar sigaret op, en Amy meende dat ze haar hand zag beven. De gordijnen waren open, en het licht viel volop hun armoedige zitkamer binnen. Amy's moeder had een schone spijkerbroek en sweatshirt aangetrokken, en op haar voorhoofd lagen diepe rimpels terwijl ze Amy verdrietig aankeek.

'Kun je je voorstellen hoe verschrikkelijk dat voor haar moet zijn geweest?' vroeg Amy, in de hoop dat haar moeder het zou begrijpen. 'Artemis, bedoel ik. Dat ze degene had gedood van wie ze zo zielsveel hield?'

Haar moeder knikte. Ze bracht de sigaret naar haar lippen, nam er een diepe haal van en blies vervolgens een wolk rook uit. Amy voelde zich boos worden. Ze wilde het hebben over mythologie en sterren, over de liefde van een vrouw die haar man naar de hemel had gezonden, en het enige waar haar moeder aan kon denken, was snoepjes en roken.

'Mam, het is belangrijk,' zei Amy. 'Wat hun is overkomen is heel tragisch, en wat Artemis voelde –'

'O, je hoeft mij niet te vertellen wat ze voelde,' viel Tess haar in de rede.

Amy zweeg.

'Dat ze de man van wie ze het meeste hield vermoord heeft...' zei haar moeder. 'Daar hoef je mij niets over te vertellen.'

'Hoe bedoel je?' vroeg Amy.

Haar moeder stak haar hand uit. Het was een kleine hand, en toen Amy ernaar keek, zag ze dat haar moeder haar trouwring en verlovingsring weer had omgedaan. Tijdens haar relatie met Buddy, had ze ze in een la bewaard. Haar moeders hand wachtte erop dat Amy hem vast zou pakken, en na enige aarzeling deed ze dat.

'Hoe bedoel je dat?' vroeg Amy.

'Er zijn zo veel manieren waarop je iemand kunt vermoorden,' antwoordde haar moeder. 'Iemands geest doden, dat gaat vanzelf. Heb ik dat bij jou gedaan? Daar heb ik het wel eens met mijn dokter over. Ik ben zo bang... Het spijt me, Amy.'

'Voor mij was het niet erg,' zei Amy. 'Het was alleen maar erg voor jezelf.'

'Dat wil ik graag geloven,' zei Tess. 'Maar het is niet helemaal waar. Wanneer iemand binnen een gezin iets doet, dan heeft dat ook gevolgen voor de anderen.'

'Ik leef nog,' zei Amy.

'En hoe,' zei haar moeder. 'Ik ben zo blij dat je het dit jaar leuk vindt op school.'

'Ja, dat is zo,' zei Amy. 'Ik wil dit jaar alleen maar tienen halen. Ik wil voor Engels verhalen schrijven. Ik wil alle verhalen uit de mythologie lezen.' Maar ze wilde niet dat haar leven zo zou zijn als in de mythologie. Ze wilde niet dat haar moeder zoals Artemis zou zijn.

'Ik ben blij dat je weer thuis bent.'

'Ik ook,' zei Amy. Ze voelde zich schuldig omdat het zowel de waarheid als een leugen was.

'Is dat zo?' vroeg haar moeder, terwijl de rimpel tussen haar wenkbrauwen nog wat dieper werd. 'Vind je het echt fijn om weer hier te zijn?'

Amy haalde diep adem. Ze dacht aan haar andere huis, aan het huis met Dianne en Julia, en ze kreeg een prop in haar keel. Ze was blij dat ze er altijd naar toe kon wanneer ze dat wilde, maar hier hoorde ze thuis. Dit was het huis waar ze wilde zijn.

'Ja. En ik ben blij dat de gordijnen open zijn,' zei Amy.

Op een avond in de eerste week van oktober, toen de blaadjes voorzichtig geel en rood begonnen te kleuren, vroeg Dianne haar moeder of ze op Julia wilde passen. Ze trok een bruin fluwelen broek en een roestkleurige zijden blouse aan en liep naar de bestelbus. De maan scheen achter bergen van paarse wolken. Er stond een stevige wind, en de wolkenbergen kregen een vurige, gouden gloed.

Op weg naar Hawthorne voelde ze zich kalm en rustig. Ze gunde zichzelf de tijd om overal naar te kijken. Omdat het kil was, droeg ze een dikke, fluwelen sjaal, maar de raampjes van het busje stonden open. Ze hoorde de grassen in het moeras langs elkaar strijken, en de golven van de branding bij Landsdowne Shoal. De wereld leek sensueel en mysterieus, en vanavond had Dianne heel sterk het gevoel dat ze er deel van uitmaakte.

Sinds haar terugkeer uit Canada, was ze volledig opgegaan in de zorg voor Julia. Haar herstel verliep traag, maar Dianne was geduldig. Ze was ervan uitgegaan dat ze vanzelf zou weten wanneer Julia ver genoeg hersteld was om een avondje alleen bij Lucinda te kunnen blijven, en dit was die avond.

Toen ze de stad binnen reed, begon haar hart wat sneller te slaan. Tegelijkertijd nam ze ook wat gas terug. Ze wilde er de tijd voor nemen. Ze had heel sterk het gevoel dat het volkomen juist was wat ze deed. In de zomer had ze een wens gedaan, en ze had zichzelf de tijd gegund om hem uit te laten komen. Dit was de avond waarop haar leven zou veranderen, en ze wilde er zich elk detail van kunnen herinneren: de esdoorns met hun rode en gele blaadjes in het licht van de straatlantaarns, de pompoenen voor de deuren van de huizen en de herfstige kilte.

Alans huis was donker. Heel even dacht ze dat hij niet thuis was. Maar zijn Volvo stond in de zijtuin. Achter, en in de keuken, brandde licht. De eikenboom met zijn wijd uitwaaierende takken, waar het vogelhuisje in had gehangen, stond in de tuin, en de bruine blaadjes ritselden in de wind.

Dianne belde aan. Het duurde even, maar toen hoorde ze zijn voetstappen. Ze kwamen door het huis en werden luider. Hij deed open in een bandplooibroek en een loshangend wit overhemd. Doordat het licht van achteren kwam, kon ze zijn gezichtsuitdrukking niet echt goed zien. Even meende ze verbazing op zijn gezicht te bespeuren, maar toen nam hij haar hand in de zijne en kon ze ineens nergens meer op letten.

'Hallo,' zei hij.

'Ik kom je dit terugbrengen,' zei ze, terwijl ze hem het vogelhuis overhandigde. 'Het was uit de boom gevallen. Het was je waarschijnlijk niet eens opgevallen –'

264

'Ja, ik had het gezien,' zei hij.

In plaats van het licht aan te doen, nam hij haar mee naar de helver-lichte keuken. Hij was net klaar met eten en was bezig met de afwas. Hij ging bij het aanrecht staan en bekeek het vogelhuis. Dianne had het verweerde hout met een doek gewreven, en nu leek het nog meer van zilver. Ze had het roestige scharnier vervangen en er een nieuw haakje op gezet, terwijl ze het afgebroken stokje onder het gat had vervangen door een berkentakje. Ze had het gat gladgeschuurd zodat de vogels, wanneer ze naar binnen gingen, niet met hun veertjes zouden blijven haken.

'Het is speciaal voor koolmeesjes gemaakt,' zei ze.

'Ik weet niet zeker of ik er ooit wel eens een koolmeesje in of uit heb zien vliegen,' zei hij.

'Er zat een nestje in,' zei ze. 'Met eitjes. Ik heb er het vogelboek op na-gekeken. Volgens mij waren de eitjes van Engelse spreeuwen.'

'Waar is het nu?' vroeg hij, terwijl hij het dak optilde. 'Het nest?'

'In mijn werkplaats,' zei ze. 'Ik heb het bewaard.'

Nu begon haar hart echt op hol te slaan. Ze voelde zich heel kalm en verschrikkelijk opgewonden. De koele lucht deed haar huid tintelen. Aan de manier waarop Alan naar haar keek, zag ze dat hij het ook voelde. Zijn lichtbruine ogen leken groen-goud, en hij keek haar afwachtend aan. Ze wist wat ze wilde, en deed een stapje naar hem toe. Na al die tijd wist ze eindelijk wat ze wilde.

'Ik wilde je zien, vanavond,' begon ze.

'Daar ben ik blij om,' zei hij.

'Ben je verbaasd?'

'Dat zou ik moeten zijn,' zei hij na een poosje. 'Maar ik ben het niet.'

Dianne knikte. Hij zette het vogelhuisje op het aanrecht en sloeg zijn armen om haar heen. Ze voelde hoe hun tenen elkaar raakten. Met een te-der gebaar streek hij haar haren uit haar gezicht. Het was in de loop van de zomer een flink stuk gegroeid, en het was lichtblond van al die zonni-ge dagen. Hij streek al het haar naar achteren alsof hij haar hele gezicht wilde zien om diep in haar ogen te kunnen kijken, en hij hield haar dicht tegen zich aan gedrukt.

'Ik heb op je gewacht,' fluisterde hij. 'Sinds de dag waarop ik je voor het eerst heb ontmoet.'

Dianne probeerde adem te halen. Even moest ze aan Tim denken, maar ze haastte zich die gedachte meteen weer van zich af te zetten. Dian-ne had zich twaalf jaar tegen Alan McIntosh verzet, maar daar was nu een eind aan gekomen.

'Waarom ben je uitgerekend vanavond gekomen?' vroeg hij.

'Het moest ervan komen,' zei ze. 'Ik ben het eigenlijk al van plan sinds we terug zijn uit Canada. Op Prince Edward Island moest ik voortdurend aan je denken, aan onze wandeling...'

'Bij de haven,' zei hij. 'Toen we naar je huis zijn gaan kijken.'

'Mijn huis.' Ze glimlachte, en bedacht dat haar vader het leuk zou hebben gevonden om dat te horen. 'Ja, daar heb ik aan gedacht. Aan dat ik het nog nooit aan iemand anders had laten zien. En aan hoe gelukkig ik me met jou voelde.'

'Het was een heel bijzondere avond,' zei Alan.

'En aan hoe we hebben gedanst,' ging ze verder, 'met al die boeken om ons heen.'

Alan wachtte. Dianne keek hem diep in de ogen en wist dat geen man ooit eerder zo naar haar had gekeken als hij nu deed.

'En aan hoe we elkaar hebben gekust...' fluisterde Dianne.

Alan legde zijn hand op haar wang. Hij bleef even naar haar kijken alsof hij haar een laatste kans wilde geven om zich terug te trekken. Dat was ze niet van plan, en ze ging zelfs op haar tenen staan om hem halverwege tegemoet te komen. Hij sloeg zijn armen om haar heen en omhelsde haar met heel zijn wezen, en toen kuste hij haar.

Ergens in Alans huis moest een raam open staan, want er trok een briesje door de keuken dat haar deed huiveren en kreunen. Ze drukte zich dichter tegen Alan aan. Hij was beschermend en groot. Hij torende boven haar uit, maar desondanks had Dianne diep van binnen het gevoel dat ze hem in bescherming wilde nemen.

Ze kuste hem en zag sterren en sterrenbeelden, maar tot in haar tenen voelde ze het vurige verlangen om deze man voor elk gevaar en elke dreiging te behoeden: om voor Alan te doen wat hij al die jaren voor haar en Julia had gedaan.

Voor al die keren waarop Dianne een woedeaanval had gehad, waarop ze om zijn broer had gehuild en niets van Alan had willen weten. Voor al die keren waarop hij uren achtereen naast haar had gezeten en haar hand had vastgehouden in afwachting van het moment waarop Julia terug zou komen van een bepaald onderzoek, van een operatie of van fysiotherapie. Voor elke keer dat hij naar Julia's hart had geluisterd, haar verkrampte en vergroeide spieren had gemasseerd en had geweten dat ze er, net zoals ieder ander klein kind, behoefte aan had omhelsd te worden. Voor al die dingen die Alan McIntosh had gedaan, verbrak Dianne hun kus en leunde ze naar achteren in zijn armen.

Ze keek hem aan zonder haar blik af te wenden, en het gevoel in haar hart was zo overweldigend dat ze amper in staat was zich te bewegen of iets te zeggen. Toen ze haar mond opendeed, wist ze precies wat ze wilde zeggen; ze kon alleen niet geloven dat het zo lang had geduurd voor ze eindelijk zo ver was.

'Ik hou van je, Alan,' zei ze. Ze had die woorden nog nooit eerder tegen hem gezegd, zelfs niet als zijn schoonzus, of als een goede vriendin.

'Ik heb altijd van je gehouden, Dianne.'

'Ik snap niet waarom,' fluisterde ze. Ze hield zijn handen, die op borsthoogte ineen zaten geklemd, stevig vast.

'Vraag je dat nu maar niet af,' zei Alan. 'Dat doe ik ook niet.'

'Zoals ik me heb gedragen...'

'Er was niets mis aan je gedrag,' zei hij.

'Ik ben hier omdat...' zei Dianne, maar verder kwam ze niet. Alan hield zijn adem in en wachtte op de rest.

'Omdat ik bij je wilde zijn,' zei ze.

Alan knikte. Hij kuste haar voorhoofd, haar wenkbrauwen, het puntje van haar neus. Zijn bril zat scheef, en ze zette hem recht. Op hetzelfde moment streek ze zijn bruine, golvende haar achter zijn oren. Het was alsof de woorden die ze net had gezegd tussen hen in de lucht bleven hangen, en ze wist niet wat ze verder moest doen.

Maar dat wist Alan wel.

Hij tilde haar in zijn armen alsof ze even licht was als Julia, droeg haar de gang af door zijn huis, door de kamers die Dianne zich van heel wat jaren geleden herinnerde, en toen droeg hij haar de trap op. Ze liepen over de donkere gang naar een slaapkamer achteraan.

Zijn slaapkamer was schaars gemeubileerd. Een koperen bed, een eikenhouten schrijftafel, en op de vloer een door Dorothea met de hand gevlochten kleed. Dianne wist dat die tafel van Malachy was geweest – dat hij hem aan Alan had gegeven toen hij van zijn huis naar de sleepboot was verhuisd. Ze kende Alans spullen al zo goed, en hun geschiedenis ontroerde haar. Toen Alan haar op de witte sprei legde, herinnerde ze zich dat die ooit op het bed van zijn grootmoeder in Nantucket had gelegen.

Het maanlicht viel door het venster en hulde de kamer in lavendelblauwe schaduwen. Alan ging naast haar liggen en beroerde haar gezicht met zo'n tederheid dat het wel leek alsof hij niet kon geloven dat ze daadwerkelijk bij hem was. Ze voelde zijn adem op haar wang, en ze keken elkaar lange tijd aan zonder te glimlachen, zonder te knipperen en zonder ook maar iets te zeggen.

Hij bracht zijn mond naar de hare, en ze kusten elkaar. Dianne's adem stokte, hun lippen gingen vaneen en ze hielden elkaar stevig vast – ze grepen elkaar beet alsof ze over en weer probeerden te voorkomen dat ze van een steile rots zouden vallen. Dianne was aanvankelijk verlegen terwijl ze zijn handen over haar lichaam voelde gaan. Ze was al zo lang niet meer aangeraakt.

'Rustig maar,' zei hij, in het besef dat ze zich niet helemaal op haar gemak voelde. 'We zullen het heel rustig aan doen. Ik wil je niet overhaasten.'

'Het is...' begon ze. 'Ik ben nog nooit...' ze wist niet wat ze moest zeggen. Het is niet moeilijk om je lichaam te vergeten wanneer je nooit wordt aangeraakt. Ze was sterk, misschien een beetje te mager. Zou hij haar lelijk en onaantrekkelijk vinden?

'Weet nu maar dat ik van je hou,' zei hij. Hij streelde haar rug en keek diep in haar ogen. 'Dat is het begin.'

Dianne knikte. Ze kuste hem teder en hield haar ogen open, terwijl ze zichzelf dwong hem te vertrouwen. Dit was zo heel anders dan die keren met Tim – toen had ze zich wild, onstuimig en roekeloos gevoeld. Op dit moment werd ze geleid door liefde, door haar eigen verlangen, door de wetenschap dat Alan haar nooit pijn zou doen.

Alan kuste haar nek en de bovenkant van haar schouder. Dianne huiverde, hield zijn hand vast en concentreerde zich op de manier waarop haar lichaam op zijn liefkozingen reageerde. 'Weet nu maar dat ik van je hou...' had hij gezegd. Ze dacht aan zijn woorden en *voelde* ze ook: het was alsof ze een deur in haar hadden opengemaakt, en alles er ineens uit kon stromen.

'Alan,' zei ze, terwijl ze zijn armen pakte. Zijn lichaam was sterk en vurig. Ze snakte naar hem, en ze wist niet waar ze moest beginnen. Haar handen gingen bevend over zijn spieren, en trokken een aarzelend spoor over zijn borst. Twaalf jaar onderdrukte hartstocht kwam naar de oppervlakte, en ze kuste hem hongerig en begerig.

Ze maakte de knoopjes van zijn overhemd los, terwijl hij hetzelfde met de knoopjes van haar blouse deed, en ze reikten onder de voorpanden door om hun naakte huid contact te laten maken en het wilde slaan van hun hart beter te kunnen voelen. Toen Alan zijn hand tussen het fluweel van haar broek en de zijde van haar slipje door liet glijden, riep dat zo'n verlangen bij Dianne op dat haar adem ervan stokte. Ze bracht haar bevende hand naar zijn gulprits.

Hij hielp haar, stuurde haar hand en vertraagde haar tempo. Zij wilde hem op dat moment in zich voelen, en wilde geen seconde langer meer verdoen aan voorspel en strelingen, maar hij overdekte haar lichaam met een reeks trage, genietende kussen en dwong haar geduld te oefenen. Dianne kronkelde en voelde zijn vurige lippen op haar huid.

Alan's lichaam was sterk en stevig, en nu hij zijn broek uit had, voelde ze hoe de stof van zijn boxershort strak om zijn dijspieren spande. Ze was zich scherp bewust van hun verschillen: haar benen waren glad, de zijne waren dicht behaard, haar borsten waren vol, en zijn borst was plat en hard. Hij kuste haar overal met tederheid en liefde, en ze kromde zich naar hem op en kreunde luid.

'Ik kan niet langer wachten,' zei ze.

'Dan hoef je dat ook niet,' fluisterde hij.

Hij nam haar in zijn armen en ging boven op haar liggen. Ze sloeg haar armen om hem heen, liet haar handen over zijn warme rug gaan, en deed haar lippen hongerig vaneen toen hij zijn hoofd naar het hare liet zakken om haar te kussen. Ze hielp hem bij zich naar binnen, en haar benen schokten nu al. Ze schokte over haar hele lichaam en probeerde stil te blijven liggen, maar kon dat niet.

'Dianne,' zei hij.

'Ik kan gewoon niet geloven...' zei ze, terwijl er sterretjes achter haar ogen flitsten. Ze greep zijn lichaam stevig vast en was zich bewust van hun vuur terwijl hij binnen in haar bewoog. Ze hoorden bij elkaar. Ze had nog nooit van haar leven zo sterk gevoeld dat het goed was wat ze deed. Ze had haar leven geleefd voor dit moment, voor het omhelzen van deze man, en voor het luisteren naar de manier waarop hij keer op keer haar naam fluisterde. Ze kon gewoon niet geloven dat het eindelijk gebeurde, en datzelfde gold voor Alan.

'O, God,' zei ze. 'O, toe...'

'Altijd, Dianne,' zei hij. Zijn lippen lagen warm en vochtig in het holletje van haar schouder. 'We zullen altijd samen zijn.'

'Alan,' zei ze, terwijl ze hem met al haar kracht vasthield.

Ze kwamen tegelijk. Dianne snikte van een emotie waarvan ze nooit had geweten dat die bestond. Het was vreugde, verdriet, liefde en verwondering, naamloos en niet te bevatten, eenvoudig en waanzinnig gecompliceerd, en dat allemaal op hetzelfde moment. Tranen stroomden langs haar nek in haar kussen onder haar hoofd. Alan wiegde haar zachtjes in zijn armen, zei haar dat hij van haar hield, dat hij altijd bij haar zou blijven, en dat ze voor elkaar waren voorbestemd.

'Dat weet ik,' riep Dianne uit.

'Eindelijk,' zei Alan, terwijl hij haar bleef wiegen.

'Het spijt me –' snikte ze, 'dat ik zo moet huilen.'

'O, lieveling, dat hoeft je toch niet te spijten,' zei Alan, terwijl hij de tranen van haar ogen, haar wangen en haar nek kuste. Pas toen, toen ze zijn gezicht beroerde om hem voor zijn tederheid te bedanken, besefte ze dat zijn gezicht ook nat was. Ze hadden samen gehuild en waren alle twee gegrepen geweest door dat nieuwe, niet met woorden te vatten, onvoorstelbare gevoel dat haar tot in het diepst van haar wezen had geraakt.

Een gevoel dat helemaal alleen van hen was, dat ze zelf hadden verzonnen.

'O, Alan, ik hou van je,' zei Dianne. 'Ik hou van je, ik hou van je...' zei ze, omdat ze niet wist hoe ze het anders moest noemen.

Oktober was een prachtige maand, en het voelde als een verlengstuk van de zomer. De dagen waren warm en soms zelfs erg warm. 's Nachts was het kil, maar het werd nooit echt koud. Alan bracht zijn vrije woensdagen met Dianne door. Hij reed naar haar huis, waar ze Julia lekker inpakten in een spijkerbroek en een trui, en dan roeide hij ze door het moeras.

De herfst was de beste tijd om naar het strand te gaan. Ze hadden het helemaal voor zich alleen. Het water was groen en helder, en de golven spoelden zachtjes aan alsof ze al hun kracht wilden bewaren voor de heftige herfststormen die later zouden komen. Alan rende langs het strand, waarna hij en Dianne samen zwommen terwijl ze ondertussen voortdurend een oogje op Julia bleven houden.

Ze zaten voortdurend aan elkaar en konden niet van elkaar afblijven. Alan was helemaal weg van Dianne's zachte huid en de intensiteit van haar liefde. Ze had hem verteld over haar nieuwe gevoel, en hij had meteen geweten wat ze bedoelde. Het was de culminatie van hun jarenlange samenzijn, van het naar elkaar verlangen maar niet in staat zijn om aan dat verlangen toe te geven. Het zat heel diep en het maakte hem blij, maar het was niet alleen maar blijdschap. Vooral vanwege alle tijd die ze hadden verloren.

Er waren momenten waarop Alan zijn leven niet kon geloven. Soms lag hij in de zon met Dianne's hoofd op zijn borst, en dan trok er een huivering langs zijn ruggengraat in het besef dat ze elk moment zouden kunnen sterven. Hij moest haar hart tegen het zijne kunnen voelen kloppen om te weten dat ze echt samen waren, en dat het geen droom was. Waarom uitgerekend nu, waarom uitgerekend dit jaar? De golven spoelden aan, en elke nieuwe golf bracht een nieuwe vraag. Alan had zich aangewend om geen antwoorden te geven, om het zelfs niet eens te proberen.

Het enige wat hij hoefde te doen, was van haar houden.

'Ik wist niet dat je zo'n strandmens was,' zei Dianne op een dag.

'Dat was ik ook niet,' zei hij.

'Op je vrije woensdag jogde je altijd naar de bibliotheek,' zei ze plagend.

'En nu jog ik op het strand,' zei hij, terwijl hij haar in zijn armen nam. 'Ik wil zijn waar jij bent, lieveling. Jij en Julia.'

'Gleee,' zei Julia. Haar hoofd zakte op haar borst. Het kostte haar tegenwoordig veel meer moeite om haar hoofd rechtop te houden. De aanval had een groot deel van haar krachten gevergd, en Alan en alle andere artsen die haar behandeld hadden, begrepen nog steeds niet wat er nu precies aan de hand was geweest. Alan was een wetenschapper, een arts, maar hij wist dat lang niet alles een wetenschappelijke verklaring had. In plaats daarvan trok hij Julia bij zich op schoot en wiegde haar in de zon.

Dianne had op haar buik naar de vuurtoren liggen staren. In het begin had hij zich hier, op het strand bij de vuurtoren, slecht op zijn gemak gevoeld omdat hij hier indertijd met Rachel had gevrijd. Maar dat was verleden tijd. Het verleden, de jaren zonder Dianne, al die tijd die hij op haar had gewacht. Hij wilde geen tijd meer verspillen aan gevoelens van spijt.

'Hoe denk je dat het komt,' zei Dianne, terwijl ze haar hand boven haar ogen hield om ze af te schermen tegen de zon, 'dat sommige zandkastelen niet vergaan?'

'Welk zandkasteel bedoel je?' vroeg Alan, met Julia op zijn schoot.

'Dat daar boven,' zei Dianne, terwijl ze in de richting van de vuurtoren wees.

Alan draaide zich half om en keek. Hij zag een vierkante hoop zand die meer leek op een stapel bakstenen dan op de kastelen die Dianne, Amy, Julia en Lucinda op hun reis hadden gemaakt. Dianne had hem de foto's laten zien, en dat waren echte sprookjeskastelen geweest.

'Het staat er al weken,' zei Dianne. 'Ik let er iedere keer speciaal op.'

'Weet je zeker dat het hetzelfde is?'

'Ja,' antwoordde ze. 'De randen en de hoeken zijn niet meer zo scherp, maar ja, ik weet zeker dat het hetzelfde kasteel is. Het lijkt wel alsof het met cement is gemaakt. Maar het zal wel komen omdat het zo dicht bij de vuurtoren staat, want daar heeft het minder te lijden.'

'De golven komen niet zo hoog,' zei Alan.

'Paaaa,' zei Julia, terwijl ze hem over zijn borst streek.

'Het heeft ook nauwelijks geregend,' zei Dianne. 'Een flinke bui, en dan is het er geweest.'

'We zouden altijd weer een nieuw kasteel kunnen bouwen,' zei Alan.

'Het heeft iets, dat kasteel,' zei Dianne. 'Ik kan je niet precies zeggen waarom, maar dat zandkasteel daar doet me iets.'

'Maaa,' zei Julia, alsof zij het ook mooi vond.

'O, God,' zei Alan, terwijl hij hen beiden in zijn armen nam en dicht tegen zich aan drukte, 'laat dit altijd zo blijven.'

Hoofdstuk 22

Buddy Slain hield niet van het woord nee. Van alle woorden die hij kende, was hij het minst dol op 'nee'. Hij had er zelfs zo'n hekel aan dat hij er een vieze smaak van in zijn mond kreeg. Hij beschouwde het als een onrechtvaardigheid, als iets dat zijn persoonlijke geluk in de weg stond. En wanneer het een vrouw was die nee tegen hem zei, dan kreeg die vieze smaak de werking van zuiver gif.

Hij reed doelloos door de stad terwijl het woord 'nee' door zijn hoofd weergalmde. Zijn hoofd dreunde ook van de rockmuziek, van de muziek die keihard uit zijn speakers tetterde en de muziek die hij elke avond met zijn band speelde. Ze hadden een schnabbel gehad in de haven, in een van de bars waar Buddy al van jongs af aan naartoe ging om zich een stuk in de kraag te drinken. En toen hij zijn blik over het publiek had laten gaan en hij Tess niet had gezien, had hem dat niet alleen verdriet, maar ook echt pijn gedaan.

Tess was geen schoonheid. Ze was niet rijk, ze was niet super intelligent en ze was echt niets bijzonders, maar ze was van hem. Vier jaar geleden had Buddy haar op een zaterdagavond ontdekt. Hij was iets met haar gaan drinken en hij had haar uit haar lijden verlost. Iedereen wist dat Tess Brooks weduwe was. Ze was een huismus met een dochtertje dat geen vader meer had, ze was depressief en ze had niets meer gehad om voor te leven. Totdat Buddy in haar leven was gekomen.

Hoe snel was ze dat allemaal vergeten!

En alleen omdat de overheid en een paar buren hadden besloten zich met hun leven te bemoeien, had Tess hem het huis uit gegooid. Hij moest weg opdat haar dochter weer thuis zou kunnen komen. Amy zou haar problemen geven, en dan zou ze willen dat ze Buddy had om haar te helpen. Amy zou wel eens veel te dik kunnen worden; dat zag hij aan de manier waarop ze de laatste tijd een veel voller gezicht had gekregen. Tess maakte zich nergens druk om, en ze zou niets doen om dat te voorkomen. Je moest bij kinderen, en vooral bij meisjes, goed opletten dat ze niet te dik werden. Omwille van het meisje zelf.

Om uit je eigen huis te worden gezet, dat was wel de meest onaanvaardbare vorm van 'nee'. Het kon Buddy niets schelen dat het huis van Tess was, dat ze de hypotheek had afbetaald van het geld dat ze na de dood van haar man van de verzekering had gekregen. Het enige waar hij aan kon denken, was dat ze Buddy recht in de ogen had gekeken, en gezegd had dat hij zijn biezen moest pakken.

Voorlopig had hij zijn intrek genomen in de flat van Randy Benson. Randy woonde lang niet gek aan Jetty Beach. Als Buddy voldoende geld had gehad om zo'n flat te kopen, zou hij zijn tijd heus niet verspillen aan iemand als Tess. Maar aan de andere kant wist hij dat ze hem nodig had. Ze was een treurig geval en had ook nog eens een lastige dochter. Het kleine kreng was hem gesmeerd met zijn hond – en ook dat zat hem helemaal niet lekker.

Buddy reed door Hawthorne, dronk een blikje bier en piekerde over al het onrecht dat hem was aangedaan. Als eerste reed hij naar het centrum, langs het gebouw waar Sint Alan zijn praktijk had. De Heilige Alan McIntosh, de klootzak die niets verkeerd kon doen. Hij wist niet waar de smeerlap woonde; chique dokters zoals hij stonden niet in het telefoonboek en hadden een geheim nummer. Dat soort types vonden het heerlijk om van alles te regelen en de baas te spelen, en als ze dan eenmaal hun zin hadden, verdwenen ze weer lekker veilig naar de achtergrond waar ze onvindbaar waren voor eenvoudige mensen zoals hij. Buddy reed door het fraaie centrum van Hawthorne in de hoop dat hij de brave dokter zou tegenkomen.

Na een poosje gaf hij het op en reed naar Gull Point. Langzaam reed hij naar het punt waar de weg doodliep, en tuurde naar het huis van de heksen met wie alle ellende voor hem was begonnen. Moeder en dochter Robbins. Moeder en dochter en dat misbaksel. De schijnheilige teven die zich met andere gezinnen bemoeiden omdat ze seksueel gefrustreerd en onbevredigd waren. Dat soort vrouwen kon alleen maar gelukkig zijn wanneer alle anderen net zo dor en eenzaam waren als zij, en hun mannenhaat deelden.

Buddy gaf plankgas en scheurde de weg weer af – ineens kon hij niet snel genoeg uit de buurt van Gull Point zijn.

En ten slotte reed hij zijn eigen straat in. Zijn *oude* straat, dacht hij, en hij herinnerde zich de manier waarop Tess 'Ik wil dat je gaat', had gezegd. Dat was de allergrootste klap geweest. Daar had je het huis. Een krot vergeleken met de flat waar hij nu logeerde. Wat een armetierige zooi. Maar Buddy was bereid zich op te offeren. Hij was bereid om zijn vrijgezellen luxe – de koelkast vol bier, kabeltelevisie en *Penthouse* in de badkamer – op te geven als zij hem daar vriendelijk om zou vragen.

Vriendelijk, dacht hij. *Ze zou het echt heel vriendelijk moeten vragen.* De gordijnen waren open. Hij kon de zitkamer in kijken, en hij kneep zijn ogen halfdicht in de hoop dat hij Tess zou zien. Ze hield van hem, of ze dat nu wilde toegeven of niet. Ze hadden heel wat tedere momenten gehad, hun sex was onstuimig en vurig, en als het moest, dan wist hij hoe hij haar op handen moest dragen. Toegegeven, hij kon wel eens driftig zijn, maar dat was goedbeschouwd niets anders dan zijn hartstochtelijke karakter dat even de kop opstak.

Je kon nu eenmaal geen succes hebben in de rockmuziek als je een zacht eitje was. Dat die Dr. Sint Alan dat niet snapte. Buddy was een en al vuur en hartstocht. U2, die Ierse band, haalde het niet bij Buddy. Buddy was metal, de man die het uitschreeuwde van de pijn van zijn gekwelde, gebroken hart, en die stierf van de liefde. Die *stierf* van liefde. Zou iemand dat alsjeblieft even willen uitleggen aan Dr. Negen tot Vijf? Dr. Villa? Dr. Volmaakt?

Buddy reed terug naar het huis, en nu reed hij zelfs nog langzamer dan de eerste keer. Ja, daar was ze. Tess stapte door de keukendeur de achtertuin in. Het was een zonnige dag en ze droeg een mand met wasgoed dat opgehangen moest worden. Ze nam de knijpers in haar mond en hing de was aan de lijn. Amy's T-shirts, haar spijkerbroeken en haar onderbroeken. Tess' nachtjapon, haar beha, haar slipjes. Buddy's wasgoed hoorde ook aan die lijn te hangen. Buddy's kleren moesten ook gewassen worden.

Hij parkeerde aan de overkant van de straat en voelde zich boos worden terwijl hij naar Tess keek die de was ophing – de was die niet de zijne was. Het voelde als de zoveelste afwijzing, de zoveelste manier waarop hij werd buitengesloten. Maar afgezien van die woede, voelde hij ook liefde. Dat was iets dat maar weinig mensen begrepen: bij Buddy draaide alles om liefde. Buddy zou zijn leven geven voor deze vrouw. Hij gaf een heel klein beetje gas. Ze hoorde het niet.

'Ik hou van je,' zei hij hardop.

Tess trok de lijn omlaag en hing nog een T-shirt op. De zon scheen op haar haren en gaf ze een donkerrode gloed.

'Ik hou van je,' zei Buddy opnieuw. Hij zei het heel zachtjes. Hij wilde niet schreeuwen. Zo verstandig was hij wel. Als hun band maar half zo sterk was als hij vermoedde, dan zou fluisteren al ruimschoots voldoende zijn.

'Hee,' fluisterde hij, terwijl hij strak naar Tess' hoofd keek.

Er reden een paar auto's langs, en hij zakte wat verder onderuit. Hij zou niet willen dat dat kreng van de kinderbescherming hem hier zag staan. Hij keek op zijn horloge. Halfdrie. Amy moest van school op weg zijn naar huis. Haar bus zou pas over twintig minuten hier zijn, maar Buddy wilde geen onnodig risico lopen.

'Hee,' zei hij opnieuw. 'Ik hou van je. Tot kijk, schat.'

Tess streek haar hand over haar oor alsof ze een bij wegjoeg. Het zat er dik in dat ze Buddy's vibraties voelde, maar dat ze niet wist wat het was. Ze was oké. Ze was meer dan oké. Ze was niet beeldschoon, niet ontzettend intelligent en niet de vurigste vrouw die hij ooit had gehad. Maar voor Buddy kon Tess ermee door. Ze was van hem.

Oktober bleef zacht, maar toen viel opeens de eerste sneeuw. Van de ene op de andere dag zakte de temperatuur opeens meer dan vijftien graden. Amy was in haar overal en T-shirt naar school gegaan, maar toen ze bij Gull Point uit de bus stapte, had ze het ijskoud. Ze rende door de sneeuw naar de werkplaats. Ze gooide de deur open en riep hallo. Orion sprong tegen haar op en likte haar gezicht.

'Hallo, jongen,' zei ze, terwijl ze hem aaide. 'Brave hond.'

Behalve Stella en Orion was er niemand in de werkplaats. Amy fronste haar voorhoofd. Had ze zich vergist? Donderdag na schooltijd ging ze altijd even bij Julia en Dianne langs. Ze zou liever vaker zijn gegaan, maar nu ze weer thuis was, wilde ze niet dat haar moeder zou denken dat ze liever bij de Robbinsen was dan thuis.

Toen ze opkeek, zag ze Lucinda over het tuinpad naar de werkplaats komen. Ze droeg een grote schaal. Donzige, witte sneeuwvlokjes dansten op de wind, streken langs het gras en joegen over de grond.

'Waar zijn Dianne en Julia?' vroeg ze. 'Is er iets?'

'Ze zijn binnen,' zei Lucinda. 'Julia is verkouden.'

'Precies op het moment waarop de winter is begonnen,' zei Amy, met een blik op de sneeuw.

'Ik heb popcorn gemaakt,' zei Lucinda, terwijl ze Amy de schaal voorhield. 'Dat is een traditie die Dianne en ik bedacht hebben toen ze klein was – dat de eerste sneeuw van het jaar met popcorn gevierd moet worden.'

'Omdat het wit en luchtig is?' vroeg Amy onder het kauwen.

'Zoiets,' zei Lucinda. 'Omdat het feestelijk is.'

'Mag ik naar Julia?' vroeg Amy, terwijl ze een verlangende blik op het huis wierp.

'Eh...,' antwoordde Lucinda. Amy begreep dat het antwoord nee was, en het voelde alsof er een mes door haar hart ging. Ze voelde zich ellendig, en ze begreep niet goed waarom. Was Julia echt ziek? Of voelde Amy zich ellendig omdat ze geen deel meer uitmaakte van het dagelijkse leven van de Robbinsen?

'Waarom niet?' vroeg ze zacht. 'Is Dianne boos op me?'

'Nee,' antwoordde Lucinda. 'Helemaal niet. Het is alleen maar omdat Julia boven ligt te slapen en Dianne niet wil dat ze gestoord wordt. Ze maakt zich altijd zo druk wanneer ze je ziet.'

'Ik ben haar beste vriendin,' zei Amy.

'Dat ben je,' zei Lucinda. Ze gingen met de schaal popcorn tussen hen in, op het bankje in de erker zitten, en Amy ontspande zich een beetje. Ze vond het prettig om met Lucinda te zijn. Tijdens de rit uit Canada was er een hechte band tussen hen ontstaan, en Amy nam aan dat het zo moest voelen om een grootmoeder te hebben.

'Vertel eens,' zei Lucinda, 'wat heb je vandaag op school gedaan?'

'Ik heb een gedicht voor Engels geschreven.'

'O, ja? Wat voor gedicht?'

'Er zit rijm in,' zei Amy. Ze voelde zich een beetje verlegen. Alle andere kinderen hadden zonder rijm gewerkt, en hun gedichten, die voor het merendeel over liefde, over luieren op het strand, verdriet en zelfmoord gingen, waren veel meer een opsomming van gedachten geweest.

'Shakespeare schreef ook op rijm,' zei Lucinda. 'En Keats. Edna St. Vincent Millay en Elizabeth Bishop.'

' Amber heeft mijn gedicht belachelijk gemaakt.'

'Ach, Amber...' zei Lucinda, alsof alles daarmee gezegd was.

'Het gaat over de appelboomgaarden,' zei Amy. 'Op Prince Edward Island.'

'Echt?' vroeg Lucinda geïnteresseerd.

'Ja.' Amy voelde in haar zak. Daar bewaarde ze het gezicht, op een dubbelgevouwen velletje. Ze wilde het te voorschijn halen en aan Lucinda laten zien, maar ze aarzelde.

'Ik zou het dolgraag willen lezen,' zei Lucinda.

'Het is kinderachtig,' zei Amy.

'Soms is het gemakkelijker om een gedicht of een verhaal te schrijven dan om het aan iemand te laten lezen,' zei Lucinda. 'Er is heel veel moed voor nodig om je werk te durven tonen, want daarmee laat je iemand regelrecht in je hart kijken.'

Amy betastte het papier en ze knikte. Ze klemde het tussen haar vingers. Aan de ene kant wilde ze Lucinda niet kwetsen door het haar niet te laten lezen, maar aan de andere kant was ze zo bang dat ze haar hand niet durfde te bewegen. Het was waar wat Lucinda had gezegd, en Amy was niet moedig.

'Ik wil je al tijden iets zeggen,' zei Lucinda, 'maar ik vergeet het steeds. Het gaat over een wedstrijd.'

'O,' zei Amy zonder enthousiasme. Ze hield niet van wedstrijden omdat ze toch nooit iets won. Toen ze in de derde klas zaten had Amber de hoofdprijs voor het mooiste Halloween-kostuum gewonnen, en David Bagwell had een prijs gewonnen met pijl-en-boogschieten op het strand. Amy had nog nooit iets gewonnen.

'Het is een wedstrijd verhalenschrijven,' zei Lucinda. 'Het word georganiseerd door de bibliotheek. Korte verhalen, en iedereen mag meedoen. De inzendingen moeten binnen zijn voor Thanksgiving. Ze mogen overal over gaan, het maakt niet uit wat, maar ze mogen niet langer zijn dan vijftien getypte velletjes met een dubbele spatie tussen de regels.'

'Ik heb geen schrijfmachine,' zei Amy. 'En ook geen computer.'

'Wij wel,' zei Lucinda, terwijl ze op Dianne's bureau wees.

'Ik ben geen schrijver,' zei Amy, voor wie alleen maar rijke, intelligente kinderen die de besten van hun klas waren, schrijver konden worden. 'Ik heb alleen dit gedichtje maar geschreven...'

'Dat is nu precies wat schrijvers doen,' zei Lucinda. 'Dat is het enige wat ze hoeven doen om schrijver te worden: schrijven.'

'O,' zei Amy, terwijl ze haar vingers opnieuw over het papier in haar zak liet gaan.

'Appelboomgaarden,' zei Lucinda zacht.

'Ja, zoals die waar we gewandeld hebben,' zei Amy. Ze keek om zich heen, en keek naar Stella die in haar mandje boven op de kast lag. En de plank eronder was de plank waar Dianne speciale dingetjes bewaarde: een vogelnestje met eitjes erin, een paar steentjes van het zwarte strand en de vier half vergane appels.

Amy herinnerde zich het moment waarop ze die appels had opgeraapt. Ze waren gedroogd en leken nu kleiner dan toen ze ze gevonden had. Hun reis naar Canada leek intussen eeuwen geleden. Het leven thuis was heel veelbelovend begonnen, maar de laatste tijd gebeurde het steeds vaker dat Amy's moeder, wanneer Amy uit school kwam, lag te slapen. Ze was hier gekomen omdat ze Dianne en Julia wilde zien, en nu mocht ze ze niet zien.

'Ik heb je gedicht niet gelezen,' zei Lucinda, 'maar ik weet zeker dat het prachtig is.'

'Misschien zeg je dat alleen maar,' zei Amy, terwijl de tranen haar in de ogen sprongen, 'omdat je me niet wilt kwetsen.'

'Een gedicht is iets waarover ik nooit zou liegen,' zei Lucinda. 'Ik ben bibliothecaresse, en het is een vast principe van me om altijd precies te zeggen wat ik van gedichten vind.'

'Hoe kom je er dan zo bij –'

'Dat jouw gedicht prachtig is?' vroeg Lucinda. 'Dat zal ik je zeggen. Omdat jij, Amy Brooks, met open ogen door het leven gaat. Jij ziet de wereld zoals hij is, en je houdt van mensen. Als jij een gedicht over een appelboomgaard hebt geschreven, dan weet ik dat je dat regelrecht vanuit je hart hebt gedaan. Daarom.'

De tranen rolden over Amy's wangen.

'En als je een verhaal zou schrijven, dan zou je dat net zo doen – vanuit je hart.'

'Een verhaal moet opwindend of spannend zijn,' zei Amy. 'Het moet gaan over wezen en eilanden en, ik weet niet, over mensen die ergens wonen waar het heel geïsoleerd is.'

'Of over eenzame meisjes en mishandelde hondjes en wandelingen door een appelboomgaard,' zei Lucinda.

'Bedoel je mij?' vroeg Amy.

'Jij bent het dubbel en dwars waard om over te schrijven,' zei Lucinda.

Lucinda gaf Amy de schaal aan, en het meisje nam nog een handvol popcorn. Het was opgehouden met sneeuwen. Het moeras maakte een bruine, verlaten indruk. Amy vroeg zich af wanneer de echte sneeuwstormen zouden beginnen, en of haar zandkasteel er nog stond.

'Lucinda...' begon Amy.

'Ja, liefje?'

Amy aarzelde. Ze wist niet hoe ze moest zeggen dat ze Julia zo graag wilde zien, en dat ze, net zoals in de zomer, zo graag weer deel van hun familie wilde uitmaken. Waarom konden de dingen niet blijven zoals ze waren? Haar keel zat dicht. De vier appels leken zo klein, helemaal daar boven op de plank. Ze moest haar ogen sluiten om zich die ciderachtige geur, en de beelden van die dag in de boomgaard weer voor de geest te halen.

Ze liet haar hand weer in haar zak glijden en haar vingers sloten zich opnieuw om het gedicht. Ze haalde het eruit, gaf het aan Lucinda en rende, zonder afscheid te nemen, de deur uit naar haar eigen huis.

Julia's ademhaling kwam in gierende halen. Haar dichte oogleden zaten met opgedroogd, geel pus aan elkaar geplakt. Dianne bette ze met een vochtig wattenbolletje. Alan zei dat Julia waarschijnlijk alleen maar verkouden was. Maar dat maakte Dianne's nervositeit er niet minder op. Ze had geweten dat Amy die middag langs zou komen, en ze had zich erop verheugd om haar te zien, maar ze wilde haar niet bij Julia laten omdat ze bang was voor wat ze aan bacillen bij zich zou kunnen dragen van school.

'Hoe is het met je rug?' vroeg haar moeder.

'Wat?' vroeg Dianne. 'O, best.'

'Die indruk maak je anders niet,' zei Lucinda.

Dianne was door haar rug gegaan toen ze Julia de trap op had gedragen. Ze had al een paar dagen last van haar rug gehad, maar de pijn was meer dan draaglijk geweest tot het moment waarop ze iets had voelen kraken – en er iets onder in haar rug van zijn plaats was geschoven. En nu liep ze in een vreemde, naar links gebogen houding.

'Het valt echt reuze mee, Mam,' zei Dianne.

Lucinda ging op de schommelstoel zitten. Ze had haar leesbrilletje op, en ze begon iets te lezen – het zag eruit als een brief. Dianne wendde zich weer tot Julia, en ging verder met het voorzichtig schoonmaken van Julia's ogen.

'Wat lees je daar?' vroeg Dianne, zonder om te kijken.

'Een gedicht,' antwoordde Lucinda. 'Van Amy.'

'Echt?' vroeg Dianne glimlachend. 'Lees eens voor?'

'Mmm,' zei Lucinda, terwijl ze aandachtig verder las.

'Mam?' vroeg Dianne. Ze legde haar hand op Julia's voorhoofd om te controleren of ze koorts had. 'Lees je ons Amy's gedicht voor?'

'Dat kan ik niet, liefje,' zei Lucinda, langzaam heen en weer schommelend. 'Daar heeft Amy me geen toestemming voor gegeven. Het spijt me, maar je zult het haar eerst moeten vragen.'

Dianne knikte. Ze voelde zich gekwetst. Amy was de afgelopen weken maar een paar keer langs geweest, en ze miste haar heel erg. Ze begreep best dat Amy haar eigen moeder en haar eigen huis had, maar toch had ze Dianne's bestaan er zo veel rijker op gemaakt. Ze had zo'n geweldige invloed op Julia. Ze maakte haar aan het lachen, ze begreep haar taaltje en ze behandelde haar alsof ze haar beste vriendin was. Als Julia niet verkouden was geweest, dan zou Amy nu bij hen hebben gezeten.

'Is het goed?' vroeg Dianne. Ondanks de innerlijke pijn had ze bewondering voor het feit dat haar moeder Amy's literaire privacy wilde bewaren.

'Het is prachtig,' zei Lucinda, zonder haar ogen van het velletje gelinieerd papier te halen.

Alan arriveerde laat die avond bij Dianne's huis. Hij kwam rechtstreeks van het ziekenhuis, waar hij visites had gemaakt. Hij kwam wanneer hij maar kon, om zoveel en zo vaak mogelijk bij haar te zijn. Toen hij haar oprit indraaide, zag hij op het doodlopende stuk van de straat een oude auto staan. Alan liep de straat op om te zien wie het was, maar op dat moment ging de auto er vol gas vandoor. Alan keek de achterlichten peinzend na. Hij wist het niet zeker, maar hij had een glimp van de bestuurder opgevangen, en de man had verdacht veel op Buddy Slain geleken.

Lucinda was in de keuken aan het opruimen. Ze glimlachte toen Alan binnenkwam en haar een zoen op de wang gaf. Dit begon een vast patroon te worden. Hij woonde niet bij hen, maar hij sliep met haar dochter en Lucinda scheen er geen moeite mee te hebben. Ze was er zelfs blij om.

'Ik heb een portie vissoep voor je bewaard,' zei ze. 'Ik warm het meteen voor je op. Sla en brood, een glas cider...'

'Dank je, Lucinda,' zei hij. 'Dat klinkt geweldig. Zeg, heb je onlangs iemand met een auto voor de deur zien staan?'

'Nee,' antwoordde ze hoofdschuddend. 'Niet onlangs. Maar hier parkeren veel tieners, vooral 's avonds. Het doodlopende stuk is een ideaal plekje om te zoenen...'

'Nou, dan zullen het wel tieners zijn geweest,' zei Alan, terwijl hij naar buiten keek. De oude auto had er, met al die stickers en die losjes, aan ijzerdraad bungelende uitlaat, alle schijn van gehad dat hij van een jeugdig iemand was. Hij wou dat hij zich kon herinneren wat voor auto Buddy had, maar hij had er nooit echt op gelet. 'Is Dianne bij Julia?'

'Ja,' zei Lucinda, haar lippen op elkaar klemmend. 'Ga maar gauw naar boven.'

Alan gaf haar een klopje op haar schouder en liep de trap op. Boven brandde nauwelijks licht, en dat betekende dat Julia lag te slapen. Toen hij de gang afliep kon hij haar horen ademhalen. Het was een raspend en rochelend geluid, als van iemand die op het punt stond longontsteking te krijgen.

Dianne zat stijfjes op de schommelstoel naast Julia's bed. Ze straalde toen ze hem zag, en keek naar hem terwijl hij met zijn stethoscoop naar Julia's hart en longen luisterde. Maar toen ze op wilde staan om hem een kus te geven, schreeuwde ze het uit.

'Wat is er?' vroeg hij.

'Mijn rug,' zei ze met een schaapachtige grijns.

'Wat is er met je rug?' vroeg hij, terwijl hij zijn hand er even op legde.

'O, ik heb iets verrekt.'

'Toen je Julia de trap op droeg?' vroeg Alan.

'Ja,' antwoordde ze.

Alan hielp haar naar het logeerbed waar Amy de afgelopen zomer had geslapen. Zitten op zich deed al zo veel pijn dat ze er een gezicht van trok. Alan liet haar eerst op haar zij, en toen op haar buik liggen, en hij legde het kussen op de grond zodat ze helemaal plat kon liggen.

'Wat vind je van haar ademhaling?' vroeg Dianne met gedempte stem.

'Nogal rochelend,' antwoordde hij. 'Ik heb antibiotica voor haar meegenomen. Blijf stil liggen.'

'Goed,' zei Dianne.

Hij schoof haar T-shirt omhoog. Het was een zacht, oud, verschoten blauw shirt van katoen met lange mouwen. Hij rolde het op tot aan haar schouders, waarbij zijn handen haar rug beroerden. Haar huid was glad en warm. Hij begon haar schouders te masseren, en werkte vervolgens omlaag, langs haar ruggengraat. Ze kromp ineen.

'Is dat de plek?' vroeg hij.

'Het doet pijn,' zei ze.

Alan nam wat druk terug. Haar naakte rug, het voelen van haar lichaam, wond hem op. Hij boog zich over haar heen en drukte een kus op haar achterhoofd.

Ze kreunde zacht, reikte naar achteren, pakte zijn hand, bracht hem naar haar lippen en drukte er een kus op. Met tedere gebaren legde hij haar armen langs haar lichaam zodat haar ruggengraat weer in een rechte lijn kwam te liggen. Ze haalde diep adem en liet hem zijn werk doen. Even later boog hij zich opnieuw over haar heen, en kuste haar oor. Op sommige plaatsen oefende hij meer druk uit dan op andere. Hij behandelde elke wervel, van de nekwervels tot aan haar staartbeen. Ze zuchtte van genot. Julia's ademhaling, aan de andere kant van de kamer, was rochelend maar regelmatig.

'Beter zo?' vroeg hij fluisterend, met zijn lippen dicht bij haar oor.

'Stukken,' fluisterde ze terug.

Alan knikte. Het zachte licht verspreidde een warme gloed. Dit was zijn gezin, de meisjes van wie hij hield. Hij wilde een ontspannen indruk maken opdat Dianne zich ook wat rustiger zou gaan voelen. Ze was niet alleen maar door haar rug gegaan, ze stond enorm onder druk. Maar vanbinnen voelde Alan zich allesbehalve kalm.

Hij wist dat het Dianne allemaal een beetje te veel begon te worden. Julia was te groot en te zwaar om de trap op en af gedragen te kunnen worden. Wat ze nodig hadden, was een kamer beneden. Deze herfst had er zich een verandering ingezet die zich verder voorts zou zetten. Dianne voelde intuïtief aan wat ze niet met zekerheid konden zeggen: ze was begonnen om vrijwel haar volledige tijd met Julia door te brengen, en haar werk en de werkplaats leken haar nauwelijks nog te interesseren.

Julia's toestand had een omslagpunt bereikt. Alan wist niet wat er precies zou gaan gebeuren, maar hij voelde aan dat er veranderingen in aantocht waren. Hij keek naar de andere kant van de kamer. Ze lag met opgetrokken benen op haar zij en hield haar ogen gesloten. Ook al was ze zijn nichtje, hij beschouwde haar volledig als zijn eigen dochter. Hij wilde niets liever dan haar adopteren voor ze stierf.

'O, dat is heerlijk,' mompelde Dianne.

'Mooi zo,' fluisterde Alan, 'geniet er maar van.'

'Mmm...' zei Dianne. Haar ogen waren gesloten en ze lag met haar gezicht naar de muur. Alan wreef haar rug en dekte haar toe omdat hij dacht dat ze het koud had. Hij wilde haar naar haar kamer dragen en de liefde met haar bedrijven. Maar niet vanavond. Hij kreeg tranen in zijn ogen, en hij bracht zijn gezicht naar zijn schouder om ze weg te vegen, maar ze bleven komen.

'Dank je,' zei Dianne.

'Waarvoor?' vroeg hij.

'Voor alles. Je maakt me zo gelukkig. Ik had nooit gedacht dat ik zo gelukkig kon zijn.'

'Ik ook niet, lieveling,' fluisterde hij.

'Het voelt net alsof,' fluisterde Dianne, 'we een gezinnetje zijn.'

'Daar heb ik altijd van gedroomd,' zei Alan, en hij boog zich over haar heen om haar op haar wang te kussen.

Hoofdstuk 23

Alan had de gewoonte om een paar keer per week 's ochtends voor het werk te gaan joggen, en onlangs had hij een nieuwe route gevonden. In plaats van achter de bibliotheek en het arboretum een paar rondjes door Hawthorne Park te rennen, liep hij nu langs de haven. Twee keer achter elkaar had hij, waar hij eigenlijk in vol tempo door had moeten rennen, zijn pas vertraagd toen hij bij de grote witte huizen aan Water Street was gekomen.

Daar had je het, het huis waar Dianne altijd zo dol op was geweest. Alan liep erlangs en keek naar de hoge ramen, de Ionische zuilen, de veranda met het terras en de drie schoorstenen. Hij keek naar de grote tuin die overging in de wei, het ijzeren hek en de drie bijgebouwen. Je kon je vanaf de straat onmogelijk voorstellen hoe het huis vanbinnen in elkaar zat, maar het was groot en hij vroeg zich af of er ook slaapkamers op de begane grond waren.

Alan was op zoek naar een nieuw huis. Zijn huis was groot, maar er kleefden te veel herinneringen aan vast. Hij woonde er al vanaf de dag dat hij naar Hawthorne was gekomen. Veel van zijn vriendinnetjes waren er blijven slapen, Tim had meer dan eens bij hem overnacht, en hij had er zelfs een keer, toen het na een feest erg laat was geworden, met Dianne geslapen. Hij wist dat die herinneringen haar stoorden. Het huis had een grote opknapbeurt nodig en er was op de begane grond geen kamer die als slaapkamer dienst zou kunnen doen..

Misschien droomde hij maar. Hij had Dianne niet gevraagd hoe zij erover dacht, en of ze er eigenlijk wel voor voelde om met hem onder een dak te wonen. Maar als ze dat wel graag wilde? Sinds ze terug was van haar reis waren ze meer naar elkaar toe gegroeid, en soms voelde het wel eens alsof hun ongemakkelijke verleden aan twee totaal verschillende mensen toebehoorde. Hij leunde op het hek en hield zijn adem in. Het huis zag er geweldig uit, en leek geen achterstallig onderhoud te hebben.

Degene die er woonde hield de boel goed bij. In de zijtuin was een stenen muurtje waarachter een moestuin met fruitbomen lag. De borders stonden vol bloeiende chrysanten.

Hij wist het niet zeker, maar hij meende dat de begane grond aan de achterzijde verder doorliep, alsof het, achter die buxushaag, in een L-vorm was gebouwd. In dat geval zouden ze hun slaapkamers daar kunnen hebben, die van hem en Dianne, en die van Julia. Dan zou Dianne Julia niet meer de trap op en af hoeven dragen. Als hij dit huis voor haar zou kunnen kopen, dan zou dat veel meer voor hem betekenen dan alleen maar gemak: het zou betekenen dat hij haar op een reële manier gelukkig kon maken.

Hij zette zich af tegen het hek en jogde verder. Hij moest terug naar huis. Het was al laat, en om negen uur had hij zijn eerste patiënt. Als hij opschoot, had hij nog net tijd om snel te douchen en zijn vriendin Nina Maynard van het plaatselijke makelaarskantoor te bellen.

Amy haalde tienen voor al haar proefwerken en tentamens. Ze had nog nooit een eervolle vermelding gehad, maar haar juf zei dat ze, als ze zo haar best bleef doen, daar zeker voor in aanmerking zou komen. Het zou een verrassing voor haar moeder worden. Amy maakte zich weer zorgen om haar moeder, over het feit dat ze nog steeds in bed lag wanneer Amy 's ochtends naar school ging, en er soms ook nog in lag wanneer Amy 's middags uit school kwam.

'Mam!' riep Amy, vanaf haar plekje aan de keukentafel.

Geen antwoord.

'Mam, wil je thee?'

Toen haar moeder geen antwoord gaf, stond Amy op en zette de fluitketel op het vuur. Het was koud geworden en de verwarmingsketel deed het niet helemaal goed. Misschien bleef haar moeder wel in bed omdat ze het koud had. Dat kon Amy haar niet kwalijk nemen.

Amy realiseerde zich dat ze uitvluchten voor haar moeder verzon. *Misschien heeft ze het koud*, dacht ze dan. *Of misschien kon ze vannacht niet slapen en probeert ze die achterstallige slaap nu in te halen*. Amy had moeite met het verschijnsel depressie. De dokter van haar moeder had haar verteld dat het een vorm van naar binnen gekeerde woede was. Amy's moeder voelde zich schuldig over het feit dat ze boos was op haar vader omdat hij was doodgegaan, en daarom richtte ze die woede op zichzelf.

'Waarom moet het leven zo ingewikkeld zijn?' schreef Amy. Ze zat aan de keukentafel en werkte aan haar verhaal. Het speelde zich af in een klein huis in een stadje dat Oakville heette en dat veel overeenkomsten met Hawthorne vertoonde. Haar hoofdpersoon was een meisje van twaalf dat Catherine heette. Catherine had een moeder die depressief was, en een zusje dat met bepaalde afwijkingen was geboren. Wanneer ze worstelde met gedachten die echt moeilijk voor haar waren, dan liet ze ze door Catherine denken. Met het oog op een hoopvolle toekomst liet ze Catherine naar het strand gaan om prachtige zandkastelen te bouwen.

'Dag lieverd,' zei Amy's moeder, toen ze de keuken binnenkwam. Ze droeg een roze badjas. Haar haren waren aan een kant plat, en haar wang vertoonde afdrukken van het kussen. Ze geeuwde en stak een sigaret op.

'Ik ben thee aan het zetten,' zei Amy. 'Wil je ook een kopje?'

'O, best,' zei haar moeder. Ze ging aan tafel zitten en haar blik viel op Amy's verhaal. 'Wat heb je daar?'

'Mijn verhaal.'

'Waar gaat het over?'

'Het is een avontuur,' zei Amy. Ze begreep niet goed waarom, maar op de een of andere manier vond ze het moeilijk om er eerlijk over te zijn. Hoewel, het was een avontuur, alleen ging het niet over de zee, over bergbeklimmen, over het oerwoud of over de ruimte. Het was een avontuur dat ging over een familie, over familieleden die elkaar lange tijd kwijt waren, maar elkaar uiteindelijk weer vonden.

'Dat klinkt opwindend,' zei haar moeder, maar ze klonk helemaal niet alsof ze het echt opwindend vond. Ze probeerde te glimlachen, maar kwam niet verder dan een bevend trekken van haar lippen.

Amy snapte niet waarom ze daar zo verschrikkelijk boos om moest worden, maar dat werd ze. Waarom kon haar moeder niet gewoon glimlachen? Waarom kon ze niet gewoon blij zijn? Amy schrok een beetje van haar woede. Het was zo'n overweldigend gevoel. Ze herinnerde zich hoe ze Amber de afgelopen zomer een zet had gegeven, waarop de kinderbescherming haar agressief had genoemd. Maar aan de andere kant voelde Amy er niets voor om haar woede naar binnen te keren en, net zo als haar moeder, depressief te worden. De grens tussen die twee emoties was een ontzettend dunne lijn, en daarom droeg ze het probleem over aan Catherine, die ook met zeeën van woede te kampen had.

'Ben je vandaag depressief, Mam?' vroeg Amy.

'O, een beetje maar,' antwoordde haar moeder.

'Je maakt een vermoeide indruk. Ik maak me zorgen wanneer je zo lang in bed ligt.'

'Niet doen, Amy,' zei haar moeder. 'Ik doe mijn best.'

'Neem je je medicijnen?'

'Ja,' zei haar moeder, en ze probeerde te glimlachen.

'Zou je er bezwaar tegen hebben als Orion hier weer kwam wonen?'

vroeg Amy opeens. 'Ik mis hem, en volgens mij heeft Dianne het te druk om echt goed voor hem te kunnen zorgen.'

'Ik weet niet,' zei haar moeder. 'Hij was Buddy's hond...'

'Dickie,' zei Amy hardop, voordat ze het had kunnen inslikken. In haar verhaal had ze Buddy Dickie genoemd.

'Wie is Dickie?' vroeg haar moeder.

'Niemand,' zei Amy. Maar toen, omdat ze niet wilde liegen, voegde ze eraan toe: 'Hij komt voor in mijn verhaal. Hij is –'

De ketel begon te fluiten. Amy's moeder stond op en schuifelde naar het fornuis. Ze haalde de ketel van het vuur, pakte twee mokken en schonk het kokende water over de theezakjes. Amy was bezig geweest om haar moeder over haar verhaal te vertellen, en ze was gewoon opgestaan. Net alsof ze helemaal niet naar haar had geluisterd.

'Dat,' begon Amy, en ze deed verschrikkelijk haar best om de woorden kalm te zeggen, 'maakt me giftig.'

'Wat?'

'Dat je gewoon opstaat en weggaat,' zei Amy. De hete tranen sprongen haar in de ogen, alsof de woede in haar borst de tranen eerst had laten koken alvorens ze naar haar ogen te sturen. Amy was zo ontzettend boos dat ze het wel uit kon schreeuwen.

'Ik luisterde echt wel naar je,' zei haar moeder. 'Vertel verder over Dickie.'

'Ach, laat maar zitten,' zei Amy.

'Nee, ik wil het graag horen,' zei haar moeder. Ze ging zitten met haar thee en haar sigaret, en schonk Amy een oprecht glimlachje.

Waarom overkwam haar dit nooit met Lucinda en Dianne? Amy en haar moeder hadden nog geen vijf minuten met elkaar gesproken, en Amy zou het liefste krijsend tegen haar tekeer zijn gegaan. Alles aan haar moeder maakte haar giftig! Het feit dat ze had liggen slapen, het feit dat ze rookte, de manier waarop ze, half lachend, 'Dickie' zei, alsof hij een aandoenlijk lief baby'tje was in plaats van een enge ouwe gluiperd.

'Vertel me de rest,' zei haar moeder.

Amy haalde diep adem. Ze was nog steeds boos en het beviel haar niets. Haar moeder probeerde aardig te zijn. Even kwam ze in de verleiding om haar woede tegen zichzelf te richten. *Amy, je bent een trut. Hoe durf je zo boos te zijn op deze aardige mevrouw die toevallig je moeder is en die zo verschrikkelijk haar best doet.* Maar als ze dat deed, die woede op zichzelf richten, vroeg ze daarmee dan niet juist om een depressie? Ze nam zich voor om deze kwestie met Catherine verder uit te zoeken.

'Mam, waar zijn Paps foto's?' vroeg ze in plaats daarvan.

'De foto's van Russ?' Haar moeder zei zijn naam.

'Ja.'

'Nou, ik denk dat de meeste op zolder liggen,' zei haar moeder. 'Ik vond het moeilijk om ernaar te kijken. Kun je dat begrijpen? Omdat ik hem zo miste.'

Amy knikte. Catherine's vader was verdronken en haar moeder miste hem zo erg dat ze al hun favoriete cassettebandjes naar de kelder had gebracht. Toen Dickie ze daar had gevonden, had hij ze in de garage gezet, waar ze dichter bij de vuilnisbak stonden.

'Mag ik er een paar neerzetten?' vroeg Amy. 'In mijn kamer?'

'Natuurlijk,' antwoordde haar moeder. Tot Amy's verbazing drukte haar moeder haar sigaret uit en trok ze aan het koord van het luik in het plafond van de keuken. De vlizotrap kwam naar beneden, en haar moeder klom meteen naar boven. Amy bleef met wild kloppend hart onder aan de trap staan, en daar stond ze nog steeds toen haar moeder haar even later een zak van bruin papier aangaf.

'Foto's...' zei Amy. Hoe was het mogelijk. Buddy's verbod op het uitstallen van foto's en het praten over Russell Brooks was zo uitdrukkelijk geweest, dat Amy niet eens had geweten dat deze foto's van haar vader bestonden. Het waren er niet veel, het waren er maar drie: haar vader als baby, haar vader bij de uitreiking van de diploma's van de middelbare school, en eentje van hem in een net pak.

'Hij is zo knap op deze foto,' zei haar moeder zacht, terwijl ze haar hand even over het gezicht van haar man liet gaan. 'Deze is uit de tijd dat hij met vissen was opgehouden en autoverkoper was geworden. Daar moest hij een pak en een das voor aan, en hij zei altijd dat hij stikte met dat ding om zijn nek. Dit was de foto die ze in de showroom hadden hangen.'

'Heeft Pappa auto's verkocht?' vroeg Amy, terwijl de tranen van ontzag haar in de ogen sprongen. Haar vader was fantastisch geweest. Een visser, een autoverkoper...

'Ja, maar alleen maar gedurende een paar maanden. Toen ik zwanger was van jou. Ik vond het zo'n enge gedachte dat hij de zee op moest.'

'Wat voor soort auto's?' vroeg Amy fluisterend.

'Fords,' antwoordde haar moeder.

Amy probeerde zich het logo van Ford voor de geest te halen. Ze moest het zien te vinden om het toe te kunnen voegen aan haar verzameling van belangrijke herinneringen en voorwerpen. Het logo van Ford verdiende een plekje tussen de vissersboten, de dolfijnen, de zandkastelen en de verweerde appels.

'Hing die foto in de showroom waar iedereen hem kon zien?' vroeg Amy. Ze had zich nooit gerealiseerd dat haar vader zo bekend was.

'Ja,' zei haar moeder, terwijl ze haar vingers opnieuw over het stoffige glas liet gaan. 'Bij Brenton Motors. Was hij er maar blijven werken... was hij maar nooit weer teruggegaan naar zee...'

'Niet huilen, Mamma,' zei Amy, en haar maag balde zich samen. De tranen stroomden over haar moeders wangen en dropen over het fotolijstje.

'Deze oude foto's,' snikte haar moeder, terwijl ze ze tegen haar borst drukte, 'brengen alle herinneringen weer boven. Hij was zo'n fantastische man, lieverd. Hij was lief en je kon zo met hem lachen. Ik ken niemand anders die was zoals hij.'

'Mijn vader,' zei Amy, nadat ze een arm om haar moeders schouders had geslagen.

'Russell Brooks,' zei haar moeder. 'Ik was de vrouw van Russell Brooks.'

'Mamma, hij dronk toch niet veel, hè?' vroeg Amy, nadat ze al haar moed bij elkaar had geraapt. Ze vond het al naar om die gedachte onder woorden te moeten brengen, maar Ambers wrede woorden waren altijd blijven knagen.

'Nee, lieverd,' zei haar moeder. 'Je vader hield niet van drank. En hij wilde een helder hoofd wanneer hij op zee was. Hij dronk nauwelijks.'

'Ik kon het me ook al niet voorstellen,' zei Amy. Ze legde haar hand even op de foto van haar vader en dacht aan haar verhaal. Catherine had zoiets als dit niet meegemaakt. Ze kon zich van Catherine's moeder niet voorstellen dat ze de zolder op zou kruipen om terug te komen met de foto's van haar vader... waarbij een foto was waar hij op stond als autoverkoper. In een pak en met een das! Amy was blij met het verschil tussen haar en Catherine, en ze vroeg zich af hoeveel verschillen er nog naar voren zouden komen voor de sluitingsdatum waarop haar verhaal ingeleverd moest zijn.

En het fijnste was nog wel dat Amy niet boos meer was. Ze was niet meer boos naar buiten toe, en ook niet meer vanbinnen. Haar boosheid was even helemaal verdwenen. Gedurende enkele minuten had ze gewoon van het gezelschap van haar moeder genoten, op precies dezelfde manier als ze kon genieten van het gezelschap van Dianne, Julia en Lucinda. Voor het eerst sinds tijden, hield ze evenveel van haar moeder als van de Robbinsen.

Lucinda liep de weg af om de post te halen. Tussen de rekeningen en de reclamefolders, vond ze de cheque van Tim McIntosh – de maandelijkse aflossing van het geld dat zij en Emmett hem hadden geleend – die door de bibliotheek naar haar was doorgezonden. Ze keek zo aandachtig naar het handschrift dat ze de auto haast niet had opgemerkt. Het was een roestige oude rammelkast die op het keerpunt van de doodlopende weg geparkeerd stond. De banden zagen eruit alsof ze dringend wat lucht konden gebruiken.

Toen Lucinda wat dichterbij kwam, zag ze dat er niemand in zat. Ze keek om zich heen. Er kwamen hier wel eens vogelaars. In het moeras leefden een heleboel verschillende soorten vogels, zoals reigers, plevieren, merels, sternen en zangvogels, en met name in het voorjaar en tijdens de trek kwam een vogelliefhebber hier ruimschoots aan zijn trekken. En afgezien van vogelliefhebbers, was het moeras ook een geliefd plekje van schilders. Maar Lucinda zag geen mens.

Ze stopte Tims cheque in haar zak en liep het tuinpad af. Dianne en Julia waren in de keuken. Sinds Julia's verkoudheid waren ze onafscheidelijk. Alan kwam elke avond om Julia te onderzoeken en Dianne gerust te stellen. Lucinda probeerde hen zo min mogelijk voor de voeten te lopen.

Omdat ze behoefte had aan alleen zijn, liep ze door naar de werkplaats en ging daar naar binnen. De laatste tijd, nu Alan zo vaak kwam en zijn relatie met Dianne steeds hechter werd, voelde ze zich steeds meer een vijfde wiel aan de wagen. Misschien was het wel tijd dat ze naar Florida verhuisde – de favoriete plek van vele gepensioneerden die daarheen trokken om hun oude dag te slijten. Of anders zou ze weer naar Nova Scotia kunnen gaan, om met Malachy Condon naar de dolfijnen te luisteren.

Lucinda vond het niet prettig om oud te worden, maar ze had zich erbij neergelegd. Ze had vrouwen van vijfenzestig horen zeggen dat ze zich nog net zo voelden als twintig of veertig jaar eerder, en dat ze, wanneer ze in de spiegel keken, verwachtten een jonge vrouw te zullen zien. Dat had Lucinda niet. Ze had elke rimpel en elke grijze haar verdiend. Misschien was dat wel de reden waarom ze Malachy zo had gemogen: hij scheen geen enkele moeite te hebben met het feit dat hij ergens in de zeventig was, en deed dan ook geen enkele poging zich jonger voor te doen dan hij was. Hij leek haar iemand met wie ze zou kunnen praten.

Lucinda miste een goed gesprek. In dat opzicht had ze in de bibliotheek altijd haar hart kunnen ophalen. Goed, ze hadden hun gesprekken fluisterend gevoerd, maar zij en haar jonge collega's hadden heel wat afgekletst met elkaar. In het begin van haar pensionering had Lucinda gemeend dat ze die gesprekken nu met Dianne zou kunnen hebben, en dat hun relatie van moeder en dochter langzaam maar zeker zou veranderen in eentje van vriendinnen. Maar dat was niet gebeurd. Ze was door en door Dianne's moeder, en dat was ook eigenlijk veel beter dan vriendinnen.

Dianne had Alan – eindelijk! Lucinda had jarenlang gewacht tot die twee eindelijk zouden begrijpen dat ze voor elkaar waren voorbestemd. 's Avonds, wanneer het huis donker was en Julia sliep, hoorde ze ze zachtjes met elkaar fluisteren. Lucinda zat te lezen en vroeg zich ondertussen af of die twee bezig waren met het smeden van toekomstplannen. Ze wist dat het slechts een kwestie van tijd was. Of niet soms? Ze kon zich niet voorstellen wat hen ervan zou kunnen weerhouden.

Als Dianne en Julia het huis uit gingen, wat moest Lucinda dan doen? Ze ging met een zucht achter Dianne's bureau zitten. Orion en Stella kwamen kijken of ze iets te eten bij zich had. Ze voelde in haar zak om te kijken of er misschien iets van een koekje of zo in zat, maar het enige wat ze vond was Amy's gedicht. Ze legde het voor zich op het bureau en las het nog eens door:

> *De appeltuin*
>
> *Na een lange, lange reis,*
> *Over land en over zee.*
> *Is het hier dat we zijn gekomen,*
> *Bevinden we ons in de appeltuin.*
>
> *Bomen van groen en muren van steen*
> *Zijn overal om mij heen.*
> *Hier heeft Anne gespeeld als kind*
> *Ik hoop dat ik haar sporen vind.*
>
> *Thuis is mijn moeder, en ze heeft verdriet*
> *Om mijn vader, die het leven liet.*
> *Zeg mij, zal degene die naar liefde streeft*
> *Daar de moed toe vinden?*
>
> *Ik ben maar een appelmeisje*
> *Maar iemand heeft mij opgeraapt*
> *Ze wreef me en gaf me glans,*
> *En daarmee een nieuwe kans.*
>
> *Laat me in de appeltuin*
> *In de wind, onder de hemel*
> *En de sterren in de boom,*
> *Uiteindelijk mijn leven leiden, heel gewoon.*

Amy's woorden bezorgden Lucinda een prop in de keel. Ze krabbelde Orion achter zijn oren. De kat keek naar de weerspiegeling in haar brillenglazen, en sprong op haar schoot. Lucinda zuchtte. Ze werd omringd door wezens die even onbemind waren geweest als zij zelf was geweest. Dianne had Stella in een holle muur gevonden, en ze hadden Amy en Orion tijdelijk opgenomen omdat het huis waarin ze leefden kil en liefdeloos was geweest. Lucinda leefde zich zo helemaal in, in Amy's gedicht, dat haar handen ervan beefden.

Lucinda had de meest ellendige jeugd gehad, en toen ze Emmett had leren kennen en Dianne had gekregen, was dat voor haar als het scheppen van haar eigen paradijs geweest. Wat zou er gebeuren als Dianne besloot om het huis uit te gaan? Lucinda had nooit een hoge pet op gehad van oude vrouwen die zich, om niet alleen te zijn, vastklampten aan hun kinderen in plaats van zelf actief te worden, en nu realiseerde ze zich dat ze zwaar de kans liep om diezelfde fout te begaan.

Dat, of dat ze langzaam terug zou zakken naar hoe ze vroeger was geweest: een angstig en diep gekwetst wezen. Lucinda was, net als Amy, een appelmeisje geweest. Ze wist hoe het voelde om op de grond te liggen in afwachting van het moment waarop iemand haar op zou rapen. Hoewel ze intussen een stuk ouder was, voelde ze zich verschrikkelijk kwetsbaar, alsof ze, als ze niet snel iets positiefs ondernam, het gevaar liep om weer af te glijden naar die grote, innerlijke diepte. Ze pakte de vier verweerde en verdroogde appels van de kast en legde ze op het bureau. De droge appels leken op gezichten.

Kleine mensjes, kleine appelmeisjes. Lucinda bekeek de gezichtjes en pakte de appel die het meeste op haar leek. Ze had de meeste rimpels, maar haar gezicht was het meest wijze van de vier. Ze wist dat Dianne in de laden van haar werkbank verschillende restjes stof bewaarde van de gordijnen die ze voor haar speelhuizen had gemaakt.

Lucinda zou jurkjes maken en de verdorde appels, de onaantrekkelijke vruchten die Amy in de appelboomgaard had gevonden, tot poppen maken. Misschien zou ze de pijpen van haar elandpyjama afknippen om daar pyjamaatjes voor de appels van te maken. Zij en Amy hadden heel wat met elkaar gemeen. Beiden vonden ze het prettig om op tastbare wijze herinnerd te worden aan wie ze waren, en van wie ze hielden.

Hoofdstuk 24

'Het is echt onvoorstelbaar dat je me uitgerekend op dat moment hebt gebeld,' zei Nina Maynard, terwijl ze Alan een hand gaf. Ze stonden op de cirkelvormige oprit van het witte huis, en hun auto's stonden bij de garage.

'Ik had niet echt verwacht dat het op de markt zou zijn,' zei hij, terwijl hij zijn blik over de glanzende verf, de keurig onderhouden tuin en de onopvallende stickertjes van de alarminstallatie liet gaan. 'Er brandt 's avonds altijd licht en het maakt een bewoonde indruk.'

'De eigenaars hebben het van haar ouders geërfd,' vertelde Nina, met een blik op haar aantekeningen. 'Ze wonen in Los Angeles, hij zit in de filmindustrie en het was hun idee om het als weekendhuis of vakantiehuis te gebruiken. Ze hebben het vijf jaar op die manier vastgehouden, maar uiteindelijk werd het toch een te grote belasting. Ik meen me te herinneren dat hij zei dat ze er uiteindelijk maar twee zomervakanties en zes weekenden gebruik van hebben gemaakt.'

'Maar ze hebben het wel keurig onderhouden,' zei Alan, terwijl hij om een struik heen stapte en het houtwerk op houtwurm en rot controleerde.

'Nee, aan geld hebben ze geen gebrek,' zei Nina. 'Ik denk dat hij een leuke grijpstuiver verdient. Hoe dan ook, eens kijken, hier heb ik de sleutels... De eigenaars willen niet dat we er borden op hangen of ermee adverteren... We worden vaak gebeld door mensen die vragen of we dit soort huizen in portefeuille hebben, en dit is toevallig net op de markt gekomen.'

'Zijn er slaapkamers op de begane grond?' vroeg Alan.

'Ik zal je alles laten zien,' zei Nina, met de sleutel zwaaiend. 'Kom binnen.'

Ze gingen door de voordeur naar binnen. De brede delen van de houten vloeren waren pas in de was gezet en gewreven. Door de hoge vensters viel een grote hoeveelheid licht naar binnen. In de hal hing een koperen kroonluchter, en aan de witte muren hingen originele blakers. Er was een dubbele, met antiek gemeubileerde zitkamer, met aan weerszijden een open haard. De kunst aan de muren was abstract, en naar Alan's idee wat aan de al te moderne kant. Dubbele deuren gaven toegang tot een groot geplaveid terras, waarvan de half cirkelvormige balustrade met klimop was begroeid. Het terras, dat aan de achterkant van het huis was, keek uit over de haven met zijn op de grijze golven dansende bootjes.

'Het is een echt huis van een kapitein van de walvisvaart,' zei Nina. 'Het is in 1842 door kapitein Elihu Hubbard gebouwd. Heb je de ramen gezien? Het originele glas zit er nog in...'

Alan bewonderde de manier waarop het gelode glas het licht vasthield alvorens het door te laten. Het leek dikker dan normaal glas, en projecteerde kleine regenboogjes op de muren en de vloeren. Er waren erkers met bankjes, en Nina boog zich naar voren om hem iets te laten zien dat in het glas gekrast was.

'Er staat E-L-H,' zei Nina. 'Het verhaal gaat dat Elihu's vrouw dat in het glas heeft gekrast met de diamant die hij van een van zijn reizen voor haar had meegebracht. Ik weet niet wat het betekent, maar –'

'Kom, laat me de rest maar zien,' zei Alan. Hij was niet geïnteresseerd in verhalen over zeevaarders en hun vrouwen die thuis achterbleven en naar hen verlangden. Het feit dat dit huis door een kapitein was gebouwd was voor hem geen verkoopargument; het deed hem te zeer denken aan Tim. Als het aan hem lag, zou Dianne dat verhaal nooit te horen krijgen.

'Hier is de keuken,' zei Nina. 'Sub-Zero koelkast, Garland fornuis, tegels uit Italië... Heb je dit kookeiland gezien? De Jenn-Air grill –'

'Mooi,' zei Alan met een glimlach. Hij kon zich niet herinneren dat hij Dianne, in al die jaren die hij haar kende, ooit had zien koken. Maar toen Nina hem de kelder liet zien, waar je via de keuken in kon, en Alan de trap af liep en beneden een werkplaats en een werkbank zag staan, terwijl er een deur was die rechtstreeks toegang gaf tot de tuin, wist hij dat Dianne er weg van zou zijn.

'Je vroeg naar de slaapkamers,' zei Nina, toen Alan weer in de keuken stond. 'We gaan zo naar boven, en ik weet zeker dat je helemaal weg zult zijn van de grote slaapkamer daar. Maar eerst wil ik je nog iets anders laten zien. Ik noem het de schoonoudervleugel...' Ze nam hem mee een korte gang af.

Op het moment waarop Alan de eerste slaapkamer binnenstapte, wist hij dat het huis geschikt was.

'Heel ruim, dat zie je,' zei Nina. 'Prachtige houten vloeren, een functionerende open haard, terrasdeuren die toegang geven tot een beschut terras... hier de badkamer...' Hij volgde haar door de badkamer naar een werkkamer. De ruimte was ingericht als een werk-studeervertrek met een bureau, boekenkasten en een vitrine vol onderscheidingen, prijzen en foto's van de eigenaars met beroemdheden als Lauren Bacall, Gregory Peck, Harrison Ford en Tom Hanks.

'Iedereen vindt die foto's prachtig. Een beetje Hollywood in ons saaie New England.' Nina lachte. 'Vind je dit geen geweldig idee? Slaapkamer, badkamer en werkkamer? De ideale plek om je terug te trekken wanneer je ruzie hebt met je vrouw... of om je ouders in onder te brengen wanneer ze komen logeren. Leven jouw ouders nog?'

'Nee, ze zijn gestorven,' zei Alan, terwijl hij zich in gedachten voorstelde waar Julia's bed zou kunnen staan, en haar commode en de schommelstoel. Hij en Dianne zouden de grote slaapkamer aan de andere kant van de badkamer nemen. Als Julia hen nodig had, dan zouden ze haar goed kunnen horen. En die badkamer beneden was helemaal ideaal. Op deze manier hoefde Dianne Julia niet meer de trap op te dragen.

'Neem me niet kwalijk,' zei Nina. 'Kom, we gaan verder. Naar boven. Op de eerste verdieping –'

'Laat maar,' zei Alan. Hij keek naar buiten en vroeg zich af of Dianne het moeras zou missen. Uitzicht op de haven was anders: het beeld was voortdurend in beweging door de boten die kwamen en gingen, de wind die de golven opzwiepte en de wapperende vlaggen op de werf.

'Is het toch niet wat je zoekt?' vroeg Nina. 'Kan ik je dan misschien iets anders laten zien? We hebben net een geweldige villa binnengekregen, iets heel moderns, vlak bij –'

'Het is precies wat ik zoek,' zei Alan. 'En ik wil een bod uitbrengen.'

'Een bod?' herhaalde Nina. Hij zag dat ze verbaasd was, maar ze wist het goed te verbergen. Ze had hem nog niet gezegd wat de vraagprijs was, en hij had de eerste en tweede verdieping, en de achtertuin nog niet gezien, maar die interesseerden hem niet.

'Inderdaad, en ik wil er met Kerstmis in kunnen trekken.'

'Met Kerstmis,' zei ze glimlachend, en ze knikte.

Ze gaven elkaar een hand. Alan had een drukke middag voor de boeg, en hij moest terug naar zijn patiënten. En terwijl Nina haar mobieltje pakte om zijn bod door te bellen en de verkoop in gang te zetten, keek Alan nog een keer om zich heen. Dit werd Dianne's huis.

Hun huis.

Die nacht droomde Dianne van Tim. Ze stond aan dek van een boot die zwaar deinde op hoge golven. Er stond een verschrikkelijke storm en de zee was zwart en dik. Het leek meer op drijfzand dan op water, en het hield alles en iedereen die erin viel, gevangen. Dianne was in paniek omdat er iemand in terecht was gekomen van wie ze hield. Hoewel ze zelf veilig aan boord van de boot was, schreeuwde ze om hulp.

'Help! Laat iemand me helpen, alsjeblieft!'

Waar waren ze toch, al die mensen van wie ze hield? Het vergde zoveel van haar krachten en haar concentratie om de boot drijvende te houden, dat ze haar ogen niet van het stuurwiel durfde te halen. Ze moest erop vertrouwen dat ze zich in de stuurhut achter haar bevonden. 'Ze' was een onduidelijke groep, maar ze hoopte, hoewel ze dat niet zeker wist, dat Julia erbij was, en Lucinda, Amy en Alan ook.

Er was iemand overboord gevallen. Er stak een hand boven de golven uit. Ze schrok bij het zien van de hoeveelheid zeewier en troep die er aan de hand kleefde. Zou het haar lukken om de drenkeling te redden? Of zou hij haar overboord in zee trekken? Ze huilde en het zweet droop van haar af, en ze stond op het punt om weg te varen. Toen hoorde ze diep vanbinnen een bedaarde stem die zei dat ze moest blijven, dat ze moed moest verzamelen en moest doen wat haar hart haar ingaf. Ze haalde diep adem, en al haar angst en twijfel waren op slag verdwenen. Ze reikte over de reling van het schip, pakte de nachtmerrieachtige hand, en voelde hoe Tim haar in de blubber trok.

Toen werd ze wakker.

Julia huilde. Dianne was klaarwakker en zwaar van streek. Ze stapte uit bed en ging naar Julia. Ze had een natte luier en haar neus was verstopt. Dianne deed haar een schone luier om en verzorgde haar, zoals ze dat elke nacht deed.

'Maaa,' huilde Julia, alsof zij ook een nachtmerrie had gehad.

'Alles is goed, lieverd,' fluisterde Dianne. 'We zijn veilig op de vaste wal en we zijn samen.'

Julia was onrustig. Het was alsof ze zich niet lekker voelde, maar niet precies wist waarom niet. Ze zag bleek, en Dianne nam haar handjes in de hare om ze op te warmen. Ze waren ijskoud, net alsof ze in zee had gezwommen.

'Is alles goed met haar?' vroeg Lucinda vanaf de gang.

'Ik geloof van wel,' zei Dianne met een knikje, terwijl ze Julia's handjes bleef masseren. 'We hebben alle twee een nachtmerrie gehad, en elkaar wakker gemaakt.'

'Waar ging de jouwe over?'

'Over Tim,' zei Dianne met een rilling, nadat ze zich naar haar moeder had omgedraaid. 'Hij probeerde me overboord te trekken.'

'Jij was op een boot en hij lag in zee?' vroeg haar moeder.

'Ja. Moet ik medelijden met hem hebben? Is het dat wat die droom betekent?'

'Of je medelijden met *Tim* moet hebben?' herhaalde haar moeder.

Dianne sloeg haar armen om zich heen. Ze had het ook koud. Even koud als Julia's handen, even koud als iemand die zojuist uit het noodweer was gekomen. De verwarming stond roodgloeiend, maar Dianne kon het niet warm krijgen. Ze sloot haar ogen en dacht aan Alan. Ze wist dat hij haar zou redden, dat hij haar nooit zou laten verdrinken. Al moest hij daar wat dan ook voor doen.

Maar ze had het nog steeds ijskoud van haar droom.

Ze wist dat dit de wrakstukken van haar verleden waren, dat het deel uitmaakte van de emotie die ze niet onder woorden kon brengen. Ze hield verschrikkelijk veel van Alan, maar aan de andere kant was er ook zo ontzettend veel verdriet en spijt. Ze begon te huilen uit verdriet omdat ze van Tim had gedroomd, en ze gaf zich over aan de pijn over het feit dat het trauma van haar eerste liefde zo bepalend was geweest voor de manier waarop haar leven was verlopen.

Amy zat in de schoolbus. Haar verhaal was af, en ze was op weg naar Dianne om het daar in de computer te zetten. Amber zat in dezelfde bus, hetgeen het leven er niet aangenamer op maakte. Maar Lucinda had Amy een goede raad gegeven: zorg ervoor dat je altijd een boek bij je hebt waarin je, als je je slecht op je gemak voelt, lekker weg kunt dromen.

Amber en David lachten haar uit. Ze fluisterden en wezen naar haar, en toen hoorde ze hen schunnige dingen over haar zeggen. Het deed haar pijn, maar ze probeerde er niets van te laten merken. Ze had haar nieuwe schoolkleren en schoenen aan die ze van Dianne en Lucinda cadeau had gekregen. Dr. McIntosh had nieuwe schriften, pennen en potloden voor haar gekocht.

In het ritsvakje van haar schooltas zat een handjevol schelpen en zeeglas van een paar van de zandkastelen die zij en Julia in de loop van de zomer hadden gebouwd. Een week of wat geleden had ze Madeleine L'Engle ontdekt, en ze was halverwege *A Wrinkle in Time*. Toen Amber en David kauwgompapiertjes naar haar gooiden, deed ze alsof ze las terwijl ze in werkelijkheid aan de verhalenwedstrijd dacht.

Amy had haar verhaal herschreven, en in de uiteindelijke versie kwam Catherine's moeder over haar depressie heen waardoor iedereen het leven weer hoopvol tegemoet kon zien. In de laatste scène verdween Dickie definitief van het toneel. Ze had hem voor een nieuwe baan naar Californië gestuurd, maar op het laatst was ze toch niet blij met die afloop voor Dickie, en verscheurde ze de laatste bladzijden weer.

Dickie moest naar de gevangenis voor wat hij had gedaan. Hij had zijn hondje, Catherine's moeder en Catherine zelf mishandeld. Hij was een slecht mens, en in Amy's verhaal zou hij moeten boeten. Mona, Catherine's gehandicapte zusje, leerde in het verhaal net lopen.

Op de laatste pagina waren Catherine, Mona en hun moeder, die Beth heette, op het strand bezig een zandkasteel te bouwen. Het zand was heel fijn en wit – Hawthorne zand. De dolfijnen zongen in zee, en als je goed luisterde kon je hun muziek zachtjes horen. Zandkastelen konden wegspoelen, maar liefde bleef bestaan. De moeder had rode koontjes van het harde werken, en haar blonde haren vielen in gouden golven langs haar gezicht.

'Dat moeten ze me maar vergeven!' riep Amy lachend uit.

'Hè?' vroeg Amber.

'Eh, niets,' zei Amy beschaamd.

'Je praat tegen jezelf en ramt onschuldige mensen tegen de vlakte,' zei Amber, terwijl ze met een balpen op haar pols tekende. 'Dat noem ik nog eens volwassen gedrag.'

'Ik heb toch gezegd dat het me spijt...' zei Amy, in elkaar krimpend.

'Je bent zelf debiel geworden van al dat spelen met dat debiele kind,' zei David. Amy keek hem strak aan, alsof zijn lievelingswurm zojuist was gestorven, en had met heel haar hart medelijden met hem.

Amy hoopte vurig dat ze de wedstrijd zou winnen. Als haar verhaal zou worden uitverkoren, zou het nog maar een kleine stap zijn om haar gedichten en verhalen in tijdschriften geplaatst te krijgen. Amber zou *Seventeen* opslaan, en het verhaal zien over Amy's beste vriendin die een ordinaire, valse del was geworden. David zou zijn achterlijke heavy-metal tijdschrift openslaan – hetzelfde soort blaadje als Buddy altijd las – en een foto van Aerosmith zien waarop ze Amy bedankten voor het feit dat ze een van haar gedichten als tekst voor hun nieuwe hit mochten gebruiken.

De bus stopte bij Gull Point, en Amy sprong er, zonder achterom te kijken, uit. Ze vloog rechtstreeks naar de werkplaats en hield haar adem in tot ze Dianne en Julia binnen zag. Haar opluchting was zo groot dat ze het wel uit kon schreeuwen.

'Hallo,' riep Amy, terwijl ze naar binnen ging en haar gezicht door een uitgelaten Orion liet aflikken. Ze liep rechtstreeks door naar Julia en deed een handendansje met haar.

'Hoe was het op school?' vroeg Dianne, die aan de werkbank bezig was.

'Goed,' antwoordde Amy. 'Ik heb een acht en een half voor scheikunde.'

'Als je zo doorgaat, krijg je nog een eervolle vermelding dit jaar,' zei Dianne.

'Dat hoop ik.' Amy straalde.

'Oren dicht!' waarschuwde Dianne, terwijl ze de zaag aanzette.

Amy speelde een poosje met Julia, maar Julia maakte een vermoeide indruk. Ze bewoog niet echt veel met haar handen en liet haar hoofd om de haverklap op haar linkerschouder vallen. De afgelopen keren dat Amy Julia had gezien had ze zich zorgen gemaakt, en dat deed ze nu weer. Ze keek naar Dianne alsof ze haar wilde vragen wat er aan de hand was, maar Dianne had haar oogbeschermers op en was iets moeilijks aan het doen met de cirkelzaag.

Het lawaai was echt heel erg. Er stond een cd op en Dianne zong met de muziek mee. Amy duwde Julia's stoel naar het bureau en haalde haar schrift uit haar schooltas, waarop ze Dianne vragend aankeek. Dianne stak haar duim op, en Amy zette de computer aan. Ze hadden computers op school en ze wist hoe ze ermee om moest gaan, maar zoiets als dit had ze nog nooit eerder gedaan. Ze had nog nooit een verhaal uitgetypt dat ze zelf had geschreven. Ze ging achter de computer zitten en kreeg een prop in haar keel.

Toen schreef ze de titel: 'Zandkastelen.'

'Denk je dat ik zal winnen?' vroeg Amy een week later, nadat het verhaal was uitgetypt en gecorrigeerd, en het manuscript klaar was om aan de dames Macomber en Hunter van de bibliotheek te overhandigen.

'Het is een prachtig verhaal,' zei Lucinda.

'Maar zal ik ermee winnen?'

'Als ik moest beslissen, dan zeker,' zei Dianne. 'Je hebt een schitterend verhaal en een heel mooi gedicht geschreven. Ik zou je de eerste prijs hebben gegeven.'

'Meisjes, meisjes,' zei Lucinda op quasi berispende toon. 'Hoe vaak moet ik jullie nu nog zeggen dat het niet gaat om wie er wint, maar om hoe je de wereld ziet?'

'Dat heb je nog nooit gezegd,' zei Amy.

'Wel,' zei Dianne, terwijl ze Julia op schoot nam en wiegde. 'Dat zegt ze altijd, ze zegt het alleen telkens met andere woorden.'

'Zoals?' vroeg Amy.

'Zoals dat je elkaar lief moet hebben,' antwoordde Dianne. 'En dat je de mensen die je niet aardig vindt moet vergeven.'

'Buddy?' vroeg Amy. 'Dat nooit.'

'Dan zul je altijd zijn gevangene zijn,' zei Lucinda.

'Getver,' zei Amy, en ze huiverde. 'Gevangene van Buddy... Ik eet nog liever een kilo vieze kakkerlakken. Nee, ik denk niet dat ik dat kan.'

'Hoe vindt je moeder je verhaal?' vroeg Dianne.

'Ze heeft het niet gelezen,' antwoordde Amy zacht.

'Mieee,' zei Julia.

Dianne nam haar dochters hand in de hare. Lucinda keek naar hoe ze Julia's vingers om haar wijsvinger deed en ze daar probeerde te houden. Julia's greep verslapte en Dianne probeerde het opnieuw. Dianne kon toch zo koppig zijn, dacht Lucinda. Realiseerde ze zich wel dat ze, hoewel ze over vergeving sprak, nog steeds vastzat aan haar haatgevoelens voor Tim? Die droom...

'Ik hoop nog steeds dat ik zal winnen,' zei Amy. 'Ook al zit het er niet in.'

'Oooo,' zei Julia.

'Vond je het verhaal echt mooi, Dianne?'

'Prachtig.'

'Nou,' zei Amy, 'daar ben ik blij om.

Lucinda slikte. Ze vroeg zich af of het Dianne was opgevallen dat Amy haar moeder het uiterlijk van Dianne had gegeven.

'Gleee,' piepte Julia.

'Horen jullie dat? Julia denkt dat ik zal winnen.'

'Zal ik jullie eens wat zeggen?' vroeg Lucinda, terwijl ze naar de twee meisjes keek en zich herinnerde hoe het was toen Dianne zo oud was geweest. 'Of je nu wint of verliest, ik ga kaartjes voor *De Notenkraker* bestellen.'

'Voor het ballet van *De Notenkraker*?' vroeg Amy. 'Het ballet dat elk jaar met Kerstmis op de televisie komt? Bedoel je dat?'

'Ik ben er met Mam heen geweest,' zei Dianne. Ze zag eruit alsof het simpele feit van het vasthouden van haar dochters vingers vandaag te veel voor haar was. 'Het is een van de fijnste herinneringen die ik heb aan dingen die we samen hebben gedaan.'

'En nu is het jouw beurt om er met Amy heen te gaan,' zei Lucinda.

Hoofdstuk 25

Julia kreeg een tweede aanval. Deze keer gebeurde het midden in de ijs-koude novembernacht, en Dianne hoorde haar tegen de muren schop-pen als een wild paard dat uit zijn stal probeert te komen. Ze rende naar Julia's kamer, greep haar beet en probeerde haar handen in bedwang te houden om te voorkomen dat ze zichzelf in het gezicht zou stompen. Ze hield Julia stevig vast en kon de half verstikte, rochelende geluiden die over haar lippen kwamen nauwelijks verdragen.

'Wat is er, Dianne?' vroeg Lucinda.

'Bel de ambulance,' riep Dianne. 'En Alan.'

Haar moeder verdween. Dianne bleef alleen achter met Julia. Haar luchtpijp was geblokkeerd. Ze kon geen lucht krijgen. Had ze haar tong ingeslikt? Was ze gestikt in iets dat in haar bed was blijven liggen? Julia begon blauw aan te lopen.

Dianne raakte in paniek en ze sprong op. Julia's aanval duurde voort. Dianne probeerde haar op haar rug te kloppen. Ze hoorde iets kraken, alsof er een botje was gebroken. Dianne pakte haar bij haar voeten en hield haar ondersteboven. Ze was radeloos, buiten zichzelf van angst, en luisterde of ze al sirenes hoorde. Hoe lang was het geleden sinds Lucinda had gebeld? Ze nam Julia weer in haar armen en probeerde haar, terwijl Julia haar in het gezicht stompte en met haar hielen tegen haar dijen schopte, naar beneden te dragen.

Dianne's brein werkte op volle toeren: beneden was hulp. Haar moe-der was daar, de ambulance was onderweg. Julia was zwaar en werkte te-gen, en Dianne's rug deed pijn. Onder in haar rug voelde ze iets trekken, maar ze negeerde het. Julia had lucht nodig. Ze zouden een nood-tra-cheotomie kunnen doen. Of ze zouden niets kunnen doen... Dianne bleef staan, onderdrukte een snik en leunde tegen de muur naast de trap. Ze konden Julia laten gaan, en dan zou het voorbij zijn. Dan zou ze niet meer hoeven lijden...

'Nee,' zei Dianne, die de gedachte ondraaglijk vond. Ze moest verder, moest zien dat Julia de hulp kreeg die ze nodig had. Ze liep de trap verder af. 'Blijf bij me, Julia.'

De ambulance kwam juist aanrijden. Hulp kwam van alle kanten. Lucinda had ze verteld dat Julia een epileptische aanval had, en de broeders waren erop voorbereid. Een injectie diazepam was voldoende om de aanval te remmen. Ze zorgden ervoor dat Julia weer lucht kon krijgen: ze had op haar tong gebeten en er was bloed in haar luchtpijp gekomen. Tijdens de hele behandeling bleef Dianne Julia's handen vasthouden. Door zich op de ogen van haar dochter te concentreren, wist ze haar eigen angst de baas te blijven. Julia hield haar ogen gesloten, maar Dianne hoefde ze niet te kunnen zien om te weten hoe ze waren – ze kende Julia's ogen uit haar hoofd. In gedachten zag ze ze, reusachtig en blauw, onderzoekend over het gezicht van haar moeder gaan.

'Ik hou van je,' fluisterde Dianne. Ze boog zich over haar heen terwijl ze naar buiten werd gedragen. 'Ik hou van je. Ik hou van je.'

Alan was rechtstreeks naar het ziekenhuis gegaan, en hielp ze bij aankomst uit de ambulance. Als eerste ontfermde hij zich over Dianne, en pas nadat hij zich ervan overtuigd had dat alles goed met haar was en ze in de wachtkamer was gaan zitten, ging hij naar de behandelkamer waar Julia lag. Er kwamen slangetjes uit haar arm, haar neus en haar keel. Haar gezichtje was bedekt met een zuurstofmasker.

'Toen ze haar binnenbrachten ademde ze nog zelfstandig,' zei de arts die haar behandelde, 'maar dat doet ze nu niet meer.'

Alan knikte. Zijn keel deed pijn terwijl hij naar zijn nichtje keek. Ze zag griezelig bleek en haar lippen waren blauw. De paarse verkleuring kwam door een tekort aan zuurstof in het bloed, en hij controleerde de stroom zuurstof die haar vanuit de cilinders aan de muur werd toegediend. De dienstdoende neuroloog schreef opdrachten uit voor een MRI en een EEG. De cardioloog schreef er eentje uit voor een ECG. Alan gaf Julia een kusje op haar voorhoofd en keerde terug naar de wachtkamer.

'Vertel,' zei Dianne, terwijl ze opsprong. Ze pakte Alans handen vast en keek hem in de ogen.

'Ze zijn bezig met het onderzoek,' zei hij.

'Het is deze keer ernstiger dan de vorige keer, hè?' vroeg ze. 'Veel ernstiger. Vertel me de waarheid, alsjeblieft. Is het veel erger?'

'Dat weet ik niet,' zei Alan. Hij probeerde terug te vallen op zijn professionele kalmte die hem tot nu toe altijd door de verschillende crises heen had geholpen. Hij haalde diep adem, keek om zich heen en hield zich bewust voor dat hij arts was. Maar deze keer ging het om Dianne, en

Julia was de patiënt. Zijn opleiding en jarenlange ervaring waren ineens niets meer waard. Zijn ogen schoten vol tranen die, terwijl hij Dianne in zijn armen nam en een snik onderdrukte, over zijn wangen liepen. 'Ik weet het niet,' herhaalde hij.

'Als het misgaat, dan is het mijn schuld,' kwam het huilend over Dianne's lippen. 'Toen ik halverwege de trap was ben ik even blijven staan, en heb ik – heel even maar – gewenst dat ze dood zou gaan!'

'Dat is toch heel normaal,' zei Alan, 'om zoiets te wensen. Wanneer je haar zo ziet lijden...'

'Ja, maar ik meende het niet,' zei Dianne.

'Dat weet ik.'

Het wachten duurde uren. Alan en Dianne zaten in een hoekje van de helverlichte wachtkamer. Hij zat met zijn arm om haar schouders en ze keken naar de mensen die kwamen en gingen. Ze zagen mensen met diepe wonden, verstuikingen en verrekkingen en pijn op de borst. In gedachten stelde Alan voor elke patiënt een diagnose. Hij liet zijn gedachten over de betreffende klacht gaan en bedacht wat de meest geschikte behandeling zou zijn. Maar in Julia's geval was hij niet de dokter, maar de vader.

'Alan?' riep Jim Wedstone, terwijl hij hem gebaarde dat hij naar de balie moest komen. Jim was een neuroloog van de oude stempel. Hij gaf er de voorkeur aan om van arts tot arts te spreken. In dit geval was Jim de specialist en Alan de assistent. Jim zou zijn verhaal aan Alan vertellen, en van Alan verwachten dat hij het aan Dianne zou vertellen. Maar zo wilde Alan het niet. Hij pakte Dianne's hand en trok haar met zich mee naar de balie van de Eerste Hulp.

'Jim, dit is Dianne Robbins. Ze is Julia's moeder.'

'Eh, hoe maakt u het,' zei Jim. Hij liet duidelijk blijken dat hij het niet prettig vond om haar te woord te moeten staan, maar Alan gaf hem geen keus.

'Hoe is het met Julia?' vroeg Alan.

'Ze ademt weer zelfstandig,' antwoordde Jim. 'De cardioloog komt ook zo, maar we hebben de indruk dat ze op het moment problemen heeft met de zuurstofopname. Ze neemt het te traag op, en het duurt te lang voor het in haar hersens en in haar organen komt...'

'Ze is gegroeid,' zei Dianne, terwijl ze Alan met grote ogen aankeek. 'Dat is toch de oorzaak, niet?'

'Deels,' zei Alan. 'Misschien.'

'Ik ben de hele zomer doodsbang geweest,' zei Dianne, bevend van angst. 'Haar longen kunnen het niet meer aan... heeft ze daarom die aanval gekregen?'

'Dit soort aanvallen kunnen het gevolg zijn van afwijkingen,' zei Jim, hetgeen een bevestiging was van een van de vele vertrouwde mysteries van Julia's leven. Omdat Jim neuroloog was, waren aanvallen zijn specialiteit. Hij begon Dianne een technisch verhaal te vertellen over synapse en neurotransmitters. Het klonk heel geruststellend en redelijk allemaal, en Alan zag hoe ze aan zijn lippen hing en gretig knikte.

Luisteren was gemakkelijker dan denken. Julia was gegroeid. Hetgeen waar ze al die tijd zo bang voor waren geweest, had zich gemanifesteerd.

'Kom mee,' zei Alan, terwijl hij Dianne's hand vastpakte.

'Wacht even,' zei ze. Ze probeerde te glimlachen, maar haar lippen waren droog. 'Dr. Wedstone legt net uit –'

Als het aan Jim Wedstone had gelegen zou hij nog uren zijn doorgegaan met Julia's moeder te vertellen over epileptische aanvallen bij prepuberale meisjes met bepaalde afwijkingen, maar Alan had er genoeg van en maakte er een einde aan. Hij bedankte Jim en pakte Dianne's jas van haar stoel. Hij hielp haar erin terwijl hij wist dat ze boos op hem was omdat hij zo onbeschoft was geweest tegen Jim.

'Hij was nog wel zo aardig,' zei Dianne. 'Hij deed verschrikkelijk zijn best om me alles uit te leggen opdat ik zou kunnen begrijpen wat er met Julia aan de hand is.'

'Ja, dat weet ik,' zei Alan, terwijl hij de bovenste knoop van haar jas dicht deed. Het was koud buiten en er stond een harde wind van zee. 'Maar ik ga liever een eindje met je lopen.'

De haven was grijs en er waren flinke golven. Alle perenbomen waren kaal en hun takken zwiepten in de wind. Dianne dook weg in de kraag van haar jas. Het was een goed idee van Alan geweest, om even naar buiten te gaan. Het was benauwd in het ziekenhuis en het wachten tot ze weer bij Julia mocht, maakte haar altijd krankzinnig.

Het sneeuwde heel licht. De vlokjes vielen op de stoep en dwarrelden naar alle kanten. Dianne kon zich amper voorstellen dat de winter voor de deur stond. Nog even, en dan was het Thanksgiving, en daarna kwam december, en was het alweer Kerstmis.

'Wanneer mag ze naar huis?' vroeg ze.

'Dat kunnen ze pas zeggen wanneer ze weer stabiel is,' antwoordde hij.

'Een dag,' zei Dianne. 'Het duurt bij haar nooit langer dan een dag. Alles is verder toch goed met haar, of niet? En dat ze niet voldoende zuurstof opneemt, daar kun je toch wel wat aan doen, he?'

'Kom, laten we nu maar een eindje lopen,' zei Alan.

Dianne voelde zich als verdoofd en verzette zich niet toen hij haar arm onder de zijne door haakte. Ze liepen in een stevig tempo langs de haven met zijn werven en vissersboten. Het grootste gedeelte van de vloot was binnen en hun touwen rinkelden in de wind. Terwijl ze achterom keek, vroeg ze zich af hoe ver hij van plan was te gaan. Julia zou weldra weer bijkomen, en als dat gebeurde, wilde ze bij haar zijn.

Ze gingen de hoek om en liepen Water Street in. Hier, waar geen loodsen of boten waren om de wind tegen te houden, waaide het nog harder. De wind beet in haar wangen. Ze ging wat dichter tegen Alan aan lopen, en hij sloeg zijn arm om haar schouders. Ze wilde net zeggen dat ze wilde omdraaien en dat ze terug wilde naar Julia, toen ze zag dat ze bij haar lievelingshuis waren gekomen en hij opeens bleef staan.

'O,' zei ze, terwijl ze door het hek keek. Hoewel ze geen handschoenen aan had, pakte ze twee van de ijzeren stangen beet.

Alan nam haar bij de arm. Eerst dacht ze dat hij verder wilde lopen om niet koud te worden, en daarom deed ze een stapje naar achteren en keek naar het grote witte huis, het grote gazon en de wei erachter.

'Dit huis,' zei ze.

Alan bleef staan, stak zijn handen in zijn zakken en keek op haar neer. Zijn wangen waren rood en hij had zijn kraag opgezet. Ze wist dat hij het ijskoud had, maar hij gunde haar die paar seconden fantasie. Dat had ze nodig, al was het maar om even niet te hoeven denken aan wat er op dat moment met haar dochter gebeurde, en aan die verschrikkelijke gedachte die haar op de trap bij haar thuis door het hoofd was geflitst.

'Toen ik klein was...' begon ze.

'Waar droomde je van?' vroeg hij. 'Wanneer je aan dit huis dacht?'

'O, van grote tuinfeesten,' zei ze. Dat was zo lang geleden. 'Van dames in witte jurken, en kinderen die spelletjes deden op het gras. Van gelukkig zijn.'

'Weet je nog, onze wandeling afgelopen zomer,' zei Alan. 'Toen we hier voor het hek hebben gestaan...'

Dianne knikte. Ja, dat wist ze nog. Ze hadden hand in hand gewandeld, en het was een heerlijke, zwoele zomeravond geweest. En daarvoor hadden ze gedanst en hadden ze elkaar gekust. Ze glimlachte bij de herinnering, hief haar hoofd op en keek Alan in de ogen. Hij was zo ernstig en keek haar zo onderzoekend aan, en als ze het zelf niet zo moeilijk had gehad, zou ze op haar tenen zijn gaan staan om hem te kussen.

'Ik vroeg je of je dacht dat de mensen die hier woonden gelukkig waren, maar je zei dat je dat niet wist,' zei hij.

'Is dat dan belangrijk?' vroeg Dianne.

'Kom mee,' zei hij. Hij pakte haar arm weer vast en trok haar mee door het hek.

'Alan,' zei ze. Ze vond het een schokkende gedachte dat hij er kennelijk geen moeite mee had om ergens naar binnen te gaan waar hij niets te zoeken had, en ze bleef staan.

'Ze vinden het niet erg,' zei hij.

'Hoe weet je dat?' vroeg ze. 'Stel dat er iemand binnen is? Het feit dat er geen auto staat wil nog helemaal niet zeggen –'

'Ik geloof niet dat er iemand is,' zei Alan.

Dianne volgde hem schoorvoetend de oprit af. In plaats van grind hadden de eigenaars gemalen oesterschelpen gebruikt die, wanneer je erover liep, een zacht knerpend geluid maakten. De borders waren klaargemaakt voor de winter, en alle afgewaaide blaadjes waren aangeharkt en opgeruimd. Ze was nog nooit eerder zo dicht bij het huis geweest, en ze zoog elk detail gretig in zich op.

Het was precies zoals het speelhuis dat haar vader voor haar had gemaakt. Het had drie schoorstenen, een betimmering van witgeschilderd hout, zwarte luiken, sierlijke zuilen en een stoep met brede treden. Haar bezorgdheid over het feit dat ze ergens liepen waar ze eigenlijk niets te zoeken hadden, werd minder naarmate ze dichter bij het huis kwamen. Ze begon zich zelfs opgewonden te voelen. Er hingen geen gordijnen voor de ramen. Misschien zou ze even naar binnen kunnen gluren.

Alan zocht iets in zijn zak. Ze liet zijn arm los en liep aarzelend verder. De keurig gesnoeide buxusstruiken kwamen bijna tot aan haar kin, en ze moest zich zo lang mogelijk maken om door het raam naar binnen te kunnen kijken. Maar toen ze dat deed, slaakte ze een gesmoorde kreet.

Het huis was leeg.

De witte muren waren even kaal als de brede vloerdelen. Dianne voelde zich geschokt. Hoe was het mogelijk dat er niemand woonde in dit prachtige huis? Een huis als dit behoorde bewoond te zijn. Dianne voelde zich van binnen zo leeg en ze was zo bang voor wat er met haar dochter gebeurde, dat ze de rest van de wereld vol en gelukkig wilde zien.

'Waar zijn ze?' vroeg ze fluisterend, terwijl de tranen haar in de ogen sprongen. Alan hoorde haar niet. Hij stond bij de deur alsof hij verwachtte dat iemand hem open zou doen en hen zou uitnodigen om binnen te komen. Dianne dacht aan haar dochter die vlakbij alleen in een ziekenhuiskamer lag.

Het leven kon net zo zijn – als een leeg huis. De afgelopen nacht had Dianne in haar moeders huis op de trap gestaan en gedurende een enkel, duister moment gewenst dat haar dochter dood was. Ze had hier niets te zoeken. Ze wist niet precies wat voor onderzoeken ze allemaal met Julia deden, maar het kon nooit lang meer duren tot ze klaar waren. Dianne moest zo snel mogelijk terug, al was het maar om dat ene akelige ogenblik weer goed te maken.

Ze draaide zich nog een keer om voor een allerlaatste blik. Nu pas zag ze dat de kamer niet helemaal leeg was, maar dat er voor de open haard aan de andere kant van de kamer een stoeltje stond. Het was een roze schommelstoeltje dat met de hand beschilderd was met slingers klimop, purperwinde en akeleien.

Het was echt een klein stoeltje, en omdat het roze was, vermoedde Dianne dat het van een meisje was. Waarom waren haar ouders weggegaan? Opeens wilde ze niets liever dan zich omdraaien en wegrennen. Hier woonden echte mensen met hun eigen leven en hun eigen problemen, precies zoals Dianne en Alan en Julia. 'Kom mee,' smeekte ze, terwijl ze aan zijn arm trok.

'Dianne,' zei hij, terwijl hij zijn hand naar haar uitstak.

'We moeten gaan,' zei ze. 'We hebben hier niets te zoeken. En ik moet terug naar Julia.'

'Ik ook,' zei hij. 'Ik moet ook terug naar haar. Maar we hebben hier iets te doen.'

Hij kuste haar. In de kou, in de tuin van andere mensen, sloeg hij zijn armen om haar heen en gaf haar de meest tedere kus die ze zich maar kon voorstellen. Ze probeerde zich van hem los te maken. Haar hart ging als een wilde tekeer. Door dat eenzame stoeltje wilde ze hier ineens niet meer zijn. Ze wilde niet dat de mensen, wanneer ze thuiskwamen, hen hier zouden betrappen en het gevoel zouden hebben dat hun privacy was verstoord. Hun pompoen stond op de stoep, vlak bij hun voeten.

'Hier wonen mensen,' smeekte ze.

'Dat weet ik,' fluisterde hij. Hij overdekte haar gezicht met kleine kusjes en drukte iets in haar hand. Het voelde hard en koud.

'Wat –' begon ze, terwijl ze omlaag keek. Het was een sleutel.

Alan wachtte niet op wat ze verder nog zou kunnen vragen. Hij pakte haar hand en hielp haar de sleutel in het slot steken. Hij draaide de sleutel, en de deur ging open. Dianne keek met grote ogen naar hem op. Ze begreep er niets van. Zijn gezicht glansde, en er lag een vurige blik in zijn ogen.

'Alan,' fluisterde ze. 'Wat doe je?'

'Welkom thuis,' zei hij met een weids gebaar.

Ze keek in zijn ogen en zag dat ze vol tranen stonden. Hij legde zijn handen op haar schouders, duwde haar zachtjes naar buiten en tilde haar toen op. Dianne sloeg haar armen om zijn hals en drukte haar gezicht tegen het zijne terwijl ze hem vragend aankeek. De tranen stroomden over haar wangen en ze kon er niets aan doen.

Hij droeg haar over de drempel. Ze hapte naar lucht, snikte en probeerde te begrijpen wat er precies gebeurde. Haar kind lag in het ziekenhuis en voerde een strijd op leven en dood, en Alan droeg haar over de drempel van het huis waar ze haar leven lang van had gehouden.

Ze liepen door de lege kamer naar de marmeren open haard en het roze stoeltje. Alans voetstappen weergalmden op de kale planken. Nu ze dichterbij kwamen, zag Dianne dat er op de rugleuning van het stoeltje een naam stond geschilderd:

JULIA

De letters waren groene stengels waar bloemen aan groeiden. De bloemen waren wit als appel- en perenbloesems, en blauw als purperwinde. Aan de voet van de letters lagen appels, alsof ze uit een soort van paradijselijke tuin kwamen waar bloesems en fruit naast elkaar konden bestaan.

'De mensen die hier wonen hebben een dochtertje dat Julia heet,' fluisterde Dianne verbaasd.

'Inderdaad,' zei Alan. Hij zette haar neer maar hield zijn armen om haar heen geslagen. Ze stonden bij het stoeltje en keken ernaar.

'Waar zijn ze?' vroeg ze.

'Hier,' antwoordde Alan.

'Je bedoelt... wij?' vroeg Dianne zacht en ongelovig.

'Ja, wij, lieveling,' zei Alan.

Ze keek op in zijn warme, groen-gouden ogen. Zijn brillenglazen waren beslagen omdat ze van buiten in het warme huis waren gekomen. Hij zette zijn bril af en wilde hem in zijn zak stoppen, maar zijn hand beefde zo erg dat het hem niet lukte, en dus nam Dianne zijn bril van hem over.

'Dit huis...?' vroeg Dianne. Haar handen beefden ook.

'Ik heb het voor jou gekocht. Voor ons.'

'De stoel!' riep ze uit, toen het tot haar door begon te dringen.

'Ik heb hem speciaal voor Julia laten maken,' zei hij.

Dianne huilde.

'Ik wil haar adopteren,' zei Alan. 'Zo snel mogelijk. Ik wil dat ze mijn dochter is, Dianne.'

'O, Alan.'

'Ik wil dat zij mijn dochter is, en dat jij mijn vrouw wordt en ik wil hier met jullie wonen, in het huis waar je je leven lang van hebt gedroomd.'

'Dat is waar,' zei Dianne. 'Ik heb altijd van dit huis gehouden.'

'Ik wil tijd met jullie doorbrengen,' zei Alan. 'Als een gezin. Ik wil hier Kerstmis met jullie vieren en ik wil Julia op haar stoel bij de open haard zien zitten.'

'Wat zal ze het dan lekker warm hebben,' zei Dianne. Ze sloot haar

307

ogen en dacht aan hoe koud haar handen soms waren. Haar dochters bloedsomloop liet te wensen over, en haar vingers en tenen werden nooit echt warm. Daarom had ze het zo fijn gevonden op het strand met het zwarte zand, omdat dat zand zo heerlijk warm was geweest. Alan had een stoel voor haar laten maken waarop ze het hele jaar door bij het vuur kon zitten.

'Dus, Dianne,' zei Alan. Hij nam haar hand in de zijne, en ze deed haar ogen open. Hij aarzelde, en ze sloeg haar armen om hem heen om hem duidelijk te maken dat hij haar op een onvoorstelbare, tijdloze manier enorm gelukkig had gemaakt, dat het hem gelukt was een eind te maken aan die enorme angst die haar twaalf jaar lang in de greep had gehad. Ze omhelsde hem om hem al die dingen te zeggen, maar omdat ze geen woord over haar lippen kon krijgen, drukte ze zich heel dicht tegen hem aan.

'Dianne,' zei hij, en nu sprak hij met duidelijke, heldere stem, 'Dianne, wil je met me trouwen?'

Ze glimlachte. Haar hand ging regelrecht naar haar mond, uit stomme verbazing dat haar dit overkwam. Ze keek hem met grote ogen aan terwijl haar grijns zich verbreedde. Haar ogen glinsterden van de vreugdetranen.

'Ja,' zei ze, toen ze haar hand kon laten zakken en ze de zijne had vastgepakt. 'Ja, Alan, ja!'

'Ik hou van je,' zei Alan.

'Ik hou van je,' zei Dianne.

Het stoeltje stond tussen hen in, en voor Dianne was het een symbool voor het kind zelf. Als Julia erbij was geweest, zou ze uitgelaten zijn geweest. Dr. McIntosh, haar oom Alan, de man die al van haar hield sinds de dag waarop ze was geboren.

'Eigenlijk had Julia hierbij moeten zijn,' zei Dianne. Ze keek naar de stoel en realiseerde zich hoe liefdevol en attent een man moest zijn om zoiets te laten maken.

'Nog even, en dan is ze er ook bij,' zei Alan.

'We moeten terug,' zei Dianne. Ze zou eeuwig in het huis hebben kunnen blijven, maar ze moest naar Julia. Ze zou intussen aan het bijkomen zijn, en hoewel ze waarschijnlijk nog niet helemaal wakker was, zou ze voelen dat haar moeder er niet was. Ze moesten gaan.

'Ja, dat weet ik,' zei hij. 'Maar –'

'Ik wil het haar vertellen,' zei Dianne. 'Ik wil haar vertellen dat je haar vader wordt.'

Alan knikte. Hij leek iets te willen zeggen. Hij deed zijn mond open, maar deed hem toen weer dicht. Dianne keek hem aan en was bang dat hij iets over Tim wilde zeggen. Ze wist niet waarom, het was maar een idee, maar ze hoopte dat hij het niet zou doen. Ze hoopte vurig dat hij met geen woord over Tim zou reppen, en dat hij zijn broer niet in dit onvoorstelbare, geweldige huis zou halen.

En dat deed hij ook niet. Hij hield Dianne's handen in de zijne, keek haar diep in de ogen en glimlachte. 'Julia weet het,' zei hij. 'Ze weet dat ik je ten huwelijk wilde vragen –'

'Ze... ze weet het?'

Alan knikte. 'Ik heb haar verteld dat ik het huis had gekocht en dat ik met je wilde trouwen. En ik heb haar, zonet in het ziekenhuis, toen ik wist dat we hierheen zouden gaan, om je hand gevraagd, Dianne.'

'En wat heeft ze –' vroeg Dianne, terwijl ze naar hem opkeek, 'wat heeft ze gezegd?'

'Nou, ja, natuurlijk!' zei Alan.

Dianne knikte met stralende ogen.

'En ik heb haar ook gezegd dat ik haar vader wilde zijn,' zei hij. 'Maar dat was natuurlijk niets nieuws.'

'O, nee?'

'Nee. Dat heb ik haar al ik weet niet hoe vaak gezegd. Elke keer sinds haar geboorte dat ik even met haar alleen was. Al die keren heb ik haar gezegd dat ik haar vader wilde worden.'

'Dat ben je al,' zei Dianne, terwijl ze haar hand op zijn borst drukte. 'Dat ben je al.'

Voor ze teruggingen naar Julia, wilde hij haar nog even iets laten zien. Hij nam haar mee door een serre waar Julia kon zitten en naar de boten in de haven kon kijken, en door de mooiste keuken die Dianne ooit had gezien, een korte gang af naar een slaapkamer.

'Hier zijn twee slaapkamers – een voor ons en een voor Julia – en een badkamer,' zei hij.

'Naast elkaar...' zei ze, toen ze zag hoe de vertrekken met elkaar in verbinding stonden.

'En op de begane grond,' zei Alan. 'Zodat je haar niet meer de trap op en af hoeft te dragen.'

'O, Alan,' zei Dianne. Ze had meer last van haar rug dan ze iemand had durven vertellen. En die pijn vanochtend was zo erg geweest... Ze dacht opnieuw en met een verschrikkelijk schuldgevoel aan wat ze op dat moment over Julia had gedacht, en hoe de pijn in haar rug ermee te maken had gehad.

'Van nu af aan zijn we samen, Dianne,' zei Alan. 'Van nu af aan zal ik voor jou en Julia zorgen en zal ik jullie gelukkig maken.'

'Dat ben ik al,' zei Dianne, en ze keek in de ogen van de meest geweldige man ter wereld. 'Je kunt je niet voorstellen wat je me hebt gegeven.'

'Niets in vergelijking met wat je mij hebt gegeven,' zei Alan. Hij kuste haar en nam haar mee naar de plek waar hun bed zou komen te staan. Hij legde zijn jas op de harde vloer en ze gingen erop liggen. Ze hielden elkaar lange minuten stevig vast waarbij ze elkaar diep in de ogen keken. Dianne kon hun hart door hun kleren heen hetzelfde ritme voelen slaan. Ze hief haar hand op en liet hem tussen twee knoopjes onder in zijn overhemd glijden.

Ze dacht aan de eerste keer dat ze met elkaar naar bed waren geweest, en aan hoe gemakkelijk hij het voor haar had gemaakt. 'Laat mijn liefde je leiden,' had hij tegen haar gezegd. Ze drukte haar hand op zijn borst en realiseerde zich dat ze meer wilde doen dan dat. Heel langzaam begon ze de knoopjes open te maken.

'Je hoeft niet te –' zei hij.

'Laat mijn liefde je leiden,' zei ze zacht.

Alan sloot zijn ogen. De uitdrukking op zijn gezicht getuigde van de diepe emoties die hij voelde, en ze zag hoe hij die emoties de baas probeerde te worden. Ze streelde hem zo teder als ze maar kon. Ze liet haar hand over zijn gespierde borst en zijn harde, platte buik gaan. Toen boog ze zich over hem heen en kuste zijn lippen.

Dianne had nog nooit eerder op deze wijze de leiding genomen. Doorgaans was het Alan die het initiatief nam waarbij ze zich overgaf aan het genot dat hij haar schonk. Tot meer was ze niet in staat geweest. Liefhebben leerde je nu eenmaal niet in een klap. Er was tijd voor nodig, en Alan was gul en geduldig.

Zelfs nu probeerde hij de leiding van haar over te nemen. Hij wilde voor haar zorgen, zich over haar ontfermen en haar alles geven dat ze nodig had. Maar voor de verandering wilde Dianne dat nu eens voor hem doen.

'Nee,' zei ze zacht, en ze kuste zijn oor. 'Laat mij nu maar...'

'Maar je rug,' zei hij.

'Met mijn rug is niets aan de hand,' zei ze.

Heel langzaam kleedde ze hem uit. Ze maakte alle knoopjes een voor een los, en nam tussendoor even de tijd om elk plekje vrijgekomen huid te kussen. Ze ritste zijn gulp open, en hij wrong zich onder haar vederlichte aanraking in allerlei bochten, maar ze liet hem niet overeind komen, en stond erop dat hij haar liet begaan.

Toen kleedde ze zichzelf uit. Het winterse licht viel door de grote ramen naar binnen, en verstoppen was er niet bij. En zelfs al had ze zich ergens kunnen verstoppen, dan zou ze dat nog niet hebben gewild. Ze wilde zich met lichaam, hart en ziel aan Alan geven. Dianne was haar leven

lang verlegen geweest. Ruim tien jaar had ze haar best gedaan om te vergeten dat ze een lichaam had. Maar nu, terwijl ze haar shirt en haar beha
uittrok en de blik in Alans ogen zag, wist ze dat hij met lichaam, ziel en
geest van haar hield, en dat was wat ze hem wilde schenken.

'Wat ben je mooi,' fluisterde hij.

Te mager, wilde ze zeggen. *Vel over been, te hoekig en te hard.* Maar ze
zei niets. In plaats van iets te zeggen, omsloot ze zijn mond met haar lippen. Ze kuste hem lang, traag en genietend, en hun lippen gingen vaneen. Ze dacht aan al haar onzekerheden, en aan hoe die nu opeens tot het
verleden leken te horen. Alan had haar mooi genoemd, en de liefde in zijn
ogen hielp haar hem te geloven.

Dit is ons huis, dacht ze, terwijl ze de liefde met hem bedreef. *Ons
huis.*

Dit is de eerste keer dat we de liefde bedrijven in ons nieuwe huis.

Ze knielde boven hem en Alan sloot zijn armen om haar heen. Het
licht stroomde door het oude glas-in-loodraam naar binnen en beschreef
regenbogen op de vloer. Deze man had zo veel voor haar gedaan. Hij had
haar hele leven veranderd. Dankzij hem en de manier waarop hij haar innerlijk had beroerd, had ze nu een heel andere kijk op de wereld.

En nu beroerde ze hem. Ze bracht hem bij zich naar binnen en was
zich bewust van de inmiddels vertrouwde, oplaaiende emotie. Ze wou
dat hier nooit een eind aan kwam. Ze wou dat ze deze gevoelens had gehad in al die jaren dat ze elkaar kenden – zijn oneindig tedere blik, de tedere streling van zijn vingers over haar wang, en die opwelling van liefde
die haar hele wezen vervulde.

'Alan...' fluisterde ze.

'Ik hou van je, Dianne,' zei hij.

Hun ogen vonden elkaar en hielden elkaar vast. Ze bedekte zijn lichaam met het hare. Ze rolden om tot ze, nog steeds een met elkaar, op
hun zij kwamen te liggen, en bewogen in een ritme dat haar deed denken
aan de golven en het getij. Het huis keek uit op de haven en de zee erachter, en toen ze haar ogen sloot voelde ze de sterke stroomstoot door haar
lichaam trekken. Ze kwamen klaar in elkaars armen, en bleven elkaar
vasthouden tot de stroomstoot was weggeëbd. Maar het onderliggende
gevoel duurde voort.

Dit is liefde, de kracht van de liefde, dacht ze, terwijl ze zich aan Alan
vastklampte alsof haar leven ervan afhing. Dit was de kracht die kastelen
bouwde, die zorgde voor het getij van de zee, die kinderen grootbracht en
de sterren deed stralen. Ze had Julia een leven vol liefde gegeven, en nu
had ze Alan ook nog. Nu hadden ze elkaar.

'Hou me vast,' zei ze, hoewel zijn greep geen moment verslapte.

'Zo,' zei hij.

'Ja, zo,' fluisterde ze.

'We zijn samen,' zei hij.

'Dit was mijn speelhuis,' zei ze, terwijl ze zijn gezicht in een teder ge-baar tussen haar handen nam.

'Dat weet ik,' zei hij. 'En daarom zijn we nu hier.'

'Maar jij hebt het tot mijn thuis gemaakt,' zei ze.

Alan knikte en kuste haar.

'We zijn thuis,' zei ze, omdat ze het nog maar nauwelijks kon geloven.

Hoofdstuk 26

Over twee dagen was het Thanksgiving. Dianne en Lucinda stonden in de keuken en hielden zich bezig met de voorbereidingen voor het feestmaal. Zoals ieder jaar maakte Dianne de cranberrysaus, en Lucinda zorgde zoals gewoonlijk voor de pastei. Elk jaar werd het zilver gepoetst en werden de kristallen glazen gewreven tot ze glansden. De vulling van ui en salie was klaar, en de hele keuken rook ernaar. Alles verliep volgens een vast ritueel dat talloze jaren eerder door Lucinda was bepaald.

'O, ik ben toch zo gelukkig, Mam,' zei Dianne, vanaf haar plaatsje voor het aanrecht. Ze klonk verbaasd, en dat deed ze al sinds het moment, enkele dagen eerder, waarop ze Lucinda over Alans aanzoek had verteld.

Lucinda knikte. Haar handen zaten onder het deeg voor de pastei. Zij was helemaal niet verbaasd. Ze was alleen maar ontzettend blij voor haar dochter die al die jaren op dit geluk had moeten wachten.

'Ik heb dit nog nooit eerder gedaan,' zei Dianne. 'Zo geleefd. Ik weet niet wat ik moet doen.'

'Wat weet je niet?' vroeg Lucinda.

'Ik weet niets,' zei Dianne. 'Ik heb bijna mijn hele leven hier gewoond.'

'Maar niet altijd,' zei Lucinda.

Dianne knikte. Ze roerde de saus en bracht de houten lepel naar haar lippen. 'Toen Tim en ik in de oesterloods woonden,' zei ze. 'Dat leek zo simpel. We hadden de oude meubels uit de kelder, en Alan gaf ons – ' Ze zweeg.

'Dat is heel lang geleden, allemaal.'

'Ja, maar toch heb ik nog steeds...' begon Dianne. Ze fronste haar voorhoofd alsof haar iets dwarszat, en ze wist dat ze het aan iemand moest vertellen. 'Ik wou dat ik nooit met zijn broer getrouwd was geweest, dat hij nooit tussen mij en Alan was gekomen. Ik wou dat Alan de enige in mijn leven was geweest, en dat ik geen verleden had.'

'Ja, ik begrijp wat je bedoelt, liefje,' zei Lucinda. Ze was bezig geweest met het uitrollen van het deeg voor de pastei, maar hield daar nu mee op. Ze wou dat ze iets wijs kon zeggen, iets in de zin van dat het beter was om het verleden te laten rusten, maar in feite gold datzelfde voor haar.

Ze dacht terug aan het begin, aan toen zij en Emmett aan het begin van hun gezamenlijke leven hadden gestaan. Na hun huwelijksvoltrekking in de kerk waren ze in zijn bestelwagen weggereden. Ze kon het lawaai van alle lege blikjes die aan de achterbumper waren gebonden, nog horen. Ze hadden hun intrek genomen in het huis dat hij had gebouwd en dat ze zelf hadden ingericht, en ze hadden nooit te maken gehad met ex-echtgenoten of concurrerende broers. Hun leven was eenvoudig geweest. Getrouwd zijn was al moeilijk genoeg zonder het verleden van beide echtelieden.

'Hij heeft een huis voor me gekocht,' zei Dianne.

'Het mooiste huis van Hawthorne,' zei Lucinda.

'Het is enorm,' zei Dianne. 'Ik had hem erover verteld, maar ik had echt nooit gedacht dat hij het zou kopen. Nooit, maar toch heeft hij dat gedaan!'

'Ik weet nog hoe je vroeger, wanneer we een ritje maakten door de stad, altijd bij dat huis langs wilde gaan om er even naar te kijken,' zei Lucinda. 'Je vroeg je vader om wat langzamer te rijden, en dan zette hij de auto even aan de kant.'

'Mijn speelhuis...' zei Dianne.

Lucinda knikte. Ze herinnerde zich die Kerstmis waarop Emmett haar die op schaal nagemaakte kopie van het huis cadeau had gedaan. Hij had elk detail zorgvuldig bestudeerd en alles klopte als een bus. Ze wist dat hij heel blij zou zijn geweest met wat Alan voor hun dochter had gedaan.

'Ik heb speelhuizen gebouwd voor mensen die straks, in die buurt, mijn buren zullen zijn,' zei Dianne.

'Ze boffen met jou als buur,' zei Lucinda, terwijl ze haar dochter even onderzoekend opnam. De onzekerheid in Dianne's stem was haar niet ontgaan. Lucinda en Emmett waren eenvoudige mensen: een bibliothecaresse en een timmerman. Dianne had jarenlang zelf de kost voor haar en Julia verdiend met het bouwen van speelhuizen voor mensen die in grote villa's woonden. Ze had ruwe handen en splinters in haar vingers. En voor het afleveren van haar werkstukken moest ze lange opritten afrijden van huizen met zuilen die een naam hadden.

'Iedereen gaat met zijn kinderen naar Alan,' zei Dianne. 'Ze zullen het alleen maar vanzelfsprekend vinden dat hij in hun buurt komt wonen.'

'Met jou en Julia.'

Dianne knikte. Ze straalde van liefde en trots.

Lucinda keek naar haar kleindochter. Tegenwoordig deed Julia haar ogen nog maar zelden open. Ze wiegde heen en weer en sliep, en nam steeds meer een foetale houding aan, alsof ze een slak wilde zijn. Dianne had een engelengeduld. Keer op keer probeerde ze Julia, om te voorkomen dat haar spieren zouden verkrampen, weer in een gestrekte houding te trekken op de manier die de fysiotherapeute haar indertijd had gewezen.

'Alan wil haar adopteren,' zei Dianne, toen ze zag dat haar moeder naar Julia keek.

'Ja, dat weet ik.'

'En wat ik echt fantastisch vind,' zei Dianne, 'is dat hij zo graag wil dat we een gezinnetje zijn.'

'En dat wil hij al twaalf jaar,' zei Lucinda.

'Mam,' zei Dianne. Ze sloeg haar armen om zich heen alsof ze het koud had.

'Ja, lieverd?'

'Heb ik dit wel verdiend?'

'Dianne!'

'Ik weet niet hoe lang,' zei Dianne, en ze sprak zo zacht dat Lucinda zich naar haar toe moest buigen om haar te kunnen verstaan, 'heb ik me afgevraagd wat ik gedaan had om dit te krijgen. Ik dacht altijd dat het iets in mij moest zijn, iets wat ik gedaan had, waardoor Julia is zoals ze is.'

'Maar jij kon er niets aan doen,' zei Lucinda.

'Ik ben haar moeder,' zei Dianne. 'Het moet iets met mij te maken hebben gehad. Misschien kwam het door iets dat ik had gegeten, of juist door iets dat ik niet had gegeten. Of door bepaalde gemene dingen die ik had gedaan toen ik klein was...'

'Je bent nooit gemeen geweest.'

'Kleine zonden,' zei Dianne. 'Het is grappig, maar die dingen denk ik alleen wanneer het om mijzelf gaat. Maar neem invaliden of blinden, wat moeten hun moeders wel niet voor zonden hebben begaan. Nee, ik dacht dat alleen maar voor mijzelf.'

'Maar dat doe je nu niet meer?' vroeg Lucinda opgelucht.

'Ik probeer het niet meer te denken,' antwoordde Dianne. 'Maar het valt niet mee. Wanneer ik zie dat Julia pijn heeft, of wanneer ze een aanval heeft. Of wanneer ik eraan denk dat ik met Amy naar *De Notenkraker* ga, in plaats van met Julia, omdat Julia niet mee kan... Wanneer ik aan dat soort dingen denk, dan steekt de twijfel de kop op. Dan denk ik dat ik ergens om word gestraft.'

'Maar nu,' zei Lucinda, 'word je beloond.'

'Ja, met Alan,' beaamde Dianne. Bij het zeggen van zijn naam kreeg haar gezicht een totaal andere uitdrukking. Lucinda zag de angst verdwijnen. Sterker nog, de sfeer in de keuken was opeens helemaal niet meer gespannen. Dianne straalde.

'Met liefde,' zei Lucinda. Omdat het ingewikkelder lag dan dat. Niet alleen werd Dianne beloond met Alan, maar Alan werd net zo goed beloond met Dianne. Ze waren tweelingzielen, en ze hadden elkaar gevonden. En hoewel het een wonder leek, waren ze nog steeds samen.

'Denk je dat onze liefde zal duren?' vroeg Dianne.

Lucinda nam haar hand in de hare. Als kind had Dianne zo veel vragen gesteld. Ze had altijd het volste vertrouwen in haar ouders gehad, en Lucinda wist nog goed hoe ze vaak de meest onmogelijke dingen had gevraagd, zoals hoe hoog de hemel was, of zo. En daarbij had ze Lucinda net zo aangekeken als ze nu deed.

'Lieverd, Dianne,' zei Lucinda, 'begin nu maar eerst met jezelf ervan te overtuigen dat je deze liefde in je leven verdient, en dat je het verdient om gelukkig te zijn. Jij net zo goed als ieder ander. En ik ook. Amy. Julia. We moeten elk beetje vreugde dat op onze weg komt met open armen ontvangen. Of het nu in een camper is, of in een groot wit huis aan de haven. Of hier.'

Dianne omarmde zichzelf en keek om zich heen in de keuken van het bescheiden huis waar ze haar hele leven had gewoond.

'Of waar dan ook,' besloot Lucinda.

'Mijn tweelingziel,' zei Dianne.

'Dat moet je aan Amy vertellen,' zei Lucinda.

'Ik ben blij dat het Thanksgiving is,' zei Dianne.

Lucinda trok haar in haar armen. 'Je moet elke dag dankbaar zijn,' zei ze. 'Dat is mijn geheim, en dat deel ik nu met jou. Dat was ik toen je vader nog leefde, en daarom waren we zo gelukkig. Want je weet maar nooit hoe lang het duurt.'

Morgen moest haar verhaal ingeleverd zijn. Amy had het opgeborgen op wat voor haar de meest veilige plek was: achter de foto van haar vader aan de muur van haar kamer. Daar hing hij, Russell Brooks, de knappe, eerlijke autoverkoper, die haar lachend aankeek. En achter zijn foto, net als in een brandkast of een kluis, zat Amy's verhaal. Ze haalde het nu te voorschijn. Ze was zenuwachtig en bang dat het verhaal niet goed genoeg zou zijn, en ze wilde graag nog een mening.

'Mam,' zei Amy, terwijl ze naar de deur van haar moeders slaapkamer liep.

'Stil, liefje,' zei haar moeder. Ze lag in bed. 'Ik heb vannacht geen oog dicht gedaan. Ik ben moe.'

'Zou je dit voor me willen lezen?' vroeg Amy.

'Niet nu meteen,' kreunde haar moeder van onder de dekens.

'O, toe, Mam. Het is echt heel belangrijk,' zei Amy, die boos begon te worden. Het was niet eerlijk: in het verhaal was Catherine's moeder van haar depressie genezen, maar in het echte leven leek het juist weer slechter met Amy's moeder te gaan. Amy maakte zich zorgen en ze was bang, maar op hetzelfde moment was ze ook ontzettend boos.

'Straks,' zei haar moeder, en Amy wist bijna zeker dat ze haar hoorde huilen.

Amy balde haar vuisten en staarde naar het bed. Lucinda en Dianne waren zo trots op haar, waarom kon haar moeder dat niet ook zijn? De pillen van haar moeder zaten in een flesje dat op het plankje in de badkamer stond. Amy had ze gisteren geteld om na te gaan of haar moeder ze wel innam. Ze rende naar de badkamer en telde ze opnieuw: er zaten er nog evenveel in als gisteren.

'Mam,' zei ze, terwijl ze haar moeder bij de schouder schudde.

'Wat is er, Amy?'

'Waarom neem je je pillen niet in? Wil je dan niet beter worden?'

'Natuurlijk wel, Amy.'

'Maar je neemt je pillen niet!' riep Amy met schrille stem. 'Ik heb ze geteld, dus je hoeft niet te zeggen dat je ze wel hebt genomen! We hebben een heerlijk leven! We hebben elkaar. Het is Thanksgiving! Waarom neem je je pillen niet?' Ze schudde haar moeder door elkaar, maar ze was zo boos dat ze haar het liefste nog veel harder had geschud.

'Ik word zo moe van die pillen,' zei haar moeder, en ze begon te huilen. 'Ik krijg er een droge mond van, en hoofdpijn.'

'Je probeert het niet eens!' krijste Amy. 'Je probeert het helemaal niet!'

Haar moeder reageerde niet. Ze bleef liggen en huilde. Amy keek naar haar. Waarom kon ze niet zijn zoals Dianne? Het interesseerde haar niet dat Amy aan een verhalenwedstrijd mee wilde doen en dat ze, ongeacht of ze nu won of niet, naar New York zou gaan. Waarom nam haar moeder haar niet mee naar *De Notenkraker*? Het leek wel alsof het haar moeder niet eens kon schelen dat ze met iemand anders ging. Ze had het veel te druk met in bed liggen en haar pillen niet innemen.

'We hebben niet eens een kalkoen,' zei Amy met onvaste stem. 'Het is bijna Thanksgiving en we hebben zelfs niet eens een kip en geen cranberrysaus in huis. Ik heb een verhaal geschreven, en je wilt het niet eens lezen.'

'Ik heb het gelezen,' fluisterde haar moeder. 'Toen je op school was.'

'Echt?' vroeg Amy, en ze kreeg een vreemd gevoel in haar hoofd.

'En ik voelde me er ellendig door omdat ik niet zo snel beter kan worden als Catherine's moeder. Ze lijkt op mij, maar ze is een veel beter mens. Ze zorgt voor haar kinderen, voor het kind dat op jou lijkt en voor het kind dat op Julia lijkt, en ze zorgt veel beter voor hen dan ik ooit zou kunnen. Het spijt me, Amy.'

'Mam...' begon Amy, maar ze wist niet wat ze moest zeggen.

'Laat me nu maar slapen, goed?' zei haar moeder. 'Alsjeblieft?'

Amy liep achteruit de kamer uit en deed de deur achter zich dicht. Ze liet het verhaal op de keukentafel vallen. Het viel op een klodder pindakaas, maar dat kon haar niet schelen. Haar moeder had het verhaal gelezen en het had haar gekwetst.

Ze liep de straat uit en liep, zonder dat bewust te willen, naar het huis van de Robbinsen. Een poosje met Julia spelen zou haar goed doen. Maar toen ze er bijna was, realiseerde ze zich dat ze geen zin had om Dianne te zien. Lucinda, misschien, maar niet Dianne met haar blozende wangen en goudblonde haar. Ze kromp ineen bij de gedachte aan hoe haar moeder zich gevoeld moest hebben bij het lezen van Amy's beschrijving van de moeder.

Orion zag haar aankomen. Hij was in de tuin aan het spelen. Ze gingen samen naar het moeras. Het bootje stond vol met water waar een vliesje ijs op lag. Amy hoosde de boot leeg. Orion was een stuk gegroeid. Hij sprong in de boot en had duidelijk zin om een stukje te varen. Amy's hart voelde loodzwaar, maar ze wilde haar makkertje niet teleurstellen. Misschien dat ze hem vandaag mee naar huis zou nemen.

Ze roeiden door het moeras naar het strand. De hemel was loodgrijs, en aan de horizon was een streep heldergoud licht. Het moeras was bruin en doods. In gedachten raakte ze het beeld van haar moeder, die in bed had liggen huilen, maar niet kwijt. Ze huilde omdat ze Amy's verhaal had gelezen. Misschien was dat ook wel de reden waarom ze haar pillen niet nam. Amy zou haar verhaal weggooien zodat haar moeder het nooit meer zou hoeven lezen.

Orion sprong uit de boot en rende de duinen in. Vanaf de zee woei een koude winterwind die Amy's haar strak naar achteren blies. Ze kreeg zandkorreltjes in haar mond die ze, terwijl ze het duin op klom, zoveel mogelijk weer probeerde uit te spugen. De hond rende opgewonden in kringetjes en snuffelde aan alles. Hij ging haar voor naar de vuurtoren, en Amy durfde bijna niet te kijken.

Het zandkasteel was verdwenen.

Het ijzersterke fort dat ze in september, in de luwte van de vuurtoren, en veilig voor het getij en de herfstbuien had gebouwd, was weggespoeld. Het leek onmogelijk, maar het getij was echt zo hoog gekomen: Amy zag restjes zeewier en wrakhout, een kapotte kreeftenfuik en visgraten die het bewezen.

Terwijl Orion opgewonden aan het zand en het wier rook, liet Amy zich op haar knieën vallen. Dit was de plek. Verbeeldde ze het zich, of was dat echt een hoopje zand? Was dit het enige wat over was van het kasteel dat ze had gebouwd? Ze was zo hoopvol geweest die dag. En onder het bouwen van het kasteel had ze aan Julia gedacht.

Er was zoveel wat verdwenen was. Amy's moeder lag weer in bed, en Julia... Amy sloeg haar handen voor haar ogen. Julia kon amper nog praten. Amy's zandkasteel was in ieder opzicht tekortgeschoten. Amy begon te graven, begon het zand op een hoop te gooien die de fundering moest worden voor een nieuw kasteel. Maar haar handen waren klompjes ijs en ze rilde in de ijzige wind. Wat had het ook voor zin?

Orion blafte. Amy snikte en ze rilde. De wind loeide zo hard dat niemand haar kon horen – zelfs de dolfijnen in zee niet. Amy huilde en huilde. Het kasteel was vergaan, en het ontbrak haar aan moed om het weer opnieuw te bouwen.

Tess Brooks was uit bed gekomen, en ze had nog net gezien hoe haar dochter de straat uit was gerend.

'Amy!' had ze haar vanaf de voordeur nageroepen. 'Amy!'

Maar het was te laat – Amy was de hoek al om. Met een zucht deed ze de deur weer dicht. De wind was naar binnen gewaaid en het was kil in huis. Tess liep naar de thermostaat en keek ernaar. Hij stond op twintig graden. Tess kon het zich niet veroorloven om hem nog hoger te zetten – het einde van Russ' verzekeringsgeld was in zicht.

Amy was zo'n lief kind. Ze klaagde nooit dat het te koud was in huis. Ze maakte haar huiswerk en deed meer dan haar aandeel in het huishouden. Ze droomde ervan om schrijfster te worden, en ze had verschrikkelijk haar best gedaan op dat verhaal.

Waarom had Tess die dingen tegen haar gezegd? Ze streek haar haren uit haar gezicht, ging naar de badkamer en nam haar pillen. Ze wilde niet zo zijn, zo negatief en bang. Ze wilde niet depressief zijn, zich onder de dekens verschuilen, en bang zijn dat haar dochter beter af was bij de Robbinsen.

Ze pakte een borstel en haalde hem door haar bruine haren. Stapje voor stapje, had de dokter gezegd. Hij was aardig en heel vriendelijk. Hij zei nooit dat ze voor niets was gekomen, wanneer ze gedurende de vijftig minuten van het begin tot het einde zat te huilen. Ze was nog maar net twintig geweest toen ze haar man had verloren. Hij was de enige jongen van wie ze ooit had gehouden.

Tess was er letterlijk kapot van geweest. Nu had ze Amy, en dat geld van de verzekering, maar ze was zo eenzaam. Ze had nooit een goede baan gehad, en ze had nooit het gevoel gehad dat ze echt ergens voor deugde. Ze was blijven zitten met een lief, levendig kind, maar het had haar ontbroken aan de energie om haar dochtertje voor te lezen.

Tess had een heleboel fouten gemaakt, maar dat beschouwde ze als een van de grootste: dat ze Amy niet had voorgelezen toen ze klein was. Tess was zelf gek geweest op lezen. Als kind had ze uren in de bibliotheek doorgebracht, en had ze vrachten boeken mee naar huis gesleept. Maar toen Russ was gestorven, was haar hele wereld ineens grijs geworden. Het echte leven en het leven in boeken – Tess had zich voor geen van beide meer geïnteresseerd.

En dat was waarom ze zo blij was geweest toen Amy de Robbinsen had gevonden. Mevrouw Robbins was iemand die zich het welzijn van jonge mensen aantrok, en Tess had gewoon geweten dat ze Amy zou helpen. En iedereen kende Dianne, die door haar knappe man in de steek was gelaten en het zo moeilijk had met haar gehandicapte kind. Hoe kon Tess er bezwaar tegen hebben dat Amy zo vaak bij die aardige mensen was?

Dus waarom was Tess dan zo verschrikkelijk jaloers? Waarom balde haar maag zich altijd samen wanneer ze Amy hoorde zeggen dat ze bij Julia ging spelen? Of, en dat was nog erger, dat ze even bij Dianne langsging? In het begin was Buddy nog hier geweest, en hij had die negatieve gevoelens van haar aangemoedigd met te zeggen dat Amy veel liever bij vreemden was dan thuis, en dat het niet lang meer zou duren voor Amy helemaal niet meer thuis zou willen komen.

Niet dat Tess haar dat kwalijk kon nemen. Ze zuchtte en keek naar Amy's verhaal op de keukentafel. In de linkerhoek onderaan zat een pindakaasvlek. Het vet trok door de bladzijden en maakte ze doorschijnend. Tess veegde de klodder weg. Ze keek naar de titel: 'Zandkastelen'. Jaloezie was iets verschrikkelijks. Ze had zo'n spijt van wat ze had gezegd. In zekere zin was ze blij dat Amy de kans kreeg om naar *De Notenkraker* te gaan, maar waarom had Amy haar moeder in het verhaal blond haar moeten geven?

Hoofdstuk 27

Amy keek naar het huis. Als ze Dianne of Lucinda voor het raam zag, zou ze naar binnen gaan. Ze had zin om Julia te zien, helemaal nadat ze ontdekt had dat het zandkasteel er niet meer stond. Ze hoopte zelfs dat ze naar buiten zouden kijken, en ze roeide heel langzaam om hen zoveel mogelijk de kans te geven.

Maar het begon al laat te worden. Ze moest naar huis om te zien of alles goed was met haar moeder. Ze keek voor de laatste keer of ze het bootje wel ver genoeg op de kant had getrokken, en liep toen ongehaast de tuin in.

Orion rende in wilde kringetjes. Amy wilde hem naar huis halen, maar ze wist dat hij het nergens zo naar zijn zin zou hebben als hier bij Stella. Het was Stella geweest die hem onder het bed uit had gelokt. Na zijn leven in een ren, was alleen Dianne's kleine kat, die zelf in een holletje in een muur was opgegroeid, in staat geweest om hem weer zin in het leven te geven. Orion blafte en volgde haar naar de straat.

'Tot de volgende keer, Orion,' zei Amy, nadat ze naast hem was geknield en hem haar gezicht liet likken.

Orion likte haar oren en haar ogen. Hij waste de tranen weg die ze op het strand had gehuild, op de plek waar Julia's zandkasteel had gestaan. De hond likte haar, en dat deed haar goed. Zoenen deden haar altijd goed, of het nu mensenzoenen of hondenzoenen waren. Amy zou naar huis gaan, haar moeder haar excuses aanbieden en kijken of ze de pindakaas van haar verhaal kon krijgen.

Orion begon zachtjes te janken.

Amy deed haar ogen open. Het hondje was op de weg gaan liggen en probeerde zichzelf zo plat mogelijk te maken. Hij plaste: Amy zag een dun straaltje van onder zijn staart uit de goot in lopen. Orion maakte een doodsbange indruk. Amy had hem al maanden niet meer zo bang gezien. En toen zag ze de auto.

Hij was haar voorheen niet opgevallen. Ze was met haar gedachten bij Dianne geweest, en had gehoopt dat ze haar door de tuin zou zien lopen en haar binnen zou vragen, en daarom had ze de auto niet gezien. Hij stond op het keerpunt, en zijn kleur, een roestig bruin, was dezelfde als die van het riet op de achtergrond.

'Dag Amy,' zei Buddy door het open raampje.

'Je hebt hier niets te zoeken,' zei Amy.

'O, nee?' vroeg Buddy.

'Nee,' zei Amy.

Orion piepte. Hij lag als een doodsbang hoopje ellende op de straat te bibberen. Ga naar huis, wilde Amy tegen hem zeggen. Doe wat Lassie altijd doet, en ren naar huis om hulp te halen! Maar hij was verlamd van de angst. Amy zou zelf hulp moeten halen, maar ze zou eerst om hulp schreeuwen. Ze deed haar mond open, maar er kwam geen geluid over haar lippen.

Buddy deed het portier open, was in drie grote stappen bij Amy en sloeg haar in haar gezicht. Ze was zo verrast dat ze, in plaats van terug te slaan, verbaasd aan haar wang voelde. Intussen had Buddy Orion bij zijn nekvel, en Amy bij haar middel gegrepen, en het volgende moment duwde hij ze de auto in en sloeg het portier achter hen dicht.

'Laat me eruit,' schreeuwde Amy vanaf de achterbank.

'Hou je kop,' snauwde Buddy, terwijl hij instapte.

'Ze zullen je arresteren,' zei ze, 'en dan kom je in de gevangenis!'

Orion had zich helemaal opgerold en lag achter Buddy's stoel op de grond. Amy probeerde de achterportieren open te krijgen, maar Buddy had alle hendels en sloten eraf gehaald. Ze zat in de val!

'Het is bijna Thanksgiving,' zei Buddy, terwijl hij een sigaret opstak.

Orion keek met enorme ogen naar Amy op. Hij deed haar denken aan Julia, die ook zo kon kijken wanneer ze iets wilde zeggen maar er de woorden niet voor kon vinden. Omwille van Orion moest Amy zorgen dat er geen nare dingen gebeurden.

'Toe Buddy,' zei ze zo kalm als ze maar kon, 'laat ons alsjeblieft uit de auto.'

'Nog twee dagen maar,' zei Buddy. 'Nog twee dagen, en dan is het Thanksgiving, en die arme Buddy is nergens uitgenodigd. Er is niemand die mij te eten heeft gevraagd.'

'Dat spijt me voor je,' zei Amy.

Buddy nam de tijd. Met Amy en Orion die geen kant op konden, leek hij geen haast te hebben hen te ontvoeren. Hij nam een paar trekjes van zijn sigaret, en maakte zijn tanden schoon met een lucifer. Als Amy niet zo bang was geweest, had ze het waarschijnlijk walgelijk gevonden. Buddy scharrelde met de radio en vond de zender die hij zocht.

'Laat ons eruit, alsjeblieft,' zei Amy zacht. 'Ik zweer je dat ik Mam zal vragen of je bij ons mag komen. We zullen kaarsen op tafel zetten, en we maken pompoentaart, want dat vind je toch zo lekker, niet?' vroeg ze, in de hoop dat ze het zich goed herinnerd had van afgelopen jaar. Als ze maar, zoals Lucinda altijd zei, in staat zou zijn om hem te vergeven, als ze maar aardig genoeg zou kunnen zijn om te begrijpen dat hij het echt heel erg vond om met Thanksgiving nergens welkom te zijn, dan zou Buddy vanzelf voelen hoe goed ze het met hem meende, en zou hij haar laten gaan.

'Pompoentaart?' herhaalde hij. Zijn ogen gloeiden als zwarte kooltjes.

'Ja,' zei ze met onvaste stem. 'Met slagroom.'

'Waar ik van hou, dat zijn gebakjes met gedroogde vruchten, stomme trut. *Daar* hou ik van. We hebben godverdomme drie hele jaren onder een en hetzelfde dak gewoond, en zelfs dat kun je nog niet onthouden.' Hij startte de motor en trapte het gaspedaal een aantal malen diep in.

Amy rilde van angst. Haar nekharen kwamen overeind. Ze zag Dianne's huis en de werkplaats. Waarom kwamen ze niet naar buiten? Of als ze zelfs maar naar buiten hadden gekeken! Buddy vloekte. Er kwam een auto de straat in gereden. Amy probeerde hem te zien. Het was Dr. McIntosh!

Amy begon te krijsen en op de raampjes te bonken. Haar vuisten waren hard als steen. Kon ze het glas maar kapot slaan! Orion probeerde zich nog kleiner te maken. Buddy zakte onderuit. Amy zag Dr. McIntosh pal langs hen heen rijden, en zag dat hij alleen maar oog had voor het huis van Dianne. Hij was op weg naar haar toe, en hij zag die bruine auto aan het einde van de straat niet eens staan!

'Dr. McIntosh!' schreeuwde Amy. 'Help ons! O, help –'

'Hij hoort je niet,' zei Buddy, en hij schakelde. Hij lachte.

'O, alsjeblieft,' zei Amy, en ze begon te snikken. Buddy reed langzaam weg. Amy hield haar handen tegen het raampje gedrukt. Ze had zand onder haar nagels van het graven op het strand. Orion jankte. Amy keek naar Dianne's oprit, naar haar huis en de werkplaats.

Daar, op de vensterbank waar ze altijd zat om naar de sterrenhemel te kijken, zat Stella. De kleine kat zag Buddy's auto wegrijden, en zag hoe haar vriendje, de hond Orion, werd meegenomen. Ze sloeg alles gade met de hulpeloze wanhoop die alleen maar gevoeld kan worden door wezens die weten wat liefde is.

Alan had zo'n haast gehad om Dianne te zien, dat hij zonder jas de praktijk uit was gerend. Het maakte niet uit. Hij maakte dat hij zo snel mogelijk van de auto naar het huis kwam. Hij ging naar binnen en rende met twee treden tegelijk naar boven. Dianne was in haar slaapkamer bezig met het inpakken van dozen. Ze zat ineengedoken naast een open la, en zag hem niet meteen.

'Dianne,' zei hij.

'O, ik had je niet gehoord,' zei ze.

Hij keek haar aan. Haar haren, die met een sjaaltje in een staart waren gebonden, zaten door de war. Ze had haar werkkleren aan, en droeg een paar oude gympen. Julia lag op een deken op de vloer en hield haar gezelschap.

Alan ging op zijn knieën naast haar zitten. Zijn hart sloeg een snel ritme, en dat deed het al sinds hij een uur eerder uit het ziekenhuis was gekomen. In het verleden had hij altijd gewerkt met Thanksgiving. Dit soort feestdagen zei hem niets. Hij had zijn eigen dienst gedraaid, en er nog eentje bijgenomen van een collega. Maar dit jaar was anders. Het was nog maar dinsdag, en hij was veel vroeger uit het ziekenhuis vertrokken dan anders.

'Begrijp me niet verkeerd,' zei ze, terwijl ze hem stralend aankeek en zijn hand in de hare nam. 'Maar wat kom je hier doen? Ik verwachtte je pas veel later.'

'Ik heb vanmiddag vrij genomen,' zei hij.

'Echt?'

Hij knikte. 'En morgenmiddag neem ik ook vrij. En de dag daarna is Thanksgiving. Ik wil zoveel mogelijk bij je zijn voordat jij en Amy naar New York gaan.'

Dianne keek naar Julia, en van Julia keek ze weer naar Alan. Er gleed een bezorgde uitdrukking over haar gezicht.

'Vanwege Julia?' vroeg ze. 'Zijn er uitslagen bekend?'

Hij schudde zijn hoofd en nam haar in zijn armen. 'Nee,' zei hij. 'Ik wil gewoon bij je zijn. Wat doe je?'

'Ik ben aan het inpakken – Julia's spulletjes en de mijne,' zei Dianne, terwijl ze het zomerse T-shirt ophield dat ze net uit de la had gehaald. 'Voor de verhuizing. Hoezo?'

Alan liet zijn armen half zakken. Hij dacht aan hun laatste lange gesprek. Ze hadden het over Thanksgiving gehad. Ze had hem verteld wat haar moeder had gezegd, dat ze eigenlijk elke dag dankbaar moesten zijn voor elke minuut die ze samen hadden.

'Ik help je,' zei hij.

'Had je geen patiënten meer?' vroeg ze met een glimlach.

'Nee. We hadden alleen maar afspraken voor de ochtend gemaakt,' zei hij. 'Voorgaande jaren draaide ik er met Thanksgiving altijd een dienst van een of meer collega's bij, maar dit jaar heb ik Joe Bernstein gevraagd

324

of hij mijn dienst erbij wil nemen. Zodra je terug bent uit New York wil ik verhuizen.' Zijn hart begon opnieuw wild te slaan en hij trok haar weer tegen zich aan. 'Julia en ik zullen vast het nodige voorbereidende werk doen opdat alles klaar is wanneer je terug komt.'

'Precies zoals ik me dat ook had voorgesteld,' zei Dianne, en ze kuste hem. 'Daarom wilde ik alles van tevoren ingepakt hebben.'

'We kunnen nu al beginnen met er dozen naartoe te brengen,' zei hij.

'Beneden staan er al zes klaar,' zei ze.

'We zitten op dezelfde golflengte,' zei hij, terwijl hij haar innig tegen zich aan trok.

Amy probeerde een plan te bedenken. Buddy was een gestoorde griezel en Amy had een goed stel hersenen. Hij was door en door slecht en verdorven, en Amy had het goede en zuivere aan haar kant. Dankzij alles wat ze de laatste tijd had gelezen en wat ze van de Robbinsen had geleerd, wist ze dat het goede het altijd won van het boze.

'Ik heb jullie huis in de gaten gehouden,' zei Buddy onder het rijden. Ze reden over stille achterafweggetjes van het Lovecraft Nature Sanctuary, een natuurgebied dat links uit moeras, en rechts uit pijnbomenwoud bestond.

Orion jankte. Amy kroelde hem tussen zijn oren. Ze moest kalm zien te blijven. Ze moest goed opletten. Als ze een andere auto tegenkwamen, zou ze zwaaien. Ze hoopte vurig dat er een auto achter hen zou komen rijden. Dan zou ze zich kunnen omdraaien en de mensen in die andere auto door middel van het trekken van wanhopige gezichten duidelijk kunnen maken dat ze hulp nodig had.

'Ja, ik heb jullie huis dag en nacht in de gaten gehouden,' zei Buddy. 'Je moeder ziet er niet zo best uit.'

'Het gaat anders heel goed met haar,' zei Amy.

'Ze ziet er oud en afgetobd uit,' zei Buddy.

Orion deed nog een plas. Amy kon de ammoniaklucht ruiken. Omdat ze bang was dat Buddy het ook zou ruiken, trok ze haar schoenen en haar sokken uit. Het waren de dikke wollen sokken die ze tijdens hun reis bij L.L. Bean hadden gekocht, en ze gebruikte ze om er het hondenplasje mee op te nemen.

'Ik zat in mijn auto voor mijn eigen huis,' zei Buddy. 'Echt leuk. Maar veel was er niet te zien, met haar de hele dag in bed en zo. En daarom ging ik tussendoor ook nog bij andere huizen kijken. Bij de huizen van mijn vijanden, zoals dat van die brave dokter.'

Dr. McIntosh... Amy kreeg tranen in haar ogen bij de gedachte aan hem. Hij was zo dichtbij geweest! Had hij maar gekeken, dan had hij haar zeker gezien! Had ze zijn aandacht maar kunnen trekken.

'Dr. Heilighart,' zei Buddy. 'Onze heilige. Wat een zak. Een geboren verliezer, dat is hij. Hij en dat vriendinnetje van hem, je stiefmoeder.'

'Dianne,' kwam het fluisterend over Amy's lippen.

'Dat kind is pas goed ziek,' zei Buddy. 'Ik kwam ze laatst tegen in de supermarkt, en toen heb ik eens goed naar haar gekeken. Die stank van haar, ik moest er zowat van kotsen. Maar een knap smoeltje. Waardeloze armen en zogenaamde benen. Helemaal krom en vergroeid. Weet jij dat? Als armen en benen niet werken, hebben ze dan een andere naam?'

'Hou je mond,' zei Amy. Ze kon het niet verdragen dat Buddy zo over Julia sprak. Hij had geen enkel recht om zulke afschuwelijke dingen over haar vriendinnetje te zeggen. Orion drukte zijn snuit tegen Amy's blote enkels. Zijn neus was koud en zijn angstige ademhaling die langs Amy's benen streek, deed haar rillen.

'Wat zei je daar?' vroeg Buddy fel, waarbij hij haar via de achteruitkijkspiegel aankeek.

Amy probeerde rustig door te ademen. Ze moest kalm blijven. Dat was de truc. Buddy was gestoord, en ze moest ervoor zorgen dat hij niet boos werd.

'Het spijt me, Buddy,' zei ze zo onderdanig als ze maar kon.

'Ik dacht dat ik je hoorde zeggen dat ik mijn mond moest houden,' zei hij.

Ze schudde haar hoofd. Het weggetje voerde hen steeds verder het natuurgebied in. Haar hart ging als een wilde tekeer. Ze had een rare smaak in haar mond, alsof haar lichaam nog banger was dan haar hoofd, en die angst een vreemde chemische stof produceerde. Buddy had alle portierhendels verwijderd. Waarom had hij dat gedaan? Amy voelde tussen de zitting en de rugleuning van de bank in de hoop dat ze er een loden pijp zou vinden. Ze zou hem zijn schedel in kunnen slaan, en dan zouden zij en Orion naar voren kunnen klimmen en kunnen ontsnappen.

Geen loden pijp. Ze keek omlaag. De vloer lag vol met lege bierblikjes, wikkels, zakjes en andere verpakkingen waar iets te eten in had gezeten. Zo te zien ging zijn voorkeur uit naar McDonald's en Dunkin' Donuts. De vloer was een paradijs vol etensresten, maar Orion was te bang om op onderzoek uit te durven gaan.

Het weggetje slingerde zich door het bos, en hoe donkerder het werd, des te banger Amy werd. De dennen en sparren groeiden dicht op elkaar. Zo af en toe ving ze een glimp op van een stukje grijze hemel. Buddy zette de muziek harder. Het was een opname van drums en een basgitaar. De klanken deden Amy denken aan bloed. De angstsmaak werd sterker. Ze begon ook zachtjes te huilen.

Opeens hield het bos op. Er was weer licht! Links was een stuk kale rots die een uitloper was van de heuvels van Hawthorne. En rechts was de zee. Ze waren om de landtong achter het moeras gereden, en hier was niets anders dan open water. Amy keek naar de zee en zag de golven tegen de rotsen slaan – ze waren bij Landsdowne Shoal.

Het was zo helder, en ze begon weer hoop te krijgen. Het voelde goed om weer in het licht te zijn. Als Buddy iets boosaardigs van plan was geweest, zou hij dat zeker in het bos hebben gedaan waar niemand hem kon zien. Waar het heel lang zou duren voor ze gevonden werden.

Hier was het ook stil, en ze waren nog steeds in het natuurgebied. Er waren geen huizen, en het was te koud voor mensen om te wandelen. Maar op zee waren schepen. Niet ver uit de kust zag Amy twee vissersboten om hun boeien varen en hun kreeftenfuiken aan boord halen. Ze zwaaide naar hen in de hoop dat ze haar zouden zien. Buddy scheen het niet te merken. Hij neuriede met de muziek mee.

En toen stopte hij.

Amy keek om zich heen. Ze waren op open terrein. Vlak voor hen was een brug. Ze kon zich niet herinneren dat ze die brug ooit eerder had gezien. Haar moeder hield niet van ritjes door de natuur, en afgelopen zomer, toen ze met Dianne door de omgeving was gereden, waren ze nooit deze kant uit gegaan. Buddy stapte uit. Hij had iets in zijn hand, en Amy was te opgewonden om te zien wat het was. Hij zou hen vrijlaten!

'O,' zei ze, toen hij haar portier openmaakte en ze hem bijna opzij duwde om zo snel mogelijk uit de auto te komen. Orion volgde haar op de voet.

'En wat zeg je dan?' vroeg hij.

'Dank je, Buddy,' zei ze.

Ze beefde over haar hele lichaam, maar het voelde heerlijk om haar benen te kunnen strekken. De wind blies verfrissend en schoon over het open terrein. Ze waren een heel eind van huis, en het zou een ontzettend lange en vermoeiende wandeling voor haar en Orion zijn, maar dat kon haar niet schelen. Ze wist niet wat voor lesje Buddy haar wilde leren, maar ze nam zich voor om zich er niet tegen te verzetten.

'Nou, graag gedaan, hoor,' zei hij.

Ze stonden tegenover elkaar. Hij had een afgebroken voortand en een tatoeage van een bliksemflits in zijn hals die ze er nog niet eerder had gezien.

'We lopen wel naar huis,' zei Amy, en ze probeerde te glimlachen.

'Je bedoelt dat *jij* wel naar huis zult lopen,' zei hij.

Dat was het moment waarop ze zich realiseerde dat Orion weer in de auto was gesprongen. Hij was verstijfd van angst en probeerde zich onder de lege papiertjes en zakjes te verstoppen. Amy's maag balde zich samen. Ze wist dat ze weinig tijd had. Orion was even hulpeloos als Julia. Als het Julia was geweest die vast zat in Buddy's auto, dan zou ze even bang zijn geweest. Buddy zou met hem weg kunnen rijden, en Amy zou hem nooit meer zien.

'Hier, Orion,' fluisterde ze, terwijl ze tegen de zijkant van haar been sloeg. Haar mond was zo droog dat ze amper kon spreken.

'Hoe noem je hem?' vroeg Buddy. Hij nam het voorwerp dat hij in zijn hand hield over in zijn andere hand.

Amy keek hem met grote ogen aan en kon niets zeggen.

'Ik dacht even dat ik je hem iets stoms hoorde noemen,' zei Buddy. 'Hij heet Slash.'

Amy bleef hem aankijken.

'Slash en ik hebben nog een appeltje met elkaar te schillen,' zei Buddy, terwijl hij de jutezak uitschudde die hij in zijn hand hield. Hij maakte een knallend geluid, zoals een zweep, en de hond begon te janken.

'Buddy, nee,' riep Amy, en ze zette het op een krijsen toen ze ineens begreep wat hij van plan was. Ze probeerde hem tegen te houden en trok zo hard als ze kon aan zijn arm.

Buddy duwde haar opzij alsof ze een lastig pluisje van een paardenbloem was, en trok de hond met een harde ruk uit de auto. Hij stopte Orion in de zak alsof hij een stapel vuile T-shirts was. De hond was sinds de zomer gegroeid; hij was sierlijk en rank, en zijn donkere vacht glansde van het goede eten dat Dianne hem gaf, en van de vele tijd die hij buiten in de zon doorbracht.

Opnieuw trok Amy hem zo hard als ze kon aan zijn arm. Orion zat in de zak en Buddy hield de gesloten zak in zijn hand. Buddy liep met snelle stappen naar de brug. Zijn cowboylaarzen met hun metalen hakstukjes maakten een tikkend geluid op het asfalt.

Amy begon te huilen. 'Niet doen, Buddy,' smeekte ze. 'Doe liever mij iets aan. Hij is maar een onschuldig dier –'

'Hou' – tik-tik-tik – 'je bek.'

'Buddy, nee,' zei Amy. Ze trok aan zijn shirt. Ze kende verhalen van vreselijke dingen die mannen jonge meisjes aan konden doen. Ze had Marla Arden ernaar gevraagd, toen ze indertijd langs was gekomen om van haar te horen wat Buddy had gedaan. Amy wist dat er mannen waren die aan meisjes zaten, die meisjes schunnige taal naar het hoofd slingerden, en ze wist wat verkrachten was, en dat was wat ze verwacht had toen ze door het donkere bos hadden gereden. En nu huilde ze omdat ze daar zo verschrikkelijk bang voor was geweest, en ze begreep dat die vreemde smaak in haar mond het gevolg van haar angst was geweest.

De brug was hoog.

Hij was gemaakt van groen metaal dat in sierlijke krullen was gesmeed, alsof hij heel lang geleden was gemaakt door iemand die vond dat dit plekje midden in de natuur iets moois verdiende. Hij overbrugde een ongeveer tien meter breed riviertje dat in zee stroomde. Amy kon zich voorstellen hoe dat riviertje ergens in de heuvels als een smal beekje begon, over mos en stenen kabbelde, steeds breder werd, om uiteindelijk hier, bij de brug, in zee uit te monden.

'Waakhonden die niet luisteren zijn geen bal waard,' zei Buddy, terwijl hij Amy aankeek. Hij bewoog zijn voet naar achteren alsof hij van plan was om Orion in de zak een schop te geven.

'Niet schoppen,' riep Amy.

'Denk je echt dat je iets kunt doen om hem te redden?' vroeg Buddy.

Amy zette grote ogen op. In de verte hoorde ze het zachte geronk van de motor van een vissersboot. Zwaaien en om hulp roepen zou niets uithalen. De boot was te ver weg. Dit was tussen haar en Buddy.

'Ga je gang,' zei Buddy. 'Wat heb je te bieden?'

'Laat hem los,' fluisterde Amy. Orion bewoog in de zak. Ze probeerde zich voor te stellen hoe donker het in die zak moest zijn, en ze hoopte dat hij zich er wat veiliger zou voelen, zoals hij deed wanneer hij onder het bed zat.

'Vooruit, zeg op...' zei Buddy, terwijl hij aan Amy's haar voelde.

'Alsjeblieft,' smeekte Amy huilend.

'Alsjeblieft?' vroeg hij.

Buddy haalde op een vreemde manier adem en bracht zijn gezicht tot vlak bij het hare. Ze voelde zijn smerige vingers strelend over haar wangen gaan. Hij pakte haar hand en drukte hem tegen de voorkant van zijn spijkerbroek.

Ze probeerde een snik te onderdrukken en maakte een piepend geluid. Ze probeerde aan Dianne te denken, aan hoe flink ze was en aan wat zij op dit moment gedaan zou hebben. Buddy had een sigaret gerookt, die hij nu op de weg liet vallen. Ze hoorde hoe hij hem uittrapte met zijn laars. Toen ze haar ogen opendeed, hield hij de zak wat hoger. Er lag een vastberaden blik in zijn half samengeknepen ogen, net alsof hij nu aan Amy dacht en zich zo snel mogelijk van de hond wilde ontdoen.

'Nee,' zei Amy, toen hij naar de reling van de brug liep.

'We hebben nog een appeltje te schillen,' zei hij.

En toen liet hij de zak vallen.

Amy keek omlaag. Het water stroomde hard en het kolkte. Het was donkerbruin van het slib en er dreven plantenresten in. De zak viel er met een luide plons in. Hij bleef even drijven. Amy hield haar adem in terwijl de tranen over haar wangen stroomden. Ze hoopte vurig dat Orion zijn neusje, of zijn voorpoten met hun kleine, witte sokjes uit de zak zou steken.

De zak dreef met de snelle stroming mee. Amy zag hem bewegen, alsof de hond wanhopig probeerde om eruit te komen. In gedachten kon ze bijna zien hoe hij met zijn poten tegen de zak aan trapte.

De zak dreef nog een paar meter, en toen begon hij te zinken.

'Nee!' krijste Amy.

Orion kan zwemmen, dacht Amy. Als hij maar uit die zak kon komen. Ze had hem in het moeras zien zwemmen, en op het strand van Prince Edward Island. Hij was een waterhond, en hij kon heel goed zwemmen. Maar hij zat gevangen in die zak, en ze zag hem voor haar ogen verdrinken.

'Wil je lopen of wil je een lift?' vroeg Buddy.

Amy beet op haar lip. Ze snikte en staarde naar de zinkende jutezak. Ze voelde zijn hand op haar haren, voelde hoe hij er zachtjes aan trok alsof hij alleen maar een spelletje met haar wilde spelen. Ze dacht aan al die dingen waar zij en Marla Arden het over hadden gehad, ze dacht aan het wegzinken in het moeras van Buddy's wereld, en toen dacht ze aan Dianne en Julia en het leven dat de moeite waard was. Amy dacht aan haar eigen leven en aan het redden ervan.

Dat van haar, en dat van Orion.

Amy sprong van de brug.

Hoofdstuk 28

Amy zwom en werd meegetrokken door de stroom. Het water was ijskoud. Ze hapte naar lucht en probeerde niet kopje-onder te gaan. Buddy stond op de brug, en hij leek intussen verschrikkelijk ver. Hij bleef nog even naar haar staan kijken, maar toen stapte hij in zijn auto en reed weg. Hij dacht waarschijnlijk dat ze dat niet had gezien, zoals hij gewoon maar weg was gegaan en haar aan haar lot had overgelaten.

De stroming was zo sterk dat Amy amper hoefde te zwemmen. Haar broek en haar jas zogen zich vol water en trokken haar naar de diepte. De golven hier waren niet echt hoog, maar altijd nog hoog genoeg om over haar hoofd te rollen, en ze kreeg water in haar neus. Ze probeerde Orion te roepen, maar er kwam geen enkel geluid over haar lippen. Ze had amper voldoende energie om adem te halen.

Vanaf de brug had ze de jutezak kunnen zien. Het had zo eenvoudig geleken, om in het water te springen, naar de hond te zwemmen en hen alle twee te redden. De wetenschap dat ze niet voldoende tijd zou hebben, bracht haar in paniek. De zak was gezonken, ze had hem zien zinken, en Orion was intussen waarschijnlijk al bijna gestikt. De inham die zo smal had geleken was in werkelijkheid helemaal niet smal, en de zee die haar meetrok was veel groter dan ze verwacht had.

Pappa, dacht ze.

Haar vader was onder de golven. Amy's ogen prikten van het zeewater en de zoute tranen, en ze voelde om zich heen om te zien of ze haar hond ergens kon vinden. Ze wou dat hij naar haar toe zou zwemmen en zich tegen haar aan zou drukken, en dan zouden ze samen naar de oever kunnen zwemmen. Haar vader was een sterke, lenige dolfijn – hij zou hen helpen.

Het was eb. De zee trok het zoete water uit de beken, de rivieren en de meren. Amy probeerde zich tegen de stroom te verzetten omdat ze wist dat het, hoe verder ze kwam, steeds moeilijker zou zijn om terug te zwemmen. Ze huilde en worstelde met haar natte kleren. De ene na de andere golf rolde over haar hoofd. Ze waren hoger nu, want ze was al een stuk verder de zee op gedreven.

De golven gooiden haar in de lucht, en lieten haar vervolgens in de diepte vallen. Amy probeerde ertegenin te gaan, maar hoe meer ze zich verzette, des te meer pijn het deed. Ze kon amper nog lucht krijgen. De lucht was even grijs als de golven, en ze leken in elkaar over te gaan. Ze verzette zich, kreeg water in haar neus en moest hoesten en proesten. En toen dacht ze aan Dianne.

Dianne had haar die zomer geleerd hoe ze, net als een zeehond, met de golven mee moest gaan.

Als een zeehond, dacht Amy. Ze maakte zich zo lang mogelijk en ontspande haar spieren. Geen dolfijn en geen zwarte hond. Het kostte haar moeite om zich te concentreren. *Een zeehond*, hield ze zich voor. Onbelemmerd, vrij en glad, en dan gewoon door de deinende golven glijden. Orion en haar vader hielpen haar, en Dianne zei dat ze haar hoofd omlaag moest houden en haar armen moest strekken. Surfen met je lichaam. Precies. Wat maakt het uit dat het november is, en dat er geen strand is?

Amy dacht aan de mensen en aan de hond waarvan ze zoveel hield, en ze hield haar hoofd zoals Dianne haar had geleerd. Ze verbeeldde zich dat ze een gladde, lenige zeehond was, en ze hield haar adem in tot ze dacht dat haar longen zouden barsten, en zo lukte het Amy om, glijdend op en door de golven, zichzelf op Landsdowne Shoal in veiligheid te brengen.

Er was maar één rots die boven de zee uitkeek, en dat alleen maar twee keer per dag gedurende een fractie van een uur. Het was het moment waarop eb bijna overging in vloed, en het lukte Amy zich op die rots te hijsen. Hoestend en proestend en zeewater uitspugend, en zo heftig rillend dat ze haar ledematen amper de baas kon, klauterde Amy stukje bij beetje op die rots.

Een vissersboot keerde bij een boei. Amy kon hem nu duidelijk zien. Ze wilde haar arm opheffen om te zwaaien, maar toen ze zich bewoog verloor ze haar evenwicht en voelde ze zich van de rots af glijden.

'Help!' schreeuwde ze.

Aan land viel geen mens te bekennen. Buddy's auto was verdwenen. De visser leunde over de zijkant van zijn boot en hees een kreeftenfuik uit zee. Zijn motor draaide. Hoorde hij haar dan niet? Amy riep zo hard als ze kon. 'Pappa!' hoorde ze zichzelf schreeuwen. 'Pappa!'

Ze was net als een baby. Ze huilde en huilde en klampte zich vast aan die rots die geen houvast bood, en treurde om de hond die ze niet had kunnen redden. 'Pappa, pappa, pappa, pappa!' dreunde het in haar oren.

De boot voer weg. Ze zag hem een grote cirkel beschrijven en een poor van witte schuimsterretjes achterlaten. De uitwaaierende sleep van witte sterretjes deed haar aan de Melkweg denken. Ze keek door haar tranen heen en de sterretjes dansten voor haar ogen.

'Help!' riep ze een laatste keer, met een blik op de wegvarende boot.

Er blafte een hond.

Amy kon haar oren niet geloven. Ze klampte zich vast aan de rots terwijl het ijskoude water van haar lichaam droop. Ze luisterde nog eens extra goed, en ja hoor, daar hoorde ze het weer: het doordringende, hoge geblaf van een hond. *O, Orion,* snikte ze. Ze droomde van haar hondje.

'Help!' riep Amy. 'Help me!'

De boot keerde. Het was een witte boot met een rode streep, en zijn boeg was recht op Amy gericht. Ze rilde en gleed een stukje omlaag. De sterren waren feller en verblindden haar. Ze spoog nog wat zeewater uit en deed haar best om zich vast te blijven houden. Het blaffen klonk luider. Amy was aan het verdrinken, was op weg naar de zee, en Orion riep haar vanuit de diepte waar haar vader op haar wachtte.

'Nog even volhouden,' riep een mannenstem. 'Nog heel even maar.'

'Ik kan niet meer,' huilde Amy. Haar handen waren kapot en bloedden, en de golven sloegen tegen haar voeten en haar benen.

'Ik kom eraan,' zei de man. 'Een momentje –'

Hij zette de motor uit. De boot dreef naar haar toe. De man was klein en oud, hij had grijze bakkebaarden en hij droeg een geel regenjack over zijn feloranje overal. Zijn gezicht was even verweerd als Amy's appels, en zijn ogen waren even blauw als de hemel in de zomer. Hij sprak aan een stuk door, zei iets over dat je voorzichtig moest zijn in ondiep water, en dat hij niet wilde zinken voordat hij haar had gered.

'Geef me je hand,' zei hij, terwijl hij zijn arm naar haar uitstak.

'Dat kan ik niet,' zei Amy, die zich als een slak aan haar rots vastklampte.

'Vooruit,' zei hij, 'je kunt het best, zo'n dapper meisje als jij. Kom maar, geef me je hand nu maar. Toe...'

Amy sloot haar ogen. Ze wilde niet laf zijn, maar ze was bang dat ze, als ze haar rots los zou laten, in zee zou vallen, kopje-onder zou gaan en nooit meer boven zou komen.

'Rustig maar, lieverd,' zei de man. Hij had het geduld van een engel, temeer daar de kans groot was dat zijn boot tegen de rots zou slaan. 'Laat je nu maar los. Laat de rots los, en pak mijn hand. Ik vang je wel –'

Amy huilde. Ze dacht aan Julia toen ze die aanval had gehad. Ze had net zo geklappertand als Amy nu deed, en ze had het niet kunnen helpen, en er was geen aardige kreeftenvisser geweest om haar te redden. Wat Dianne ook deed, of wie dan ook... als Julia elke dag en aldoor zo dapper kon zijn... meeuwen vlogen krijsend boven de rots en de boot, en voor

Amy was het net alsof ze Julia hoorde: 'Dlieee, dlieeee.'

Als Julia het kon....

Amy greep de rots met een arm beet, en stak haar andere hand uit naar de man. Zijn verweerde vingers sloten zich rond haar pols.

Mijn vader was een visser, huilde ze.

Maar ze had het waarschijnlijk niet hardop gezegd, want de man reageerde niet. Hij scheen genoeg moeite met zijn eigen emoties te hebben. Hij haalde een deken uit een kist en dekte haar ermee toe. Amy had een shock en ze was te uitgeput om zich nog te kunnen verroeren. Ze lag als verlamd op het dek en huilde.

'Goed zo, kleintje,' zei de man. 'Rustig maar.'

'Pappa,' snikte Amy.

'Nu moeten we hier zo snel mogelijk weg,' zei de man. 'Voor we tegen de rots aan slaan en zinken.'

'Mijn vader is gezonken,' huilde Amy.

'O, ja? Wat verdrietig voor je,' zei de man, en hij gaf een beetje gas. 'Maar dat zal ons niet overkomen. Niet vandaag, niet op zo'n geluksdag als deze.'

Geluksdag, snikte Amy hoofdschuddend, en ze dacht aan haar hond, aan hoe teleurgesteld Orion in haar moest zijn geweest.

'Het gebeurt niet elke dag dat ik twee jonkies uit zee opvis,' zei de man.

'Twee?' vroeg Amy verbaasd.

'Twee,' zei de man, terwijl hij haar instopte. 'Jou en het hondje.'

Amy knipperde het water uit haar ogen. Daar, over haar heen gebogen, stond Orion. Hij keek trots op haar neer, net alsof hij zojuist Het Kanaal was overgezwommen. Hij rilde, en schudde zijn vacht om de tien seconden, maar zijn tong was rood en hing uit zijn blij lachende hondenbek.

'Ik zag hem daar zwemmen,' zei de man, en hij wees met zijn duim. 'Ik dacht eerst dat hij een zeehond was, maar die komen pas later in het jaar. En toen dacht ik dat het een eend was.'

'Orion!' riep Amy snikkend uit.

'Hij zwom in kringetjes. Ik heb hem aan boord gehesen, en toen heeft hij zich onmiddellijk verstopt, maar hij moet jouw hulpgeroep hebben gehoord.'

'Honden hebben een onvoorstelbaar gehoor,' zei Amy, waarna ze een zoen op Orion's oren drukte.

'Hij heeft je leven gered,' zei de man. 'Als hij niet zo luid had geblaft, dan zou ik je nooit hebben gezien.'

'Orion,' kwam het ademloos over Amy's lippen.

'O, dus dan is hij van jou?' vroeg de man. 'Nou begrijp ik het ook. Is dat niet mooi? Een hond die het leven van zijn bazinnetje redt. Wacht maar tot we dat in de haven vertellen. Wacht maar af!'

'O, Orion,' zei Amy, en ze drukte hem dicht tegen zich aan. En ze had nog wel gedacht dat het andersom was geweest, dat zij van de brug was gesprongen om *zijn* leven te redden. Amy dacht aan alle mensen die waren gekomen om haar op die gladde rots te helpen: haar vader, Dianne en Julia. Vooral Julia. En toen deze man. Deze wonderlijke en fantastische visser die haar en haar hond uit zee had gered. En Orion. Orion die zijn longen uit zijn lijf had geblaft om haar leven te redden.

Ze kwamen langs de belboei die de ingang van de haven van Hawthorne markeerde. De bel galmde diep en vol. De drie witte kerktorens doorboorden de loodgrijze hemel. Daar was het gebouw waar Dr. McIntosh zijn praktijk had. Vlaggen wapperden in de wind. De grote witte kapiteinshuizen stonden langs het water, en Amy en Orion wisten hoe het voelde om terug te keren van een reis vol gevaren.

Dianne maakte het bed in Julia's kamer op. Amy zou een paar daagjes komen logeren. Buddy was gearresteerd wegens ontvoering, en hoewel de politie niet echt dacht dat Tess Brooks er iets mee te maken had, wilde de kinderbescherming toch elk risico uitsluiten.

'Komt hij in de gevangenis?' vroeg Amy.

'Hij zit er al in,' zei Dianne.

'Net als in mijn verhaal,' zei Amy.

'Waarin Dickie in de gevangenis komt,' zei Dianne.

Amy knikte. Ze zat op de vloer en had Julia op schoot. Sinds het moment waarop ze hier was, had ze Julia voortdurend in haar armen willen houden of heel dicht bij haar willen zijn. Het leek wel alsof ze haar werkelijk geen seconde uit het oog wilde laten. Dianne hoorde hoe ze Julia een zoen op haar wang gaf.

'Mieee,' fluisterde Julia.

'Je bent mijn vriendinnetje,' fluisterde Amy terug.

'Mieee,' zei Julia.

Dianne luisterde naar de kinderen. Ze vond het heerlijk, zoals Julia's leven veranderde wanneer Amy er was. Julia deed erg haar best om alerter te zijn. Ze probeerde niet steeds in die foetushouding te liggen. Haar stem was krachtiger. Ze bewoog haar handen. Orion en Stella lagen naast hen. Stella was dolblij geweest toen Orion binnenkwam, en ze lag half over zijn kop en likte zijn oren. Het leek wel alsof iedereen dicht bij elkaar wilde zijn.

'Is alles goed hier, met m'n meisjes?' Lucinda stak haar hoofd om het hoekje van de deur.

'Ja, hoor. Iedereen is gezond en wel,' zei Amy.

Dianne kreeg een brok in haar keel. Amy's optimisme werkte aanstekelijk. Ze had zojuist de meest traumatische ervaring achter de rug, en ze deed haar best om vrolijk te zijn. Dianne wist dat het voor een deel gespeeld was. Amy schrok van harde geluiden. Ze had een terneergeslagen indruk gemaakt toen ze samen met Alan was binnengekomen, en hij had verteld dat het afscheid van haar moeder haar heel erg zwaar was gevallen.

'Ik ben bezig met het vullen van de kalkoen,' zei Lucinda. 'Heeft iemand zin om te helpen?'

'Best,' zei Amy, maar ze bleef Julia op haar schoot houden.

'De laatste taart staat in de oven,' zei Lucinda.

'Het ruikt heerlijk,' zei Dianne.

'Wat voor taart?' vroeg Amy aarzelend.

'Appeltaart, natuurlijk,' zei Lucinda. 'Voor mijn appelmeisjes.'

'Geen gedroogde vruchten,' zei Amy rillend. 'Zolang we maar geen taart met een vulling van gedroogde vruchten hoeven te eten...'

'Dat beloof ik je.'

'In mijn verhaal,' zei Amy, 'voelde Catherine zich zo blij en opgelucht toen Dickie in de gevangenis kwam. Ik had verwacht dat ik me beter zou voelen. Maar ik moet maar steeds denken aan zijn gezicht, aan hoe hij keek toen hij Orion van de brug in het water liet vallen. Zijn ogen waren volkomen uitdrukkingsloos. Net alsof hij gewoon een papiertje in het water liet vallen.'

'Denk er niet meer aan,' zei Lucinda. 'Het is zonde om dat uitstekende brein van je te verspillen aan gedachten aan die verschrikkelijke man.'

'Ik kan het niet helpen,' snikte Amy, en ze wiegde Julia heen en weer.

Dianne liep naar hen toe. Ze ging voor hen op haar hurken zitten en sloeg haar armen om hen heen, terwijl ze haar voorhoofd tegen dat van Amy steunde.

'O, Amy,' fluisterde ze.

'Dianne,' zei Amy, en ze pakte Dianne's trui vast.

Dianne begreep hoe het mogelijk was dat het brein van een goed mens in beslag werd genomen door slechte gedachten. Hoe het mogelijk was dat je, met al het moois en goeds ter wereld, alleen maar aan lelijke dingen kon denken. Ze had het zelf meegemaakt: al die jaren waarin ze van Alan had kunnen houden, had ze haar tijd verdaan met het haten van Tim.

Niets, niet het zomerbriesje, niet het zingen van de vogels of het zien ɒn vallende sterren, had dat gevoel weg kunnen nemen. Jarenlang had ɒnne in gedachten Tims laatste woorden, het dichtslaan van de deur en zijn wegstervende voetstappen gehoord. Dianne hoopte dat Amy haar angst zou kunnen vergeten, maar ze was bang dat ze dat gezicht van Buddy de rest van haar leven voor zich zou blijven zien.

'Waarom?' vroeg Amy. 'Dianne, hoe kan iemand zoiets doen?'

'Geen idee,' zei Dianne.

'Maaa,' zei Julia, en ze knipperde met haar ogen.

'Ik doe echt mijn best om het te begrijpen,' snikte Amy. 'Hoe is het mogelijk dat hij zo kwaad was op die hond? En hoe kon hij zo kwaad zijn, en tegelijk kijken alsof het hem allemaal niets kon schelen?'

Dianne haalde diep en regelmatig adem. Ze hield de meisjes tegen zich aan en wiegde ze zachtjes heen en weer. Ze wilde hen troosten met haar warmte en haar liefde. Er waren nu eenmaal dingen in het leven waar geen verklaring voor was. Ze had jarenlang geprobeerd om iets te begrijpen dat onbegrijpelijk was. Hoe kon een moeder, welke moeder dan ook, begrijpen wat er met Julia aan de hand was? Waarom ze zo was geboren? Waarom haar vader haar in de steek had gelaten en haar moeder bij haar was gebleven.

'Hij zit in de gevangenis,' zei Lucinda. 'Dat is het belangrijkste. Net als in "Zandkastelen" krijgt hij zijn verdiende loon.'

'Ik kan het winnen van die wedstrijd wel vergeten,' zei Amy. 'Ik heb mijn verhaal niet eens ingeleverd.'

'Het is nog niet te laat,' zei Lucinda. 'Ik heb nog steeds wat te zeggen op de bibliotheek, weet je.'

Maar Amy schudde haar hoofd, en Dianne voelde een steek in haar hart. Amy huiverde alsof ze zich iets herinnerde dat zo veel pijn deed dat ze het niet onder woorden kon brengen.

'Amy?' drong Lucinda aan.

'Het is geen goed verhaal,' zei Amy. 'Ik heb er mijn moeder heel veel verdriet mee gedaan, en ik wil het niet inleveren, Lucinda. Het is heel lief van je dat je mij wilt helpen, maar ik wil er gewoon niet meer aan denken.'

'Hmm,' zei Lucinda. Ze stond op de drempel. De geur van de appeltaart in de oven was nu ook boven te ruiken. Dianne voelde dat haar moeder de situatie wilde redden met een verhaal, maar dat ze aarzelde. 'Het is aan jou,' zei ze uiteindelijk. 'Maar afspraak is afspraak. Ik heb gezegd dat je, ongeacht of je nu wint of niet, naar *De Notenkraker* zou mogen.'

'Echt?'

'Natuurlijk,' zei Dianne, in het besef dat ze er helemaal geen moeite mee had om Julia bij Alan te laten. Ze zouden hier blijven, bij Lucinda, terwijl hij vast zou beginnen met hun spullen naar het nieuwe huis te brengen.

'*De Notenkraker,*' zei Amy opgetogen. 'Iets om naar uit te kijken.'
'Het is zoiets fantastisch,' zei Lucinda, 'om die ballerina's in de vallende sneeuw te zien dansen...'
'Nog maar een paar daagjes geduld,' zei Dianne.

Alan bracht ze naar de trein. Hij hield het stuur met beide handen vast en concentreerde zich op het rijden door de sneeuw. Er vielen dikke vlokken en de weg was glad. Ze passeerden een sneeuwschuiver met oranje knipperlichten die de andere kant van de weg schoonmaakte. Hij vond het een nare gedachte dat Amy en Dianne weggingen. Het weer was slecht en er was nog veel meer sneeuw voorspeld.

Maar het was niet alleen het weer. Alan wilde niet dat Dianne ging. Wat hij wilde, was tijdens de sneeuwstorm samen met haar in hun nieuwe huis zijn. Dan konden ze de open haard aan doen en naar buiten, naar de haven kijken, en samen zien hoe het water minstens vijfhonderd verschillende soorten grijs had. Ze zouden op de deken op de vloer kunnen liggen en naar het plafond kunnen staren. Hij was helemaal vol van liefde voor haar, en hij wilde haar geen moment uit het oog laten.

'Dus dan zijn jullie zondag weer terug,' zei hij.

'Zondagavond,' zei Dianne. 'Met de trein van twee minuten over halfzeven.'

'Ik zal er zijn,' zei hij.

'Dit is voor mij de eerste keer dat ik met de trein ga,' zei Amy. 'Het wordt mijn eerste keer in New York, en mijn eerste ballet...'

'Het wordt een geweldige reis,' zei Dianne.

'En over Julia hoef je je geen zorgen te maken,' zei Alan.

Ze keek hem aan, en hij pakte haar hand. Haar greep was stevig en hij was zich bewust van hun onderlinge band. De blik in haar ogen getuigde van haar liefde en van het feit dat ze nog nooit zo veel vertrouwen in iemand had gehad als in hem.

'Je bent haar vader,' fluisterde Dianne, en een groter geschenk had ze hem niet kunnen geven. Het adoptieverzoek was ingediend. Zijn hart was zo vol dat hij bijna kon geloven dat dit gevoel altijd zo zou blijven als het was.

'Zo voel ik het ook,' zei hij.

'Ik ben nog nooit zo lang bij haar weg geweest,' zei Dianne.

'Ik ben bij haar,' zei Alan, 'en Lucinda ook.'

'Ik maak me geen zorgen, liever,' zei ze. 'Ik weet dat ze bij jou in de beste handen is, en Mam vindt het enig dat je bij haar logeert.'

Alan knikte. Waarom hoopte hij toch maar steeds dat ze de trein zou missen? Hij zou langzamer kunnen rijden. Ze drukte zijn hand. Hij bracht haar hand naar zijn gezicht en legde hem tegen zijn wang. De ruitenwissers gingen heen en weer. Er kwam een strooiwagen langs.

'Denk je dat mijn jurk ermee door kan?' vroeg Amy. 'Dat hij mooi genoeg is voor het ballet?'

'Hij is prachtig,' zei Dianne.

'Ze heeft die mooie oorbellen meegenomen, Dr. McIntosh,' zei Amy, die intussen echt opgewonden klonk.

'Die van Dorothea?' vroeg Alan.

'Ja,' antwoordde Dianne.

'En ze heeft een satijnen avondtasje bij zich, en een hele chique cape van zwarte kasjmier,' vertelde Amy verder. 'Ze zal net een filmster lijken.'

'Ik wou dat ik ook mee kon,' zei Alan.

'Ik ook,' zei Dianne, terwijl ze hem een glimlach schonk. 'Weet je wat? We vergeten de trein, en dan kun jij ons met de auto brengen. Ik weet zeker dat we nog wel een kaartje voor *De Notenkraker* zullen kunnen krijgen...'

Alleen al die gedachte van haar was voldoende, hoewel hij eerlijk moest bekennen dat de verleiding om met Dianne naar New York te gaan heel groot was. Naar New York, of waar dan ook naartoe. Maar hij had beloofd dat hij op Julia zou passen, en hij wist dat het Dianne goed zou doen om er even tussenuit te zijn.

'Dit uitstapje is alleen voor meisjes,' bracht Amy hun in herinnering.

Hij zette de radio aan om het weerbericht te horen. Ja, er werd nog steeds meer sneeuw voorspeld, en voor vannacht werd rekening gehouden met tussen de tien en vijftien centimeter.

'Misschien kunnen we maar beter niet gaan,' zei Dianne.

'O, zeg dat nou niet!' kreunde Amy.

'Wat denk jij?' vroeg Dianne aan Alan. Hij keek naar haar, en hij zag dat ze een kleur kreeg en dat ze op haar onderlip beet om niet te lachen.

'Dat zeg ik jullie maar liever niet,' zei hij, met de gedachte aan de vorige avond, aan hoe ze tot na middernacht de liefde hadden bedreven en alle twee zo van streek waren geweest over het feit dat ze weg zou gaan, dat ze daarna nog uren wakker hadden gelegen.

'Ze bedoelt, of u vindt dat we naar New York moeten gaan of niet,' zei Amy. 'Zegt u nu maar dat u vindt dat we moeten gaan.'

'Nou,' zei Alan. Ze waren bij het station gearriveerd. Het sneeuwde en er stonden mensen op het perron. De trein van Boston naar New York kon elk moment binnenkomen.

'Of we naar New York moeten gaan of niet,' herhaalde Dianne, terwijl ze zijn hand drukte.

'Nou, wat ik kan zeggen,' zei Alan, 'is dat we een sneeuwstorm krijgen, en dat, als dit een schooldag was geweest, de school gesloten zou zijn.'

'Maar een treinreis naar New York is geen schooldag,' kreunde Amy.

'Maar in New York,' zei Alan, 'hoeven jullie geen auto te rijden. Jullie komen aan met de trein en dan nemen jullie een taxi naar het Plaza Hotel. Vlakbij zijn uitstekende restaurants, of jullie kunnen in het hotel zelf blijven en wat in de Edwardian Room eten.'

'En morgen gaan we naar *De Notenkraker*. Is het niet reuze toepasselijk om dat ballet te zien wanneer het zo sneeuwt?'

'O, het zal zo sprookjesachtig zijn,' zei Amy, met een blik op de hemel.

'Goed, we gaan,' zei Dianne. Ze keek Alan diep in de ogen en hield zijn hand stevig vast om hem te laten weten dat ze verschrikkelijk veel van hem hield en dat hij zich geen zorgen hoefde te maken. 'En dan komen we weer terug.'

'Julia en ik blijven hier, en we wachten op jullie.'

De trein floot. De stationschef kondigde de komst van de trein aan. Amy stapte uit, pakte haar tas, en gebaarde naar Dianne dat ze ook op moest schieten. Het was duidelijk dat ze bang was dat de volwassenen alsnog van gedachten zouden veranderen.

Dianne legde haar hand opnieuw op Alans wang. Hij had altijd gehouden van de intensiteit van haar emoties, van de manier waarop haar ogen en de lijn van haar mond daarvan getuigden. Jarenlang had hij echter in de overtuiging geleefd dat die liefde van haar uitsluitend voor Julia was bestemd. Hij wist dat Julia altijd op de eerste plaats zou komen, maar op dit moment was Dianne's liefde op Alan gericht, en hij voelde het tot diep in zijn hart. Het hield een belofte in, en Alan wist dat Dianne haar beloften trouw was. Want zo was ze nu eenmaal.

'Liefde,' fluisterde ze. En verder niets.

'Ja,' zei hij, terwijl hij haar hand vastpakte.

'Kun je het aan, met Julia?' vroeg ze.

'O, maak je daar maar geen zorgen om,' zei hij.

'De trein,' zei ze, en ze wees.

Alan stapte uit de auto. Hij haalde Dianne's tas eruit, en nam die van Amy van haar over. Amy huppelde over het besneeuwde parkeerterrein. Er heerste een feestelijke stemming op het perron. Het ouderwetse stationnetje was met zijn lampjes en slingers al helemaal in kerstsfeer. Alan trok Dianne dicht tegen zich aan en hij kreeg een prop in zijn keel.

'Allemaal instappen!' riep de conducteur.

'We gaan!' riep Amy opgetogen.

Alan en Dianne bleven elkaar omhelzen. Hij kon haar hart door haar jas heen voelen kloppen. Het zou zo heerlijk zijn om in hun nieuwe huis bij de open haard te liggen en naar de sneeuw te kijken. Hij wilde haar laten gaan.

'Weet je het zeker?' vroeg ze. Ze deed een stapje achteruit en keek hem met vochtige ogen aan. 'Weet je zeker dat dit een goed idee is?'

'Laten we het maar houden op wat Amy zei,' zei hij, terwijl de trein voor de laatste keer floot en hij haar een laatste, onstuimige kus gaf, 'het zal sprookjesachtig zijn.' Ze zwaaide en hij zwaaide totdat de conducteur haar met zachte dwang de wagon in duwde, en het portier achter haar sloot.

En zo gebeurde het dat Alan McIntosh de vrouw van wie hij meer hield dan van het leven zelf, op de trein zette die haar naar New York zou brengen, waar het lot ervoor zou zorgen dat haar pad zich kruiste met dat van de Yellow Cab.

Hoofdstuk 29

Dianne lag op de Intensive Care van het St. Bernadette's Hospital. Haar dromen waren levendig en gewelddadig: de sneeuw, de slippende taxi die inreed op de mensen voor het Plaza Hotel. Ze zag zichzelf, hoe ze probeerde om Amy te beschermen, maar niet snel genoeg was. Amy vloog door de lucht en smakte het volgende moment als een gebroken pop tegen de stoep. Dianne lag stil en zweefde op het randje van bewustzijn. Ze zat vast aan allemaal slangetjes en apparaten, en er stonden meerdere dokters om haar heen. Ze was zo zwaar verdoofd – of misschien wel zo zwaar gewond – dat ze er geen idee van had of ze dit zou overleven of niet.

Ze hadden haar kaalgeschoren. De wond op haar hoofd was gehecht, en nu zat er een dik verband omheen. Ze kon zien en horen, maar ze had een heleboel bloed verloren en ze had al haar energie nodig om adem te halen.

De beste artsen waren erbij gehaald. Ze werd behandeld door de chefarts van de neurologische afdeling. Dr. Gerard Bellavista was gewend aan ernstige auto-, metro- en motorongelukken. Hij was een man met tunnelvisie, en had alleen maar oog voor dat gedeelte van de hersenen, de ruggengraat of het zenuwstelsel dat zijn aandacht nodig had. Maar nu hij zo naar de zwaar toegetakelde Dianne Robbins keek, kon hij zien dat ze een beeldschone vrouw was.

'Is haar familie gewaarschuwd?' vroeg hij aan de verpleegster.

'Er zit een man op de gang te wachten,' antwoordde ze.

De dokter knikte en ging de behandelkamer uit om met hem te praten. Dr. Bellavista, die al vele jaren in New York woonde, keek vrijwel nergens meer van op. Maar toen hij de man vond die op de gang zat te wachten, wist hij niet wat hij zag. Deze man was geen stadsmens. Hij was lang en zat met opgetrokken schouders alsof hij verwachtte dat er elk moment op hem geschoten zou kunnen worden. Zijn blonde haar was ongekamd, en hij had het bruine en verweerde gezicht van een buitenmens. Zijn grove, bruine jack zat onder de vetvlekken. Er lag een vermoeide en achterdochtige blik in zijn ogen. Zijn zwarte rubberlaarzen glommen van de vissenschubben.

'Ik ben Dr. Bellavista,' zei hij.

'Tim McIntosh,' zei de man.

'Is ze uw vrouw?'

McIntosh schraapte zijn keel. 'Dat was ze,' zei hij. 'Ze was mijn vrouw. Dianne Robbins.'

'Nou, dan weet u vast wel wie we kunnen bellen,' zei Dr. Bellavista.

'Haar familie woont in Connecticut,' zei hij.

'Dan zou ik ze maar bellen.'

'Hoe is het met haar?'

'Ze heeft hoofdletsel, en dat betekent dat ze de eerstkomende vierentwintig uur zorgvuldig in de gaten moet worden gehouden.'

'Mag ik haar zien?' vroeg Tim.

De dokter aarzelde. Hij wilde haar naaste familie. Het leven van Dianne Robbins hing aan een zijden draadje, en de dokter wilde dat haar familie zo snel mogelijk zou komen. Aan de andere kant was deze man nu hier. Niemand hier kende haar beter dan hij.

'Komt u over een uurtje maar terug, dan weten we meer. En dan mag u vijf minuutjes bij haar,' zei de dokter. 'En geen seconde langer.'

Amy voelde zich steeds beter.

Ze vroeg iedereen die haar kamer binnenkwam hoe het met Dianne was.

'Ze slaapt,' zeiden ze. Of: 'De dokter is bij haar.' Of: 'Ze zijn met haar bezig, maar je hoeft je geen zorgen te maken.'

'Hoef ik me geen zorgen te maken?' riep Amy uit.

Natuurlijk maakte ze zich zorgen. Dianne was helemaal met haar naar New York gegaan om *De Notenkraker* te zien als beloning voor het verhaal dat Amy niet had ingeleverd. Dianne had deze tijd met Julia opgeofferd om iets met haar, Amy, te kunnen doen. In het hotel had ze Amy behandeld als een prinses, ze had haar in het enorme bad een schuimbad laten nemen, en daarna had ze roomservice mogen bellen om iets lekkers te eten te bestellen.

'Heeft iemand Dr. McIntosh al gebeld?' vroeg ze.

'Wie?' vroeg de verpleegster.

Amy legde het uit. De man die hier was, die naar zee rook en overal een spoor van vissenschubben achterliet, was niet de man die hier behoorde te zijn. Hij was Tim McIntosh, de broer op wie je niet kon rekenen en die er bij het eerste teken dat er problemen dreigden als een haas vandoor ging. Hij had gedacht dat Amy Julia was. Omdat hij zijn eigen dochter zelfs nog maar nooit had *gezien*, had hij even gemeend dat zij dat was.

Amy had net het nummer van Dr. McIntosh aan de zuster gegeven, toen zijn broer binnenkwam.

'Eh, ik kom net van de Intensive Care,' zei hij. Zijn wangen waren vuurrood en de huid rond zijn ogen was roodbruin.

'Hoe is het met haar?' riep Amy uit.

'Ze is er belazerd aan toe,' zei Tim. 'En ik mag niet bij haar.'

De verpleegster keek hem geïrriteerd aan, alsof ze wilde zeggen: 'Meneer, u hebt het tegen een kind!' Maar Amy moest het weten. Dat was beter dan helemaal niets te weten.

'Belazerd, hoe? Kan ze lopen? Kan ze opstaan en bij me komen? Of mag ik naar haar? Ze is toch niet in coma, hè?'

'Dat weet ik niet. Ik ben haar dokter niet,' zei Tim. 'Hee, het spijt me dat ik je eerder aanzag voor mijn dochter. Je bent even oud, je was met Dianne, en daarom nam ik aan...' Hij maakte zijn zin niet af en maakte een verlegen indruk.

'Het geeft niet,' zei Amy. Ze was een nog grotere schoft gewend dan deze hier – Buddy.

'Weet jij waar mijn broer is? Je schijnt hem goed te kennen. Ik heb net naar zijn huis gebeld, maar daar wordt niet opgenomen. Ik denk dat ik maar beter naar –'

Amy keek naar de verpleegster die Tim het nummer gaf dat Amy haar zojuist had opgegeven. Hij ging zonder een woord te zeggen de kamer uit om een telefoon te zoeken. Amy zakte terug in de kussens. De ontmoeting had haar van haar stuk gebracht. En dit was Julia's vader? Hij kwam haar voor als een vreemde, tragische man – een appelmens die op de grond was achtergelaten. Hij had niet eens de kracht om aardig te zijn tegen een kind dat net door een auto was aangereden.

'Sterkte,' zei Amy zacht. Maar nu zou Dr. McIntosh tenminste komen.

Ze hadden haar verteld dat ze een gebroken arm had, dat er een slagader was geraakt en dat ze veel bloed had verloren. Ze hadden haar nieuw bloed gegeven, dat nu in die helderrode zak zat die aan het infuus naast haar bed hing, en dat via een slangetje langzaam haar lichaam binnenkwam. Dat bloed was afkomstig van andere mensen, van mensen die Amy helemaal niet kende. Amy vond dat ongelooflijk, en kon zich bijna niet voorstellen dat er zulke aardige mensen waren.

Er stroomde bloed van onbekende mensen door haar aderen, en dat gaf haar kracht en hoop. Het gaf haar het gevoel dat ze belangrijk was en dat ze meetelde. Ze was maar een appelmeisje, maar toch gaven er mensen om haar. Ze wou dat Julia bij haar was – dat ze naast haar op bed lag. Amy wou niets liever dan dat Julia bij haar was en dat ze haar had om tegen te praten.

Alan was Julia aan het verschonen toen de telefoon ging. Hij was boven, in Lucinda's huis, en hij hoopte dat die telefoon voor hem was. Dus toen Lucinda hem riep, maakte hij de luier snel vast, tilde Julia van de tafel en liep naar de telefoon.

Lucinda kwam de trap op gerend.

'Het is je broer,' zei ze. 'Hij wilde niet zeggen waarvoor hij belt, maar ik wilde je waarschuwen.'

'Bedankt,' zei Alan.

Hij hield Julia op zijn arm en nam de telefoon op.

'Dag, Tim,' zei hij.

'Alan,' zei Tim.

'Ik heb je te pakken proberen te krijgen.'

'Ja, dat weet ik, toen je bij Malachy was. Luister, Alan, ik weet dat we het niet altijd met elkaar eens zijn, maar jij hebt je altijd fatsoenlijk tegen me gedragen – meer dan fatsoenlijk zelfs – en ik wil dit graag goed doen.'

'Rustig maar,' zei Alan. Hij was woedend op Tim, maar op dat moment hoorde hij aan de klank van zijn broers stem dat hij het ergens heel moeilijk mee had. Hij drukte de dochter van zijn broer tegen zich aan en keek naar haar gezicht. 'Haal eerst even diep adem. Wat is er?'

'Ze hebben me gebeld, Alan. Ik was op zee toen ze belden. Ik snap nog steeds niet goed waarom ze mij eigenlijk hebben gebeld, maar toen ik hoorde wat er was, ben ik meteen gegaan. Ik –'

'Waar ben je naartoe gegaan?' viel Alan hem in de rede.

'Naar het ziekenhuis. In New York City.'

'New York?' herhaalde Alan langzaam, terwijl hij zich realiseerde dat Dianne in New York was en dat dit allemaal wel heel erg toevallig was.

'In het St. Bernadette's Hospital,' zei Tim met onvaste stem. 'Ik dacht dat ze mijn kind was. En dat zweer ik je. Ik ging die kamer binnen en dacht dat ze me Pappa zou noemen.'

'Waar is Dianne?' vroeg Alan, die ineens kippenvel had gekregen.

'Daarvoor bel ik je,' zei Tim. 'Het zit zo: het schijnt dat ze een oud visitekaartje van mij in haar tas had. Zij en dat kind, van wie ik dacht dat ze Julia was, maar ze heet Amy, zijn aangereden door een taxi. Het ziekenhuis heeft mij gebeld. Ik ben gegaan omdat ik dacht dat ik daar goed aan deed.'

'Ze zijn aangereden door een taxi?' herhaalde Alan stomverbaasd.

'Ik ben meteen gegaan. Ik moest Lucinda bellen – maar ik had het gewoon niet meer toen ze de telefoon opnam. Toen ze hoorde dat ik het was, veranderde haar stem meteen in ijsblokjes. Zou jij het aan haar willen vertellen? Wat doe je daar eigenlijk?'

'Hoe is het met Dianne?' vroeg Alan.

'Slecht, geloof ik,' zei Tim. Zijn stem brak opnieuw. 'Ze heeft hoofdletsel. Ik mag heel eventjes bij haar. Jij bent dit soort dingen gewend, voor jou zijn gewonde mensen heel gewoon. Met het kind valt het wel mee, ze heeft alleen maar een gebroken arm, maar Dianne...'

Alan luisterde al niet meer. Hij had de telefoon laten vallen en drukte Julia dicht tegen zich aan. Ze had geslapen, of liever, ze was heel stil geweest, maar nu ze merkte hoe opgewonden hij opeens was, begon ze te bewegen. Hij voelde een huivering door haar spieren trekken. Hij was ervan overtuigd dat ze het wist. Het meisje had een extra zintuig wanneer het om haar moeder ging.

Lucinda kwam Julia's kamer in. Zij wist ook iets. Ze was heel bleek geworden en keek hem met grote, afwachtende ogen aan. Alan liet haar op de rand van haar bed zitten. Ze moest het aan zijn gezicht hebben gezien, want ineens schoten haar ogen vol tranen.

'Er is iets met Dianne, hè?' vroeg ze.

'Ze ligt in het ziekenhuis,' zei Alan. Hij keek haar recht aan en sprak als een dokter – zo kalm en geruststellend als hij maar kon. 'Ze is aangereden door een auto. En Amy ook.'

'Nee –' zei Lucinda.

'Ik ga naar New York,' zei Alan. 'Tim zegt dat het met Amy reuze meevalt, maar dat het met Dianne wel eens wat ernstiger zou kunnen zijn.'

'Ik wil ook mee –'

Alan schudde zijn hoofd. Hij probeerde kalm te blijven. Hij gaf Julia een kus op haar hoofd, en hield zijn lippen daarna nog enkele seconden tegen haar koele voorhoofd gedrukt. Ze was Dianne's vlees en bloed. Ze was het enige kind van zijn liefste, en hij had Dianne's hand vastgehouden en het zweet van haar voorhoofd geveegd, de nacht dat Julia was geboren. Hij was bij haar geboorte aanwezig geweest.

'Blijf bij Julia,' zei hij, terwijl hij het kind aan haar grootmoeder gaf. 'Ze heeft je nodig.'

'O, Alan!'

'Ik bel je zodra ik iets weet,' zei Alan. Hij stond op en viste zijn autosleuteltjes uit zijn zak. Over de I-95 was het maar twee uur naar New York. Hij was arts, en hij had geleerd om op dit soort momenten zijn kalmte te bewaren. Maar toen hij in de ogen van Dianne's moeder keek en zag hoe Julia hem aanstaarde, had hij het toch even te kwaad.

Tim moest ruim een uur wachten terwijl ze Dianne naar beneden brachten voor een MRI, en daarna nog een uur toen de plastisch chirurgen met haar bezig waren. Toen hij uiteindelijk bij haar naar binnen mocht, had hij net op het punt gestaan om weg te gaan. Hij zweette als een paard. Ziekenhuizen maakten hem zenuwachtig. Ze deden hem denken aan de

tijd waarin Neil zo ziek was geweest en hij en Alan zijn kamer niet in hadden gemogen, en ze te horen hadden gekregen dat je alleen maar naar een
ziekenhuis ging om te sterven. En dat de Intensive Care nog wel het ergste was.

Hij probeerde zijn angst de baas te blijven. Na het telefoontje was hij
zo snel mogelijk gekomen. Deze keer was hij er voor de verandering nu
eens niet vandoor gegaan – nu zouden ze Newport en Nova Scotia kunnen vergeten. Tim was gekomen. Hadden ze er enig idee van hoe moeilijk dit voor hem was, om zomaar een ziekenhuis, en een Intensive Care
afdeling binnen te lopen?

Hij had het gevoel dat iedereen naar hem keek. Hij zag waarschijnlijk
groen. De verpleegster glimlachte en nam hem mee langs een paar be-
handelkamers. Tims hart ging als een razende tekeer. Hij had het gevoel
alsof hij zich midden in een orkaan bevond en tegen huizenhoge golven
moest opboksen. In een van die bedden lag Dianne. Nog even, en dan zou
hij de vrouw zien van wie hij eens had gehouden.

'Hier is ze,' fluisterde de verpleegster.

Tim was sprakeloos.

Dianne lag onder witte lakens. Haar gezicht was bont en blauw en zat
onder de sneeën, maar ze was een engel. Ze was het meisje waarmee hij
was getrouwd. De jaren vielen weg, en hij zag haar weer voor zich zoals ze
in haar werkplaats had gestaan bij het speelhuis dat Tim bij Alan af moest
leveren. Hij keek op haar neer en wou dat hij haar op de een of andere manier moed kon geven. Daar was hij voor gekomen.

Maar ze verroerde zich niet.

Tim schoof de enkele stoel tot bij het bed. Hij ging zitten, streek de
haren uit zijn ogen, en keek naar haar. Van haar lange, blonde haren
was niets meer over. Haar blonde wimpers rustten zachtjes op haar op-
gezette wangen. Maar haar handen lagen op de lakens, en iets bracht
Tim ertoe haar ringvinger aan te raken waar zijn trouwring ooit had gezeten.

Dianne deed haar ogen open.

Tims mond zakte open. Hij zag hoe ze schrok – alsof ze een spook zag,
of alsof ze heel iemand anders had verwacht. Hij dacht aan het meisje dat
hem 'Dr. McIntosh' had genoemd, en dat wilde hij niet nog een keer
meemaken, die vernedering om voor zijn broer te worden aangezien. En
dus schudde hij zijn hoofd en dwong hij zichzelf om iets te zeggen.

'Dag, Dianne,' zei hij.

Ze bleef hem aanstaren en haar ogen werden steeds groter.

'Ik had geen tijd om eerst naar de kapper te gaan,' zei hij. 'Ik weet dat
ik er niet uitzie.'

Haar mond ging open en dicht en vormde woorden die ze niet over haar lippen kon krijgen.

'Het ziekenhuis heeft mij per vergissing gebeld,' zei hij. 'Ik was op weg naar Florida. Je had een oud tasje bij je waar een kaartje van de *Aphrodite* in zat. Het was echt een bof dat ze me te pakken hebben gekregen. Ik heb het meisje gezien dat verderop in de gang ligt, en ik dacht dat ze Julia was. Ik zweer je, Dianne, ik ben gekomen omdat ik wilde helpen. Ik dacht dat ze mijn dochter was.'

Dianne's ogen glommen van de tranen, en Tim McIntosh liet alle jaren van onderdrukte emoties naar de oppervlakte komen. Hij legde zijn hoofd naast dat van Dianne op het kussen, en barstte in snikken uit.

Ze schraapte haar keel.

Tim huilde en huilde. Hij hoorde haar spreken – zo zacht dat hij haar niet echt kon verstaan. Hij nam aan dat ze hem bedankte voor het feit dat hij gekomen was, en dat ze zei dat ze begreep hoe moeilijk dit voor hem was en hoeveel verdriet dit bij hem opriep. Na een poosje keek hij op en veegde zijn tranen weg. Ze had haar hoofd opzij gedraaid en keek hem recht aan. Ja, hij had het goed gehoord, ze probeerde iets te zeggen.

'Wat?' vroeg hij, terwijl hij wat dichter naar haar toe schoof en zijn vingers zachtjes strelend over haar pijnlijke wang liet gaan. 'Ik versta je niet, schat.'

'Ik zei: haal je smerige hoofd van mijn kussen.'

Hij schoot met een ruk overeind en trok zijn hand weg alsof hij zich gebrand had. Ze was nog steeds nauwelijks te verstaan. Ze had een snee in haar lip, en ze had hechtingen boven een oog, op haar wang en haar kin. Kon het zijn dat ze ijlde?

'Ik ben gekomen om te helpen,' zei hij geschokt.

Ze keek hem strak aan, alsof het een te grote inspanning voor haar was om met haar ogen te knipperen.

'Ik vind dit weerzien,' zei ze, 'onvoorstelbaar moeilijk.'

'Ik ga al,' zei hij. Hij voelde dat er moeilijkheden dreigden en wilde gaan.

'Omdat je niets van je dochter wilde weten. Niet alleen toen je ons hebt laten stikken,' zei ze, nog steeds zacht, maar wel steeds schriller.

'Kom, Dianne –'

'Maar ook in Nova Scotia.'

'Hee, ik ben juist gekomen om het weer goed te maken,' zei Tim. Hij begreep echt niet waarom de mensen zo tegen hem spraken. Eerst Malachy, en nu Dianne. Hij deed zijn best; hij had altijd zijn best gedaan. Zijn bedoelingen waren goed.

'Ze heet Julia,' zei Dianne.

'Hee, niet zo hard,' zei Tim, terwijl hij zenuwachtig om zich heen keek. Ze tastte om zich heen in het bed en probeerde zich ergens aan op te trekken om te kunnen gaan zitten.

'Ze is een prachtig, onvoorstelbaar kind,' zei Dianne. 'Ze is lief en ontzettend flink, Tim, en je hebt haar nog nooit gezien.' De verpleegster kwam aangesneld. Ze probeerde Dianne weer te laten liggen, maar Dianne wilde niet liggen. Ze had hier ergens, heel diep vanbinnen, de kracht voor gevonden, en als ze nu niet zei wat ze op het hart had, dan zou het er waarschijnlijk nooit meer van komen.

'Kom op, vooruit, je bent gewond,' zei Tim. 'Je weet niet –'

'Ik weet het *wel*,' zei Dianne, waarbij ze hem met heldere ogen strak aankeek.

'Ik denk aan haar,' zei Tim. 'Ik weet hoe ze heet. Je doet nu net alsof ik niet –'

'Tim McIntosh, je bent het meest walgelijke en waardeloze wezen dat ik ken.'

'Ik ben dit hele eind –'

Ze liet zich terugzakken in het kussen. Hij zag dat ze uitgeput was, dat ze een zwaar ongeluk had gehad, maar het waren die laatste woorden van hem die de doorslag hadden gegeven. Terwijl Tim ze zei, zag hij hoe haar krachten het begaven. Ze werd nog bleker dan ze al geweest was, en ze schudde haar hoofd. Toen ze opnieuw het woord nam, was ze nog maar nauwelijks te verstaan.

'Je hebt haar hele leven gemist.'

'Meneer, uw tijd zit erop...' zei de verpleegster.

'Dianne, je zult me wel niet willen geloven,' zei Tim, die ineens besefte dat hij haar, wanneer hij hier zo weg zou gaan, waarschijnlijk nooit meer terug zou zien. Zijn mond was droog en zijn knieën knikten. 'Maar ik heb jou nooit verdriet willen doen, en haar ook niet. Nooit. Dat is de waarheid.'

Dianne lag op haar rug. Ze hield haar ogen gesloten en de tranen stroomden over haar wangen in haar oren en in het verband om haar hoofd. Het leven op zijn boot was een ding. Het was gemakkelijker om zijn leven op zee te rechtvaardigen. Maar nu hij Dianne zo zag, realiseerde hij zich wat hij allemaal vergooid had.

'Mijn moeder zegt dat ik je zou moeten vergeven,' fluisterde ze.

'Zolang je het maar begrijpt.'

Ze schudde haar hoofd in heftige beweging. Ze kneep haar ogen stijf dicht om hem niet aan te hoeven kijken.

'Ik zal je vergeven,' zei ze snikkend. 'Maar begrijpen zal ik het nooit. Ik wil het niet eens proberen. Zou je ons nu alsjeblieft met rust willen laten?'

Tim deed zijn mond open om iets terug te zeggen, maar de verpleeg-ster had een verandering in Dianne's bloeddruk geconstateerd. Ze stelde het apparaat bij, en riep een van de dokters. Dianne's bloeddruk was ge-zakt, en Tim hoorde haar bezorgd iets over inwendige bloedingen zeg-gen. De lampen aan het plafond verspreidden een fel licht, en een aantal verpleegsters kwam haastig aangesneld. Tim liet zich opzij duwen en draaide zich om. Hij liep bij Dianne en de verpleegsters vandaan, en ver-liet de Intensive Care.

Hoofdstuk 30

Alan botste tegen Tim op toen hij de zware deuren van de Intensive Care uit kwam. De twee mannen stonden tegenover elkaar. Alan had verwacht dat Tim intussen wel verdwenen zou zijn. Hij had gebeld en had Alan gewaarschuwd, dus wat deed hij hier nog steeds? Alans hele lichaam deed pijn. Hij verkrampte van woede toen hij hem zag, vroeg zich af wat hij tegen Dianne had gezegd en was zich tegelijkertijd sterk bewust van het feit dat hij zijn broer was en dat hij een band met hem had.

'De dokter is bij haar,' zei Tim, waarbij hij Alan strak aankeek. 'Er was opeens een verandering in haar toestand.'

Alan had genoeg gehoord. Hij rende de afdeling op en zag de drukte bij de behandelkamer op het einde van de gang. Hij vloog erheen, maar werd staande gehouden door twee verpleegsters en een arts.

'Dat is Dianne,' zei hij. 'Ik moet naar haar toe –'

'Ze zijn met haar bezig.'

'Ik ben arts!' riep hij.

'Gaat u weg alstublieft,' zei een van de artsen nadrukkelijk. 'U kunt op dit moment niets voor haar doen. U zult in de wachtkamer moeten wachten.'

Alan deinsde achteruit. Hij had zich nog nooit zo hulpeloos gevoeld.

Tim had op hem gewacht.

'Heeft ze iets gezegd?' vroeg Alan. 'Was ze bij bewustzijn?'

'Ja, ze was bij bewustzijn,' zei Tim.

'Hoe zag ze eruit?' wilde Alan weten. Zijn stem brak. Hij had amper een glimp van haar opgevangen. Ze zag zo bleek, en haar gezicht had onder de blauwe plekken gezeten.

'Ze is gewond,' zei Tim.

'O, God, help me alsjeblieft,' zei Alan. Hij hield zijn hoofd in zijn handen en liep de kleine wachtruimte op en neer. Onderweg, tijdens de rit naar New York, had hij zijn emoties de baas kunnen blijven, maar nu drong de angst, de opgekropte doodsangst dat hij Dianne zou verliezen, zich ineens met volle kracht aan hem op. 'Jezus, help me, help ons...'

'Alan,' zei Tim.

Er lag een wilde blik in Alans ogen. Hij kon geen lucht meer krijgen. Hoe vaak had hij ouders op de Intensive Care niet zo zien reageren, en nu deed hij het zelf. Dianne lag daar binnen. Hij schudde zijn hoofd en onderdrukte een snik. Zijn broer stond tegenover hem – een ongewassen, zweterige verschijning met haar dat al zeker een maand niet gekamd of geknipt was. Hij leek precies op het jongetje dat Alan had leren vissen, en op het strand van Cape Cod had leren zwemmen.

'Ik ga,' zei Tim.

'Tim,' zei Alan, verlamd van angst. Hij realiseerde zich dat hij wilde dat zijn broer bleef.

Tess Brooks legde de telefoon terug op het toestel. Amy was aangereden door een taxi. Ze was gewond en lag in een groot ziekenhuis. Ze was bijna doodgebloed! Tess hapte zo wild naar lucht dat ze bang was dat ze van haar stokje zou gaan. Het huis was leeg en donker. Ze liep in kringetjes door de kamer en trok aan haar haren.

En dat na alles wat Buddy Amy had aangedaan! Hij had haar in zijn auto geduwd en haar laten toekijken toen hij de hond had willen verdrinken, en uiteindelijk was ze zelf ook nog bijna verdronken. En nu dit! Tess snikte het uit. Haar dochter was aangereden door een auto! O, wat was ze toch een waardeloze moeder! Wat een walgelijk, egoïstisch mens.

Tess liep door het hele huis – ze liep kamer in en kamer uit. Haar slaapkamer, de zitkamer, de keuken, Amy's kamer. Terwijl ze dat deed schoten haar dingen uit het verleden door het hoofd. Amy's eerste schoentjes, Russells vissersboot, haar trouwjurk. Tess had gehoord van mensen die hun leven als een film aan zich voorbij zagen trekken, maar gebeurde dat niet pas wanneer je op sterven lag? Waarom overkwam haar dit nu?

In Amy's kamer bleef ze voor Russells altaar staan. Ja, dat was het: Amy had een hele verzameling spulletjes waarvan Tess niet eens wist hoe ze eraan kwam. Russ' foto, waarop hij haar glimlachend aankeek. Hij had altijd zo van het leven genoten. Hij had wel een miljoen auto's kunnen verkopen... En aan de foto hingen een vishaakje, het Ford-logo dat ze ergens uitgeknipt moest hebben, een dolfijntje van plastic en een tekening van een zandkasteel.

Zandkastelen waren belangrijk voor Amy. Tess had nooit geweten waarom, totdat ze Amy's verhaal had gelezen. Tess had zich zo verschrikkelijk aangesteld over het feit dat de moeder een beetje op Dianne leek, en daarom had Amy haar verhaal uiteindelijk niet willen inleveren. In een flits realiseerde ze zich dat ze Amy's zoveelste droom de grond in had geboord.

'Het is afschuwelijk om depressief te zijn, Russ,' zei ze, terwijl ze voor zijn foto ging zitten. 'Waarom moest je me ook alleen laten?'

Geen antwoord.

'Ik heb geprobeerd om het in mijn eentje te klaren, en dit heb ik er nu van.'

Geen antwoord.

'Moet je kijken!' zei ze, met een blik in de spiegel. Ze had grote, intelligente ogen en er lag een verdrietige trek rond haar mond. Ze probeerde te glimlachen, maar haar dochter lag in het ziekenhuis.

Ze zuchtte en keek weer naar Russells foto. Foto's konden niet spreken. Verdronken echtgenoten kwamen niet even boven water om hun vrouwen te troosten die een puinhoop van hun leven hadden gemaakt. Of om bij de telefoon op het laatste nieuws over de toestand van hun dochter te wachten. Ze liep met knikkende knieën naar de keuken en trok de rommella open. Ja, daar lag het – Amy's verhaal.

Stel je voor – haar verhaal lag in de rommella.

De linkerbovenhoek glom van het vet van de pindakaasvlek. Ze probeerde de olie op te deppen. Geen succes, maar de getypte woorden waren nog goed te lezen. Ze wilde ze niet echt lezen. Daarvoor deden ze nog te veel pijn. Maar Amy had er zo haar best op gedaan, zoals ze met alles haar best deed en het leven aanging.

Het minste wat Tess zou kunnen doen... Opeens trok ze haar sneeuwlaarzen aan. En haar oude jack. De auto wilde niet starten, ze had iemand met kabels nodig, maar er was niemand die ze wilde bellen. Maar het sneeuwde niet meer en het was een heldere avond. Amy was buiten levensgevaar en Tess zou morgenochtend de eerste trein naar New York nemen.

Ze zou naar het station lopen, en ze zou nu gaan. Ze groef nog wat dieper in de rommella en vond de envelop met reservegeld. Het moest voldoende zijn voor een treinkaartje. Ze stopte Amy's verhaal in haar zak en was blij dat de bibliotheek vlak bij het station was.

De inzenddatum was verstreken. Amy's verhaal was te laat binnen, het zat onder de pindakaas en er zat geen fraai mapje omheen. Maar ze zou mevrouw Robbins kunnen bellen, en vragen of er voor Amy een uitzondering gemaakt kon worden. Ze zou het in ieder geval kunnen proberen.

Proberen was iets nieuws voor Tess. Maar ze zou ergens moeten beginnen. Ze trok de deur van haar donkere huis achter zich dicht en liep de koude nacht met zijn heldere sterrenhemel in.

De nacht was lang. Alan ijsbeerde door de gangen. Hij was bij Amy geweest en had haar hand vastgehouden tot ze in slaap was gevallen. Hij had haar status bekeken, met haar dokter overlegd, en de hoek van haar tractie veranderd. Daarna had hij Lucinda gebeld. Met Julia was alles goed, had ze gezegd. Ze zat in haar stoel en leek alerter dan ze in weken was geweest. Het leek haast, zei Lucinda, alsof ze wist dat Lucinda behoefte had aan haar troost.

Alan vroeg Lucinda of ze de hoorn bij Julia's oor wilde houden.

'Ik hou van je, Julia,' zei hij.

'Paaa,' zei ze terug.

Alan keerde terug naar de wachtkamer van de Intensive Care. Tim was op een van de stoeltjes in slaap gevallen. Hij had op het punt van vertrek gestaan, maar Alan had hem gevraagd of hij wilde blijven. Hun onderlinge rancune zat diep, en ze hadden elkaar lange tijd fel aangekeken, en even had het erop geleken of ze opnieuw met elkaar op de vuist zouden gaan.

Alan keek op hem neer. Het was een vreemd gevoel om te zien dat je jongere broer oud was geworden. Zijn blonde haar vertoonde grijze sporen, en hij had diepe rimpels bij zijn mondhoeken en ogen. Hij sliep met over elkaar geslagen armen – een defensieve houding.

Hij ging naast hem zitten en keek naar de glazen deuren van de Intensive Care. Hij wilde weten wat er zich achter die deuren afspeelde. Hij kneep zijn ogen halfdicht en staarde er doordringend naar. Daarna schoof hij zijn bril hoger op zijn neus, deed hem af en zette hem weer op.

'Vroeger dacht ik dat ik dat je ermee kon toveren,' zei Tim met schorre stem.

Alan keek opzij.

Zijn broer was wakker, maar hij maakte niet bepaald een heldere indruk. Hij hield zijn armen over elkaar, strekte zijn benen en onderdrukte een geeuw.

'Waar dacht je dat ik mee kon toveren?'

'Met je bril. Toen we klein waren en je die bril moest dragen, dacht ik altijd dat hij een soort van tovermiddel voor je was dat je intelligenter, sneller en sterker maakte.'

'Dorothea beweerde dat ik mijn ogen had verpest met in het donker te lezen. Meer zat er niet achter. De rest kwam gewoon doordat ik ouder was dan jij.'

'Ja, nou, voor mijn gevoel was je de knapste en de sterkste van de hele wereld.'

'Nou, daar heb ik ook mijn best voor gedaan,' zei Alan. 'Ook dat is waarschijnlijk normaal voor een oudere broer. Ik hield ervan om op een voetstuk te staan.'

'Net zo als ik ervan hield om je daar vanaf te knikkeren,' zei Tim.

'Hmm,' zei Alan, met een blik op de glazen deuren.

'Ze is niet meer alleen maar je schoonzusje, hè?' vroeg Tim.

'Dat is ze nooit geweest,' zei Alan.

'Is er weer iets tussen jullie?'

'We gaan trouwen.'

Tim was heel lang stil, maar hij was echt wakker. Hij ging rechter op zitten en schudde zijn hoofd alsof hij probeerde om helderder te denken.

'Ik heb altijd van haar gehouden,' zei Alan.

'En mijn dochter?'

'Julia,' zei Alan. Het was vreemd om zijn broer, deze andere man, haar 'mijn dochter' te horen noemen. Want Alan beschouwde haar als *zijn* dochter. Hij wist dat het voor Tim alleen maar loze woorden waren, maar toch kreeg hij er een vreemd gevoel van in zijn buik. 'Ik ben bezig met haar te adopteren.'

'Daar zou ik bezwaar tegen kunnen maken,' zei Tim, terwijl hij de tl-lampen bestudeerde. 'Niet dat ik dat van plan ben, maar ik zou het kunnen.'

'Ik zou het op prijs stellen als je dat niet deed,' zei Alan.

'Elf jaar,' zei Tim. 'Julia is al elf.'

'Inderdaad.'

'Toen we elkaar tegenkwamen stond ik op het punt om weg te gaan,' zei Tim. 'Ik wilde terug naar mijn boot.'

'Ja, dat zei je al,' zei Alan, zijn woorden met zorg kiezend. Hij wist niet wat er zich tussen Tim en Dianne had afgespeeld, en hij durfde er bijna niet naar te vragen. Die oude jaloezie zat heel diep, en stak de kop weer op. 'Ik waardeer het dat je bent gebleven.'

'Ach, ja,' zei Tim.

'Tja,' zei Alan.

'Heb je de behoefte om me verrot te schelden?' vroeg Tim. 'Om me te zeggen wat voor een klootzak ik ben?'

'Malachy heeft me verteld dat je in Lunenburg was,' zei Alan op scherpe toon.

'Ja, en ik neem aan dat hij dat ook aan Dianne heeft verteld,' zei Tim. 'Ze haat me.'

'Heeft ze dat gezegd?'

'Ze heeft gezegd dat ze me vergeeft,' zei Tim, zonder erbij te vertellen wat ze verder nog had gezegd.

Alan sloot zijn ogen. Hij had een prop in zijn keel. Dr. Bellavista was met Dianne bezig. De deuren van de Intensive Care waren al een hele tijd niet meer open of dicht gegaan. Alan snakte ernaar te weten wat er zich achter die deuren afspeelde. Het was vreemd om hier zo met Tim te zitten praten, en het bracht hem van zijn stuk, vooral wanneer hij terugdacht aan hoe ze als kinderen met elkaar waren omgegaan. Toen dacht hij aan het feit dat ze alle twee van dezelfde vrouw hielden, en dat hij op het punt stond het kind van zijn broer te adopteren, en aan hoe Dianne hem vol haat had aangekeken.

'Hoe ziet ze eruit?' vroeg Tim.

'Wat zeg je?' vroeg Alan, die diep in gedachten verzonken was geweest.

'Julia,' zei Tim met onvaste stem. 'Hoe ziet ze eruit?'

Alan haalde zijn portefeuille uit zijn zak. Er zat een babyfoto van Julia in, en die haalde hij eruit. Hij observeerde Tim terwijl hij het kiekje aan hem gaf, en zag hoe zijn broer eerst zijn ogen sloot om moed te verzamelen, en dat hij er toen pas naar keek. Toen Julia een maand oud was had Alan Tim een foto van haar gestuurd, maar hij zag aan Tims reactie dat hij die foto nooit bekeken had.

'O, God,' zei Tim, en hij begon te huilen.

'Wat is er?' vroeg Alan. 'Ze is prachtig.'

'Ze is mismaakt.' Tim huilde en drukte de foto tegen zijn gezicht.

Alan keek weer naar de deur waar Dianne achter lag. Het kostte hem vrijwel geen moeite om terug te denken aan die nacht waarop Julia in het Hawthorne Cottage Hospital geboren was. Tim was verdwenen en Dianne verkeerde nog steeds in een toestand van shock en ongeloof. Lucinda zat in de wachtkamer en het team artsen stond klaar. Iedereen wist dat het kind met afwijkingen ter wereld zou komen, maar in welke mate was op dat moment nog niet duidelijk.

Dianne lag op de verlostafel. Alan was bij haar om haar terzijde te staan. Als kinderarts meende hij overal op voorbereid te zijn. Dianne had alles gedaan wat ze geacht werd te doen om een gezond kind ter wereld te brengen. Zuchten, zei de gynaecoloog tegen haar. Zuchten en persen. Niet persen.

Alan had haar hand vastgehouden. Hij had zich verbaasd over haar kracht. Hij had naar haar hand gekeken en gewild dat ze hem nooit meer los zou laten. Haar gezicht en haar haren waren nat van het zweet. Tijdens het begin van de bevalling had ze voortdurend naar de deur van de verloskamer gekeken alsof ze hoopte dat Tim van gedachten was veranderd en terug zou komen.

Het moment van de geboorte was aangebroken. De artsen schaarden zich om haar heen. Alan zat aan het hoofdeinde en hield haar schouders vast. 'Nog even volhouden, Dianne,' zei hij, alsof hij de coach van een honkbalteam was. 'Je doet het fantastisch, en je kunt het best. Mooi zo, je bent een kei.'

Ze had zijn kin vastgepakt. 'Zeg me dat ik de juiste beslissing heb genomen,' had ze gesmeekt.

De baby was nog niet geboren en ze hadden op dat moment nog geen idee van haar toekomst gehad. Maar Dianne was haar man verloren en ze had getekend voor een leven lang zorgen voor een kind dat nooit helemaal normaal zou zijn. Alan wist het niet, maar zijn antwoord was regelrecht uit zijn hart en zijn ziel gekomen.

'Ja, Dianne,' had hij gefluisterd, 'je hebt de juiste beslissing genomen.'

'O,' had ze gehuild, 'dat hoop ik echt...'

'Ik beloof je dat je op me kunt rekenen,' had Alan gezegd. 'Zo lang als ze leeft en wanneer en waarvoor je me maar nodig mocht hebben.'

'Dank je,' had Dianne gezegd, terwijl ze hard doorwerkte om haar kind te baren. Er hing een gespannen en opgewonden sfeer in de verloskamer, en elke arts wist dat er weldra een beroep op zijn of haar specialisatie zou worden gedaan. Dianne boog haar hoofd in haar nek en spande al haar spieren. Alan was tijdens zijn studie bij bevallingen geweest, maar hij had het nog nooit beleefd zoals bij deze baby, van wie hij de moeder kende.

'Ze komt eraan,' zei de dokter. 'Vooruit maar, Dianne, nog een keer persen, we zijn er, laat haar maar komen, toe dan...'

En ineens was het stil geworden.

Dianne schreeuwde het uit in een combinatie van vreugde en opluchting nu de bevalling voorbij was, zoals elke moeder dat deed die zojuist een kind had gekregen, en Alan had verwacht dat iedereen mee zou juichen – het typische vreugdekoor van iedereen die van een geboorte getuige was geweest. Maar het bleef stil. Iedereen in de verloskamer hield zijn adem in.

'Toe,' riep Dianne, 'ik wil haar vasthouden.'

De neonatoloog was met de baby op weg naar de couveuse. Dianne kon hem niet zien omdat er verpleegsters tussen haar en de dokter in stonden. Dianne huilde en strekte haar lege armen uit naar de dokters. Niemand wilde dat ze haar kindje zou zien – haar kindje dat met ernstige afwijkingen was geboren. De baby was misvormd, haar ruggengraat puilde ter hoogte van haar schouders uit haar ruggetje, en haar ledematen waren scheef en verwrongen.

Alan stond op. Hij liet zijn schoonzusje liggen en negeerde haar smeekbeden om terug te komen en haar roepen om haar baby. Hij boog zich over zijn nichtje. Hij was kinderarts. Hij had aan de universiteiten van Harvard en Yale gestudeerd, en in de beste ziekenhuizen gewerkt. Maar hij was op geen enkele manier voorbereid geweest op de emoties die bezit van hem namen toen hij in de ogen van dat meisje had gekeken.

'Mag ik haar even vasthouden?' had hij gevraagd.

'Maar ze moet –'

Alan wist wat er allemaal met haar moest gebeuren. Hij nam haar in zijn armen en bracht haar naar Dianne die lag te huilen. Dianne had alleen maar een ziekenhuishemd aan, en ze was zo mooi. De baby was niet groter dan een jong katje. Dianne snikte. Ze keek naar haar kind, en toen opeens hield ze op met snikken en stokte haar adem.

Alan zou nooit vergeten wat ze toen had gedaan.

Ondanks alle pijn van de bevalling, van het in de steek te zijn gelaten door haar man en het verdriet over het feit dat ze een gehandicapt kind ter wereld had gebracht, kreeg ze het voor elkaar om zich over al die emoties heen te zetten. Ze keek naar haar kind. En ze knikte. Ze beefde over haar hele lichaam. Het zou moeilijk zijn en er zouden tegenslagen zijn, maar ze was bereid het te proberen.

'Ik wil haar vasthouden,' zei ze met onvaste stem.

Alan legde de baby in haar armen.

'Lief kindje,' fluisterde Dianne. 'Klein meisje... ik hou van je. Ik hou van je. Ik zal altijd bij je blijven. Altijd.'

En nu zaten hij en Tim in de wachtkamer van de Intensive Care, en keek hij naar Tim die huilend naar de foto van die baby staarde. Alan wachtte tot Tim gekalmeerd was. Even speelde Alan met de gedachte om Tim verslag van Julia's geboorte te doen, maar uiteindelijk deed hij het toch maar niet. Dat verhaal was van hem en Dianne.

'En Dianne heeft haar thuis gehouden?' vroeg Tim.

'Ja,' zei Alan.

'Ze heeft haar nooit naar een tehuis of een inrichting gestuurd?'

'Nog geen dag.'

Tim knikte en veegde zijn tranen weg. Juist op dat moment gingen de glazen deuren open. De beide broers stonden op. Dr. Bellavista kwam de wachtkamer in. Zijn gezicht stond ernstig, maar Alan zag aan zijn ogen dat hij goed nieuws had. Hij keek van de ene McIntosh naar de ander.

'Ze gaat vooruit,' zei hij. 'De vitale functies zijn beter en ze reageert. Ze wil weten of Alan er is.'

'Dat ben ik,' zei Alan.

'Ga dan,' zei Tim.

Alan aarzelde. Hij wilde nog iets zeggen. Het wachten met zijn broer had hem weer bewust gemaakt van die tijd, vroeger, waarin ze een hechte band hadden gehad. Zo zou het nooit meer worden, want ze waren te verschillend en er was veel te veel gebeurd, maar hij wilde die herinnering aan vroeger bewaren.

'Denk je dat ze het meende?' vroeg Tim.

'Wat?'

'Dat ze me heeft vergeven?'

'Als ze dat gezegd heeft, dan meent ze het,' zei Alan. Zo goed kende hij haar wel.

'Dat hoop ik maar,' zei Tim. Zijn ogen werden groot en schoten vol tranen. Alan wist dat zijn broer nu weg wilde gaan en dat hij hem nooit meer terug zou zien. 'Ik had me nooit met haar moeten bemoeien. Ze hoorde van het begin af aan bij jou.'

'Maar dan zou Julia er ook nooit zijn geweest,' zei Alan. Voor wat vergeving betrof, was dat zo ver als hij kon gaan.

'Maak haar gelukkig,' zei Tim met zijn hoofd op Alans schouder, terwijl hij hem voor de allerlaatste keer omhelsde. 'Doe wat mij nooit is gelukt.'

'Dat zal ik doen,' zei Alan.

Ze gaven elkaar een hand, en Tim McIntosh liep, een spoor van vissenschubben achterlatend, de schone ziekenhuisgang af. Nog voor Tim bij de lift was, was Alan de Intensive Care al opgerend.

Hoofdstuk 31

JULIA'S VERHAAL

Nou, ze denken dat ik het niet weet, maar ik weet het wel. En ze denken dat ik het niet begrijp, maar begrijpen doe ik het ook. Ze spreken in gedichten en op muziek, en ik ben dol op hun woorden en ik vind het heerlijk om te zingen. Wanneer mijn moeder bij me is, dan glimlacht haar stem, altijd, ongeacht wat er die dag ook is misgegaan. Mijn moeder houdt van me, en ze beschermt me met haar blijdschap.

Mijn lichaam is mijn lichaam. Het is anders, zwaar en lastig. Mijn armen en benen doen het niet, en ze zitten me in de weg. Ik zie andere mensen zo moeiteloos bewegen, en ik zou het liefste uit mijn vel willen breken en net als iedereen in de wind door het gras en over het strand willen rennen.

Bij mijn geboorte bestond mijn wereld uit twee mensen. Mijn moeder en mijn oom. Ik heb heel lang gedacht dat hij mijn vader was, maar naarmate ik hun woorden beter ben gaan begrijpen, werd me duidelijk dat mijn echte vader weg was gegaan, en dat mijn moeder daarom zoveel moest huilen. Ik had haar zo graag willen zeggen dat het niet uitmaakte. Dat we deze andere vader hadden, deze lieve vader, die is als de zon en die zo verschrikkelijk veel van ons houdt.

Voor mij was de zon er altijd, en hij was altijd even warm. Hij scheen op de tuin en liet Oma's bloemen bloeien, en mijn vader Alan scheen op mij en Mamma, en hij maakte ons gelukkig en zorgde voor ons. Hij is er altijd.

Hij heeft me Amy gegeven. Het is zo heerlijk om een vriendinnetje te hebben, en Amy heeft me gelukkiger gemaakt dan ik ooit voor mogelijk had gehouden. Ik zie hoe de mensen naar me kijken omdat ik anders ben. Mijn lichaam is mismaakt en afzichtelijk, maar ik zou ze zo graag willen zeggen dat ik dat helemaal niet ben! Dat ik van binnen heel mooi en licht en vrij ben. Maar ze trekken een bedenkelijk gezicht en draaien zich om. Ze doen liever alsof ik niet besta. En dat doet me zo veel verdriet dat ik in mijn hart moet huilen.

Amy doet dat nooit. Wanneer Amy me aankijkt, dan ligt er een nieuwsgierige en liefdevolle blik in haar ogen. Ze maakt me aan het lachen met de malle gezichten die ze trekt en met al haar grapjes. Als Mamma niet kijkt, dan praten we in onze gebarentaal. Dan steek ik mijn tong uit en trekt Amy aan haar oor. Als ze mijn stoel duwt, dan gaat ze heel hard om me te laten voelen hoe het is om benen te hebben die het goed doen. Zo voelt het om te rennen, zegt ze dan, en dan weet ik dat.

En nu weet ik dat!

Nu lig ik in de armen van mijn oma. Ze huilt en de tranen vallen op mijn hoofd. Er is iets gebeurd met mijn moeder en Amy, en ze liggen in het ziekenhuis. Ik ril, want het ziekenhuis is een griezelige plek. Het licht is daar altijd zo fel. Er zijn geen mooie schaduwen, geen zilveren tinten, en geen heerlijke nacht waarop mijn moeder even bij me komt kijken of alles goed met me is.

Maar het ziekenhuis is ook een goede plek. Het is de plek waar gezorgd wordt voor mensen zoals ik. Ik kan me maar moeilijk voorstellen dat mijn moeder en Amy nu net zo zijn als ik, dat ze, om te bewegen en te eten, zijn aangewezen op de hulp van andere mensen. Maar in het ziekenhuis heb ik ook andere mensen, normale mensen, zoals zij, zien komen en gaan.

'Oooo,' zeg ik. Ik zeg haar naam omdat ik wil dat mijn oma weet dat ik van haar hou.

'O, liefje,' snikt Oma, en ze drukt me dicht tegen haar aan. 'Je moeder heeft zo'n verschrikkelijk ongeluk gehad. Alan is naar New York gegaan om te kijken hoe het met haar en Amy is, en hij kan ons elk moment bellen.'

Oma maakt zich hele erge zorgen. Alles komt goed, wil ik tegen haar zeggen. Ik probeer mijn handen te bewegen om haar gezicht te aaien, maar ik ben zo moe. Mijn lichaam geeft het op. Daar ben ik blij om, want als mijn lichaam ermee ophoudt, dan ben ik vrij. Dan kan ik in de hemel net zoveel rennen en zwemmen als ik maar wil. Ik voel de dag naderen. Nog niet, maar lang zal het niet meer duren.

Eerst moet ik nog een paar dingen doen. Dat weet ik, hoewel ik niet weet hoe het kan. Misschien heeft God, omdat hij me een lichaam heeft gegeven dat het niet doet, me ook de gave gegeven om dingen te kunnen zien die anderen niet kunnen zien. Ik stel geen vragen, want wat heeft dat voor zin? Ik lig in bed of zit in mijn stoel en wacht op de dingen die gebeuren. En zelfs al zou ik iets kunnen doen, dan zouden ze nog niet sneller gebeuren. Maar op de een of andere manier weet ik....

Er komt een bruiloft. Dat zal nu niet lang meer duren. Mijn vader, Oom Alan, heeft een ring voor mijn moeder gekocht. Hij heeft hem me gisteren laten zien, toen hij me meenam om ons nieuwe huis te bekijken. Het is groot en mooi, en hij vertelde me dat het is gemaakt van liefde. Hij heeft me mijn kamer laten zien van waaruit ik de boten in de haven kan zien, en kan kijken naar de vissersboten en de zeilboten die met de vrijheid van de geest door het water glijden.

En toen heeft hij me Mamma's ring laten zien.

'Het is een diamant,' zei hij, terwijl hij het fluwelen doosje openmaakte. 'Een diamant is het symbool van eeuwigheid, Julia, omdat een diamant heel, heel erg oud is. Het is het allerhardste materiaal ter wereld, en dat zal ik je, voor we hier weggaan, bewijzen.'

'Gleee,' zei ik, omdat dat mijn woordje voor mooi is.

'Kijk,' zei hij, terwijl hij Mamma's diamant in het licht hield en regenbogen over het plafond, de muren en de vloeren liet dansen. O, was Stella maar hier, dacht ik. Mijn poesje zou als een gek achter die regenbogen aan gaan, en dan zouden Amy en ik verschrikkelijk moeten lachen.

'Ik ga haar vragen of ze met me wil trouwen, lieverd,' zei mijn pappie. 'Ik ga jou adopteren en met je moeder trouwen, en dan worden we een heel gelukkig gezinnetje.'

'Paaa,' zei ik. Dat betekent Pappie, want voor mij is hij dat altijd al geweest, en ik heb ons ook altijd al een gelukkig gezinnetje gevonden.

'Hier, op deze plek,' zei hij, terwijl hij me naar het raam van onze nieuwe zitkamer droeg. 'Hier komt onze kerstboom te staan. Zie je het voor je? We zullen hem met z'n allen versieren – jij, ik, je moeder, Amy en Lucinda. We hangen er slingers met witte lampjes in, duizenden lampjes, en dan geeft onze boom zo veel licht dat de boten in de haven denken dat we een vuurtoren zijn.'

'Dleee,' zei ik, want dat vond ik een goed idee.

'En dan trouw ik hier met je moeder,' zei hij. 'Bij de kerstboom. Als ze denkt dat ik er tot het nieuwe jaar mee wil wachten, dan heeft ze het mis.'

'Paaa,' zei ik. Ik luisterde heel aandachtig naar wat hij zei, want het was hoog tijd. Tijd is belangrijk voor mij. Ik ben elf jaar oud, hetgeen voor mij oud is. Mijn hart is erg moe. Het moet heel hard werken. Dit mismaakte lichaam vereist heel veel energie, en mijn krachten beginnen uitgeput te raken. Maar er moeten nog een paar dingen gebeuren. Dat hoort bij mijn opdracht en mijn gave.

'Hier, op deze plek, Julia,' zei Pappa. 'Jij en Amy worden de bruidsmeisjes. Jullie dragen de bloemen, de mooiste boeketten die je je maar voor kunt stellen.'

'Oooo,' zei ik, om hem eraan te herinneren dat Oma wel zou weten welke bloemen we moesten hebben. Oma is dol op bloemen. In de zomer bloeien er een heleboel soorten in haar tuin: rozen, pioenrozen, grasklokjes en lelietjes van dalen.

'Jij krijgt een witte jurk met zilveren strikken,' zei Pappie. 'Want je moeder heeft me ooit eens verteld dat ze vroeger heeft gedroomd van tuinfeesten hier, waarop de dames witte jurken droegen.'

'Baaa,' zei ik, want ik vind bruidjes zo mooi. Mamma wordt de bruid en Amy en ik worden de bruidsmeisjes. In boeken en op de televisie zien bruidjes er altijd uit als prinsessen. En Mamma wordt de allermooiste, stralende prinses.

'Lucinda geeft je moeder weg,' zei Pappie.

En nu, op dit moment, lig ik in Oma's armen. Ze huilt niet meer en ze draagt me naar beneden. Om de zoveel minuten slaakt ze een diepe zucht. Buiten sneeuwt het niet meer. De wolken trekken weg en de sterren komen te voorschijn. Oma zucht nog eens, en ze drukt me tegen zich aan.

'Oooo,' zei ik. Dat doet haar goed. Ze geeft me een paar kleine kusjes op mijn hoofd. Ik vind het heerlijk als ze me zo knuffelt. Ze heeft zo veel liefde, deze vrouw die mijn moeder op haar moeilijkste momenten tot steun is geweest. Ze praat net zo tegen me als Pappa. Ze vertelt me over vroeger, en ze heeft me de appelpopjes laten zien die ze voor Kerstmis voor ons heeft gemaakt van de appels die Amy die dag in de appelboomgaard heeft gevonden.

Iedereen vertelt me zijn geheimen. Ik bof, want die geheimen staan bol van liefde. Ze gaan over de manier waarop iedereen in mijn familie elkaar wil helpen, en over hoe ze de moeilijke tijden die we allemaal hebben gekend een speciale betekenis willen geven. Oma's appelpopjes betekenen dat je van iedereen, ongeacht wat hij of zij heeft meegemaakt en hoe hij of zij eruit ziet, kan houden, en Pappie heeft me een verhaal verteld dat hij verder met niemand wil delen.

Hij vertelde het me toen we in ons huis waren, de plek waar ik mijn laatste levensdagen zal slijten. Het was in de zitkamer, bij de erker, waar de kerstboom komt te staan. Er is daar een ruitje van heel oud glas dat ribbels en belletjes heeft. Er was iets in gekrast, en ik zag Pappie er met boze ogen naar kijken.

'Ik had dit ruitje kapot willen slaan, Julia,' zei hij, 'toen ik het de eerste keer zag. De makelaar liet het me zien en zei dat de letters iets romantisch betekend hebben voor de oorspronkelijke bewoners van het huis. Een zeekapitein en zijn vrouw. Nou, ik hoef jou niet te vertellen hoe ik over zeekapiteins denk –'

Ik maakte een wuivend gebaar.

'Ik wilde het ruitje breken en het laten verdwijnen voor je moeder het zou zien. Ik wil hoe dan ook voorkomen dat ze door iets aan Tim moet denken.'

'Paaa,' zei ik, om hem duidelijk te maken dat het er niet toe deed. Mamma houdt niet van Tim, Alan is de enige vader die ik ooit zou willen hebben, en hij hoeft zich geen zorgen te maken.

'Maar toen ben ik er wat beter over na gaan denken,' zei hij. 'Misschien zag ik het wel verkeerd. De letters die in het raam staan gekrast zijn E-L-H. E-L-H. De eigenaar van het huis was een zekere Elihu Hubbard, dus ik dacht dat hij een tweede voornaam moest hebben die met een L begon. Toen heb ik de oorspronkelijke akte erop nagekeken, maar daar stond dat zijn tweede voornaam met een S begon. Daarna ben ik naar de bibliotheek gegaan waar ik een boek over Hawthorne heb gevonden waar iets over dit huis in stond, en daar stond in dat zijn vrouw Letitia heette.'

Ik zwaaide, want ik vond het zo heerlijk dat hij me dit verhaal vertelde.

'E-L-H is hun monogram,' zei hij. 'Elihu Letitia Hubbard. Wat ze door hun huwelijk waren geworden. En dat hebben ze in het raam gekrast met de diamant die hij van zijn reis voor haar had meegenomen. En dat ga ik nu ook doen.' Hij haalde het fluwelen doosje weer te voorschijn en pakte Mamma's ring eruit.

'Maaa,' zei ik, omdat ik wou dat Mamma dit kon zien.

'Kijk, ik kras ons monogram naast dat van hen.'

Diamanten waren het hardste materiaal op aarde. Dat had hij me al verteld. Ze waren ontstaan in het vuur diep binnen in de aarde, bleven eeuwig bestaan en je kon ermee in glas krassen zonder dat ze braken. Ik keek naar mijn vader die de ring uit het doosje pakte, en er voorzichtig de letters A-D-M mee in het glas kraste.

'Alan Dianne McIntosh,' zei hij. En toen deed hij iets wat me onuitsprekelijk gelukkig maakte, en waarom ik toch zo blij ben dat hij mijn vader is: hij zette er een J achter. 'Voor Julia,' zei hij, en hij gaf me een kus op mijn hoofd.

Oma zucht alweer. We zitten aan de keukentafel. Het licht is uit en ik kan haar hart door haar trui heen een snel ritme horen slaan. Ze wacht op het rinkelen van de telefoon. Ik haal zo rustig mogelijk adem omdat ik haar niet onnodig van streek wil maken. Ze heeft het al moeilijk genoeg, en ik weet dat ze pas weer rust zal hebben wanneer Mammie weer thuis is. Want zo is Oma nu eenmaal.

Weet je, mensen zijn nu eenmaal zoals ze zijn. Dat is het belangrijkste wat ik in twaalf jaar zwijgen heb geleerd. Ik observeer en ik luister. Ik kan de stroom der gebeurtenissen niet veranderen. Kon ik dat wel, dan zou ik

Oma zeggen dat Mamma weer thuis zal komen. Ik heb de gave dat ik dat soort dingen weet. Op dit moment ben ik heel dicht bij mijn moeder. Mijn ogen zijn gesloten en ik streel haar gezicht.

Mijn moeder is gewond en ze bevindt zich net zo dicht op het randje van de dood als ik. De dood is nabij en trekt aan ons bloed. Maar wat Oma en Alan niet weten, en Mamma en Amy ook niet, is dat de dood voor mij steeds dichterbij komt, terwijl Mamma er juist steeds verder vanaf raakt. Ik snak ernaar dit lichaam, deze gevangenis te mogen verlaten. Straks, zonder lichaam, zal ik niet minder van ze houden. Mijn geest snakt naar zijn bevrijding. Maar mijn moeder moet nog een heleboel dingen doen, en daarom moet ze blijven leven.

Stella miauwt. Zij weet het ook.

Mijn poesje springt op de vensterbank. Orion loopt door de keuken en piept omdat hij Oma's aandacht wil. Ze aait hem over zijn kop en zegt: 'Rustig maar, jongen, rustig maar.' Daar heeft hij vrede mee, en hij draait een rondje en gaat weer liggen. Maar Stella wacht.

Stella houdt de wacht. Ze knippert met haar turquoise ogen en kijkt me recht aan. Ik knipper terug. In de loop der jaren hebben we geleerd om met onze ogen tegen elkaar te praten. Ze vertelt me dat ze weet wat ik voel, dat ik wil dat mijn moeder thuiskomt. Ze mist mijn moeder en Amy ook, en vannacht zal ze de sterren vragen om ze snel weer thuis te brengen.

Oma ziet het.

'Stella,' zegt ze heel zacht, 'kijk je naar Orion aan de hemel?'

Ik wuif met mijn handen en zeg Stella dat ze de sterren moet roepen.

'Och, poesje,' zegt Oma, 'je denkt echt dat je op Orion woont, is het niet?'

Stella zegt niets. Met voorname bewegingen gaat ze met haar rug naar ons toe zitten. Ze tuurt verlangend naar de hemel. Ze smeekt haar vriend, de hemelse jager, mijn moeder beter te maken.

'Oooo,' zeg ik.

'Lieverd,' fluistert Oma, en ze kust me op mijn hoofd.

Ik zwaai met mijn handen en probeer mijn grootmoeder te troosten.

Oma is zo slim. Ze kent een heleboel verhalen en toneelstukken. Ze kent massa's gedichten uit haar hoofd, en terwijl ze naar Stella zit te kijken, schiet er haar eentje te binnen, en ze zegt het op:

> 'Avondster
> Hesperos,
> Gij, brenger van het goede,
> Gij, hoeder van de dageraad,
> Laat de schapen huiswaarts keren,
> En de geit, en breng het kind terug bij zijn moeder.'

'Laat mijn dochter huiswaarts keren!' smeekt mijn grootmoeder aan de avondster aan de fluwelen hemel.

'Oooo,' zeg ik, om haar duidelijk te maken dat alles goed zal komen.

Ik sluit mijn ogen en denk aan de vier appelpopjes. Ze hebben alle vier een ander jurkje aan, gemaakt van restjes stof. Maar wat ik vooral zo mooi vind, dat zijn hun gezichtjes. Hun gezichtjes zijn gemaakt van de gerimpelde, halfvergane appels die Amy in de appelboomgaard heeft gevonden.

Oma heeft de popjes verstopt.

We krijgen ze met Kerstmis. Ik, Mamma, Amy en Oma zelf. Zoals Amy ooit eens heeft gezegd: die appels, dat zijn wij – ze zien er anders uit dan normaal, zijn uit de boom gevallen en ze zijn niet goed genoeg om in de taart te kunnen.

Nu huilt mijn oma, en ik wil zo graag tegen haar zeggen:

Alles komt goed.

Allemaal naderen we het einde van onze tijd hier op deze aarde. We hebben allemaal gaven uit te delen, en we zijn nog geen van allen klaar met ons werk. We zijn de meisjes van de geest, engelen in een gebroken lijf, de tot leven gewekte appelpopjes. We hebben zandkastelen gebouwd, en we hebben ze weg zien spoelen.

Mamma heeft hier nog een heleboel te doen, en ze gaat nog niet weg.

Ik heb haar veel te hard nodig.